D1454742

Złoty dom Goldenów

SALMAN RUSHDIE
W REBISIE

Czarodziejka z Florencji

Dwa lata, osiem miesięcy
i dwadzieścia osiem nocy

Dzieci północy

Furia

Grimus

Harun i Morze Opowieści

Joseph Anton. Autobiografia

Luka i Ogień Życia

Ojczyzny wyobrażone

Ostatnie westchnienie Maura

Szatańskie wersety

Śalimar klaun

Wschód, Zachód

Wstyd

Ziemia pod jej stopami

Złoty dom Goldenów

przełożył
Jerzy Kozłowski

DOM WYDAWNICZY REBIS

Tytuł oryginału
The Golden House

Redaktor
Katarzyna Raźniewska

Konsultacja indologiczna
dr Monika Browarczyk

Projekt i opracowanie graficzne okładki oraz ilustracja na okładce
Michał Pawłowski/www.kreskaikropka.pl

Wydanie I (dodruk)
Poznań 2018

ISBN 978-83-8062-197-8

Dom Wydawniczy REBIS Sp. z o.o.
ul. Żmigrodzka 41/49, 60-171 Poznań
tel. 61-867-47-08, 61-867-81-40; fax 61-867-37-74
e-mail: rebis@rebis.com.pl
www.rebis.com.pl
DTP: *Akapit*, Poznań, tel. 61-879-38-88

Dla Alby i Francesca Clemente,
których przyjaźni i gościnności
zawdzięczam poznanie Ogrodów

Daj mi miedziaka, to opowiem ci złotą historię, a nawet więcej.

zawołanie ulicznego gawędziarza w starożytnym Rzymie
zacytowane przez Pliniusza Młodszego

W gruncie rzeczy żyjemy w epoce tragicznej, nie zamierzamy jednak z tego powodu tragizować. Nastąpił kataklizm, otaczają nas ruiny, zaczynamy budować nowe małe siedliska, rozbudzać w sobie nowe małe nadzieje. Zadanie nie należy do najłatwiejszych: ku przyszłości nie wiedzie prosta droga, ale omijamy przeszkody lub się przez nie przedzieramy. Musimy żyć dalej bez względu na to, ile razy niebo wali nam się na głowę.

D.H. Lawrence, *Kochanek lady Chatterley*

La vie a beaucoup plus d'imagination que nous.

François Truffaut

CZĘŚĆ PIERWSZA

1

W dniu inauguracji nowego prezydenta, gdy się martwiliśmy, że ktoś go może zamordować, idącego za rękę ze swoją nadzwyczajną żoną wśród rozentuzjazmowanych tłumów, gdy tylu z nas stało na krawędzi finansowej ruiny po pęknięciu bańki spekulacyjnej na rynku nieruchomości i gdy Izis kojarzyła się jedynie z egipską boginią matką, do Nowego Jorku z trzema synami półsierotami przybył niekoronowany siedemdziesięciokilkuletni władca z odległego kraju, by zamieszkać w pałacu swego wygnania, zachowując się, jak gdyby wszystko było w porządku z tym krajem, z tym światem oraz z jego własną przeszłością. Zaczął sprawować rządy nad okolicą niczym łaskawy cesarz, chociaż pomimo uroczego uśmiechu i biegłości w grze na skrzypcach Guadagniniego z tysiąc siedemset czterdziestego piątego bił od niego ciężki, tani zapach, charakterystyczna woń prymitywnego, apodyktycznego niebezpieczeństwa, woń, która ostrzegała: uważaj na tego gościa, bo w każdej chwili może zażądać twojej egzekucji, jeśli na przykład nie spodoba mu się twoja koszula albo jeśli zechce się przespać z twoją żoną. Następnych osiem lat, dwie kadencje czterdziestego czwartego prezydenta, to także czas coraz bardziej nieobliczalnego i niepokojącego panowania nad nami mężczyzny, który nazywał siebie Neronem Goldenem, a który tak naprawdę nie był żadnym władcą i którego koniec uwieńczył wielki – i apokaliptyczny, mówiąc w przenośni – ogień.

Ów starszy mężczyzna był niski, można nawet rzec przysadzisty, i zaczesywał włosy, mimo zaawansowanego wieku wciąż przeważająco ciemne, do tyłu, by uwydatnić ich linię nad czołem w kształcie litery „V". Oczy miał czarne, o przeszywającym spojrzeniu, tym jednak, co przykuwało uwagę w pierwszej kolejności – często podwijał rękawy koszuli, żeby wszyscy na pewno zauważyli – były jego przedramiona, grube i silne jak u zapaśnika, z dużymi, niebezpiecznymi dłońmi, których palce zdobiły masywne złote pierścienie wysadzane szmaragdami. Niewielu słyszało, żeby kiedykolwiek podnosił głos, nie mieliśmy jednak wątpliwości, że czai się w nim wielka wokalna moc, której lepiej nie uwalniać. Ubierał się w rzeczy drogie, ale było w nim coś krzykliwego, zwierzęcego, co przywodziło na myśl baśniową Bestię skrępowaną w ludzkich fatałaszkach. My wszyscy, którzy byliśmy jego sąsiadami, baliśmy się go bardziej niż tylko trochę, pomimo jego teatralnych, nieporadnych prób zachowywania się w sposób towarzyski i życzliwy – wymachiwał do nas laską jak oszalały i nalegał, żebyśmy wpadali do niego na koktajle o niedogodnych porach. Gdy stał lub chodził, pochylał się do przodu, lekko zgięty w pasie, ale nie przesadnie, jak gdyby wiecznie się zmagając z silnym wiatrem, który czuł tylko on. Był to człowiek potężny; nie, więcej – człowiek głęboko zakochany w idei swojej potęgi. Laska pełniła raczej funkcję dekoracyjną i ekspresywną niż praktyczną. Gdy przechadzał się po Ogrodach, usiłował sprawiać wrażenie, że stara się z nami zaprzyjaźnić. Często wyciągał rękę, żeby poklepać po głowie psa lub zmierzwić włosy dziecku. Jednak dzieci i psy cofały się przed jego dotykiem. Czasem, gdy go obserwowałem, przypominał mi monstrum doktora Frankensteina, owo symulakrum istoty ludzkiej, które nijak nie potrafiło wyrazić prawdziwego człowieczeństwa. Cerę miał smagłą, a uśmiech lśnił złotymi plombami. Zachowywał się hałaśliwie i nie do końca kulturalnie, był jednak bajecznie bogaty, a więc, rzecz jasna, został przez nas zaakceptowany, lecz w naszej nowojorskiej społeczności artystów, muzyków i pisarzy, ogólnie rzecz biorąc, nikt za nim nie przepadał.

Powinniśmy się byli domyślić, że człowiek, który przybrał imię ostatniego rzymskiego cesarza z dynastii julijsko-klaudyjskiej, a następnie zainstalował się w swoim *domus aurea*, publicznie przyznaje się do obłędu, niegodziwości, megalomanii i nadchodzącej zguby, co więcej, śmieje się temu wszystkiemu w twarz; że taki człowiek rzuca rękawicę przeznaczeniu i pstryka palcami pod zbliżającym się nosem Kostuchy, wykrzykując: „Tak! Porównujcie mnie sobie do woli z tym potworem, który kazał oblewać chrześcijan smołą i podpalać ich żywcem, by rozświetlali w nocy jego ogrody! Który grał na lirze, gdy palił się Rzym (nie na skrzypcach, bo wtedy ich jeszcze nie było)! Tak: nadaję sobie imię Nerona, z domu Cezara, ostatniego z tej krwawej linii, i myślcie sobie, co chcecie. Mnie się to imię po prostu podoba". Dyndał nam przed nosami swoją bezecnością, upajał się nią, rzucał nam ją w twarz, pełen pogardy dla naszej zdolności pojmowania, przekonany, że jest w stanie z łatwością rozprawić się z każdym, kto przeciw niemu wystąpi.

Przybył do miasta jak jeden z owych zdetronizowanych europejskich monarchów stojących na czele obalonych dynastii, którzy wciąż dodawali do imion pompatyczne honorowe tytuły „król Grecji", „król Jugosławii", „król Włoch" i którzy traktowali ów cierpki przedrostek „eks", jak gdyby ten nie istniał. Jego sposób bycia zdawał się mówić, nie jestem jakimś tam ekskrólem; majestat przejawiał się u niego we wszystkim, w koszulach o sztywnych kołnierzach, w spinkach do mankietów, w szytych na miarę angielskich butach, w szybkości, z jaką podchodził do drzwi, wiedząc, że ktoś je przed nim otworzy; także w podejrzliwej naturze, przez którą codziennie konferował z każdym synem oddzielnie, by ich wypytać, co mówią o nim pozostali bracia; w limuzynach, w upodobaniu do hazardu, w pingpongowym serwie nie do odebrania, w słabości do prostytutek, whiskey i faszerowanych jajek oraz często powtarzanego powiedzenia – ulubionego dictum władców absolutnych od Cezara po Hajle Sellasjego – że jedyną cnotą, o którą warto dbać, jest lojalność. Często zmieniał telefony komórkowe, prawie nikomu nie podawał numeru i nie odbierał, gdy telefon dzwonił. Zabraniał wstępu do swojego domu dziennikarzom i fotografom, lecz często gościło u niego dwóch mężczyzn z kręgu kumpli od pokera, siwowłosych lubieżników widywanych zazwyczaj w jasnobrązowych skórzanych kurtkach i fularach w kolorowe paski, których powszechnie podejrzewano o zamordowanie bogatych żon, chociaż w jednym przypadku nie postawiono żadnych zarzutów, a w drugim zarzuty się nie utrzymały.

W kwestii własnej nieobecnej żony milczał. W jego domu ozdobionym licznymi fotografiami, o ścianach i gzymsach kominków zamieszkanych przez gwiazdy rocka, laureatów Nagrody Nobla i arystokratów, nie było ani jednego wizerunku pani Golden czy jak tam owa kobieta się nazywała. Najwyraźniej doszło do jakiejś kompromitacji, a my, przyznaję ze wstydem, plotkowaliśmy i snuliśmy spekulacje, wyobrażając sobie skalę i zuchwalstwo jej niewierności, przedstawialiśmy ją sobie jako wysoko urodzoną nimfomankę o życiu erotycznym bogatszym niż u gwiazd filmowych, przy czym o jej przygodach słyszeli wszyscy oprócz męża, którego oczy, zaślepione miłością, cały czas wpatrywały się w nią z uwielbieniem, wierzył bowiem, że jest kochaną i wierną żoną z jego marzeń, aż do owego strasznego dnia, gdy przyjaciele powiedzieli mu prawdę, przyszli do niego całą grupą, a on jak się nie wścieknie! jak nie zacznie im wymyślać!, wyzywać od łgarzy i zdrajców, i musiało go przytrzymać siedmiu mężczyzn, żeby nie zrobił krzywdy tym, którzy zmusili go do spojrzenia prawdzie w oczy, aż w końcu to uczynił, pogodził się z rzeczywistością, wygnał żonę ze swojego życia i zabronił jej widywania się z synami. „Zła kobieta", przekazywaliśmy sobie, uważając się za światowców, i wersja ta nas satysfakcjonowała, nie drążyliśmy jej, będąc, prawdę powiedziawszy, bardziej zaabsorbowani swoimi sprawami, problemami N.J. Goldena zainteresowani tylko do pewnego stopnia. Odwróciliśmy się i zajęliśmy własnym życiem.

Jak bardzo się myliliśmy.

2

Czym jest dobre życie? Co jest jego przeciwieństwem? Na te pytania dwie różne osoby nie podadzą takiej samej odpowiedzi. W tych naszych tchórzliwych czasach odrzucamy wielkość rzeczy uniwersalnych, manifestujemy natomiast i gloryfikujemy nasze małe lokalne fanatyzmy, w związku z czym nie możemy osiągnąć porozumienia w zbyt wielu sprawach. W tych naszych zdegenerowanych czasach ludzie oddani jedynie próżności i osobistemu zyskowi – puste, napuszone indywidua, które nie cofną się przed niczym, o ile służy to ich małostkowym celom – będą się mienić wielkimi przywódcami i łaskawcami, którzy działają na rzecz powszechnego dobra, i nazywać swoich przeciwników kłamcami, idiotami, sztywniakami, kanaliami i, odwracając kota ogonem, ludźmi nieuczciwymi i skorumpowanymi. Jesteśmy tak bardzo podzieleni, tak wrodzy wobec siebie, tak zaślepieni moralizatorstwem i pogardą, tak zatraceni w cynizmie, że nazywamy naszą przemądrzałość idealizmem, jesteśmy tak rozczarowani rządzącymi, tak chętni do szydzenia z instytucji naszego państwa, że już samo słowo „dobroć" zostało pozbawione znaczenia i być może należy je na jakiś czas odstawić, podobnie jak wszystkie inne zatrute wyrazy, na przykład „duchowość", na przykład „ostateczne rozwiązanie" oraz (przynajmniej w odniesieniu do drapaczy chmur i frytek*) „wolność".

* Nawiązanie do Freedom Tower, czyli Wieży Wolności, jak początkowo nazywano 1 World Trade Center powstały w miejscu zniszczonych 11 września 2001 roku biurowców World Trade Center, oraz do *freedom fries*, jak (bez

Lecz owego mroźnego dnia w styczniu dwa tysiące dziewiątego, gdy enigmatyczny siedemdziesięciokilkulatek, którego poznaliśmy jako Nerona Juliusza Goldena, zajechał limuzyną Daimler do Greenwich Village z trzema potomkami płci męskiej, bez śladu żony, miał on przynajmniej wyrobione zdanie na temat tego, jak cenić uczciwość i jak odróżniać działania słuszne od nagannych.

– W moim amerykańskim domu – oznajmił w limuzynie słuchającym go uważnie synom, gdy jechali z lotniska do swej nowej rezydencji – moralność będzie podlegała parytetowi złota.

Nie wyjaśnił, co dokładnie ma na myśli: czy to, że moralność jest szalenie cenna, czy że bogactwo określa moralność, czy raczej to, że on, ze swoim nowym złotym nazwiskiem, będzie osobiście arbitrem tego, co dobre, a co złe, młodsi Juliusze (wszyscy trzej woleli tę nazwę cesarskiego rodu od „Goldenów": skromnością raczej nie grzeszyli!) z wieloletniego synowskiego przyzwyczajenia nie prosili zaś o wyjaśnienia. Najmłodszy z całej trójki, flegmatyczny dwudziestodwulatek z włosami opadającymi pięknymi falami na ramiona i twarzą gniewnego anioła, zadał wszak jedno pytanie:

– Co mamy mówić – zwrócił się do ojca – gdy będą pytać, skąd jesteśmy?

Oblicze starca przybrało szkarłatny odcień wzburzenia.

– Już wam odpowiadałem na to pytanie – zawołał. – Mówcie, że mamy gdzieś te ich przesłuchania. Mówcie, że jesteśmy wężami, które zrzuciły skórę. Mówcie, że właśnie się przeprowadziliśmy z Carnegie Hill. Mówcie, że się urodziliśmy wczoraj. Mówcie, że zostaliśmy wyczarowani albo że przylecieliśmy z okolic alfa Centauri na pokładzie statku kosmicznego ukrytego w ogonie komety. Powiedzcie, że jesteśmy znikąd, skądkolwiek lub skądś, że jesteśmy postaciami fikcyjnymi, jesteśmy oszustami, wymysłami, istotami zmiennokształtnymi, inaczej mówiąc: Amerykanami. Nie podawajcie im nazwy miejsca, które opuściliśmy. Nigdy jej nie wymieniajcie. Ani ulicy, ani miasta, ani kraju. Nie chcę już słyszeć tych słów.

---

powodzenia) próbowano w Stanach Zjednoczonych przemianować frytki (ang. *French fries*) w odwecie za francuski sprzeciw wobec wojny w Iraku w 2003 roku (wszystkie przypisy tłumacza).

Wyłonili się z samochodu w starym sercu Greenwich Village, na Macdougal Street nieco na południe od Bleecker Street, niedaleko włoskiej kawiarni z dawnych czasów, która chyba cudem wciąż jakoś przędła, i nie zwracając uwagi na klaksony aut z tyłu i wyciągnięte błagalnie ręce co najmniej jednego brudnego żebraka, zostawili limuzynę z pracującym silnikiem na środku ulicy, sami zaś bez pośpiechu wyładowywali z niej bagaże – nawet starzec się uparł, że będzie dźwigać swoją walizkę – i przenieśli je do okazałego secesyjnego budynku po wschodniej stronie ulicy, dawnej rezydencji Murrayów, od tej pory nazywanej domem Goldenów. (Jedynie najstarszy syn, ten, który nie lubił przebywać na zewnątrz, nosił bardzo ciemne okulary i miał zatrwożony wyraz twarzy, sprawiał wrażenie, że się dokądś spieszy). Zajechali więc pod dom tak, jak zamierzali w nim mieszkać – nieskrępowanie, z pogardliwą obojętnością wobec sprzeciwów innych.

Rezydencja Murrayów, najbardziej imponująca budowla w Ogrodach, stała w zasadzie niezamieszkana przez wiele lat, nie licząc administratorki, wyjątkowo opryskliwej pięćdziesięciokilkuletniej Amerykanki włoskiego pochodzenia, i mieszkającej z nią równie nieprzyjemnej, choć dużo młodszej asystentki i kochanki. Często snuliśmy domysły na temat tożsamości właściciela domu, ale groźne strażniczki domostwa nie zamierzały zaspokoić naszej ciekawości. Były to jednak lata, kiedy wielu arcybogatych obywateli świata kupowało nieruchomości po to tylko, żeby je mieć, i pozostawiało puste rezydencje rozsiane po całym globie jak wyrzucone buty, przypuszczaliśmy więc, że chodzi zapewne o jakiegoś rosyjskiego oligarchę albo szejka naftowego, i ze wzruszeniem ramion przywykliśmy traktować ten niezamieszkany dom tak, jakby go tam nie było. Z budynkiem tym związana była jeszcze jedna osoba, niejaki Gonzalo, Latynos i złota rączka o złotym sercu, zatrudniony przez dwie smoczyce-strażniczki do prac konserwacyjnych, i niekiedy, gdy miał trochę wolnego czasu, zapraszaliśmy go do swoich domów, żeby usuwał usterki elektryczne i hydrauliczne lub pomagał odśnieżać dachy i schody w czasie zimy. Wykonywał te usługi z uśmiechem w zamian za drobne sumki wsuwane mu dyskretnie w dłoń.

Macdougal–Sullivan Gardens Historic District – by podać pełną i nazbyt rozwlekłą nazwę naszej dzielnicy, w skrócie Gardens, Ogrody – była zaczarowaną, wolną od strachu przestrzenią, w której mieszkaliśmy i wychowywaliśmy nasze dzieci, miejscem szczęśliwego odpoczynku od rozczarowanego, przesyconego strachem świata poza jej granicami, i nie wstydziliśmy się, jak bardzo kochamy to miejsce. Budynki pierwotnie wzniesione na Macdougal i Sullivan Street w latach czterdziestych dziewiętnastego wieku w stylu klasycystycznym przebudowano w latach dwudziestych minionego stulecia na styl kolonialny pod okiem architektów, których zatrudnił niejaki William Sloane Coffin, przedsiębiorca trudniący się handlem meblami i dywanami, i w tym właśnie okresie działki na tyłach domów połączono, by stworzyć wspólny ogród graniczący od północy z Bleecker Street, od południa z Houston Street i zarezerwowany wyłącznie dla mieszkańców wychodzących nań domów. Rezydencja Murrayów była kuriozum, budynkiem pod wieloma względami zbyt okazałym jak na tę dzielnicę, wytwornym pałacykiem pierwotnie wzniesionym dla prominentnego bankiera Franklina Murraya i jego żony Harriet Lanier Murray w latach 1901–1903 przez firmę architektoniczną Hoppin & Koen, która, żeby zrobić miejsce pod nową budowę, zburzyła dwie nieruchomości wzniesione w tysiąc osiemset czterdziestym czwartym przez kupca Nicholasa Lowa. Rezydencja miała być wyszukana i modna, zaprojektowana w duchu francuskiego renesansu, w stylu, w którym Hoppin i Koen mieli spore doświadczenie uzyskane najpierw w École des Beaux-Arts, a potem w czasie pracy dla firmy McKim, Mead & White. Jak dowiedzieliśmy się później, Golden kupił tę posesję na początku lat osiemdziesiątych. Od dawna szeptano w Ogrodach, że właściciel wpada do domu może na dwa dni w roku, ale nikt z nas nigdy go nie widział, chociaż czasem w nocy rozświetlonych było więcej okien niż zwykle i – ale to bardzo rzadko – za roletami rysował się cień, miejscowe dzieciaki uznały więc, że w pałacyku straszy, i trzymały się od niego z daleka.

Szerokie frontowe drzwi tego właśnie domu stały otworem owego styczniowego dnia, gdy limuzyna Daimlera wypluła Goldenów, ojca i synów. Na progu stał komitet powitalny, dwie smoczyce, które przygotowały wszystko na przyjazd pana. Neron i jego synowie weszli do środka i zastali tam świat kłamstw mający od tej pory być ich mieszkaniem: nie lśniącą od nowości, ultranowoczesną rezydencję dla zamożnej cudzoziemskiej familii, która stopniowo przejmuje ją w posiadanie, w miarę jak rozwija się jej nowe życie, pogłębiają związki z miastem, mnożą doświadczenia – nie! – raczej miejsce, w którym od co najmniej dwudziestu lat Czas stał w miejscu, spoglądając obojętnie na porysowane biedermeiery, powoli blaknące dywany i lampy z płynnym woskiem kupione na fali mody na lata sześćdziesiąte, i z łagodnym rozbawieniem prześlizgiwał się wzrokiem po namalowanych przez same „dobre nazwiska" portretach młodszego Nerona Goldena z nowojorskimi ikonami: René Ricardem, Williamem Burroughsem, Debbie Harry, a także z tuzami finansjery i członkami starych elitarnych rodów o uświęconych tradycją nazwiskach, takich jak Luce, Beekman i Auchincloss. Przed kupnem tego domu Neron był właścicielem przestronnego, wysokiego apartamentu na rogu Broadway i Great Jones Street, prawie trzysta metrów kwadratowych, i w zamierzchłej młodości dopuszczano go na obrzeża Fabryki, gdzie przesiadywał niezauważany i wdzięczny w kręgu młodych krezusów, takich jak Si Newhouse i Carlo De Benedetti, ale to było dawno temu. W domu znajdowały się teraz pamiątki z tamtych czasów, a także z późniejszych wizyt w latach osiemdziesiątych. Większość mebli przechowywano w magazynie i zmaterializowanie się tych przedmiotów z dawniejszego życia przywodziło na myśl ekshumację, sugerowało ciągłość, której pozbawione były historie mieszkańców. Tak więc dom ten zawsze wydawał nam się piękną podróbką. Przekazywaliśmy sobie po cichu słowa Prima Leviego: „Przewaga nierzeczywistości nad rzeczywistością to oczywisty skutek wygnania, wykorzenienia"*.

W tym domu nie było niczego, co by wskazywało na pochodzenie domowników, i wszyscy czterej uparcie odmawiali rozmów o przeszłości. Różne rzeczy z czasem wychodzą na jaw, to nieuniknione, toteż w końcu poznaliśmy ich historię, wcześniej jednak tworzyliśmy własne hipotezy na temat ich skrywanych biografii i ich wy-

* Fragment *Rozejmu* Prima Leviego w przekładzie Krzysztofa Żaboklickiego.

mysły oplataliśmy własnymi. Chociaż każdy z nich miał dość jasną karnację, od mlecznobladej cery najmłodszego syna do smagłości Nerona, dla wszystkich było jasne, że nie są „biali" w konwencjonalnym znaczeniu tego słowa. Ich angielszczyzna była nienaganna, z brytyjskim akcentem, niemal na pewno więc mogli się poszczycić wykształceniem z Oksfordu lub Cambridge, i początkowo większość z nas błędnie zakładała, że wielokulturowa Anglia jest tym krajem, a Londyn tym wielorasowym miastem, których nazw nie wolno wymówić. Gdybaliśmy, że byli Libańczykami, Ormianami lub londyńczykami z Azji Południowej, może nawet pochodzili z basenu Morza Śródziemnego, co by tłumaczyło te rzymskie fantazje. Jakaż straszna krzywda ich tam spotkała, jakich musieli doznać zniewag, żeby teraz z taką skrupulatnością odcinać się od swych korzeni? No cóż, większość z nas uważała, że to ich prywatna sprawa, i byliśmy skłonni nie poruszać tematu do czasu, aż przestało to być możliwe. I gdy nadszedł ów dzień, zrozumieliśmy, że cały czas zadawaliśmy sobie niewłaściwe pytania.

To, że ta szarada z przybranymi imionami w ogóle się udała, w dodatku przez całe dwie kadencje prezydenckie, że ci wymyśleni Amerykanie zamieszkujący swój pałac iluzji zostali przez nas, nowych sąsiadów i znajomych, tak skwapliwie przyjęci, mówi wiele o samej Ameryce, a jeszcze więcej o sile woli, z jaką Goldenowie przybrali swe kameleonowe tożsamości, stając się – w oczach nas wszystkich – tym, kim twierdzili, że są. Z perspektywy czasu może nas tylko zdumiewać skala ich planu, liczba szczegółów, którymi trzeba się było zająć, paszporty, dowody tożsamości, prawa jazdy, numery ubezpieczenia społecznego, ubezpieczenie zdrowotne, falsyfikaty, umowy, łapówki, zwyczajna trudność tego wszystkiego oraz furia i może strach, które napędzały cały ten niesamowity, misterny, obłąkańczy plan. Jak się dowiedzieliśmy później, senior rodu przygotowywał tę metamorfozę jakieś piętnaście lat, zanim przystąpił do wcielenia jej w życie. Gdybyśmy o tym wiedzieli, zrozumielibyśmy, że ukrywa się przed nami coś potężnego. Ale nie wiedzieliśmy. Byli po prostu samozwańczym królem i jego *soi-disant* książętami mieszkającymi w pobliskim klejnocie architektury.

Prawdą jest, że nie wydawali nam się aż tak dziwni. W Ameryce ludzie nosili przeróżne nazwiska – w książkach telefonicznych, w czasach, kiedy istniały, królował nazewniczy egzotyzm. Huckleberry! Dimmesdale! Ichabod! Ahab! Fenimore! Portnoy! Drudge! Nie wspominając ani słowem o dziesiątkach, setkach, tysiącach Goldów, Goldwaterów, Goldsteinów, Finegoldów, Goldberrych. Amerykanie zresztą niezmiennie decydowali o tym, jak chcą być nazywani i kim chcą być, porzucali więc rodowe Gatz, by zamienić się w Gatsbych z szafami pełnymi koszul i gonić za mrzonkami o imieniu Daisy, a może po prostu Ameryka. Samuel Goldfish (jeszcze jeden „złoty" chłopak) zamienił się w Samuela Goldwyna, Aertzoonowie w Vanderbiltów, Clemens w Twaina. I wielu z nas, imigrantów – ewentualnie byli nimi nasi rodzice bądź dziadkowie – postanowiło zostawić za sobą przeszłość, tak jak to teraz robili Goldenowie; zachęcaliśmy dzieci, żeby mówiły po angielsku, nie używały języka ze starego kraju: żeby mówiły, ubierały się, zachowywały jak Amerykanie, żeby nimi *były*. Stare rzeczy chowało się po piwnicach, wyrzucało lub gubiło. A w naszych filmach i komiksach – w komiksach, jakimi stały się nasze filmy – czyż nie opiewamy na co dzień, czyż nie *czcimy* idei „skrywanej tożsamości"? Clark Kent, Bruce Wayne, Diana Prince, Bruce Banner, Raven Darkhölme, jakże was kochamy. Skrywana tożsamość mogła być kiedyś francuskim wymysłem – złodziej Fantomas, a także *le fantôme de l'Opéra* – ale zdążyła się mocno zakorzenić w kulturze amerykańskiej. Jeśli nasi nowi przyjaciele chcieli być cezarami, nie mieliśmy nic przeciwko. Mieli wspaniałe gusta, nosili wyborne stroje, posługiwali się znakomitą angielszczyzną i nie byli bardziej ekscentryczni niż, dajmy na to, Bob Dylan lub jakikolwiek inny dawny mieszkaniec naszej dzielnicy. Zatem Goldenów zaakceptowano, ponieważ byli akceptowalni. Byli teraz Amerykanami.

W końcu jednak tajemnice zaczęły wychodzić na jaw. Oto powody upadku rodziny: kłótnia między rodzeństwem, niespodziewana przemiana, pojawienie się w życiu Nerona pięknej i zdeterminowanej młodej kobiety, morderstwo. (Więcej niż jedno). Oraz: w dalekim kraju bez nazwy nareszcie kawał porządnej roboty wywiadowczej.

3

Oto ich nieopowiedziana historia, ich eksplodująca planeta Krypton: opowieść łzawa, jak to często bywa z tym, co skrywane. Okazały hotel w porcie był uwielbiany przez wszystkich, nawet przez tych, którzy byli zbyt biedni, by wstąpić w jego progi. Wszyscy widzieli w filmach, w czasopismach filmowych i w swoich fantazjach jego wnętrza: słynne schody, basen zaludniony wypoczywającymi lub zażywającymi kąpieli pięknościami, lśniące pasaże ze sklepami, łącznie z krawcem, który potrafił w ciągu jednego popołudnia uszyć garnitur według wskazanego kroju, jeśli już wybrałeś ulubioną odmianę wełny czesankowej lub gabardyny. Wszyscy wiedzieli o bajecznie kompetentnym personelu, nieskończenie gościnnym i głęboko oddanym swojej pracy, dla którego ten hotel był niczym rodzina, który oddawał mu szacunek należny patriarsze i dokładał wszelkich starań, by każdy, kto kroczy jego korytarzami, czuł się jak król lub królowa. Było to miejsce, gdzie oczywiście przyjmowano z otwartymi ramionami cudzoziemców, a ci wyglądali z jego okien na port, na piękną zatokę, która użyczyła owemu bezimiennemu miastu swojej nazwy, i zachwycali się wspaniałą galerią pełnomorskich jednostek unoszących się przed nimi na wodzie, motorówek, żaglówek i statków wycieczkowych każdego rozmiaru, kształtu i koloru. Wszyscy znali historię narodzin miasta, jak to Brytyjczycy zapragnęli go właśnie z powodu tego pięknego portu, jak to negocjowali z Portugalczykami, by doprowadzić do ślubu księżniczki Katarzyny z królem Karolem II, a ponieważ biedna Katarzyna Bragança nie grzeszyła urodą, posag musiał być piekielnie atrakcyjny, zwłaszcza że król cenił sobie niewieście wdzięki, tak więc miasto weszło w skład posagu, Karol ożenił się z Katarzyną, a potem do końca życia ją zaniedbywał, ale Brytyjczycy wprowadzili do portu swoją flotę, po czym przystąpili do zakrojonego na wielką skalę programu pozyskiwania nowych ziem i połączenia Siedmiu Wysp, wybudowali fort, potem miasto i z czasem powstało Imperium Brytyjskie. W mieście wzniesionym przez cudzoziemców wydawało się czymś właściwym, że w tym imponującym hotelu-pałacu, z oknami wychodzącymi na port będący wyłącznym powodem powstania tego miasta, gości się cudzoziemców. Hotel jednak nie przyjmował wyłącznie ich, był na to o wiele zbyt romantyczny, zachwycający, z kamiennymi murami, czerwoną kopułą, belgijskimi żyrandolami zalewającymi gości swym światłem, ścianami i podłogami zdobionymi dziełami sztuki, meblami i dywanami z każdego zakątka tego olbrzymiego kraju, kraju, którego nazwy nie można wymienić, tak więc jeśli byłeś młodym człowiekiem pragnącym zrobić wrażenie na wybrance swego serca, jakimś sposobem zdobywałeś pieniądze, żeby ją zaprosić do hotelowego baru z widokiem na morze, i gdy morska bryza pieściła wasze twarze, wy popijaliście herbatę lub sok z limonek i raczyliście się kanapkami z ogórkiem lub ciastem, a ona się w tobie kochała, bo przyprowadziłeś ją do zaczarowanego serca miasta. I może na drugą randkę znów zabierałeś ją do hotelu na chińską kolację na parterze, co ostatecznie załatwiało sprawę.

Po odejściu Brytyjczyków ważne figury tego miasta, kraju i całego świata uczyniły z owego okazałego starego hotelu swoją siedzibę – książęta, politycy, gwiazdy filmowe, przywódcy religijni, najsławniejsze i najpiękniejsze twarze w mieście, kraju i na całym świecie rywalizowały o przestrzeń na jego korytarzach – i stał się on symbolem miasta, którego nazwy nie można wymienić, w takim samym stopniu jak wieża Eiffla, Koloseum lub ta statua w nowojorskim porcie zwana „Wolnością opromieniającą świat".

Stary hotel miał swój mit założycielski i wierzyli weń niemal wszyscy w mieście, którego nazwy nie można wymienić, chociaż nie była to prawdziwa historia, mit o wolności, o obaleniu brytyjskich imperialistów, tak jak to wcześniej zrobili Amerykanie. Otóż jak głosi legenda, w pierwszych latach dwudziestego stulecia pewien dystyngowany starszy dżentelmen z fezem na głowie i – tak się składało – najbogatszy człowiek w kraju, którego nazwy nie można wymienić, próbował kiedyś się zatrzymać w innym, starszym luksusowym hotelu w tej samej okolicy, nie został tam jednak wpuszczony ze względu na kolor swojej skóry. Dystyngowany starszy pan powoli skłonił głowę, odszedł, kupił sporą działkę przy tej samej ulicy, po czym wybudował najwspanialszy, najokazalszy hotel, jaki widziało miasto, którego nazwy nie można wymienić, w kraju, którego nie można wskazać, i w niedługim czasie doprowadził do bankructwa hotelu, skąd został odprawiony. Tak więc jego hotel w ludzkich umysłach stał się symbolem buntu, pokonania kolonizatorów ich własną bronią oraz wyparcia ich z miasta, i nawet gdy ustalono ponad wszelką wątpliwość, że nic takiego nigdy się nie wydarzyło, nic się nie zmieniło, bo symbol wolności i zwycięstwa jest potężniejszy niż fakty historyczne.

Minęło sto pięć lat. Pewnego dnia, dwudziestego trzeciego listopada dwa tysiące ósmego roku, dziesięciu mężczyzn uzbrojonych w broń automatyczną i granaty ręczne wypłynęło łodzią z sąsiedniego wrogiego państwa ku zachodnim brzegom kraju, którego nazwy nie można wymienić. W plecakach mieli amunicję, mocne narkotyki: kokainę, sterydy, LSD, i strzykawki. Podczas rejsu do miasta, którego nazwy nie można wymienić, porwali kuter rybacki, porzucili pierwotną jednostkę, sprowadzili na kuter dwa pontony i powiedzieli kapitanowi, dokąd ma płynąć. Gdy zbliżali się do brzegu, zabili kapitana i przesiedli się do pontonów. Potem wielu się dziwiło, dlaczego straż przybrzeżna ich nie zauważyła ani nie próbowała zatrzymać. Wybrzeże ponoć było świetnie strzeżone, ale tej nocy doszło do jakichś zaniedbań. Gdy łodzie dotarły do brzegu, dwudziestego szóstego listopada, zamachowcy rozdzielili się na mniejsze grupki i przedarli do wybranych celów – stacji kolejowej, szpitala, kina, ośrodka żydowskiego, popularnej kawiarni i do dwóch pięciogwiazdkowych hoteli. Jednym z nich był hotel opisany powyżej.

Atak na stację kolejową rozpoczął się o 21:21 i trwał półtorej godziny. Dwaj zamachowcy strzelali na oślep i zginęło pięćdziesiąt osiem osób. Udało im się uciec z dworca, ale w końcu zostali okrążeni w pobliżu miejskiej plaży, gdzie jeden zginął, a drugiego schwytano. Tymczasem o 21:30 inny zespół zamachowców wysadził w powietrze stację benzynową, a potem zaczął strzelać do ludzi w ośrodku żydowskim, gdy podchodzili do okien. Później terroryści wtargnęli do samego ośrodka, gdzie zastrzelili siedem osób. Dziesięć osób zginęło w kawiarni. W ciągu następnych czterdziestu ośmiu godzin w drugim hotelu śmierć poniosło może trzydzieści osób.

Uwielbiany przez wszystkich hotel został zaatakowany około 21:45. Najpierw ostrzelano gości przy basenie, a potem zamachowcy przeszli w stronę restauracji. Młoda kobieta pracująca w kawiarni Sea Lounge, gdzie młodzi mężczyźni zabierali swoje dziewczyny, by zrobić na nich wrażenie, pomogła wielu gościom uciec przez wyjście dla personelu, gdy jednak zamachowcy tam wtargnęli, sama zginęła. Poszły w ruch granaty i zaczęła się krwawa jatka, która zamieniła się w trzydniowe oblężenie. Na zewnątrz zebrały się ekipy telewizyjne i tłumy gapiów i ktoś krzyknął: „Hotel się pali!". Z okien na ostatnim piętrze buchały płomienie, w ogniu stanęły także słynne schody. Wśród tych, którym pożar odciął drogę ucieczki i którzy zginęli w płomieniach, były żona i dzieci menedżera hotelu. Zamachowcy dysponowali planami budynku dokładniejszymi od tych, z których korzystały wojsko i policja. Dzięki narkotykom nie zasypiali, a LSD – niebędące środkiem psychostymulującym – w połączeniu z innymi narkotykami (które są) wywoływało w nich maniakalny halucynogenny szał, mordując więc, śmiali się do rozpuku. Ekipy telewizyjne na zewnątrz filmowały uciekających hotelowych gości, a zabójcy oglądali telewizję, żeby się dowiedzieć, którędy uciekają. Gdy oblężenie dobiegło końca, nie żyło ponad trzydzieści osób, w tym wielu członków hotelowego personelu.

Goldenowie pod porzuconym pierwotnym nazwiskiem mieszkali w najbardziej ekskluzywnej dzielnicy tego miasta, na strzeżonym osiedlu na najbardziej prestiżowym wzgórzu, w dużym nowoczesnym domu górującym nad rezydencjami w stylu art déco położonymi nad zatoką Back Bay, do której co wieczór dawało nura krwiste słońce. Możemy ich sobie tam wyobrazić, seniora rodu, wtedy nie tak jeszcze wiekowego, i synów, też młodszych: wielgachnego, genialnego, nieporadnego, agorafobicznego, gburowatego pierworodnego, średniego z jego nocnymi eskapadami i portretami socjety oraz skrywającego mrok i chaos najmłodszego, i wygląda na to, że do gry w wybieranie klasycznych imion ojciec zachęcał ich od wielu lat, tak jak wpajał im od wczesnego chłopięctwa, że nie są zwyczajnymi ludźmi, lecz cezarami, bogami. Rzymscy władcy, a później bizantyjscy monarchowie byli nazywani przez Arabów i Persów *Kaisar-e Rum*, cesarzami Rzymu. Skoro więc Rzym to Rum, w takim razie władców wschodniego Rzymu należałoby nazywać Rumi. To skłoniło ich do studiowania mistyka i mędrca Rumiego, inaczej Dżalaluddina Balchima, którego sentencjami ojciec przerzucał się z synami jak piłkami tenisowymi, *to, czego szukasz, szuka ciebie; jesteś wszechświatem w ekstatycznym tańcu; ciesz się złą sławą; żyj swoim własnym mitem; sprzedaj mądrość i kup zadziwienie; podpal swoje życie i szukaj tych, którzy będą podsycać płomienie* oraz *jeśli pragniesz wyzdrowienia, pozwól sobie zachorować*, aż nudziły im się te mądrości i zaczynali wymyślać dla zabawy własne: *jeśli chcesz być bogaty, najpierw zbiedniej; jeśli ktoś cię szuka, ty szukasz jego; jeśli chcesz przyjąć właściwą pozycję, stań na głowie.*

Potem nie byli już Rumi i stali się łacińskimi Juliuszami, synami Cezara, którzy także byli lub mieli się stać cezarami. Należeli do prastarego rodu, który był ponoć w stanie wywieść swe pochodzenie od Aleksandra Wielkiego – syna, jak twierdził Plutarch, samego Zeusa – byli więc nie gorsi od dynastii julijsko-klaudyjskiej powołującej się na pochodzenie od Askaniusza, syna pobożnego Eneasza, księcia trojańskiego, a zatem też od matki Eneasza, bogini Wenery. Co do samego słowa „cezar", miało ono co najmniej cztery możliwe źródła. Czy pierwszy Cezar zabił *caesai* – jak brzmi mauretański odpowiednik słonia? Czy miał na głowie gęste włosy – *caesaries*? Czy miał szare oczy, *oculi caesii*? Czy jego imię wzięło się od czasownika *caedere*, ciąć, bo urodził się dzięki cesarskiemu cięciu?

– Ja nie mam szarych oczu, a matka urodziła mnie w sposób naturalny – oświadczył senior rodu. – A moje włosy, choć wciąż na głowie, przerzedziły się nieco; nie zabiłem też nigdy słonia. Do diabła z pierwszym cezarem. Wybieram sobie imię Nerona, tego ostatniego.

– W takim razie kim jesteśmy my? – spytał średni syn.

– Moimi synami – odparł patriarcha, wzruszając ramionami. – Sami wybierzcie sobie imiona.

Później, gdy nadeszła pora wyjazdu, odkryli, że kazał im wyrobić dokumenty podróżne na nowe imiona, i nie byli zaskoczeni. Był człowiekiem, dla którego nie ma rzeczy niemożliwych.

A oto, jak na starej fotografii, żona seniora, drobna i smutna kobieta o siwiejących włosach zebranych w niechlujny kok, ze wspomnieniem samookaleczenia w oczach. Żona cezara: od której wymaga się, aby pozostawała poza podejrzeniami, tak, lecz która jest też skazana na najgorszą robotę na świecie.

Wieczorem dwudziestego szóstego listopada coś się stało w ich wielkim domu, doszło do jakiejś kłótni między cezarem i jego żoną, wezwała więc mercedesa z kierowcą i odjechała wzburzona, zamierzając znaleźć pocieszenie w towarzystwie przyjaciółek – tak oto znalazła się w kawiarni Sea Lounge, w hotelu, który wszyscy uwielbiali, przeżuwała kanapki z ogórkiem i popijała mocno słodzony sok ze świeżych limonek, gdy wpadli tam chichoczący radośnie pod wpływem halucynacji, przewracający oczami zamachowcy, z fruwającymi wokół nich psychodelicznymi, urojonymi ptakami, i otworzyli morderczy ogień.

I tak, tym krajem były oczywiście Indie, miastem oczywiście Bombaj, dom stanowił część luksusowej kolonii Walkeśwar na Wzgórzu Malabarskim i tak, oczywiście, to były ataki muzułmańskich terrorystów z Pakistanu zorganizowane przez Laszkar-e Tajjabę, „armię prawych", najpierw na stację kolejową zwaną niegdyś Victoria Terminus lub VT, a obecnie przemianowaną, jak wszystko inne w Bombaju/Mumbaju, w tym przypadku na cześć Śiwadźiego, bohaterskiego wodza Marathów; następnie na Leopold Café w Colabie, na hotel Oberoi Trident, kino Metro, szpital Cama Albless, żydowski Dom Chabadu oraz hotel Taj Mahal Palace & Tower. I tak, gdy po trzech dniach dobiegły końca oblężenia i starcia, wśród ofiar śmiertelnych znaleziono także matkę dwóch starszych Goldenów juniorów (o matce najmłodszego będzie jeszcze mowa).

Gdy senior rodu dowiedział się, że jego żona jest uwięziona w hotelu Taj, ugięły się pod nim kolana i niechybnie spadłby z marmurowych schodów swego marmurowego domu, z marmurowego salonu na marmurowy taras poniżej, gdyby nie służący, który akurat znajdował się wystarczająco blisko i go schwycił, no ale tam służący byli wszędzie. Starzec nie wstawał z kolan, ukrył twarz w dłoniach i jego ciałem jęły wstrząsać szlochy tak głośne i spazmatyczne, że można było odnieść wrażenie, jakby próbowało się z niego wydostać jakieś stworzenie ukryte głęboko w jego wątpiach. Pozostał w tej modlitewnej pozie na szczycie marmurowych schodów do samego końca zamachu, odmawiając jedzenia i snu, łomocząc pięścią w pierś jak zawodowy żałobnik podczas pogrzebu i przypisując całą winę sobie. Nie wiedziałem, że ona się tam wybiera, szlochał, powinienem był się domyślić, dlaczego ją puściłem. W tamtych dniach powietrze w mieście nawet w samo południe wydawało się ciemne jak krew, ciemne jak lustro, i gdy senior rodu ujrzał się w tym zwierciadle, nie spodobało mu się to, co w nim zobaczył; taka była moc tej wizji, że ukazała się również jego synom, i gdy nadeszła tragiczna wiadomość, wiadomość, która położyła kres całemu ich dotychczasowemu życiu, weekendowym spacerom wokół toru wyścigowego z członkami starych bombajskich familii, a także z nuworyszami, meczom squasha, brydża, pływaniu, grze w badmintona i golfa w klubie Willingdon, spotkaniom z gwiazdkami filmowymi, koncertom dixielandowym, to wszystko odeszło na zawsze zatopione w morzu śmierci, posłuchali życzenia ojca, który chciał, by opuścili na zawsze marmurowy dom, opuścili to rozbite, skonfliktowane miasto, gdzie się wznosił, a także cały ten brudny, skorumpowany, bezbronny kraj, ich całe „wszystko", które ojciec teraz nagle, a może nie aż *tak* nagle znienawidził, zgodzili się wymazać każdy szczegół tego, czym to wszystko dla nich było i kim byli w nim oni oraz co stracili: kobietę, którą mąż kłótnią przywiódł do zguby, którą obydwaj synowie kochali i która kiedyś została tak strasznie upokorzona przez pasierba, że próbowała się zabić. Zapomną o przeszłości, przybiorą nowe imiona, wyjadą na drugi koniec świata i będą kimś innym niż do tej pory. Uciekną z wymiaru historycznego w osobisty i w Nowym Świecie wymiar osobisty będzie tym, o co będą zabiegali i czego będą oczekiwali – żeby każdy z nich mógł niezależnie, indywidualnie, samodzielnie dochodzić do porozumienia z codziennością, poza historią, poza czasem, na osobności. Żadnemu z nich nie przyszło do głowy, że ich decyzja zrodziła się z gigantycznego poczucia uprzywilejowania, przekonania, że mogą ot tak, po prostu zostawić za sobą wczoraj i zacząć jutro, jak gdyby nie było częścią tego samego tygodnia, wynieść się poza pamięć, korzenie, język, rasę do kraju, gdzie siebie zawdzięcza się wyłącznie sobie, innymi słowy – do Ameryki.

Jak bardzo ją skrzywdziliśmy, tę nieżyjącą kobietę, gdy w naszej plotkarskiej paplaninie tłumaczyliśmy sobie jej nieobecność w Nowym Jorku zdradami. To właśnie jej nieobecność, jej tragedia nadawała sens obecności wśród nas tej rodziny. Nadawała znaczenie tej opowieści.

Gdy zmarła Poppea Sabina, żona Nerona, cesarz spalił podczas jej pogrzebu dziesięcioletnie zapasy arabskich kadzideł. Jednakowoż w przypadku Nerona Goldena nawet wszystkie kadzidła świata nie byłyby w stanie zagłuszyć przykrego zapachu.

Prawniczy termin „benami" wygląda trochę z francuska, *ben-ami*, sugerując nieuważnym, że może znaczyć „dobry przyjaciel" (*bon ami*) lub „powszechnie lubiany" (*bien-aimé*) czy coś w tym rodzaju. Słowo to ma jednak proweniencję perską i jego rdzeń brzmi nie „ben-ami", lecz „bé-námi". „Bé" to przedrostek oznaczający „bez", „nám" znaczy zaś „imię"; zatem „benami" – bezimienny lub anonimowy. W Indiach tak zwane transakcje benami to kupno nieruchomości, gdzie oficjalny nabywca, w czyjego imieniu dokonuje się zakupu, jest podstawiony, żeby ukryć prawdziwego właściciela. W starym amerykańskim slangu „benami" określono by mianem *beard* – brody.

W tysiąc dziewięćset osiemdziesiątym ósmym rząd indyjski przyjął ustawę, która takie umowy delegalizowała, umożliwiając jednocześnie państwu odbieranie nabytych tą drogą posesji. Wciąż jednak istniało wiele luk prawnych. Jednym ze sposobów niwelowania owych luk przez władze było powołanie systemu Aadhaar.

Aadhaar to dwunastocyfrowy numer ubezpieczenia społecznego przyznawany każdemu obywatelowi Indii na całe życie; korzystanie z niego jest obowiązkowe przy wszystkich transakcjach finansowych i przy zakupie nieruchomości, co umożliwia elektroniczny nadzór nad udziałem obywateli w tego rodzaju obrocie. Jednak mężczyzna znany nam jako Neron Golden, obywatel amerykański od ponad dwudziestu lat i ojciec obywateli Stanów Zjednoczonych, radził sobie w tej grze znakomicie. Gdy stało się to, co się stało, i wszystko wyszło na jaw, dowiedzieliśmy się, że dom Goldenów należał w całości do pewnej nie najmłodszej już damy, tej samej, która służyła Neronowi jako starsza z dwóch zaufanych powiernic, i nie znaleziono żadnego innego dokumentu prawnego świadczącego o tym, że jest inaczej. Ale stało się to, co się stało, i runęły mury, które Neron tak starannie wznosił, a naszym oczom ukazały się w pełni przeraźliwe rozmiary jego przestępczej działalności, nagie w jasnym świetle prawdy. Ale to dopiero przed nami. Na razie był po prostu N.J. Goldenem, naszym bogatym i – o czym się przekonaliśmy – prostackim sąsiadem.

4

W ukrytym, zielonym prostokącie Ogrodów raczkowałem, zanim nauczyłem się chodzić, chodziłem, zanim nauczyłem się biegać, biegałem, zanim nauczyłem się tańczyć, tańczyłem, zanim nauczyłem się śpiewać, a potem tańczyłem i śpiewałem, aż nauczyłem się bezruchu i milczenia, nieruchomo więc wsłuchiwałem się w serce ogrodu w letnie, roziskrzone świetlikami wieczory i stawałem się, przynajmniej we własnym mniemaniu, artystą. Ściśle mówiąc, przyszłym fabularzystą. A w marzeniach filmowcem, a nawet, by użyć tego starego, dumnego sformułowania – twórcą kina autorskiego.

Do tej pory ukrywałem się za pierwszą osobą liczby mnogiej i możliwe, że jeszcze do niej wrócę, ale wreszcie się przedstawiam. Jestem. Chociaż w pewnym sensie nie jestem aż tak różny od moich bohaterów, którzy także skrywali swoją tożsamość – od rodziny, której zjawienie się w moich stronach podsunęło mi pomysł wielkiego projektu, jakiego od pewnego czasu z rosnącą desperacją szukałem. Jeśli Goldenowie byli głęboko zaangażowani w zacieranie swej przeszłości, to ja, który z własnej woli przyjąłem rolę ich kronikarza – a może imażyniera, jak określano projektantów atrakcji Disneylandów – z natury niejako zacieram siebie, usuwam się w cień. Co takiego napisał Isherwood na samym początku *Pożegnania z Berlinem*? „Jestem jak aparat fotograficzny z otwartą przesłoną, aparat całkiem bierny, taki, który nie myśli, tylko rejestruje"*. Ale tak było kiedyś,

* Fragment *Pożegnania z Berlinem* Christophera Isherwooda w przekładzie Marii Skroczyńskiej.

a teraz żyjemy w erze inteligentnych urządzeń, które myślą za nas. Może ja jestem takim myślącym aparatem fotograficznym. Rejestruję, ale właściwie bierny nie jestem. Zmieniam. Możliwe, że nawet wymyślam. Ostatecznie bycie imażynierem to zupełnie coś innego niż bycie artystą iluzjonistycznym. Obraz rozgwieżdżonej nocy van Gogha nie wygląda jak fotografia rozgwieżdżonej nocy, mimo wszystko jednak jest jej wspaniałą interpretacją. Umówmy się po prostu, że wolę malarstwo od fotografii. Jestem aparatem fotograficznym, który maluje.

Wołajcie mnie René. Zawsze mi się podobało, że narrator *Moby Dicka* właściwie nie podaje nam swojego imienia. „Wołajcie mnie Izmael" w rzeczywistości, czyli inaczej mówiąc w banalnym prawdziwym świecie leżącym poza majestatycznymi realiami powieści, mógł mieć na imię, ach, jakkolwiek. To mógłby być Brad, Trig, Ornette, Schuyler albo Zeke. Mógł nawet mieć na imię Izmael. Nie wiemy, a zatem tak jak mój wielki przodek powstrzymuję się przed powiedzeniem wprost: mam na imię René. Wołajcie mnie René: nic więcej nie mogę dla was zrobić.

Przejdźmy dalej. Oboje rodzice byli nauczycielami akademickimi (czyż nie zauważacie w ich potomku odziedziczonej profesorskiej nuty?), którzy kupili nasz dom w pobliżu skrzyżowania Sullivan i Houston Street w tym jurajskim okresie, kiedy wszystko było tanie. Przedstawiam ich wam: oto Gabe i Darcey Unterlindenowie, małżeństwo z długoletnim stażem, nie tylko szanowani badacze, ale i uwielbiani wykładowcy, a także podobnie jak wielki Poirot (postać fikcyjna, ale nie można mieć wszystkiego, jak powiedziała Mia Farrow w *Purpurowej róży z Kairu*)… Belgowie. Belgowie kiedyś – śpieszę wyjaśnić – Amerykanie od zawsze, przy czym Gabe z jakichś dziwnych powodów podtrzymywał cudaczny, silny i w dużej mierze wymyślony paneuropejski akcent, choć Darcey mówiła bez oporów po jankesku. Oboje grali w ping-ponga (wyzwali na pojedynek Nerona Goldena, gdy usłyszeli o jego zamiłowaniu do tenisa stołowego, i obojgu dał porządnego łupnia, chociaż jedno i drugie grało nieźle). Uwielbiali przerzucać się cytatami z poezji. Byli kibicami baseballu, ach, i rozchichotanymi amatorami reality show, miłośnikami opery – ciągle planowali w żartach spisać wspólnie monografię tej formy zatytułowaną *Zawsze umiera laska*.

Kochali swoje miasto za jego niepodobieństwo do reszty kraju.

– Rzim to nie Włochy – wpajał mi ojciec – a Londin to nie Anglia, Pariż to nie Francja, a nasze miasto to nie Stany Zjednoczone, tilko Nowy Jork.

– Pomiędzy metropolią a prowincją – dodawała swój przypis matka – wieczny resentyment, wieczna alienacja.

– Po jedenastim września Amerika stara się udawać, że nas kocha – rzekł ojciec. – Jak długo to potrwa?

– Nie za długo, kurwa mać – uzupełniła jego myśl matka. (Miotała przekleństwami, twierdząc, że nie zdaje sobie z tego sprawy. Po prostu jej się wymykały).

– To bańka, jak teraz wsziscy mówią – stwierdził ojciec. – Jak w tim filmie z Jimem Carreyem, tilko obejmuje całe miasto.

– *Truman Show* – podpowiedziała usłużnie mama. – I w tej bańce nie zawiera się nawet całe miasto, bo bańkę tworzą pieniądze, a te nie rozkładają się wszędzie równomiernie.

W tej kwestii mieli inne zdanie niż większość, która uważała, że bańkę tworzą postępowe poglądy, utrzymywali natomiast, jak przystało na dobrych postmarksistów, że liberalizm jest uwarunkowany ekonomicznie.

– Bronx, Queens może nie są specjalnie częścią tej bańki – przyznał ojciec.

– Staten Island *z całą pewnością* nie wchodzi do bańki.

– Brooklyn?

– Brooklyn. Tak, może się załapywać. Częściowo.

– Brooklyn jest super... – zaczął mój ojciec, a potem jednym głosem dokończyli swój ulubiony i często powtarzany żart – ale niestety leży na Brooklynie.

– Rzecz w tim, że nam się w tej bańce podoba, tobie zresztą też – stwierdził ojciec. – Nie chcemy mieszkać w jakimś republikańskim stanie, a ty... ty biś się załamał w takim Kansas, gdzie nie wierzą w *ewolucję*.

– W pewnym sensie Kansas obala teorię Darwina – rozmyślała na głos matka. – Dowodzi, że najsilniejsi nie zawsze mają największe szanse przetrwania. Czasem zamiast nich przeżywają ci najmniej przystosowani.

– Ale nie chodzi tilko o szurniętich kowbojów – powiedział ojciec i matka weszła mu w słowo:

– Nie chcemy mieszkać w *Kalifornii*.

(W tym momencie ich koncepcja bańki nieco się zagmatwała, do elementu ekonomicznego doszedł także kulturowy, Wschodnie Wybrzeże kontra Zachodnie, Biggie, nie Tupac. Najwyraźniej nie obchodziła ich paradoksalność tego stanowiska).

– Tim właśnie jesteś – wyjawił mi ojciec. – Chłopcem w bańce. *The Boy in the Bubble.*

– *Żyjemy w czasach cudów niewidów* – zaśpiewała matka. – *Więc nie płacz, kochanie, nie płacz, kurwa, nie płacz.*

Miałem szczęśliwe dzieciństwo z moimi akademikami. W samym centrum bańki leżały Ogrody i Ogrody zapewniały bańce centrum. Wychowywałem się w miejscu magicznym, gdzie nie groziła mi krzywda, w kokonie liberalnego miejskiego jedwabiu, dzięki czemu nabierałem naiwnej odwagi, chociaż wiedziałem, że poza tym zaklętym kręgiem czekają na donkiszotowskiego głupca mroczne wiatraki świata. (Tak czy siak „żicie uprziwilejowane można usprawiedliwić tilko w jeden sposób – wpajał mi ojciec – robiąc z nim coś pożitecznego"). Chodziłem do szkoły w Little Red, a potem do college'u na placu Waszyngtona. Całe moje życie mieściło się w promieniu kilkunastu przecznic. Moi rodzice byli bardziej zuchwali. Ojciec studiował w Oksfordzie w ramach programu Fulbrighta, a po studiach z brytyjskim przyjacielem zjeździł morrisem mini Europę i Azję – Turcję, Iran, Afganistan, Pakistan, Indie – w owym wspomnianym już okresie jurajskim, gdy po Ziemi przechadzały się dinozaury i można było podróżować w ten sposób, nie narażając się na dekapitację. Gdy wrócił do domu, był już nasycony wielkim światem i stał się obok Burrowsa i Wallace'a jednym z trzech wielkich historyków Nowego Jorku, współtworząc z owymi dwoma dżentelmenami wielotomowe klasyczne dzieło *Metropolis*, niezrównaną monografię rodzinnego miasta Supermana, gdzie wszyscy mieszkaliśmy i gdzie co rano pod drzwiami pojawiała się gazeta „Daily Planet" i gdzie wiele lat po starym „Supe" w Queens zamieszkał Spiderman. Gdy spacerowaliśmy razem po Greenwich Village, pokazał mi, gdzie kiedyś wznosił się dom Aarona Burra, a pewnego razu, gdy staliśmy przed multipleksem na rogu Drugiej Alei i Trzydziestej Drugiej Ulicy, opowiedział mi o bitwie nad Kip's Bay, jak to Mary Lindley Murray ocaliła uciekających żołnierzy Israela Putnama, namówiwszy brytyjskiego generała Williama Howe'a, żeby przerwał pogoń i wpadł na herbatkę do jej wspaniałej rezydencji Inclenberg na szczycie wzgórza nazwanego później Murray Hill.

Moja matka również była na swój sposób nieustraszona. Za młodu pracowała w służbie zdrowia z narkomanami i z drobnymi rolnikami w Afryce. Po moich narodzinach zawęziła swoje horyzonty i stała się najpierw ekspertką w zakresie edukacji wczesnodziecięcej, a z czasem profesorem psychologii. Nasz dom, po przeciwnej stronie Ogrodów od rezydencji Goldenów, wypełniały urzekające drobiazgi zgromadzone przez nich w ciągu całego życia, wytarte perskie dywany, drewniane afrykańskie rzeźby, fotografie, mapy i sztychy wczesnych „Nowych" miast na wyspie Manhattan, Amsterdamu i Jorku. Był też kącik poświęcony słynnym Belgom: oryginalny rysunek Tintina wiszący obok wykonanego przez Warhola techniką sitodruku portretu Diane von Fürstenberg oraz fotos pięknej gwiazdy *Śniadania u Tiffany'ego* z owej słynnej hollywoodzkiej produkcji, z długą fifką, znanej niegdyś pod nazwiskiem Eddy van Heemstry, uwielbianej później przez wielu jako Audrey Hepburn; a pod nimi pierwsze wydanie *Pamiętników Hadriana* Marguerite Yourcenar na niewielkim stoliku obok zdjęć mojego imiennika Magritte'a w swoim atelier, kolarza Eddy'ego Merckxa oraz śpiewającej zakonnicy Jeanine Deckers. (Jean-Claude Van Damme już się nie załapał).

Założenie owego kącika belgijskiego nie powstrzymywało ich jednak przed krytyką kraju przodków, gdy mieli ku temu okazję.

– Król Leopold II i Wolne Państwo Kongo – oburzała się matka. – Najgorszy kolonialista ze wszystkich, najbardziej pazerna organizacja w historii kolonializmu.

– A teraz – dodał ojciec – Molenbeek. Europejskie centrum islamskiego fanatizmu.

Na honorowym miejscu na kominku w salonie leżał kilkudziesięcioletni nienaruszony bloczek afgańskiego haszyszu wciąż zawinięty w oryginalne celofanowe opakowanie z oficjalnym rządowym znakiem jakości w kształcie księżyca. W czasach monarchii w Afganistanie haszysz był produktem legalnie sprzedawanym w trzech opakowaniach w zależności od jakości i ceny – złotym, srebrnym i brązowym. To jednak, co ojciec, który narkotyków nigdy nie próbował, trzymał na honorowym miejscu na kominku, było czymś rzadszym, czymś legendarnym, niemal magicznym.

– „Afgański księżyc" – wyjaśniał. – Zażicie go otwiera trzecie oko w sziszince pośrodku czoła, stajesz się jasnowidzem i niewiele tajemnic się przed tobą ukrije.

– W takim razie dlaczego sam nigdy nie zapaliłeś? – dociekałem.

– Bo świat bez tajemnicy jest jak obraz bez cienia – odparł. – Jeśli widzisz za dużo, niczego nie zobaczysz.

– Twój ojciec chce przez to powiedzieć – dodała moja matka – że A: wierzymy w korzystanie z naszych mózgów, a nie odurzanie ich, B: pewnie jest rozcieńczony lub, jak mawiali hipisi, doprawiony jakimś potwornym halucynogenem, no i C: możliwe, że mocno bym protestowała. Nie wiem. Nigdy nie poddał mnie próbie.

Mówiła „hipisi", jak gdyby nie pamiętała lat siedemdziesiątych, jak gdyby nigdy nie nosiła skórzanej kurtki ani bandany, ani nie marzyła o tym, żeby wyglądać jak Grace Slick.

Dla zainteresowanych: haszyszu „Afgańskie słońce" nie było. Słońcem Afganistanu był jego król, Muhammad Zahir Szah. A potem wkroczyli Rosjanie, po nich przyszli fanatycy i świat się zmienił.

Ale „Afgański księżyc"... pomógł mi w najmroczniejszym momencie mego życia i matka nie mogła już wtedy zaprotestować.

Były też, jak można się domyślić, książki – książki jak choroba, zarażające każdy zakątek naszego skromnego, szczęśliwego domu. Zacząłem pisać, bo to oczywiste przy takich rodzicach, i może wybrałem scenariusze zamiast powieści lub biografii, bo wiedziałem, że nie mogę konkurować ze swoimi staruszkami. Zanim jednak Goldenowie wprowadzili się do wielkiego domu położonego na skos na drugim końcu ogrodu, moja kreatywność znajdowała się w stanie stagnacji. Na studiach z nieokiełznanym egotyzmem młodości wyobrażałem sobie wybitny film lub serię filmów w stylu *Dekalogu* poruszających kwestie migracji, transformacji, strachu, niebezpieczeństwa, racjonalizmu, romantyzmu, zmian w podejściu do seksu, miejskości, tchórzostwa i odwagi – ni mniej, ni więcej, tylko panoramiczny portret moich czasów. Wybranym przeze mnie stylem byłoby coś, co na prywatny użytek nazywałem „realizmem operowym", tematem zaś konflikt Ja–Inny. Usiłowałem odmalować fikcyjny portret mojej okolicy, ale była to historia bez siły napędowej. Moich rodziców nie cechował zgubny heroizm prawdziwie operoworealistycznych bohaterów; naszych sąsiadów też nie. (Bob Dylan już dawno się wyniósł). Mój wykładowca z filmoznawstwa, sławny ciemnoskóry reżyser w czerwonej baseballówce, stwierdził wyniośle po lekturze moich wczesnych wypocin: „Ładniutko napisane, przyjacielu, ale gdzie krew? Za spokojnie jest. Gdzie motor? Może niech w tym cholernym ogrodzie wyląduje jakiś latający spodek. Może powinieneś wysadzić w powietrze jakiś dom. Niech się coś wydarzy. Niech coś huknie".

Nie potrafiłem. I wtedy zjawili się Goldenowie i oni byli moim latającym spodkiem, moim motorem, moją bombą. Czułem ekscytację młodego artysty, któremu temat spłynął jak prezent przyniesiony przez listonosza na Gwiazdkę. Nie posiadałem się z wdzięczności.

Żyjemy w epoce literatury faktu, oznajmił ojciec.

– Może przestań wimiślać. Spitaj w każdej księgarni – przekonywał – w dziale z literaturą faktu jest ruch, a wimiślone historie leżą i się kurzą.

Ale to był świat literatury. Tymczasem w filmie nastała epoka superbohaterów. W dokumentalistyce mieliśmy polemiki Michaela Moore'a, *Snycerza Steinera* Wernera Herzoga, *Pinę* Wima Wendersa i kilka innych. Ale to filmy fantasy przynosiły naprawdę wielką kasę. Ojciec podziwiał i polecał mi dzieła i pomysły Dzigi Wiertowa, radzieckiego dokumentalisty, który gardził dramatem i literaturą. Jego styl filmowy, rozwinięty w grupie Kino-oko, miał się wręcz przyczynić do wyewoluowania ludzkości w wyższą, wolną od fikcji formę życia, „od niewydarzonego obywatela przez poezję maszyny do idealnego elektrycznego człowieka". Whitmanowi by się spodobało. Może Isherwoodowi z jego „jestem aparatem fotograficznym" również. Ja jednak się opierałem. Zostawiłem wyższe formy moim rodzicom i Michaelowi Moore'owi. Chciałem wymyślać świat.

Bańka to rzecz krucha i często wieczorami moi rodzice-belfrzy rozmawiali z niepokojem o tym, że może pęknąć. Martwiło ich podejście do poprawności politycznej, martwiło ich, co spotkało innych znajomych wykładowców: gdy w telewizji dwudziestoletnia studentka z odległości dziesięciu centymetrów wykrzykiwała w twarz ich koleżance wyzwiska, ponieważ miała inne poglądy na temat kampusowego dziennikarstwa; gdy w innym programie telewizyjnym kolega został zwyzywany, bo nie chciał zakazać kostiumu Pocahontas na Halloween; gdy kolegę zmuszono do rezygnacji z prowadzenia przynajmniej jednego seminarium, ponieważ nie bronił dostatecznie „przestrzeni bezpieczeństwa" studentki przed wtargnięciem idei uznanych przez nią za „niebezpieczne" dla jej młodego umysłu; gdy kolega odrzucił wniosek studenta o usunięcie z kampusu pomnika prezydenta Jeffersona pomimo skandalicznego faktu, że Jefferson miał niewolników; gdy koleżankę potępili studenci z religijnych rodzin chrześcijańskich za to, że zadała im lekturę powieści w formie komiksu lesbijskiej autorki; gdy koleżanka zmuszona była odwołać inscenizację *Monologów waginy* Eve Ensler, ponieważ definiując kobiety jako osoby z waginami, dyskryminuje się osoby czujące się kobietami, a nieposiadające waginy; gdy kolega opierał się studenckim próbom odsunięcia od dyskusji muzułmańskich odszczepieńców, ponieważ ich poglądy są obraźliwe dla muzułmanów nieodszczepieńców. Martwili się, że młodzi ludzie zaczynają popierać cenzurę, zakazy, restrykcje, jak do tego doszło, pytali mnie, do tego zawężenia horyzontów młodych amerykańskich umysłów, zaczynamy się bać młodych.

– Nie ciebie, oczywiście, skarbie, kto by się bał ciebie – zapewniła mnie matka, na co ojciec odparł:

– Boimy się *o* ciebie, owszem. Z tą trockistowską bródką, której nie chcesz zgolić, wyglądasz mi na idealny cel dla kogoś uzbrojonego w czekan. Unikaj miasta Meksyk, zwłaszcza dzielnicy Coyoacán. To rada ode mnie.

Wieczorami siedzieli w kałużach żółtego światła, każde z książką na kolanach, zatopieni w słowach. Wyglądali jak postaci z obrazu

Rembrandta – *Dwoje filozofów pogrążonych w głębokiej medytacji* – ale byli cenniejsi od każdego płótna; może należeli do ostatniego pokolenia swego rodzaju, a my, którzy jesteśmy post-, którzy przychodzimy po, będziemy żałować, że nie nauczyliśmy się więcej u ich stóp.

Brakuje mi ich bardziej, niż jestem to w stanie wyrazić.

5

Czas mijał. Zdobyłem dziewczynę, straciłem ją, zdobyłem następną, ją również straciłem. Mój tajemny scenariusz filmowy, najbardziej wymagający kochanek, kręcił nosem na te poronione związki z istotami ludzkimi i strzelał focha, odmawiając ujawnienia swych tajemnic. Trzydziecha pruła ku mnie w ekspresowym tempie, a ja niczym omdlały bohater niemego kina leżałem rozciągnięty bezradnie na torach. (Moi oczytani rodzice bez wątpienia woleliby, żebym zamiast tego nawiązał do kulminacyjnej sceny na torach z *The Longest Journey* E.M. Forstera). Ogrody były moim mikrokosmosem i dzień w dzień oglądałem postaci z mojej wyobraźni, które spoglądały na mnie zapadniętymi oczami z okien domów przy Macdougal i Sullivan Street, błagając o narodziny. Miałem wszystkie części układanki, ale kształt całości wciąż mi się wymykał. W domu przy Sullivan Street #XX, na parterze, w mieszkaniu z wyjściem na ogród, umieściłem mojego birmańskiego – powinienem raczej napisać mjanmańskiego – dyplomatę U Lnu Fnu z ONZ, któremu zawodowe serce złamała porażka w najdłuższej w historii batalii o stanowisko sekretarza generalnego, dwadzieścia dziewięć kolejnych głosowań bez wyłonienia zwycięzcy, aż w trzydziestej rundzie przegrał z Południowokoreańczykiem. Z pomocą tej postaci planowałem zgłębić geopolitykę, zilustrować dążenia części najbardziej autorytarnych reżimów na świecie do wprowadzenia przez ONZ zakazu obrazy uczuć religijnych, naświetlić kontrowersyjną kwestię amerykańskiego weta w obronie Izraela, a także zorganizować wizytę w Macdougal–Sullivan Gardens samej Aung San Suu Kyi. Znałem też historię osobistego dramatu pana U Lnu Fnu, wiedziałem o utracie zmarłej na nowotwór żony i podejrzewałem, że przytłoczony podwójną klęską swego uczciwego życia mógłby zejść ze ścieżki prawości, aż zgubi go jakiś skandal finansowy. Gdy się nad tym zastanawiałem, mężczyzna o zapadniętych oczach w oknie domu przy Sullivan Street #XX kręcił rozczarowany głową i cofał się w cień. Nikt nie chce być szwarccharakterem.

Moja wyimaginowana społeczność była zbieraniną ludzi z różnych stron świata. W domu przy Macdougal Street #00 mieszkał inny samotnik, z pochodzenia Argentyńczyk, któremu przydzieliłem tymczasowe robocze nazwisko Arribista (arywista). Jakkolwiek miał się ostatecznie nazywać, Mario Florída być może albo Carlos Hurlingham, miałem następujący treatment:

Pan Arribista, nowy obywatel, zanurza się w tym wielkim kraju – w „moim" kraju, mówi w zachwycie – jak ktoś, kto dociera do upragnionego oceanu po długiej podróży przez pustynię, mimo iż nie nauczył się nigdy pływać. Ufa, że ocean uniesie jego ciężar; i tak się dzieje. Nie tonie, a przynajmniej nie od razu.

I jeszcze to, choć potrzebne było rozwinięcie:

Arribista całe życie był kanciastym kołkiem wpychającym się w pocie czoła w okrągłą dziurę. Czyżby nareszcie znalazł kanciastą dziurę, żeby mógł się idealnie wpasować, czy raczej on sam w czasie swych wieloletnich wojaży się zaokrąglił? (Jeśli to drugie, ta cała podróż nie miałaby sensu, w każdym razie po jej zakończeniu pasowałby tam, gdzie ją zaczynał. Woli obraz kanciastej dziury i siatka prostopadłych linii, jaką tworzą ulice tego miasta, zdaje się potwierdzać tę wersję).

I być może przez moje prywatne sercowe niepowodzenia Arribistę, podobnie jak dżentelmena z ONZ, opuściła kobieta, którą kochał:

Jego żona to także wymysł. Albo też przed wieloma laty przedostała się ze sfery faktu w sferę fantazji, gdy zostawiła go dla innego mężczyzny, młodszego, przystojniejszego, pod każdym względem doskonalszego od biednego pana Arribisty będącego, z czego doskonale zdawał sobie sprawę, jedynie przeciętnie obdarzonym w każdej kategorii, na którą kobiety zwracają uwagę – wyglądu, elokwencji, opiekuńczości, ciepła i uczciwości. *L'homme moyen sensible,* który do opisu siebie sięga po wyświechtane frazesy jak ten przytoczony i czyni to niedokładnie. Człowiek ubrany w stare znajome słowa, jakby były tweedowym wdziankiem. Człowiek bez właściwości. Nie, to nieprawda, Arribista poprawia siebie. Ma właściwości, przypomina samemu sobie. Choćby to, że gdy się zanurza w strumieniu myśli, ma w zwyczaju krytykować siebie, i pod tym względem jest dla siebie niesprawiedliwy. A przecież tak naprawdę jest pewnego rodzaju znakomitością, znakomitością na miarę tego nowego kraju apoteozującego wyjątkowość, odrzucającego kulturę przeciętniactwa. Arribista jest znakomitością, ponieważ znakomicie sobie poradził. Jest bogaty. Jego historia to historia sukcesu, historia naprawdę nieprzeciętnego sukcesu. Amerykańska historia.

I tak dalej. Wymyśleni sycylijscy arystokraci w domu vis-à-vis rezydencji Goldenów po drugiej stronie ogrodu – wstępnie nazwani Vito i Blanca Tagliabue, baronostwo Selinunte – wciąż pozostawali dla mnie tajemnicą, ale byłem zakochany w ich rodowodzie. Gdy ich sobie wyobrażałem, jak wieczorem wyłaniają się z domu, zawsze w najmodniejszych kreacjach, by wziąć udział w balu w Metropolitan Museum lub w premierze filmu w Ziegfeld Theatre, tudzież w wernisażu nowego młodego artysty w najnowszej galerii na West Side, myślałem o ojcu Vita imieniem Biaggio, który

w upalny dzień niedaleko południowego wybrzeża Sycylii lekko opalony i w kwiecie wieku przemierza rozległy rodzinny majątek zwany Castelbiaggio, z najlepszą strzelbą trzymaną za lufę i wspartą na prawym barku. Jest ubrany w kapelusz z szerokim rondem, starą bordową koszulę, znoszone bryczesy khaki i buty wypolerowane tak, że świecą niczym południowe słońce. Ma wszelkie powody wierzyć, że życie obchodzi się z nim łaskawie. Wojna w Europie dobiegła końca, Mussolini i jego pcizia Clara Petacci wiszą na hakach, i przywracany jest naturalny porządek rzeczy. Baron lustruje spojrzeniem równe rzędy uginających się od owoców winorośli niczym dowódca odbierający defiladę wojsk, następnie szybkim krokiem przechodzi przez las i strumień, wspina się na wzgórze, schodzi do doliny i znów się wspina, zmierzając do ulubionego miejsca, niewielkiego wzniesienia nad jego włościami, gdzie może usiąść po turecku niczym tybetański lama i medytować o tym, jak dobre jest życie, jednocześnie podziwiając daleki widnokrąg za roziskrzonym morzem. Jest to jego ostatni dzień wolności, bo chwilę później dostrzega na swoim terenie kłusownika z pełnym workiem na grzbiecie, bez wahania podnosi strzelbę i zabija gościa.

I potem wyjdzie na jaw, że ów martwy młodzian to krewny bossa miejscowej mafii, który ogłosi, że Biaggio także musi umrzeć, by zapłacić za swoją zbrodnię, po czym zaczynają się agitacje i protesty, schodzą się delegacje sił politycznych, a także Kościoła, przekonujące go, że zlecenie zabójstwa miejscowego arystokraty byłoby, cóż, szalenie widoczne, szalenie trudne do zatuszowania, że mafioso będzie miał przez to więcej kłopotów, niżby sobie życzył, toteż dla świętego spokoju może zrezygnowałby z tego mordu. I w końcu ojciec chrzestny ustępuje,

> Wiem wszystko o tym baronie Biaggiu, hmm? O jego apartamencie w Grand Hotel et des Palmes w Palermo, który to? Numer dwieście dwa czy dwieście cztery, a może obydwa? – bywa tam, żeby się zabawić i podupczyć, hmm? W porządku, to nasze miejsce, odwiedzamy je w tych samych celach, no więc jeśli dzisiaj się tam pokaże i zostanie do końca swego parszywego życia, nie zabijemy fiuta, ale jeśli będzie próbował się stamtąd wychylić, niech pamięta, że korytarze roją się od naszych chłopaków i że kurewki też pracują dla nas, więc zanim postawi stopę na placu przed hotelem, będzie martwy, a jego zakrwawiona głowa z kulką w czole wyląduje na ziemi prędzej niż jego zasrany but. Hmm? Hmm? Powiedzcie mu to.

W scenariuszach i treatmentach do scenariuszy, które nosiłem w głowie tak jak Peter Kien w *Auto da fé* Canettiego nosił całe biblioteki, „baron w apartamencie" pozostał uwięziony w Grand Hotel et des Palmes w Palermo na Sycylii do dnia śmierci czterdzieści cztery lata później, cały czas bawił się i dupczył, codziennie z rodzinnej kuchni i piwniczki sprowadzano mu jedzenie i wino, podczas jednej z nieczęstych wizyt jego cierpiącej w milczeniu żony został poczęty jego syn Vito (malec urodził się jednak tam, gdzie cierpiąca w milczeniu żona wolała – w jej sypialni w Castelbiaggio), a gdy baron zmarł, jego trumnę wyniesiono głównym wejściem, nogami do przodu, w otoczeniu gwardii honorowej składającej się głównie z hotelowego personelu oraz kilku cór Koryntu... Vito zaś, rozczarowany Palermo, mafią, a także własnym ojcem, w późniejszych latach osiedlił się w Nowym Jorku i powziął decyzję, by prowadzić życie będące przeciwieństwem ojcowskiego. Wierny bez reszty swej żonie Blance nie zamierzał spędzić choćby jednego wieczoru w domu jedynie z nią i dziećmi.

Obawiam się, że mogłem przedstawić czytelnikom swój charakter w przesadnie niekorzystnym świetle. Nie chciałbym, byście pomyśleli, że jestem jakimś rozpróżniaczonym indywiduum, nicponiem siedzącym na głowie rodzicom, który po przepędzeniu trzydziestu lat życia na tej planecie wciąż nie zdobył porządnej pracy. Prawda jest taka, że zarówno wtedy, jak i teraz rzadko bywałem i bywam wieczorami na mieście i chociaż od zawsze cierpię na bezsenność, wstawałem i wstaję wcześnie rano. Byłem także (i pozostaję) aktywnym członkiem grupy młodych filmowców – wszyscy skończyliśmy tę samą uczelnię – która pod przewodnictwem dynamicznej młodej Amerykanki indyjskiego pochodzenia, producentki/scenarzystki/reżyserki Suchitry Roy, miała już na swoim koncie liczne teledyski, treści internetowe dla Condé Nast i „Wired", filmy dokumentalne wyemitowane przez PBS i HBO, a także trzy dobrze ocenione, przyjęte do dystrybucji, niezależnie finansowane filmy fabularne (wszystkie trzy trafiły do oficjalnej selekcji na festiwalach Sundance i SXSW, przy czym dwa zdobyły nagrodę publiczności), w których udało nam się namówić do zagrania za symboliczne honorarium aktorów z najwyższej półki, takich jak Jessica Chastain, Keanu Reeves, James Franco i Olivia Wilde. Przestawiam teraz to krótkie CV, aby czytelnik mógł poczuć, że jest w dobrych rękach, rękach wiarygodnego i niepozbawionego doświadczenia autora, jako że moja opowieść nabiera coraz bardziej drastycznego charakteru. Prezentuję także moją współpracownicę, której krytyczna analiza mojego osobistego projektu była bowiem i wciąż jest dla mnie cenna.

Przez całe tamto długie upalne lato umawialiśmy się na lunch w naszej ulubionej włoskiej restauracji na Szóstej Alei zaraz na południe od Bleecker Street, przesiadywaliśmy przy stoliku na zewnątrz w porządnych kapeluszach od słońca wysmarowani kremem z filtrem pięćdziesiąt, i tam właśnie opowiadałem Suchitrze, nad czym pracuję, a ona zadawała trudne pytania.

– Chcesz, jak rozumiem, żeby twój „Neron Golden" był kimś w rodzaju człowieka-zagadki, i świetnie, widzę, że to dobry trop – powiedziała mi. – Ale jakie pytanie zadaje nam jego postać, pytanie, do którego ta historia musi się w końcu odnieść?

Znałem odpowiedź natychmiast, chociaż wcześniej ani razu się do tego nie przyznałem, nawet przed samym sobą.

– Tym pytaniem – odparłem – jest pytanie o zło.

– W takim razie – rzekła – wcześniej czy później, a im wcześniej, tym lepiej, maska musi zacząć opadać.

Historia Goldenów należała do mnie, ale ktoś mógł mi ją zakosić. Łowcy skandali mogli gwizdnąć coś, co było moje świętym prawem „byłem tu pierwszy", squaterskim prawem „to mój kawałek podłogi". Grzebałem się w tych brudach najdłużej, postrzegając siebie niemal jako współczesnego A.J. Webermana – tak zwanego „śmieciologa" z Greenwich Village, który w latach siedemdziesiątych przeszukiwał odpadki wyrzucane przez Boba Dylana, żeby odkryć ukryte znaczenia jego piosenek i szczegóły z życia prywatnego barda, i chociaż ja nigdy się do tego nie posunąłem, przyznaję, że o tym pomyślałem, przeszło mi przez myśl, by splądrować śmieci Goldenów jak kot w poszukiwaniu resztek ryby.

Żyjemy w takich właśnie czasach: ludzie skrywają prawdę, może nawet przed sobą, i żyją w kłamstwie, aż kłamstwo odsłania prawdę w sposób, którego nie da się przewidzieć. I gdy tyle pozostaje w ukryciu, gdy żyjemy na powierzchni, w podkolorowanych i zafałszowanych wersjach siebie, poszukiwacz prawdy musi chwycić łopatę, przebić się przez wierzchnią warstwę i poszukać krwi głębiej. Szpiegostwo nie jest jednak łatwe. Gdy tylko Goldenowie zadomowili się w swej luksusowej rezydencji, seniora rodu opętał lęk przed obserwacją prawdoposzukiwaczy, wezwał więc ochronę, by sprawdziła, czy na terenie posiadłości nie ma urządzeń podsłuchowych, a gdy omawiał sprawy rodzinne z synami, korzystał z „tajemnej mowy", języków starożytnego świata. Był przekonany, że wszyscy wtykamy nos w jego sprawy, co oczywiście było prawdą, ale w niewinnym, małomiasteczkowym, plotkarskim sensie, ulegaliśmy jedynie naturalnym odruchom zwykłych ludzi zebranych wokół ulicznej pompy lub dystrybutora wody, gdy usiłują dopasować nowe elementy do układanki swego życia. Ja byłem z nas wszystkich najbardziej wścibski, ale Neron Golden, ślepy jak ludzie obsesyjnie opętani, nie zauważał tego, biorąc mnie – i tu się pomylił – za życiowego niedojdę, który nie znalazł sposobu, żeby dorobić się fortuny, w związku z czym mógł mnie zbyć, wymazać z pola widzenia, zignorować; co idealnie odpowiadało moim celom.

Jedna ewentualność, przyznaję, nie przyszła ani mnie, ani nikomu z nas do głowy, nawet w naszych nerwowych, paranoicznych czasach. Ze względu na nieskrywane i obfite spożycie alkoholu, swobodę w obecności niezakwefionych kobiet i ewidentny brak zainteresowania którąkolwiek z głównych religii świata nigdy nie podejrzewaliśmy, że mogą być… rany boskie!… muzułmanami. A przynajmniej mieć muzułmańskie pochodzenie. Doszli do tego moi rodzice.

– W erze informacji, mój drogi – oznajmiła mi matka z uzasadnioną dumą, gdy zrobili swoje przy komputerach – śmieci każdego są widoczne dla wszystkich, trzeba tylko wiedzieć, jak grzebać.

Mogłoby się wydawać, że sytuacja w naszym domu była pokoleniowo postawiona na głowie, bo to ja uchodziłem za internetowego analfabetę, moi rodzice zaś w sieci po prostu wymiatali. Ja trzymałem się z dala od serwisów społecznościowych i co rano kupowałem w narożnym sklepiku spożywczym „New York Timesa" i „Washington Post" na papierze. Natomiast moi rodzice żyli w swoich komputerach, mieli swoje awatary w Second Life, odkąd ten wirtualny świat pojawił się w sieci, i potrafili znaleźć „przysłowiową igłę w stogu e-siana", jak mawiała moja matka.

Oni właśnie zaczęli przede mną odsłaniać przeszłość Goldenów, tragedię w Bombaju, która katapultowała ich na drugi koniec świata.

– Żadna filozofia – wyjaśnił ojciec, jak gdyby zwracał się do półgłówka. – Ci ludzie nie są nikim. Jeśli ktoś jest znany, prawdopodobnie wistarczi zwikłe wiszukiwanie w kategorii „grafika".

– Trzeba tylko było – opowiadała matka z szerokim uśmiechem – skierować się prosto do głównego wejścia. – Podała mi teczkę. – Tu masz cynk, koleżko – dodała, naśladując najlepiej jak umiała akcent cynicznego detektywa. – Aż serce krwawi, gdy się to czyta. Śmierdzi gorzej niż chusteczka hydraulika. Nic dziwnego, że chcieli zostawić to za sobą. Świat im się rozpadł jak, nie przymierzając, Humpty Dumpty. Nie mogli go złożyć z powrotem, spakowali się więc i przyjechali tutaj, gdzie takich jak oni, pokiereszowanych przez życie, jest na pęczki. Rozumiem. Smutna sprawa. Prześlemy ci rachunek za poniesione koszty i oczekujemy szybkiego rozliczenia.

W tamtym roku nie brakowało takich, którzy twierdzili, że nowy prezydent jest muzułmaninem, przez tę całą rozdmuchaną sprawę z metryką urodzenia, ale my nie zamierzaliśmy wpaść w słoniową pułapkę fanatycznego zaślepienia. Wiedzieliśmy o Muhammadzie Alim i Kareemie Abdulu-Jabbarze, a w latach po zderzeniu samolotów z wieżowcami ustaliliśmy, wszyscy mieszkańcy Ogrodów, że nie będziemy za zbrodnie winnych obarczać odpowiedzialnością niewinnych. Pamiętaliśmy obawy, jakie kazały taksówkarzom dekorować deski rozdzielcze swoich samochodów małymi flagami i przylepiać na szybę oddzielającą ich od pasażerów naklejki z napisem „God Bless America", i wstydziliśmy się za ignorancję naszych rodaków, gdy atakowano sikhów w turbanach. Widzieliśmy młodych mężczyzn w koszulkach z napisem „NIE OBWINIAJCIE MNIE, JESTEM HINDUSEM" i nie obwinialiśmy ich, byliśmy zażenowani, że czują potrzebę prezentowania sekciarskich napisów w trosce o swoje bezpieczeństwo. Gdy miasto się uspokoiło i odzyskało dawnego ducha, czuliśmy się dumni z nowojorczyków i ich rozsądku, więc nie, nie zamierzaliśmy teraz histeryzować z powodu tego słowa. Czytaliśmy książki o Proroku, o talibach i tak dalej i nie udawaliśmy, że wszystko rozumiemy, ale zadbałem o to, żeby poczytać o mieście, z którego przybyli Goldenowie, a którego nazwy nie chcieli wypowiadać. Przez dłuższy czas jego mieszkańcy szczycili się harmonią międzywyznaniową, wielu hindusów nie było tam wegetarianami, wielu muzułmanów jadło wieprzowinę i było to miasto eleganckie, którego najwyższe sfery miały charakter świecki, nie religijny, i nawet teraz, gdy tamta złota era odeszła w przeszłość, tak naprawdę to hinduscy ekstremiści prześladowali muzułmańską mniejszość, a mniejszości należało współczuć, nie się jej bać. Patrzyłem na Goldenów i widziałem kosmopolitów, nie fanatyków religijnych, podobnie jak moi rodzice, więc nie drążyliśmy sprawy i byliśmy z tego powodu zadowoleni. To, czego się dowiedzieliśmy, zachowaliśmy dla siebie. Goldenowie uciekali przed terrorystyczną tragedią i ogromną stratą. Należało ich przyjąć z otwartymi ramionami, a nie ze strachem.

Nie mogłem się jednak wyprzeć słów, które mi się wymsknęły w odpowiedzi na prowokację Suchitry. *Tym pytaniem jest pytanie o zło.*

Nie wiem, skąd się te słowa wzięły ani co znaczyły. Wiedziałem za to, że na swój tintinowaty, poirotowski, postbelgijski sposób będę poszukiwał odpowiedzi, a gdy już ją znajdę, zdobędę historię, którą, jak uznałem, mogę opowiedzieć ja i tylko ja.

6

Dawno temu żył sobie zły król, który kazał swym trzem synom opuścić rodzinny dom, a później więził ich w gmachu ze złota, za szczelnie zamkniętymi złotymi okiennicami, z drzwiami zastawionymi stertami amerykańskich sztabek złota, workami pełnymi hiszpańskich dublonów, koszami francuskich luidorów i wiadrami weneckich dukatów. W końcu jednak dzieci zamieniły się w ptaki przypominające opierzone węże i wydostały się przez komin na wolność. Lecz gdy tylko znalazły się w powietrzu, spostrzegły, że nie potrafią już latać, po czym runęły boleśnie na ulicę, gdzie leżały poranione i oszołomione w rynsztoku. Zebrał się tłum i ludzie nie byli pewni, czy tym wężoptakom, które spadły z nieba, mają oddawać cześć, czy się ich bać, aż ktoś pierwszy rzucił kamieniem. Następnie grad kamieni uśmiercił wszystkich trzech odmieńców, a król, sam w swym złotym domu, zauważył, że całe złoto we wszystkich jego kieszeniach, wszystkich stertach, koszach i wiadrach zaczyna błyszczeć coraz mocniej i jaśniej, aż zajęło się ogniem i spłonęło. Zabiła mnie nielojalność mych dzieci, zawołał, gdy płomienie strzelały wysoko wokół niego. Ale nie jest to jedyna wersja tej historii. W innej synowie nie uciekają, lecz giną razem z królem w pożodze. W trzeciej mordują jeden drugiego. W czwartej zabijają ojca, stając się jednocześnie ojcobójcami i królobójcami. Możliwe nawet, że król wcale nie był aż tak zły lub miał pewne szlachetne cechy oprócz tych niegodziwych. W naszych czasach zaciekle kwestionowanych rzeczywistości niełatwo jest osiągnąć konsens co do tego, co się właściwie dzieje ani co się stało, *jak się sprawy mają*, o morale lub przesłaniu tej czy innej opowieści nawet nie wspominając.

Mężczyzna, który nazywał siebie Neronem Goldenem, przede wszystkim ukrywał się za zasłoną martwych języków. Znał biegle łacinę i grekę, dopilnował ponadto, żeby opanowali je również jego synowie. W rozmowach między sobą posługiwali się czasem mową Ateńczyków i Rzymian, jak gdyby to były zwyczajne języki, dwa spośród bezliku innych, jakie można usłyszeć w Nowym Jorku. Wcześniej, w Bombaju, rzekł do nich: „Wybierzcie sobie imiona klasyczne" i ich wybory wskazują na bardziej literackie predylekcje synów, bardziej mitologiczne niż ojcowskie cesarskie zapędy. Nie chcieli być władcami, chociaż najmłodszy, zauważmy, skrył się pod zasłoną boskości. Przyjęli imiona: Petroniusz, Lucjusz Apulejusz i Dionizos. Odkąd dokonali tego wyboru, ojciec już zawsze zwracał się do nich przybranymi imionami. Neron na ponurego, ułomnego Petroniusza wołał „Petro" lub „Petrón", co brzmiało jak marka benzyny lub tequili, aż w końcu przywiązał się do „Pietii", ze starożytnego Rzymu posyłając go do świata Dostojewskiego i Czechowa. Drugi syn, energiczny i obyty, artysta i bywalec klubów, uparł się, żeby samemu wybrać sobie zdrobnienie. „Mówcie mi Apu", zażądał, nie licząc się ze sprzeciwem ojca („Nie jesteśmy Bengalczykami!"), i nie reagował na nic innego, aż zdrobnienie się przyjęło. Najmłodszy zaś, którego los okazał się później najbardziej zdumiewający, stał się po prostu „D".

Właśnie na owych trzech synów Nerona Goldena musimy teraz przenieść naszą uwagę, informując jeszcze tylko – co wszyscy czterej Goldenowie zawsze podkreślali – że ich przeprowadzka do Nowego Jorku nie była wygnaniem ani ucieczką, tylko wyborem. Co może i się zgadzało w odniesieniu do synów, ale jak się niebawem okaże, w przypadku ojca osobista tragedia i prywatne potrzeby niekoniecznie były jedynymi motywami. Możliwe, że musiał się znaleźć poza zasięgiem pewnych ludzi. Cierpliwości: nie wyjawię wszystkich tajemnic od razu.

Dandysowaty Pietia – ubierający się konserwatywnie, acz niezmiennie elegancki – kazał wyryć na brązowej tabliczce nad swoim pokojem słowa swego imiennika, Gajusza Petroniusza, przez Pliniusza Starszego, Tacyta i Plutarcha nazywanego *arbiter elegantiarium* lub *elegantiae arbiter*, mistrza dobrego smaku na dworze Nerona: „Porzuć swój dom, młodzieńcze, nowych lądów szukaj! O wiele ciekawsze życie tobie przeznaczone. Nie bój się złych przygód. Daleki pozna cię Dunaj, Boreasz mroźny i spokojne Kanopu domeny, i ci, co Feba oglądają wschód i zachód co dnia"*. Dziwny wybór cytatu, jako że świat zewnętrzny go przerażał. Ale człowiek może marzyć, a w marzeniach być inny, niż jest naprawdę.

Widywałem ich w Ogrodach kilka razy w tygodniu. Do jednych się zbliżyłem bardziej, do innych mniej. Ale przecież znajomość z kimś to nie to samo co ożywienie go na papierze. Zacząłem wtedy myśleć: po prostu spisuj wszystko, jak leci. Zamknij oczy i wyświetlaj w głowie film, a potem otwórz oczy i zapisz, co widziałeś. Najpierw jednak musieli przestać być moimi sąsiadami, którzy żyją w sferze rzeczywistej, i stać się moimi bohaterami, żywymi w rzeczywistości fikcyjnej. Postanowiłem zacząć od tego, od czego sami zaczęli, czyli od ich klasycznych imion. Ażeby odnaleźć jakieś tropy co do Petroniusza, przeczytałem *Satyryki* i przestudiowałem satyrę menippejską. „Krytykowanie pewnych postaw ideowych – brzmiała jedna z moich notatek – to lepsze niż ośmieszanie konkretnych ludzi". Przeczytałem kilka ocalałych dramatów satyrowych, *Cyklopa* Eurypidesa, zachowane fragmenty *Rybaków łowiących siecią* Ajschylosa i *Tropicieli* Sofoklesa, a także współczesną „przeróbkę" Sofoklesa, *The Trackers of Oxyrhynchus*. Czy ten starożytny materiał pomógł? Tak, zawiódł mnie bowiem ku prześmiewczej rubaszności, oddalając od patosu tragedii. Podobali mi się satyrowie tańczący w drewniakach w sztuce Harrisona i zanotowałem: „Pietia – fatalny tancerz, tak absurdalnie nieskoordynowany, że ludziom wydaje się śmieszny". Wyłonił się też ewentualny chwyt fabularny, ponieważ w obydwu dramatach Ajschylosa i Sofoklesa satyrowie znajdują czarodziejskie dzieci – w pierwszej sztuce małego Perseusza,

---

* Fragment *Satyryków* Petroniusza w przekładzie Małgorzaty Chwałek.

w drugiej Hermesa. „Zastrzeż sobie możliwość wprowadzenia obdarzonych nadnaturalnymi mocami dzieciątek", zapisałem w swoim dzienniku, a obok, na marginesie „??? albo – *NIE*". Nie miałem więc jasności ani co do samej historii, jej centralnej tajemnicy, ani co do formy. Czy element surrealistyczny, fantastyczny odegra tu jakąś rolę? Wtedy nie byłem pewien. I owszem, antyczne źródła były pomocne, ale i dezorientujące. Dramaty satyrowe, to oczywistość, miały charakter dionizyjski, ich korzenie prawdopodobnie tkwiły w ludowych obrzędach ku czci boga. Wino, seks, muzyka, taniec. Na kogo więc w mojej historii powinny rzucać najwięcej światła? Pietia „był" Petroniuszem, ale jego bratem był Dionizos... w którego historii kwestia płci – lub tożsamości płciowej, żeby uniknąć słowa tak bardzo nielubianego przez kochankę D, niezwykłą Riyę – miała okazać się zasadnicza... Zanotowałem: „Charaktery braci, do pewnego stopnia, będą się pokrywać".

Z myślą o Apu wróciłem do *Złotego osła*, ale w mojej opowieści przemiana miała być pisana innemu bratu. (Znowu pokrywanie się cech postaci). Zapisałem jednak poniższe cenne spostrzeżenie. „«Złota historia» za czasów Lucjusza Apulejusza była przenośnią oznaczającą niewiarygodną opowieść, szalony wymysł, coś, co jest w oczywisty sposób nieprawdą. Bajkę. Kłamstwo".

A co do czarodziejskiego bobasa: zamiast wcześniejszego „??? albo – *NIE*" muszę powiedzieć, że bez pomocy Ajschylosa lub Sofoklesa odpowiedzią okazało się *TAK*. W opowieści pojawi się dziecię. Zaczarowane czy przeklęte? Czytelniku: decydujesz ty.

Smutna, przebłyskująca geniuszem osobliwość mężczyzny, którego nazywaliśmy Pietią Goldenem, była widoczna dla wszystkich od pierwszego dnia, gdy w gasnącym świetle zimowego popołudnia usadowił się samotnie na ławce w ogrodzie, postawny, jak powiększona wersja swego ojca, o wielkim i ciężkim ciele, z bystrymi, ciemnymi, ojcowskimi oczami, które zdawały się lustrować horyzont. Miał na sobie kremowy garnitur pod grubym tweedowym płaszczem w jodełkę, rękawiczki i pomarańczowy ciepły szal, obok niego na ławce stał wielki shaker i słoik z oliwkami, a w prawej dłoni trzymał kieliszek martini, i gdy siedział tam w swej monologowej samotności, z oddechem unoszącym się widmowo w styczniowym powietrzu, po prostu zaczął mówić na głos i objaśniać, nie zwracając się do nikogo konkretnie, teorię, którą przypisywał filmowcowi surrealiście Luisowi Buñuelowi, dlaczego idealne wytrawne martini jest niczym niepokalane poczęcie. Miał wtedy jakieś czterdzieści dwa lata, a ja, siedemnaście lat od niego młodszy, podchodząc do niego ostrożnie po trawie, gotów go wysłuchać, z miejsca zakochany, byłem jak żelazne opiłki, które ciągnie do magnesu, jak ćma zafascynowana śmiertelnym płomieniem. Zbliżając się, dostrzegłem w półmroku, że trójka miejscowych dzieciaków przerwała zabawę, porzuciła huśtawki i drabinki, żeby się przyjrzeć temu wielkiemu, mówiącemu do siebie dziwakowi. Nie miały pojęcia, o czym mówi ów szalony przybysz, ale i tak radowały się z tego przedstawienia.

– Ażeby przygotować idealne wytrawne martini – instruował – trzeba wziąć kieliszek, wrzucić doń oliwkę, a następnie nalać po brzegi ginu lub zgodnie z najnowszą modą: wódki.

Dzieciaki chichotały, rozbawione nieprzyzwoitością tej alkoholowej pogadanki.

– Potem – kontynuował, dźgając powietrze lewym palcem wskazującym – należy przybliżyć do kieliszka butelkę wermutu w taki sposób, aby przez butelkę przeniknął pojedynczy snop światła i padł na kieliszek. I wtedy wypijamy martini. – Wychylił teatralnie łyk ze swojego kieliszka. – Tego drinka przygotowałem sobie wcześniej – wyjaśnił dzieciom, które teraz rzuciły się do ucieczki, zaśmiewając się w rozkosznym poczuciu winy.

Ogród był bezpieczną przestrzenią dla wszystkich dzieci z okolicznych domów, biegały więc po nim przez nikogo niepilnowane. Była chwila – po owym wykładzie na temat martini – kiedy niektóre z miejscowych mam nabrały obaw co do Pietii, ale nie miały powodu do niepokoju; dzieci nie były jego ulubioną słabostką. Zaszczyt ten był zarezerwowany dla alkoholu. Z kolei stan jego umysłu nie stwarzał zagrożenia dla nikogo prócz jego samego, chociaż mógł irytować osoby, które łatwo się obrażają. Gdy poznał moją matkę, rzekł:

– Musiała być pani w młodości piękną kobietą, ale teraz jest pani stara i pomarszczona.

Przechadzaliśmy się tamtego ranka po ogrodzie, wszyscy Unterlindenowie, gdy Pietia w swoim płaszczu, szalu i rękawiczkach podszedł do moich rodziców, żeby się przedstawić, i wypowiedział te właśnie słowa. Pierwsze zdanie po „dzień dobry". Zjeżyłem się i już otwierałem usta, żeby go obsztorcować, gdy matka położyła mi dłoń na ramieniu i dobrotliwie pokręciła głową.

– Tak – odpowiedziała. – Widzę, że mam do czynienia z człowiekiem prawdomównym.

„W spektrum". Nigdy wcześniej nie słyszałem tego terminu. Chyba pod wieloma względami byłem osobą nieświadomą i autyzm nie był dla mnie niczym więcej niż Dustinem Hoffmanem w *Rain Manie* i innymi „idiotami-sawantami", jak się ich brutalnie określało, recytującymi listy liczb pierwszych i rysującymi z pamięci nieprawdopodobnie szczegółowe plany Manhattanu. Pietia, tłumaczyła mi matka, z pewnością plasował się wysoko w spektrum autystycznym. Nie miała pewności, czy jego zaburzenie to autyzm wysokofunkcjonujący czy zespół Aspergera. Obecnie nie uważa się już zespołu Aspergera za oddzielną przypadłość, został wpasowany w „skalę nasilenia" spektrum. Ale wtedy, zaledwie kilka lat temu, większość ludzi miała o tym równie blade pojęcie jak ja, a cierpiących na to zaburzenie często wrzucano niedbale do jednego worka razem z innymi „wariatami". Pietia Golden może i miał problemy ze sobą, ale w żadnym wypadku wariatem nie był, nawet w przybliżeniu. Był nieprzeciętną, wrażliwą, uzdolnioną, lecz niedoskonałą istotą ludzką.

Fizycznie był niezdarny i czasem, w chwilach wzburzenia, owa niezdarność znajdowała odbicie w sposobie mówienia, kiedy to jąkał się i zacinał, rozdrażniony swą nieporadnością. Miał również najbardziej pojemną pamięć spośród wszystkich, których znałem. Można było rzucić nazwisko poety, „Byron" na przykład, a on z zamkniętymi oczami recytował przez dwadzieścia minut *Don Juana*. „Szukam nie lada rzeczy – bohatera./Trudne to, bo dziś coraz inny modny;/Gazeciarz czarem przygód go podpiera,/Czas waży, mierzy, odrzuca"*. W poszukiwaniu bohaterstwa, rzekł, próbował być ko-

* Fragment *Don Juana* Byrona w przekładzie Edwarda Porębowicza.

munistycznym rewolucjonistą na uniwersytecie (Cambridge, który ze względu na swoją przypadłość opuścił bez dyplomu z architektury), przyznał jednak, że nie starał się dość mocno, a poza tym poważną przeszkodą było jego bogactwo. Ponadto stan jego zdrowia nie sprzyjał raczej zorganizowaniu i solidności, nie był więc dobrym materiałem na aktywistę, zresztą największą przyjemność czerpał nie z buntu, lecz z dyskusji. Niczego nie uwielbiał tak bardzo, jak zaprzeczyć każdemu, kto wyraził przy nim swoją opinię, a potem zmusić przeciwnika do kapitulacji, posiłkując się niewyczerpanymi bodaj zasobami szczegółowej wiedzy dostępnej nielicznym. Posprzeczałby się z królem o jego koronę lub z wróblem o skórkę chleba. Poza tym za dużo pił. Gdy pewnego ranka dosiadłem się do niego w ogrodzie – zaczynał popijać od rana – musiałem wylewać alkohol w krzaki, gdy nie patrzył w moją stronę. Nie sposób było dotrzymać mu kroku. Lecz przemysłowe ilości wódki, jakie w siebie wlewał, najwyraźniej nie miały najmniejszego wpływu na ten wadliwie działający, ale wciąż potężny mózg. W swoim pokoju na ostatnim piętrze rezydencji Goldenów siedział skąpany w błękitnym świetle i otoczony komputerami, zupełnie jakby w tych elektronicznych mózgach znalazł sobie równych, prawdziwych przyjaciół, jakby świat gier, do którego wstępował za pośrednictwem monitorów, był jego prawdziwym światem, a ten nasz – rzeczywistością wirtualną.

Ludzie byli istotami, które musiał tolerować, ale nigdy nie czuł się przy nich swobodnie.

Najtrudniej mu było – w tych pierwszych miesiącach, zanim sami się wszystkiego dowiedzieliśmy, do czego w końcu mu się przyznałem, żeby go uspokoić, bezskutecznie zresztą – trzymać język za zębami, nie wypaplać rodzinnych tajemnic, prawdziwych imion, pochodzenia, okoliczności śmierci matki. Na pytanie zadane wprost odpowiadał szczerze, bo jego mózg nie pozwalał mu kłamać. A jednak przez lojalność wobec życzeń ojca udało mu się znaleźć pewną metodę. Wyszkolił się w języku uników: „Nie odpowiem na to pytanie" lub „Może trzeba spytać kogoś innego", stwierdzeniach, które jego natura mogła uznać za prawdziwe, a zatem pozwalał je sobie wypowiedzieć. Czasem, rzeczywiście, zahaczał niebezpiecznie o zdradę.

– Jeśli chodzi o moją rodzinę – rzekł pewnego dnia ni stąd, ni zowąd, jak to on (rozmowa z nim była serią przypadkowych bomb spadających z błękitnego nieba jego myśli) – pomyśl, jakie szaleństwa bezustannie odchodziły w pałacu za panowania dwunastu cezarów, przypadki kazirodztwa, matkobójstwa, trucicielstwa, epilepsji, martwe niemowlęta, smród zła, no i do tego oczywiście dochodzi jeszcze koń Kaliguli. Obłęd, mój drogi, ale gdy Rzymianin na ulicy spoglądał na pałac, co widział? – W tym miejscu wyniosła, dramatyczna pauza, a po niej: – Widział pałac, mój drogi. Widział ten przeklęty pałac, niewzruszony, niezmienny, *na swoim miejscu*. W środku wielcy tego świata posuwali własne ciotki i odcinali sobie wzajemnie fiuty. Na zewnątrz było jasne, że struktura władzy pozostaje niezmieniona. My też tacy jesteśmy, papa Neron i moi bracia. Za zamkniętymi drzwiami familii, przyznaję się bez bicia, przeżywamy piekło. Pamiętasz Edmunda Leacha i jego radiowe wykłady? „Rodzina ze swoim wąskim pojęciem prywatności i wstydliwymi tajemnicami jest źródłem całego naszego niezadowolenia". Aż nazbyt prawdziwe w naszym przypadku, stary druhu. Ale jeśli chodzi o Rzymianina z ulicy, zwieramy szeregi. Formujemy cholerne testudo i maszerujemy naprzód.

Cokolwiek można zarzucić Neronowi Goldenowi – a nim skończę, powiedziane będzie wiele, i to przeważnie rzeczy, od których włosy stają dęba – jego oddanie pierworodnemu synowi nie ulega wątpliwości. Najwyraźniej w pewnym sensie Pietia miał już na zawsze zostać półdzieckiem, nieprzewidywalnie ciążąc ku szalonym incydentom. Jak gdyby asperger nie był wystarczająco dokuczliwy, w czasie, gdy zamieszkał między nami, zaostrzyła się jego agorafobia. Co ciekawe, wspólny ogród go nie przerażał. Odgrodzony od miasta ze wszystkich czterech stron, w dziwnym, pękniętym jak lustro umyśle Pietii zaliczał się w jakiś sposób do „przestrzeni zamkniętych". Rzadko jednak wypuszczał się na ulice. Aż pewnego dnia postanowił, że zakręci wiatrakami swojej psychiki. Wbrew awersji do nieosłoniętego świata, zmuszając się do stawienia czoła demonom, bezsensownie zszedł na stację metra. W domu po jego zniknięciu wybuchła panika i kilka godzin później odebrano telefon z komisariatu policji na Coney Island, gdzie przetrzymywano go w celi, bo w tunelu metra, coraz bardziej przerażony, zaczął zakłócać porządek i gdy na następnej stacji do pociągu wsiadł pracownik ochrony, Pietia zwyzywał go od bolszewickich aparatczyków, komisarzy politycznych, agentów tajnego państwa, aż w końcu agresywnego pasażera zakuto w kajdanki. Sytuację uratowało dopiero zjawienie się z przeprosinami Nerona w wielkiej, ponurej, apologetycznej limuzynie. Wyjaśnił, na czym polegają problemy psychiczne syna, a policjanci, co się rzadko zdarza, dali wiarę jego wyjaśnieniom i Pietię zwolniono z aresztu pod opiekę ojca. Wydarzyło się to, a potem wydarzyły się jeszcze gorsze rzeczy. Ale Neron Golden nie wahał się ani przez chwilę, zawsze zapewniał mu najnowocześniejszą pomoc medyczną i robił dla pierworodnego wszystko, co w ludzkiej mocy. Gdy przyjdzie dzień ostatecznego rozrachunku, to ojcowskie oddanie z pewnością przechyli szalę sprawiedliwości na jego korzyść.

Czym jest w naszych czasach heroizm? Czym nikczemność? Ileż musieliśmy zapomnieć, skoro nie znamy już odpowiedzi na takie pytania? Oślepiła nas chmura ignorancji i w tym tumanie dziwny, pęknięty umysł Pietii Goldena lśnił migotliwie jak oszalała latarnia morska. Jakież on potrafił zrobić wrażenie! Bo był urodzoną gwiazdą – z usterką w oprogramowaniu. Był z niego znakomity mówca, owszem, ale przypominał modem telewizji kablowej z kanałami typu talk-show, który często i bez ostrzeżenia przerzuca się z programu na program. Często popadał w maniakalnie radosny nastrój, a z drugiej strony choroba wywoływała w nim głęboki ból, wstydził się bowiem swojej nieudolności, tego, że nie potrafi wyzdrowieć, że jest uzależniony od ojca i całej armii lekarzy, którzy pozwalają mu jakoś funkcjonować i składają go z powrotem, gdy się rozpada.

Tyle cierpienia, które znosił tak godnie. Pomyślałem o Raskolnikowie. „Gdzie jest zdolność poznania i serce głęboko czujące, tam na pewno nie zabraknie bólu i cierpienia. Ludzie naprawdę wielcy skazani są na tym świecie na wielki smutek"*.

---

* Fragment *Zbrodni i kary* Fiodora Dostojewskiego w przekładzie J.P. Zajączkowskiego.

Pewnego letniego wieczoru – w czasie pierwszego lata Goldenów wśród nas – zorganizowali olśniewające party, które wylało się z ich rezydencji do wspólnego ogrodu. Zatrudnili najlepszych w mieście profesjonalistów od organizowania przyjęć i speców od PR, tak więc zjawiło się spore grono „wszystkich", godziwa reprezentacja menażerii z nagłówków prasowych, no i my, sąsiedzi, i tamtej nocy Pietia wprost płonął, paplając z roziskrzonymi oczami jak najęty. Wirował i kręcił piruety w swoich wytwornych ciuszkach z Savile Row w towarzystwie aktoreczki, piosenkarki, dramatopisarza i prostytutki, a także omawiających kryzys w Azji finansistów, którym zaimponowały jego znajomość takich terminów jak „Tom Yum Goong" (określenie kryzysu w Tajlandii), umiejętność rozmowy na temat sytuacji egzotycznych walut, załamania się bahta, dewaluacji renminbi oraz wyrobiona opinia o tym, czy finansista George Soros doprowadził do osłabienia malajskiej gospodarki poprzez wyprzedaż ringgita. Może tylko ja – lub jego ojciec i ja – dostrzegliśmy za tym przedstawieniem rozpacz, rozpacz umysłu niezdolnego się zdyscyplinować i popadającego w związku z tym w karnawalizację. Umysłu w więzieniu samego siebie, odsiadującego dożywocie.

Tamtej nocy Pietia mówił i pił bez przerwy i my wszyscy, którzy tam bawiliśmy, do końca życia będziemy nosić w pamięci fragmenty tamtych rozmów. Cóż to był za szalony, niesamowity potok słów! Rozrzut tematów, po które sięgał i traktował jak worek treningowy, wydawał się nieograniczony: brytyjska rodzina królewska, w szczególności życie intymne księżniczki Małgorzaty, która jedną z karaibskich wysp zamieniła w swój prywatny buduar, i księcia Karola pragnącego służyć swej kochance jako tampon; filozofia Spinozy (podobała mu się); teksty Boba Dylana (wyrecytował całą *Sad-Eyed Lady of the Lowlands* z takim namaszczeniem, jakby to była ballada dorównująca *La belle dame sans merci*); mecz szachowy Spasski–Fischer (Fischer zmarł w styczniu tamtego roku); islamski radykalizm (był przeciwny) i letni liberalizm (który prowadził wobec islamu politykę ustępstw, więc jemu też był przeciwny); papież, którego nazywał „Benedyktatorem"; powieści G.K. Chestertona (uwielbiał *Człowieka, który był Czwartkiem*); obrzydliwość owłosienia na męskich klatkach piersiowych; „niesprawiedliwe traktowanie" Plutona zdegradowanego niedawno do kategorii „planety karłowatej" po tym, gdy w Pasie Kuipera odkryto większy obiekt, Eris; słabe punkty w teorii czarnych dziur Hawkinga; anachroniczna słabość Kolegium Elektorów Stanów Zjednoczonych; głupota studentów kolegiów nieelektorskich; seksowność Margaret Thatcher; oraz „dwadzieścia pięć procent Amerykanów" – na prawym krańcu politycznego spektrum – „którzy nadają się do leczenia psychiatrycznego".

Ach, był jeszcze jego pean na cześć *Latającego cyrku Monthy Pythona*! I ni stąd, ni zowąd zdenerwował się i zapomniał języka w gębie, bo jeden z gości, członek znakomitej rodziny właścicieli teatrów na Broadwayu, przyprowadził jako osobę towarzyszącą Erica Idle'a z ekipy Pythona, którego gwiazda znów błyszczała mocniej za sprawą sukcesu musicalu *Spamalot* na Broadwayu i który pojawił się w chwili, gdy Pietia wyłuszczał promieniejącej eleganckim wdziękiem rzeźbiarce Ubah Tuur (o niej za chwilę dużo więcej), jak bardzo nie znosi musicali w ogóle; wyjątek stanowiły jedynie *Oklahoma!* i *West Side Story* i Pietia uraczył nas osobliwymi wersjami *I'm Just the Girl Who Cain't Say No* oraz *Gee, Officer Krupke*, zaznaczając przy tym, że „wszystkie inne musicale są do dupy". Gdy ujrzał w pobliżu przysłuchującego się jednego z Pythonów, spiekł raka, po czym próbował ratować sytuację, włączając musical pana Idle'a do tych najwspanialszych, a następnie zaintonował podchwycony entuzjastycznie przez zebranych refren *Always Look On the Bright Side of Life*.

Ta prawie gafa popsuła mu jednak humor. Otarł pot z czoła, wpadł do domu i zniknął. Nie wrócił już do towarzystwa; ale później, dobrze po północy, gdy większość gości się rozeszła i tylko kilkoro sąsiadów rozkoszowało się jeszcze ciepłym wieczornym powietrzem, okna pokoju Pietii na górnym piętrze domu Goldenów otworzyły się gwałtownie i ów wielkolud wgramolił się na parapet, chwiejąc się na nogach, ubrany w długi czarny płaszcz, który upodabniał go do radzieckiego studenta rewolucjonisty. W swoim wzburzeniu klapnął ciężko na parapet, zadyndał nogami, po czym krzyknął ku niebiosom:

– *Jestem tu dzięki sobie! Jestem tu tylko dzięki sobie! I nikomu innemu! Jestem tu całkowicie dzięki sobie!*

Czas stanął w miejscu. My, w ogrodzie, zastygliśmy w bezruchu z zadartymi głowami. Jego bracia, którzy byli wśród nas na zewnątrz, wydawali się niezdolni do jakiegokolwiek działania jak cała reszta. Dopiero ojciec, Neron Golden, podszedł go cichaczem od tyłu, mocno zaplótł wokół niego ramiona i obaj wpadli do pokoju. I to on, Neron, ukazał się po chwili w oknie i nim je zamknął, ze wściekłym machnięciem ręką kazał nam się rozejść.

– Nie ma tu nic do oglądania. Nie ma nic do oglądania, panie i panowie. Dobranoc.

Przez pewien czas po tej quasi-próbie samobójczej Pietia Golden miał trudności z opuszczeniem swego zaciemnionego pokoju rozświetlonego jedynie blaskiem kilkunastu monitorów i mnóstwem lampek o bladoniebieskich żarówkach, gdzie przesiadywał dzień i noc, prawie nie śpiąc, pochłonięty bez reszty swoimi elektronicznymi tajemnicami, grał między innymi w szachy z anonimowymi e-przeciwnikami z Korei i Japonii oraz, jak się później dowiedzieliśmy, błyskawicznie zaliczał intensywny kurs historii i projektowania gier komputerowych, zgłębiał programy gier wojennych powstałe w latach czterdziestych dwudziestego wieku na pierwsze komputery cyfrowe, Colossus i ENIAC, przeleciał pogardliwie przez *Tennis for Two* i *Spacewar!*, pierwsze zręcznościówki, przez erę *Hunt the Wumpus* i *Dungeons and Dragons*, pominął banalne wymysły w rodzaju *Pac-Mana* i *Donkey Konga*, *Street Fightera* i *Mortal Kombat*, i tak dalej, aż po *SimCity*, *Warcraft* i bardziej finezyjną podmiotowość w *Assassin's Creed* i *Red Dead Redemption*, wspinając się potem na poziomy zaawansowania dla nikogo z nas niedostępne; oglądał także wulgarne wymysły różnych reality show; żywił się kanapkami z grillowanym serem Double Gloucester, przygotowywanymi samodzielnie na małej elektrycznej kuchence, i bezustannie czuł się głęboko zniesmaczony sobą i ciężarem, który musi dźwigać. Po jakimś czasie jego wewnętrzna pogoda się zmieniła i przerzucił się z nienawiści do samego siebie na nienawiść do świata, a zwłaszcza ojca, najbliższego reprezentatywnego dla owego świata autorytetu. Pewnej nocy tego lata bezsenność, moja odwieczna przyjaciółka, zmusiła mnie, żebym wstał o trzeciej nad ranem, ubrał się i wyszedł do ogrodu odetchnąć świeżym powietrzem. Wszystkie domy pogrążone były we śnie; wszystkie oprócz jednego. W rezydencji Goldenów w pojedynczym oknie na piętrze, w pokoju, który Neronowi Goldenowi służył za gabinet, paliło się światło. Nie widziałem staruszka, za to z łatwością rozpoznałem sylwetkę Pietii, z szerokimi barkami i spłaszczoną na czubku głowy fryzurą. Zaskoczyło mnie nadzwyczajne ożywienie tej postaci, wymachującej rękami, przenoszącej ciężar z nogi na nogę. Odwrócił się lekko i gdy go ujrzałem prawie z profilu, zrozumiałem, że krzyczy z wściekłości.

Niczego nie słyszałem. Okna gabinetu były dźwiękoszczelne. Niektórzy z nas podejrzewali, że wstawiono w nie grube na dwa centymetry szyby kuloodporne, hipoteza, którą niemy obraz wrzeszczącego na całe gardło Pietii mocno uwiarygodnił. Dlaczego Neron Golden czuł potrzebę zainstalowania kuloodpornych szyb? Nie ma odpowiedzi na to pytanie, nowojorscy bogacze czują potrzebę ochrony na różne nieprzewidywalne sposoby. W mojej rodzinie akademików przybieraliśmy miny podszytego zaciekawieniem rozbawienia, stykając się z ekscentrycznością naszych sąsiadów, malarza wiecznie obleczonego w jedwabną piżamę, redaktorki magazynu, która nigdy nie zdejmowała okularów przeciwsłonecznych bez względu na porę dnia i nocy, i tak dalej. Więc szyby kuloodporne – wielkie mi rzeczy. W pewnym sensie ta pantomima podkreśliła moc histerycznego występu Pietii Goldena. Jestem wielbicielem niemieckiego ekspresjonizmu w kinie, w szczególności dzieł Fritza Langa, i oto nagle przyszły mi do głowy nieproszone słowa „doktor Mabuse". Wtedy odpędziłem tę myśl, bardziej bowiem absorbowało mnie inne zmartwienie: może Pietii naprawdę zaczyna odbijać, dosłownie. Może za autyzmem i agorafobią kryje się głębsze szaleństwo, prawdziwy obłęd. Postanowiłem, że od tej pory będę mu się baczniej przyglądał.

O co poszło? Nie sposób się domyślić, ale moim zdaniem kłótnia wyrażała wściekłą skargę Pietii na samo życie, które rozdało mu tak słabe karty. Następnego dnia widziano seniora zamyślonego na ławce w ogrodzie, gdzie siedział jak kamień, milczący, nieruchomy, nieprzystępny, z pociemniałą twarzą. Wiele lat później, gdy wszystko już wiedzieliśmy, przypomniałem sobie, jak tamtej letniej nocy w ogrodzie pod rozświetlonym, bezdźwięcznym oknem Nerona Goldena w moich myślach zagościł ów wielki obraz Langa *Doktor Mabuse*. Ten film opowiada oczywiście o karierze przywódcy przestępczego gangu.

O dramatycznych wydarzeniach na party u Goldenów nawet się nie zająknięto w prasie (ani w plotkarskich portalach i żadnym z cyfrowych megafonów spłodzonych przez nowe technologie). Pomimo dużej liczby celebrytów na liście gości, pomimo kręcących się wszędzie kelnerów, których mogłyby skusić łatwe pieniądze za niedyskretny telefon, zmowa milczenia, w jakiej żyli Goldenowie, najwyraźniej spowijała wszystkich, którzy zjawiali się w ich otoczeniu, dzięki czemu poza potężne, niemal sycylijskie pole siłowe ich omerty nigdy nie wydostał się choćby szept skandalu. Neron zatrudnił najskuteczniejszych członków nowojorskiego plemienia speców od PR, których najważniejszym zadaniem było nie tworzenie, lecz tłumienie rozgłosu; tak więc to, co się wydarzyło w domu Goldenów, w gruncie rzeczy pozostało w domu Goldenów.

Neron Golden w głębi serca wiedział, tak teraz sądzę, że jego rola nowojorczyka bez przeszłości nie ma przyszłości. Zdawał sobie chyba sprawę, że przeszłość nie pozwoli się odtrącić, w końcu upomni się o niego i postawi na swoim. Myślę, że usiłował powstrzymać to, co nieuniknione, wykorzystując swoją niewyczerpaną brawurę.

– Jestem człowiekiem rozsądnym – oznajmił gościom w wieczór załamania Pietii. (Samochwalcze oracje były jedną z jego słabostek). – Jestem człowiekiem interesu. Jeśli mogę sobie pozwolić na te słowa: wybitnym człowiekiem interesu. Wierzcie mi. Nikt nie zna się na interesach, mogę powiedzieć, tak dobrze jak ja. Teraz tak, Ameryka jak na mój gust za bardzo przejmuje się Bogiem, jest zbyt pochłonięta przesądami, ja jednak nie należę do ludzi tego rodzaju. Takie sprawy tylko przeszkadzają w handlu. Dwa dodać dwa jest cztery, to ja. Reszta to abrakadabra i bełkot. Cztery dodać cztery jest osiem. Jeśli Ameryka chce być tym, do czego jest zdolna i o czym marzy, musi się odwrócić od Boga w stronę banknotu dolarowego. W interesie Ameryki leżą jej interesy. Tak uważam.

W ten oto śmiały (i często powtarzany) sposób manifestował swoje poparcie dla pragmatycznego kapitalizmu, co, nawiasem mówiąc, utwierdziło mnie w przekonaniu, że my, Unterlindenowie, mieliśmy rację co do jego niereligijnej natury; a jednak uległ on, jak i oni wszyscy, wielkiemu złudzeniu: idei, że ludzi nie można oceniać przez pryzmat tego, kim kiedyś byli i jak postępowali, jeśli tylko postanowią się zmienić. Chcieli oddalić się od obowiązków historii i być wolni. Historia jednak jest sądem, przed którym wszyscy, nawet cesarzowie i książęta, ostatecznie muszą stanąć. Przychodzą mi na myśl słowa Rzymianina Sekstusa Empiryka sparafrazowane przez Longfellowa: młyny Boże mielą powoli, ale dokładnie i na miałko.

7

Lucjusz Apulejusz Golden alias Apu, drugi występujący pod pseudonimem chłopak Goldenów – z jakiegoś powodu, chociaż miał już czterdzieści jeden lat, słowo „chłopak" pasowało do niego bardziej niż „mężczyzna" – był zaledwie rok młodszy od swego brata Pietii, a że urodzili się w odstępie niespełna dwunastu miesięcy, załapali się na ten sam znak zodiaku (Bliźnięta). Apu był przystojnym, dziecinnym mężczyzną z psotną, kozią przekorą w uśmiechu i wesołym chichotem zadziwiającym w zestawieniu z maską ciągłej melancholii oraz wiecznie zmieniającym się lamentacyjnym monologiem, w którym pod toaletami modnych nocnych klubów wyliczał swoje niepowodzenia w relacjach z młodymi kobietami (jego sposób kamuflowania długiej serii sukcesów na tym polu). Włosy miał ostrzyżone krótko na jeża – ustępstwo wobec postępującego łysienia – owijał się obszernym szalem z paszminy i od dawna nie potrafił się dogadać ze starszym bratem. Obydwaj przyznali w osobnych rozmowach ze mną, że w dzieciństwie byli sobie bliscy, ale z czasem oddalili się od siebie ze względu na diametralnie różne temperamenty. Apu, miejski wędrowiec, badacz wszystkiego, co ma do zaoferowania miasto, nie okazywał zrozumienia dla „problemów" Pietii.

– Ten mój głupi brat – rzekł, gdy wyszliśmy się razem napić, jak to się czasem zdarzało – to straszny cykor.

Po czym dodał:

– Powinien uważać. Nasz ojciec gardzi słabością i nie chce mieć z nią do czynienia. Gdy tylko dojdzie do wniosku, że jesteś mięczakiem, stajesz się dla niego martwy. Całkiem, kurwa, martwy.

Po chwili jednak, jak gdyby dopiero zrozumiał, co powiedział, jak gdyby usłyszał trzask pękającej zbroi, zreflektował się:

– Nie zwracaj na mnie uwagi. Za dużo wypiłem, a poza tym my tylko tak gadamy. Wygadujemy mnóstwo bzdur. Które nic nie znaczą.

W jego słowach usłyszałem zazdrość. Neron Golden, jak wszyscy widzieliśmy, był ogromnie opiekuńczy i troskliwy wobec swego psychicznie poturbowanego pierworodnego syna. Być może patriarcha nie poświęcał Apu uwagi, której ten tak otwarcie pragnął. (Często się zastanawiałem, dlaczego czterej Goldenowie nadal mieszkają pod wspólnym dachem, zwłaszcza gdy stało się jasne, że za sobą nie przepadają, za każdym jednak razem, gdy zdobywałem się na odwagę, by zapytać Apu o powody, dostawałem enigmatyczną, alegoryczną odpowiedź zawdzięczającą więcej *Baśniom z tysiąca i jednej nocy* lub *Diamentowi wielkiemu jak góra* niż czemukolwiek, co można by nazwać prawdą. „Nasz ojciec – powiedział na przykład – jest tym, który wie, gdzie znajduje się grota z ukrytym skarbem, ta, która odpowiada na hasło «Sezamie, otwórz się». Zostajemy więc, bo próbujemy odnaleźć mapę". Albo: „Wiesz, ten dom dosłownie stoi na podziemnej żyle czystego złota. Ilekroć musimy za coś zapłacić, po prostu schodzimy do piwnicy i zeskrobujemy trochę kruszcu". Wydawało się, jak gdyby dom miał nad nimi jakąś władzę – ten genealogiczny czy ten właściwy, czasem trudno je było rozdzielić. Bez względu na powód czuli się ze sobą związani, nawet jeśli ich uczucia wobec siebie z czasem przerodziły się w otwartą wrogość. Cezarowie, których całe życie było jedną wielką ruletką, wykonywali w swoim pałacu taniec śmierci).

Apu miał nienasycony wprost apetyt na Amerykę. Uprzytomniłem sobie, że oczywiście on i Pietia musieli bywać tu wcześniej, jako dużo młodsi mężczyźni, i w czasie studenckich wakacji mieszkali z rodzicami w lofcie przy Broadwayu, wedle wszelkiego prawdopodobieństwa nic nie wiedząc o nabytym w systemie benami domu w odległości krótkiego spaceru, który ojciec przygotowywał na odległą przyszłość. Jakże wielkim erotycznym powodzeniem musiał się cieszyć Apu w tym dużo młodszym, odważniejszym mieście! Nic dziwnego, że był zadowolony z powrotu.

Wkrótce po swoim przyjeździe poprosił mnie, bym mu opowiedział o owym listopadowym wieczorze, kiedy wybrano na prezydenta Baracka Obamę. Siedziałem wtedy w sportowym barze w Midtown, gdzie dobrze znana nestorka socjety z Upper East Side, republikanka, wyprawiała przyjęcie wyborcze wspólnie z sympatykiem demokratów, producentem filmowym mocno związanym z Nowym Jorkiem. O jedenastej w nocy, gdy Kalifornia ogłosiła wyniki i przepchnęła Obamę przez linię mety, w barze eksplodowały emocje i zdałem sobie sprawę, że ja, jak i wszyscy inni, nie dowierzałem wcześniej, że naprawdę wydarzy się to, co się stało, chociaż już od kilku godzin liczby wyraźnie wskazywały na zwycięstwo Obamy. Plątała nam się po głowach myśl o kolejnych „skradzionych" wyborach, tak więc z euforią mieszała się ulga, gdy przewaga Obamy okazała się pewna, a ja ze łzami na twarzy przekonywałem siebie: *Teraz już nam tego nie odbiorą.* Gdy zerknąłem na Apu, opowiedziawszy mu o tamtym wieczorze, spostrzegłem, że i on ma w oczach łzy.

Po tej wzruszającej chwili w sportowym barze, opowiadałem mu, przez pół nocy wałęsałem się po ulicach, minąłem Rockefeller Center i Union Square, patrząc na tłumy młodych ludzi takich jak ja, którzy radowali się świadomością, że być może po raz pierwszy w życiu bezpośrednio własnym czynem wpłynęli na losy swego kraju. Upajałem się optymizmem, który płynął dookoła strumieniami, i jak przystało na cynicznego człeka pióra, sformułowałem taką oto myśl: „A teraz rzecz jasna nas rozczaruje". Nie byłem z tego dumny, powiedziałem, ale wtedy przyszły mi do głowy te właśnie słowa.

– Ty masz już w sobie tyle goryczy, podczas gdy ja jestem marzycielem – stwierdził Apu, wciąż chlipiąc. – Tymczasem to mnie i mojej rodzinie przytrafiły się potworne rzeczy, za to ani ciebie, ani twoich bliskich nie spotkało nic strasznego.

Dzięki moim rodzicom wtedy już wiedziałem co nieco o owych „potwornych rzeczach" – ale zastanawiały mnie jego łzy. Czyżby ten stosunkowo świeżo upieczony Amerykanin zdążył się tak bardzo przywiązać do nowej ojczyzny, że opowieść o wyborach doprowadza go do szlochu? Czyżby już wcześniej stworzył silną więź z tym krajem i teraz przeżywał odrodzenie dawno utraconej miłości? To były łzy sentymentalisty czy krokodyla? Odsunąłem od siebie te pytania i pomyślałem: gdy poznasz go lepiej, uzyskasz odpowiedzi. I tak podjąłem kolejny krok, aby stać się okazjonalnym szpiegiem; wtedy już miałem pełną jasność co do tego, że tych ludzi warto podglądać. Jeśli zaś chodzi o jego komentarz na mój temat, nie był on w pełni trafny, bo początkowo porwał mnie entuzjazm dla prezydentury Obamy, ale proroczy, bo w miarę upływu lat narastała we mnie niechęć do systemu. Osiem lat później, gdy ludzie młodsi ode mnie (w większości młodzi, biali, z wyższym wykształceniem) wyrazili chęć rozwalenia owego systemu i wyrzucenia go na śmietnik, nie zgadzałem się z nimi, bo tego rodzaju radykalny gest wydawał się przejawem tego samego zepsutego wygodnictwa, którego jego orędownicy ponoć nienawidzili, a gdy wykonuje się takie gesty, niezmiennie prowadzą do czegoś gorszego niż to, co zostaje odrzucone. Ale nie dziwiłem im się, rozumiałem ich wyobcowanie i gniew, bo w dużej mierze czułem to samo, mimo iż wylądowałem na innej, ostrożniejszej, gradualistycznej i – w oczach pokolenia następującego po moim – godnej potępienia pozycji na (politycznym) spektrum.

Apu ciągnęło do mistycyzmu i wszystkiego, co duchowe, ale zazwyczaj ukrywał przed nami swoje predylekcje, chociaż nie było takiej potrzeby, bo nowojorczycy są tak samo zakochani w różnych dziwacznych systemach wierzeń. Znalazł na Greenpoincie czarownicę, *mãe de santo*, i w jej ciasnym *terreiro* wspólnie oddawali cześć oriszy (pomniejszemu bóstwu), a także oczywiście Olodumare, Najwyższemu Stwórcy. Nie był jednak jej wierny, chociaż szkoliła go w sztuce czarnoksięstwa, i z nie mniejszym entuzjazmem słuchał kabalistki z Canal Street imieniem Idel, zaznajomionej z tajnikami zakazanej kabały praktycznej, która próbowała wpływać na samą sferę boskości, a także na świat za pośrednictwem białej magii. Ponadto wkroczył gorliwie, pokierowany przez przyjaciół, którym jego gorliwość wydawała się czarująca, w świat buddyjskiego judaizmu i medytował wśród coraz liczniejszych wyznawców „BuJu" w mieście – kompozytorów muzyki poważnej, gwiazd filmowych, joginów. Ćwiczył jogę w stylu majsurskim, został znawcą tarota i studiował numerologię oraz książki wyszperane w antykwariatach, które zgłębiają czarną magię oraz podają wskazówki na temat budowy pentagramów i magicznych kręgów zapewniających bezpieczeństwo czarnoksiężnikom amatorom, gdy ci rzucają zaklęcia.

Szybko się okazało, że jest niezmiernie utalentowanym malarzem o sprawności technicznej dorównującej talentowi Dalego (chociaż robił z niej lepszy użytek), figuratywnym w erze konceptualizmu, którego postaci kobiet i mężczyzn, często nagie, zawierały się w symbolistycznych znakach z jego tajemnych studiów lub zawierały je w sobie, były przez nie otoczone lub je otaczały: kwiaty, oczy, miecze, kielichy, słońca, gwiazdy, pentagramy oraz męskie i żeńskie narządy płciowe. Wkrótce urządził sobie w pobliżu Union Square atelier, gdzie pracował nad sugestywnymi portretami *le tout* Nowego Jorku, należących do śmietanki towarzyskiej dam (tak, głównie dam, chociaż było też kilku niezwykle przystojnych panów), które chętnie się rozbierały, by mógł je wtopić w bogaty świat głębokiego duchowego sensu, przybrane w wieńce z tulipanów albo pływające w rzekach raju lub piekieł, a potem wracały do świątyń mamony, w których mieszkały. Dzięki nadzwyczajnej technicznej kontroli osiągnął stylistyczną płynność, co oznaczało, że zwykle mógł ukończyć portret w ciągu jednego dnia, i to też zjednało mu to żyjące w ekspresowym tempie towarzystwo. Jego pierwsza wystawa indywidualna pod patronatem Bruce High Quality Foundation odbyła się w dwa tysiące dziesiątym w wynajętej sali w Chelsea i tytuł zapożyczyła z Nietzschego – *Przywilej posiadania samego siebie*. O Apu zaczęło być głośno lub, jak to sam ujmował ze swoistą cyniczno-żartobliwą skromnością, „głośno w promieniu dwudziestu przecznic".

Ameryka odmieniła ich obu, Pietię i Apu – Ameryka, owo podzielone ja – polaryzując ich tak, jak sama jest spolaryzowana, i amerykańskie wojny, zewnętrzne i wewnętrzne, stały się także ich wojnami; ale na początku, o ile Pietia przybył do Nowego Jorku jako zaglądający do kieliszka człowiek renesansu, który boi się świata i dla którego życie w nim jest jedną wielką udręką, o tyle Apu przyjechał jako trzeźwy romantyczny artysta i wielkomiejski libertyn, który flirtuje ze wszystkim, co wizjonerskie, lecz z jasnością widzenia pozwalającą przejrzeć każdego na wylot, czego świadectwem były jego portrety: panika w oczach starzejącej się wdowy, bezbronna ignorancja w postawie czempiona bokserskiego z odwieszonymi rękawicami, odwaga baleriny z zakrwawionymi baletkami jak siostra Kopciuszka, która odcięła sobie palce, żeby wcisnąć stopę w szklany pantofelek. Jego portrety dalekie były od panegiryzmu; potrafiły być całkiem okrutne. A jednak ludzie walili do niego drzwiami i oknami z pokaźnymi czekami w rękach. Sportretowanie przez Apu Goldena, przyszpilenie do jego płótna stało się czymś pożądanym, wartościowym. Modnym. Tymczasem poza swoją pracownią Apu przemierzał zachłannie miasto, napawając się wszystkim, jak młody Whitman, undergroundem, klubami, elektrowniami, więzieniami, subkulturami, katastrofami, płonącymi drinkami, hazardzistami, umierającymi fabrykami, tańczącymi drag queen. Był przeciwieństwem brata, zachłannym agorafilem, i z czasem zaczęto go postrzegać jako istotę czarodziejską, uciekiniera z krainy baśni, choć nikt nie potrafił stwierdzić na pewno: zaczarowano go czy przeklęto.

Ubierał się znacznie bardziej ekstrawagancko niż starszy brat i często zmieniał styl. Nosił szkła kontaktowe w wielu kolorach, czasem różne w jednym i drugim oku, i do samego końca nie wiedziałem, jaki jest jego naturalny kolor oczu. Jego stroje odzwierciedlały wszystkie trendy modowe na świecie. Ni z tego, ni z owego porzucił szal z paszminy i zamiast niego wkładał arabską diszdaszę, afrykańską koszulę dashiki, południowoindyjskie weszti, jaskrawe koszule z Ameryki Łacińskiej, a czasem, wzorem bardziej zachowawczego Pietii, wdziewał wysztywnioną powagę trzyczęściowego tweedowego garnituru szytego na zamówienie w Anglii. Można go było zobaczyć na Szóstej Alei w spódnicy maksi albo kilcie. W wielu z nas ta zmienność budziła wątpliwości co do jego orientacji seksualnej, ale z tego, co wiem, uznawał tylko konwencjonalny seks hetero; choć prawdą jest też, że był pewnego rodzaju geniuszem segmentacji: różne grupy przyjaciół trzymał w oddzielnych pudełkach i nikt w jednym pudełku nie zdawał sobie sprawy z istnienia innych. Niewykluczone więc, że wiódł potajemne życie poza obrębem heteroseksu, może nawet całkiem rozwiązłe. Ale moim zdaniem to mało prawdopodobne. Jak się wkrótce przekonamy, nie był tym z braci Goldenów, który miał problemy z określeniem własnej tożsamości płciowej. Jednakowoż w swych mistycznych poszukiwaniach z pewnością nawiązał kilka specyficznych, okultystycznych znajomości, o których nie chciał rozmawiać. Teraz wszak, gdy wszystko się wydało, mogę spróbować zrekonstruować życie, które przed nami ukrywał.

Łączyło nas zamiłowanie do filmów i lubiliśmy spędzać weekendowe popołudnia w IFC Center lub Film Forum, oglądając *Tokijską opowieść*, *Czarnego Orfeusza* lub *Dyskretny urok burżuazji*. Właśnie ze względu na filmy skrócił swe imię, zainspirowany trylogią Raya o nieśmiertelnym Apu. Wyznał mi, że jego ojciec wyraził sprzeciw.

– Twierdzi, że jesteśmy Rzymianami, nie Bengalczykami. Ale to jego zmartwienie, nie moje.

Nasze wspólne wypady do kina bawiły Nerona Goldena. Gdy przychodziłem po Apu, czasem czekał na niewielkim podwórzu za domem, którym przechodziło się do wspólnego ogrodu, odwracał się w stronę okien i wywrzaskiwał:

– Apulejuszu! Twoja dziewczyna do ciebie!

Jedna ostatnia kwestia dotycząca jego imienia: z respektem wypowiadał się o żyjącym w drugim wieku autorze *Złotego osła*.

– Facet odziedziczył po ojcu w Algierii dwa miliony sestercji, a mimo to stworzył arcydzieło.

Co do imion starszego brata i własnego skwitował z lekceważącym wzruszeniem ramion:

– Jeśli Pietia to satyr lub choćby satyryk, w takim razie ja na pewno jestem pieprzonym osłem.

Ale późno w nocy, po kilku głębszych, odwracał tę myśl. Co wydawało się trafniejszą diagnozą; ponieważ, prawdę mówiąc, z nich dwóch to raczej on przypominał lubieżnego satyra, natomiast biedny Pietia bardzo często długouchego osła.

W wieczór przyjęcia Goldenów w Ogrodach Pietia i Apu poznali pewną Somalijkę i więzy, które trzymały ten klan razem, zaczęły się rwać.

Przyszła w towarzystwie swojego gwiazdorskiego marszanda, który teraz był także, choć nie wyłącznie, marszandem Apu: był to siwowłosy samotnik, niejaki Frankie Sottovoce, który w młodości zdobył rozgłos, domalowawszy sprayem wysokie na trzydzieści centymetrów litery NLF na jednym z trzech monumentalnych obrazów lilii wodnych Claude'a Moneta w Museum of Modern Art, by zaprotestować przeciwko wojnie w Wietnamie, naśladując podobny wyczyn anonimowego wandala, który w tym samym tysiąc dziewięćset siedemdziesiątym czwartym roku wydrapał półmetrowe litery IRA w dolnym prawym rogu *Pokłonu Trzech Króli* Petera Paula Rubensa w King's College Chapel w Cambridge, czyn, który Sottovoce, dumny ze swojej radykalnej lewicowej działalności za młodu, także, co nieprawdopodobne, w późniejszych latach przypisywał sobie. Obrazy z łatwością odrestaurowano, IRA przegrała swoją wojnę, Wietkong wygrał swoją, a marszand zrobił wspaniałą karierę, w czasie której odkrył i wypromował między innymi rzeźbiarkę w metalu, Ubah Tuur.

„Ubah" w języku somalijskim znaczy „kwiat" lub „kwiecie", co często zapisuje się „Ubax", przy czym „x", głoska gardłowo-szczelinowa wymawiana przez Somalijczyków atonicznie, jest dźwiękiem, z którym anglofońskie gardła radzą sobie z trudem. Stąd „Ubah" – uproszczone ustępstwo wobec niesomalijskiej gardłowej nieudolności. Była piękna urodą kobiet z Rogu Afryki, o długiej szyi i pełnym wdzięku kształcie ramion, i tego długiego letniego wieczoru kojarzyła się Pietii z kwitnącym drzewem, pod którego gałęziami mógłby odpoczywać, kojony chłodnym cieniem, do końca życia. W pewnym momencie zaśpiewała: nie jakąś zawodzącą somalijską pieśń, która, jak się spodziewał, popłynie z tych pełnych ust, lecz słynną odę Patti Smith do samej miłości, pełną mroku i pożądania, z pocieszającymi, zdradliwymi powtórzeniami, *can't hurt you now, can't hurt you now...* i zanim skończyła śpiewać, Pietia stracił dla niej głowę. Popędził w jej stronę i zatrzymał się przed nią jak wryty, nie wiedząc, co powiedzieć. Owładnięty nagłym przypływem nieprawdopodobnej, niewypowiedzianej miłości zaczął terkotać do swej odnalezionej właśnie wymarzonej dziewczyny o tym i o owym, o poezji, fizyce subatomowej i prywatnym życiu gwiazd filmowych, a ona słuchała go z poważną miną, przyjmując te jego chaotyczne wypowiedzi-trzaski, jak gdyby były czymś całkowicie normalnym, i Pietia poczuł się, choć ten jeden raz w życiu, zrozumiany. Po nim zaczęła mówić ona, a on słuchał jej zahipnotyzowany, jak mangusta wpatrzona w kobrę. Później był w stanie powtórzyć dokładnie każde słowo, które wyszło z jej nieskazitelnych ust.

Jej wczesne prace, jak wyjaśniała, zainspirowali poznani przez nią podczas wizyty na Haiti prymitywiści, którzy rozcinali na pół beczki na ropę, spłaszczali obydwie połowy, a potem, korzystając z najprostszych narzędzi – młotków i śrubokrętów – rozbijali je i cięli w misterne ażurowe formy gałęzi, liści i ptaków. Długo opowiadała Pietii o wykorzystaniu lampy lutowniczej do cięcia stali i żelaza w koronkowe cacka i pokazywała mu w telefonie zdjęcia swoich prac: szczątki zdewastowanych (zniszczonych w bombardowaniu?) samochodów i czołgów przeistoczone w najdelikatniejsze filigranowe twory, gdzie metal z kształtnymi prześwitami powietrza sam nabiera zwiewności. Mówiła językiem świata sztuki: *wojna symboli, pożądane przeciwieństwa*, wysoce abstrakcyjnym branżowym żargonem, opisując próby *stworzenia empatycznymi obrazami równowagi i dysonansu poprzez zestawianie kontrastujących idei i materiałów*, zgłębiała także *absurdalność łączenia przeciwnych ekstremistycznych postaw, jak zapaśnik w spódniczce baletnicy*. Była znakomitą mówczynią, charyzmatyczną i niemal niezrozumiale szybką, i gdy mówiła, przeczesywała dłonią włosy i łapała się za głowę; w końcu więc wypalił (autyzm zmuszał go do mówienia prawdy):

– Przepraszam, ale nie zrozumiałem nic z tego, co pani powiedziała.

Natychmiast się znienawidził. Jakiż to głupiec ze słowami „kocham panią" uwięzłymi w gardle okazuje swej genialnej ukochanej pogardę zamiast uwielbienia? Teraz się do niego zniechęci i będzie miała do tego pełne prawo, jego życie zaś straci wszelki sens, będzie przeklęty.

Wpatrywała się w niego przez dłuższą chwilę, po czym wybuchła zbawiennym śmiechem.

– To mechanizm obronny – wyjaśniła. – Istnieje niebezpieczeństwo, że nie będą cię traktować poważnie, jeśli nie masz odpowiedniego teoretycznego podparcia, zwłaszcza jeśli jesteś kobietą. Tak naprawdę to moja sztuka dość wyraźnie przemawia za siebie. Piękno spycham w sferę grozy i chcę, żeby niepokoiło, zmuszało do myślenia. Proszę wpaść do galerii Rhinebeck i obejrzeć wystawę.

Jestem teraz pewien – gdy składam elementy puzzli domu Goldenów i staram się zrekonstruować z pamięci dokładną sekwencję wydarzeń tamtej ważnej nocy, spisując wszystko, co mi się przypomni – że w tym momencie z Pietią zaczęło się dziać coś złego, gdy jego chęć skorzystania z zaproszenia Ubah toczyła w nim bój z demonami, które kazały mu się bać świata zewnętrznego. Wykonał oburącz dziwaczny gest, na wpół bezradny, na wpół gniewny, i natychmiast zaczął wygłaszać monolog składający się z szybkiej serii stwierdzeń bez związku między sobą, o tym, co akurat przyszło mu do głowy w tym wzburzonym stanie. I gdy się tak rozgadał na różne tematy, posępniał coraz bardziej, aż wreszcie dobrnął do kwestii broadwayowskich musicali i swojej awersji do nich. Wtedy nastąpił ów niezręczny pythonowski epizod, po nim – zniknięcie Pietii w domu, aż wreszcie jego okrzyk desperacji na parapecie. U Pietii od miłości do rozpaczy nigdy nie było daleko.

Przez całe lato tamtego roku trapiony smutkiem zamykał się w swoim pokoju, gdzie skąpany w niebieskim świetle spędzał czas przy grach komputerowych i (jak się później okazało) wymyślał je, gry o najwyższym stopniu złożoności i piękna, marzył przy tym o tej zniewalającej twarzy za maską ochronną i o tnącym metal płomieniu poruszającym się w jej ręku, gdy z prymitywnego metalu komponowała rzeczy fantazyjne i kunsztowne. W jego myślach była superbohaterką, boginią z lampą lutowniczą, i nade wszystko pragnął z nią być, lecz obawiał się podróży, jak książę zbyt przytłoczony swymi problemami, by ruszyć na poszukiwanie zaginionego Kopciuszka. Nie mógł też do niej zadzwonić i wyznać, jak się czuje. Był niczym kontynent nieobliczalnego wielomówstwa z zakazaną strefą werbalnego paraliżu. Aż wreszcie zlitował się nad nim Apu i zaproponował mu pomoc.

– Wynajmę samochód z zaciemnionymi szybami – oświadczył. – Umożliwimy ci *dostęp*.

Apu przysięgał potem, że nie miał innego motywu: chciał przerzucić Pietię przez granicę strachu, żeby mógł spróbować z tą dziewczyną. Ale może nie mówił prawdy.

I tak Pietia zebrał się na odwagę, zadzwonił do Ubah Tuur, ona zaś zaprosiła braci na weekend do siebie i wykazała się dostatecznym zrozumieniem problemu, by go zapewnić:

– Posiadłość jest otoczona solidnym ogrodzeniem, więc może zdołasz sobie wyobrazić, że to zamknięta przestrzeń, jak wasz wspólny ogród. Jeśli sobie z tym poradzisz, będę ci mogła pokazać nie tylko prace ze studia, ale i te stojące na zewnątrz.

W ostatnich promieniach słońca, ubrana w zabrudzone ogrodniczki, z włosami luźno zebranymi pod baseballówką nasuniętą daszkiem do tyłu, z dyndającą na łokciu jak na haku przed chwilą zdjętą maską ochronną – wyglądała szałowo, nawet się nie starając.

– Chodźmy, chcę ci coś pokazać – powiedziała i chwyciła Pietię za rękę, po czym w zapadającym zmierzchu poprowadziła go przez teren usiany gigantycznymi misternymi konstrukcjami, jak ażurowe zbroje olbrzymich bogów, jak pozostałości z pola bitwy przerobione przez zwinnopalce elfy, on natomiast nie skarżył się, wierząc w istnienie ogrodzenia, którego nie widział w gęstniejącym mroku, nawet przy świetle pełnego księżyca na niebie; okrążyła długi i niski wiejski dom, w którym mieszkała, poprowadziła go między domem a stodołą, gdzie pracowała, i rzekła:

– Patrz.

I tam, na końcu posiadłości, gdzie teren obniżał się raptownie, toczyła się rzeka, szeroka i srebrna Hudson, zapierając mu dech w piersi. Przez dłuższą chwilę nie myślał nawet o ogrodzeniu, nie pytał, czy jest bezpiecznie oddzielony od wszystkich potworności wielkiego świata, czy niebezpiecznie przed nimi odsłonięty, i gdy wreszcie zaczął: „Czy tu...", ona, ściskając mocno jego drżącą dłoń, odpowiedziała:

– Murem jest rzeka. Jesteśmy tu wszyscy bezpieczni.

A on przyjął jej wyjaśnienie i przestał się bać. Stali tam, zapatrzeni w wodę, a potem Ubah zaprowadziła braci do domu na kolację.

W ciepłym, żółtym świetle kuchni znów się stał swoim gadatliwym sobą, zajadając jej curry z kurczakiem i mango, którego słodycz na podniebieniu wojowała z dodanymi do potrawy przyprawami berbere. Gdy jednak rozwodził się bez końca o entuzjazmie, jaki budzi w nim świat gier komputerowych, opisy najnowszych gier pod wpływem lśniącej Hudson przetykając recytacjami wierszy o rzekach, ona zaczęła odpływać myślami. Noc się dłużyła, scenariusz wizyty trafił szlag i Ubah Tuur czuła, jak wzbiera w niej coś nieoczekiwanego – zdrada. Jak to się stało, że nie jesteś żonaty, spytała Pietię, taki mężczyzna, taka świetna partia. Ale gdy wypowiadała te słowa, jej wzrok prześlizgnął się na Apu, który *siedział całkowicie nieruchomo*, jak mi relacjonował, *nic nie robił*, lecz później Pietia oskarżył go, że ten mamrotał, bąkał coś pod nosem, *ty draniu, zawróciłeś jej w głowie czarną magią*, podczas gdy on, Pietia, próbował jej odpowiedzieć, choć słowa nie chciały mu przejść przez gardło, dawno temu, owszem, był ktoś, ale od tamtej pory czeka, czeka na imperatyw emocjonalny, i ona, mówiąc do niego, ale patrząc na jego brata: I co, znalazłeś ten swój imperatyw, kokieteryjnie, lecz ze spojrzeniem wbitym w Apu, który coś mamrotał, jak twierdził Pietia, choć on sam w rozmowach ze mną zawsze wszystkiemu zaprzeczał.

Wiem, coś zrobił, ty gnido – wrzeszczał później Pietia – może jeszcze dosypałeś jej czegoś do jedzenia, te przyprawy na pewno by to zagłuszyły, jakiegoś parszywego proszku z kurzych flaków, który ci dała ta twoja wiedźma z Greenpointu, i jeszcze to mamrotanie, co tam międliłeś, jakieś zaklęcie, zły urok.

I Apu, z kamienną twarzą, dolewał jeszcze oliwy do ognia: Gdzież jest teraz ulubiony synalek naszego ojca? Co z: dwa dodać dwa jest cztery? Cztery dodać cztery osiem? Nic nie zrobiłem. Nic.

Przeleciałeś ją – zawył Pietia.

No rzeczywiście, tak. Przykro mi.

Ta wizyta mogła przebiec nieco inaczej. Nie było mnie tam. Możliwe, że zazwyczaj wielomówny Pietia przez cały wieczór nie mógł wykrztusić z siebie słowa uciszony miłością, a dynamiczny, światowy Apu zmonopolizował rozmowę – i kobietę. Niewykluczone, że ona, Ubah, powszechnie uważana za kulturalną, pełną wdzięku, rzadko lekkomyślną, zaskoczyła przy tej okazji samą siebie, ulegając nagłej chuci do niewłaściwego brata, też artysty, wschodzącej gwiazdy, bawidamka, czarusia. Motywacje pożądania są niejasne nawet dla samych jego ofiar, pożądających i pożądanych. „Ja zdradzam/Mą lepszą cząstkę dla cielesnej zdrady"*. William Shakespeare. Sonet 151. I tak, bez pełnej wiedzy o tym, dlaczego i z jakiego powodu, zadajemy śmiertelne rany osobom, które kochamy.

Ciemny dom. Trzeszcząca drewniana podłoga. Czyjeś ruchy. Nie ma potrzeby przytaczać banalnego melodramatyzmu tej sytuacji. Rano poczucie winy na twarzach obojga winowajców, czytelne jak gazetowy nagłówek. Duży, ciężki Pietia, gibki Apu z ogoloną głową, między nimi kobieta jak chmura burzowa. Nie ma czego wyjaśniać – mówi ona. – Stało się. Chyba powinniście już sobie pójść. Obaj.

I potem Pietia, uwięziony przez własny lęk przed światem w wynajętym samochodzie brata z zaciemnionymi szybami, trząsł się z wściekłości i męskiego upokorzenia na tylnej kanapie, trzy godziny milczącego horroru, gdy wracali do miasta. W takich chwilach myśli mogą zwrócić się ku morderstwu.

---

* Fragment sonetu 151 Williama Shakespeare'a w przekładzie Macieja Słomczyńskiego.

8

Osiemnaście lat po przyjściu na świat Apu senior rodu wdał się w romans, nie zachował należytej ostrożności i skutkiem tego była ciąża, o której usunięciu nie chciał słyszeć, był bowiem zdania, że wyboru zawsze powinien dokonywać on. Matką była jakaś biedaczka, której tożsamość pozostała nieznana (sekretarka, prostytutka?), i w zamian za pewną finansową rekompensatę oddała dziecko na wychowanie ojcu, wyjechała z miasta i znikła z historii swego synka. Tak więc niczym boski Dionizos dziecko narodziło się dwukrotnie – pierwszy raz z łona matki, a potem znowu – wkraczając w świat ojca. Dionizos był zawsze outsiderem, bogiem odnowy i nadejścia – „bogiem, który przywędrował". Był także bóstwem androginicznym, „męsko-żeńskim". Wybór tego właśnie pseudonimu przez najmłodsze dziecko Nerona w ich grze zamiany imion na klasyczne świadczy o tym, że wiedział o sobie coś, zanim, że się tak wyrażę, o tym wiedział. Chociaż wtedy powody swej decyzji podał następujące: po pierwsze, Dionizos przemierzył wzdłuż i wszerz Indie, co więcej, mityczna góra Nysa, na której się urodził, mogła się wznosić na tym subkontynencie; a po drugie, był bóstwem zmysłowej rozkoszy, nie tylko Dionizos, ale i jego rzymskie wcielenie Bachus, bóg wina, zamętu i ekstazy, z czego wszystko, stwierdził Dionizos Golden, brzmi super. Szybko jednak oświadczył, że nie chce, by zwracano się do niego pełnym boskim imieniem, wolał prosty, anonimowy wręcz, jednoliterowy przydomek „D".

Zintegrowanie go z resztą rodziny nie było łatwe. Od samego początku stosunki z przybranymi braćmi układały się źle. Przez całe dzieciństwo czuł się wykluczony. Przezywali go Mowglim i wyli dla żartu do księżyca. Jego wilcza matka była jakąś dziwką z dżungli; natomiast ich matka była wilczycą, symbolem Rzymu. (Zdaje się, że w tym właśnie momencie postanowili zostać Romulusem i Remusem, chociaż później Apu się tego przy mnie wypierał, sugerując, że to pomysł, który zrodził się w głowie D, nie jego). Starsi bracia opanowali już grekę i łacinę, gdy D dopiero się uczył mówić, i posługiwali się tymi tajemnymi językami, żeby nie dopuszczać go do swoich sekretów. Do tego też się później nie przyznawali, potwierdzili tylko, że sposób, w jaki D dostał się do rodziny, a także różnica wieku zrodziły poważne trudności, problemy z lojalnością i naturalnym przywiązaniem. Teraz, jako młody mężczyzna, D Golden w towarzystwie swych braci miotał się między przymilnością a gniewem. Było oczywiste, że pragnął kochać i być kochany; przetaczała się przez niego fala uczucia, która musiała kogoś zalać, i D miał nadzieję, że ta do niego wróci. Gdy ten rodzaj emocjonalnej wzajemności nie następował, D wściekał się, złorzeczył i zamykał w sobie. Miał dwadzieścia dwa lata, gdy rodzina przeniosła się do swego nowojorskiego domu. Czasem wydawał się mądry ponad wiek. Innym razem zachowywał się jak czterolatek.

Gdy jako dziecko zbierał się na odwagę, by zapytać ojca i macochę o kobietę, która go urodziła, ojciec wyrzucał ręce do góry i wychodził z pokoju, a macocha wpadała w złość.

– Daj sobie spokój! – zawołała pewnego pamiętnego dnia. – Ta kobieta nic nie znaczyła. Wyjechała, zachorowała i umarła.

Jak musiał się czuć, będąc Mowglim, zrodzonym z nic nieznaczącej kobiety, którą tak okrutnie odrzucił jego ojciec i która potem, na zewnątrz, w ciemności, poniosła jeden z niezliczonych rodzajów śmierci ludzi zapomnianych i biednych? Później, gdy przerwano zmowę milczenia, usłyszałem od Apu pewną wstrząsającą historię. Był czas, kiedy związek głowy rodziny z ich matką przechodził kryzys. On się na nią pieklił, a ona odpowiadała krzykami. Aż się wyprostowałem i nadstawiłem ucha, ponieważ po raz pierwszy w mojej rozmowie z Goldenami ta pozbawiona twarzy i imienia kobieta, żona Nerona – od czasów starożytnych rola niefortunna – wyszła na scenę i otworzyła usta; i ponieważ według tej relacji Neron wydzierał się na całe gardło, a ona nie pozostawała mu dłużna. Nie był to znany mi Neron, w którym porywy złości znajdowały się pod kontrolą, przebłyskując jedynie pod postacią chełpliwej bufonady.

W każdym razie: po tej eksplozji złości rodzina rozpadła się na dwa obozy. Starsi chłopcy wzięli stronę matki, ale Dionizos Golden stał nieugięcie u boku ojca i przekonywał patriarchę, że jego żona, a matka Pietii i Apu nie nadaje się do prowadzenia domu. Neron wezwał żonę i kazał jej oddać klucze; od tej pory przez pewien czas to D wydawał polecenia, zamawiał artykuły spożywcze i decydował, co będą gotować w kuchni. Było to publiczne upokorzenie, hańba. Jej poczucie godności osobistej było ściśle związane z tym żelaznym kółkiem, majestatycznym „O" o średnicy ośmiu centymetrów, z którego zwisało może dwadzieścia kluczy, dużych i małych, do spiżarni, do piwnicznych kas pancernych wypełnionych sztabami złota i innymi potajemnymi skarbami bogaczy oraz do różnych skrytek rozsianych po całej rezydencji, gdzie sama tylko wiedziała, co jest schowane: stare listy miłosne, biżuteria ślubna, tradycyjne szale. Te klucze były symbolem jej domowego autorytetu i obok nich w pęku wisiały także jej duma i szacunek do samej siebie. Uważała się za panią wszystkich zamków oraz kłódek i bez tej roli była niczym. Dwa tygodnie po tym, gdy z rozkazu męża oddała pęk kluczy, zdetronizowana gospodyni próbowała odebrać sobie życie. Zostały połknięte pigułki, Apu i Pietia znaleźli ją omdlałą u stóp marmurowych schodów, przyjechało pogotowie. Ściskała nadgarstek Apu i ratownicy zwrócili się do niego, proszę, niech pan z nami jedzie, to ważne, że trzyma pana za rękę, w ten sposób trzyma się życia.

W karetce dwaj ratownicy wcielili się w dobrego i złego gliniarza. Głupia babo, żeby tak nastraszyć rodzinę, myślisz, że nie mamy nic lepszego do roboty, są poważne przypadki, prawdziwe obrażenia, rany, które nie są zadane własnoręcznie, powinniśmy cię zostawić, żebyś tam kojfnęła. Nie, nie bądź dla niej taki surowy, biedaczka musi być w bardzo złym stanie psychicznym, wszystko w porządku, kochana, zaopiekujemy się tobą, wszystko się jakoś ułoży, po każdej burzy wychodzi słońce. Do diabła z tymi farmazonami, jakiej burzy?

Spójrz na jej dom, ile kasy, tym ludziom się wydaje, że jesteśmy ich własnością. Nie słuchaj go, złotko, on tak zawsze, jesteśmy tu, żeby się tobą zająć, jesteś teraz w dobrych rękach. Próbowała coś mamrotać, ale Apu nie rozumiał, co mówi. Wiedział za to, co robią sanitariusze – próbowali nie dopuścić, żeby straciła przytomność, a potem, gdy już przeprowadzono płukanie żołądka, które musiał oglądać, jego nadgarstek wciąż bowiem tkwił w kleszczach jej uścisku, i gdy się ocknęła w szpitalnym łóżku, powiedziała mu: w karetce próbowałam ci tylko przekazać, moje dziecko, żebyś trzasnął tego chama w nos.

Jej powrót do domu był pewnego rodzaju triumfem, jako że oczywiście przywrócono jej pozycję pani domu, a zdradzieckie dziecko, które nie było jej dzieckiem, błagało o przebaczenie, i choć powiedziała, że mu wybacza, w rzeczywistości było inaczej i do końca życia prawie się do niego nie odzywała. Zresztą jemu wcale nie zależało na jej litości. Nazwała jego matkę kobietą bez znaczenia i zasługiwała na każdą wyrządzoną jej krzywdę. Po tamtym incydencie przyrodni bracia zatrzasnęli mu przed nosem emocjonalne drzwi, mówiąc, że ma szczęście, iż nie są porywczy. Schował dumę do kieszeni i też prosił ich o przebaczenie. Nie nadeszło szybko. Ale z upływem lat powoli zrodziła się między nimi powściągliwa życzliwość, szczątkowe kontakty, które osoby z zewnątrz mylnie brały za niewypowiedzianą braterską miłość, nie były jednak niczym więcej jak próbami tolerowania się nawzajem.

W powietrzu wisiały niezadane pytania, nierozwiązane tajemnice: Dlaczego chłopak, który wyrósł na D Goldena, tak usilnie chciał zarządzać gospodarstwem, że aby zaspokoić to pragnienie, nie cofnął się przed upokorzeniem macochy? Czy chciał w ten sposób udowodnić, że należy do rodziny? Czy chciał raczej, co całkiem prawdopodobne, pomścić nieżyjącą kobietę, która wydała go na świat?

– Nie wiem – zbył moje pytanie Apu. – Jeśli chce, potrafi być wyjątkowo wrednym chujkiem.

Z dojmującego poczucia odmienności zakorzenionego w bękarcim pochodzeniu D Golden wysnuł pewną formę nietzscheańskiego elitaryzmu, aby usprawiedliwić swoją izolację. (Zawsze, gdy się przyjrzeć Goldenom, majaczy w nich cień „nadczłowieka"). „A dopieroż «dobro wspólne» jakżeby istnieć mogło! – cytował filozofa w naszym ogrodzie. – Słowo to przeczy sobie samemu: co wspólnem być może, to zawsze niewiele warto. Ostatecznie musi być tak, jak jest i jak było zawsze: rzeczy wielkie zachowano dla wielkich, bezdnie dla głębokich, pieściwości i drżenia dla subtelnych, zaś, ogółem i zwięźle, wszystko niezwyczajne dla niezwyczajnych"*. Brałem to za najwyżej młodzieńczą pozę; zaledwie kilka miesięcy starszy od niego rozpoznawałem w nim własną skłonność do filozofowania. D w rzeczy samej był istnym mistrzem przybierania póz, typem Doriana Graya, szczupły, gibki, na krawędzi zniewieściałości. Jego obraz siebie – że tylko on z całego plemienia ma zadatki na wielkość, tylko on dysponuje głębią charakteru, by móc się zanurzyć w bezdniach smutku, że tylko on jest niezwyczajny – wynikał, co wydawało mi się dosyć oczywiste, z asekuracji. Ale miałem dla niego sporo współczucia; los się z nim nie cackał, zresztą wszyscy wznosimy wokół siebie mury, nieprawdaż? I może nawet nie wiemy, przeciw czemu je wznosimy, jakie siły w końcu je sforsują i zniszczą nasze skromne marzenia.

Od czasu do czasu chodziliśmy razem posłuchać muzyki. Lubił pewną rudowłosą artystkę, Ivy Manuel, która co tydzień występowała późnym wieczorem w klubie na Orchard Street, czasem z diademem na głowie, ażeby udowodnić, że jest królową. Śpiewała covery *Wild Is the Wind, Famous Blue Raincoat* i *Under the Bridge,* by potem wykonać kilka własnych kompozycji, a D siedzący przed nią przy czarnym metalowym stoliku zamykał oczy i kiwał się w takt kawałków Bowiego, Cohena i pod nosem podstawiał własne słowa do hitu Red Hot Chili Peppers. Czasem czuję się tak, jak gdybym się nie urodził, czasem czuję się tak, jakbym nie chciał się urodzić. Ivy Manuel była jego przyjaciółką, ponieważ, jak twierdził, wcale nie żartując, wszystkie dziewczyny hetero, jakie poznał, na niego leciały, a z Ivy jako z lesbijką mógł się bez przeszkód przyjaźnić. Był najpiękniejszy ze wszystkich Goldenów, co chętnie potwierdziłoby każde czarodziejskie zwierciadełko, i potrafił też być najbardziej spośród nich urzekający. My wszyscy

---

* Fragment *Poza dobrem i złem* Fryderyka Nietzschego w przekładzie Stanisława Wyrzykowskiego.

w naszych domach w Ogrodach padliśmy ofiarą jego cierpiętniczej otwartości, zresztą szybko stał się znaną figurą także poza naszą małą społecznością. Utrzymywał, że zainteresowanie innych mu przeszkadza. Dokądkolwiek pójdę, ludzie się na mnie gapią – skarżył się – wiecznie ktoś mi się przygląda, jakbym był kimś, jakby czegoś ode mnie oczekiwali. Przestań tak się sobą przejmować – poradziła mu Ivy – nikt od ciebie niczego, kurwa, nie chce. Uśmiechnął się szeroko i skłonił głowę w udawanej skrusze. Urok tak jak w przypadku Apu pełnił funkcję maski; pod nią kryło się zamyślenie i często smutek. Od początku to właśnie on miał w sobie mrok najmroczniejszy, mimo iż przyszedł na ten świat jak promyk słońca, z czupryną jasnych, niemal białych włosów. Włosy mu ściemniały, przybierając odcień kasztanowy, niebo jego osobowości również się zachmurzyło, często więc spadał na łeb, na szyję w otchłań przygnębienia.

Ivy nie robiła ze swojej seksualności wielkiego halo – jako muzyk nie chciała dać się zaszufladkować.

– Nie mam problemu z przyznawaniem się do swojej orientacji, ale nie sądzę, żeby to miało jakikolwiek związek z moją muzyką – tłumaczyła. – Mam takie a nie inne preferencje seksualne. Nie chcę, żeby ktoś miał z tego powodu nie słuchać mojej muzyki, nie chcę też, żeby ktoś jej słuchał z tego powodu.

Jej publiczność jednak w przeważającej mierze stanowiły kobiety, mnóstwo pań plus jeden uroczy młody dżentelmen, który nie chciał, żeby mu się przyglądano, no i ja.

Wszyscy Goldenowie opowiadali o sobie historie, historie, w których kluczowe informacje o pochodzeniu były albo pomijane, albo przeinaczane. Słuchałem ich nie dlatego, że były „prawdziwe", ale stanowiły pewną podpowiedź co do ich charakterów. Gawędy, jakie człowiek o sobie snuje, ukazują go w sposób, w jaki nie byłby w stanie tego zrobić żaden biograficzny zapis. Wyobrażałem sobie, że te anegdoty to tak zwane pokerowe „tellsy", mimowolne gesty, które zdradzają, co się ma na ręku – pocieranie nosa, gdy karty są mocne, gmeranie przy uchu, gdy są słabe. Mistrz gry obserwuje wszystkich przy stole i rejestruje te sygnały. Ja tak właśnie chciałem obserwować i słuchać Goldenów. Lecz pewnego wieczoru, gdy udaliśmy się z D do klubu na Orchard Street posłuchać, jak Ivy Manuel śpiewa

Ch-ch-ch-ch Bowiego, *don't it always seem to go* Mitchell oraz cudaczną, zabawną własną kompozycję pod tytułem *The Terminator* traktującą o pożytkach podróży w czasie dla potencjalnych wybawców rasy ludzkiej, i gdy potem siedzieliśmy we trójkę przy piwie w pustym klubie, przegapiłem najbardziej oczywisty „tell" ze wszystkich. Zdaje się, że to Ivy poruszyła coraz bardziej złożoną kwestię klasyfikacji płci, na co D odpowiedział historią z mitologii greckiej. Hermafrodyt był dzieckiem Hermesa i Afrodyty i nimfa Salmakis zakochała się w nim tak głęboko, że poprosiła Zeusa, by ten połączył ich na wieki, stali się więc jednością, dwojgiem w jednym ciele, w którym uwidaczniały się obydwie płcie. Wtedy wydawało mi się, że chciał w ten sposób podkreślić, jak bliska jest mu Ivy Manuel, że są wiecznie połączeni więzami przyjaźni. Ale mówił mi coś dziwniejszego, coś o sobie samym – a ja nie umiałem słuchać.

W metamorfozie istotne jest to, że nie zachodzi ona przypadkowo. Filomela, zgwałcona przez swego szwagra Tereusa, który odciął jej język, ucieka od niego pod postacią słowika, wolna, z najpiękniejszym głosem. Tak jak w micie o Salmakis i Harmafrodycie bogowie pozwalają, aby ciała przemieniły się w inne ciała pod naporem desperackich potrzeb – miłości, strachu, wolności lub istnienia w jednym ciele skrywanej prawdy, która może zostać wyjawiona jedynie poprzez jego mutację.

D zawsze nosił przy sobie trzy srebrne dolarówki, aby w każdej chwili móc sobie powróżyć prastarą chińską metodą odczytywania heksagramu. Tamtej nocy na Orchard Street rzucił monetami. Pięć stałych linii przerywanych i jedna stała przerywana na górze.

– Dwadzieścia trzy – burknął – no oczywiście.

Po czym schował monety. Nie miałem zielonego pojęcia o *Yijing*, ale jeszcze tej samej nocy wygooglowałem heksagramy. W erze wyszukiwarek cała wiedza jest w zasięgu kilku kliknięć. Heksagram 23 nazywany jest „rozpadem" i opisuje się go jako heksagram chaosu. Jego wewnętrzny trigram oznacza „pobudzenie" i „piorun".

– Chodźmy do domu – powiedział i nie oglądając się na nikogo, zostawił nas samych.

Pozwoliłem mu odejść. Nie naprzykrzam się tym, którzy dają do zrozumienia, że mają dość mojego towarzystwa. I może moja własna nadwrażliwość uniemożliwiła mi zrozumienie; bo musiało minąć sporo czasu, nim wpadłem na to, że być może istnieją inne powody, wcale nie próżność, narcyzm ani nieśmiałość, które stoją za jego lękiem przed byciem obserwowanym.

Zawsze na początku jakiś ból do uśmierzenia, rana do wyleczenia, luka do zapełnienia. I zawsze na końcu porażka – ból nieuleczalny, rana się jątrzy, reszta – otchłanią melancholii.

Na pytanie o naturę dobra zadane przeze mnie na samym początku tej narracji mogę przynajmniej udzielić częściowej odpowiedzi: życie młodej kobiety, która się zakochała w Dionizosie Goldenie pewnego popołudnia na chodniku Bowery i która towarzyszyła mu, oblekając go swą niewzruszoną miłością na przekór wszystkiemu, co nastąpiło później – dla mnie to jedna z najlepszych definicji dobrego życia, jaką znalazłem w mojej stosunkowo krótkiej, stosunkowo ubogiej w doświadczenia egzystencji. Montherlant powiedział nam: *Le bonheur écrit à l'encre blanche sur des pages blanches* – szczęście pisze się na biało na białym papierze – i dodałbym, że dobroć równie trudno ująć w słowa jak radość. A jednak muszę spróbować, bo to, co tych dwoje znalazło, do czego przylgnęło, nie było niczym innym jak właśnie szczęściem zrodzonym z dobroci i podtrzymywanym przez dobroć pomimo nieprawdopodobnych przeszkód. Aż w końcu zniszczyła je nieszczęśliwość.

Od pierwszego dnia, gdy ją poznał – była ubrana w białą bluzkę oraz czarną spódnicę ołówkową i paliła francuskiego papierosa bez filtra na chodniku przed Muzeum Tożsamości – rozumiał, że wszelkie próby ukrywania przed nią czegokolwiek nie mają najmniejszego sensu, bo potrafiła mu czytać w myślach z taką łatwością, jak gdyby przez jego czoło przewijały się podświetlone wiadomości telewizyjne.

– Ivy mówiła, że powinniśmy się poznać – zaczął. – Uznałem ten pomysł za idiotyczny.

– W takim razie co tu robisz? – spytała, odwracając od niego głowę ze znudzoną miną.

– Chciałem się spotkać, żeby sprawdzić, czy chciałbym się z tobą spotkać – wyjaśnił.

To ją zainteresowało, chociaż, jak się zdawało, jedynie powierzchownie.

– Wiem od Ivy, że twoja rodzina przeżyła jakiegoś rodzaju wygnanie, ale nie chcesz o tym mówić – rzekła. Oczy bezkresne niby morze. – Ale teraz, gdy cię widzę, domyślam się, że prawdopodobnie przebywasz na wewnętrznym wygnaniu, może nawet od dnia, kiedy się urodziłeś.

Skrzywił się, wyraźnie zirytowany.

– A ty skąd niby o tym wiesz? – spytał ostro. – Jesteś kuratorką w muzeum czy szamanką?

– Istnieje pewien szczególny rodzaj smutku – odparła, zaciągając się gauloise'em i wyglądając jak Anna Karina w *Szalonym Piotrusiu* – który zdradza wyalienowanie człowieka od własnej tożsamości.

– Ta współczesna obsesja na punkcie tożsamości budzi we mnie odrazę – oświadczył, może zbyt dobitnie. – To sposób na to, żeby nas zawęzić do tego stopnia, aż stajemy się dla siebie kosmitami. Czytałaś Arthura Schlesingera? Sprzeciwia się utrwalaniu marginalizacji poprzez afirmację różnic.

Miał na sobie trencz i fedorę z wywijanym rondem, bo nadchodziło lato, ale jeszcze nie nadeszło jak kobieta mamiąca fałszywymi obietnicami miłości.

– No ale tym właśnie jesteśmy dla siebie, kosmitami, wszyscy. – Nieznaczne wzruszenie ramion i ślad grymasu. – Rzecz w tym, żeby precyzyjniej określić, jakim rodzajem kosmity postanawiamy być. I tak, czytałam tego starego martwego białego heteryka. Powinieneś zerknąć na prace Spivak o strategicznym esencjalizmie.

– Chcesz gdzieś skoczyć na whiskey? – zaproponował, wciąż z irytacją w głosie, a ona nadal uważała go za kogoś trochę niedouczonego, kto potrzebuje inteligentnego wsparcia. Jej pończochy miały czarne szwy biegnące wzdłuż łydek.

– Nie teraz – odpowiedziała. – Powinieneś wejść do środka i dowiedzieć się czegoś o nowym świecie.

– A potem?

– Potem też nie.

Spędzili noc razem w jej mieszkaniu na Drugiej Alei. Mieli tyle tematów do omówienia, że nie było czasu na seks, który, jak stwierdził D, jest przereklamowany. Nie zaprzeczyła, ale zapamiętała tę uwagę. Rano D zszedł po rogaliki, kawę, whiskey, papierosy i niedzielną prasę. Klucze leżały w przedpokoju na mahoniowym stoliku przypominającym pudełko na nóżkach, nie antyk, ale dobra reprodukcja. Podniósł wieczko, a tam na czerwonej aksamitnej poduszce leżał kolt z perłową rękojeścią, prawdopodobnie też dobra reprodukcja. Wziął broń do ręki, obrócił bębenkiem, przyłożył lufę do skroni. Później zarzekał się, że nie nacisnął spustu, ona jednak obserwowała go przez otwarte drzwi sypialni i usłyszała trzask, gdy kurek uderzył w pustą komorę.

– Znalazłem klucze – oznajmił. – Idę po coś na śniadanie.

– Niczego nie rozlej – zawołała za nim. – Nie chcę, żeby dywan na korytarzu był zaświniony.

Riya – tak brzmiało jej imię. Dziewczyna nieprzeciętna. Zaledwie trzy, cztery lata od niego starsza, ale już piastująca wysokie stanowisko w muzeum, oprócz tego w niektóre wieczory śpiewała piosenki miłosne na Orchard Street i ze starych koronek i czarnego jedwabiu tworzyła własną, niezależną kolekcję mody, często z brokatowymi motywami kwiatowymi i orientalnymi wzorami zainspirowanymi stylem chińskim i indyjskim. Była pół Hinduską i pół Amerykanką szwedzkiego pochodzenia, a jej skandynawskie nazwisko Zachariassen dla amerykańskich języków było zbyt trudne do wymówienia, tak więc gdy on przedstawiał się jako D Golden, ona była rozpoznawalna jako Riya Z.

Od alfabetu zaczynają się wszystkie nasze tajemnice.

„Wejdź do środka i dowiedz się czegoś o nowym świecie". W parku Bowling Green znajdowało się muzeum poświęcone Indianom północnoamerykańskim, na Mulberry Street Amerykanom włoskiego pochodzenia, w Port Washington – Amerykanom o polskich korzeniach, były też dwa muzea poświęcone ludności żydowskiej, jedno w północnej, drugie w południowej części Manhattanu, i placówki te w sposób oczywisty związane były z tożsamością, ale MT – Muzeum Tożsamości – miało większe ambicje, jego charyzmatyczny dyrektor Orlando Wolf interesował się samą tożsamością, tą potężną nową siłą w świecie, już teraz równie wielką jak każda teologia lub ideologia, tożsamością kulturową i religijną, narodową, plemienną, sekciarską, rodzinną – było to szybko rozwijające się multidyscyplinarne pole, jądrem całego muzeum była zaś kwestia tożsamości własnego ja, począwszy od ja biologicznego, ale sięgając znacznie dalej. Tożsamość płciowa, rozszczepiająca się jak jeszcze nigdy w historii ludzkości, wytwarzała zupełnie nowe słownictwo, które próbowało uchwycić wszystkie nowe odmienności.

– Bóg jest martwy i próżnię po nim wypełnia tożsamość – poinformowała go przy wejściu do strefy genderowej Riya z oczami jaśniejącymi żarem osoby głęboko wierzącej – ale okazuje się, że bogowie od samego początku zacierali podziały płciowe.

Jej czarne włosy były ostrzyżone krótko, na jeżyka.

– Świetna fryzura – pochwalił.

Stali wśród naczyń, pieczęci i kamiennych rzeźb z imperium akadyjskiego, Asyrii i Babilonii.

– Wielka Macierz, jak twierdzi Plutarch, była bóstwem interseksualnym, obydwie płcie były w niej obecne, jeszcze nierozdzielone.

Gdyby tak wynajął stary kabriolet, czerwono-biały z żebrami, mogliby się wybrać na przejażdżkę, może przez całą Amerykę.

– Widziałaś kiedyś Pacyfik? – spytał. – Prawdopodobnie rozczarowuje jak wszystko inne.

Nie zatrzymywali się. W muzeum panował mrok, tylko jasno oświetlone eksponaty rozpraszały ciemność niczym okrzyki zakłócające ciszę w klasztorze.

– Te obiekty z epoki kamienia mogą przedstawiać transseksualne kapłanki – poinformowała Riya. – Musisz uważać. To ważne zarówno dla osób cispłciowych, jak i dla społeczności M/K.

Ten przedrostek, cis, przeniósł go z powrotem do dzieciństwa; nagle znów z najwyższym skupieniem uczył się łaciny, aby pozbawić braci mocy wykluczania go poprzez użycie tajemniczego języka Rzymian.

– Przyimki, które wymagają użycia biernika – powiedział. – Ante, apud, ad, adversus/circum, circa, citra, cis./Contra, erga, extra, infra. Nieważne. Gallia Cisalpina, Gallia Transalpina. Rozumiem. Między płciami wyrastają teraz Alpy.

– Nie lubię tego słowa – powiedziała.

– Którego?

– Płeć.

Aha.

– W każdym razie Bóg nie jest martwy – zaprzeczył. – Przynajmniej w Ameryce.

M/K to mężczyzna czujący się kobietą, K/M – odwrotnie. Teraz zalewała go terminami: płynność seksualna, bigenderyzm, agenderyzm, trans z gwiazdką: trans*, różnica między kobietą a żeńskością, genderowy nonkonformizm, gender-queer, niebinarny, a z kultury indiańskiej – podwójna dusza. Frygijskiej bogini Kybele usługiwały kapłanki M/K zwane *gallae*. W sali afrykańskiej *okule* M/K i *agule* K/M plemienia Lugbara, transseksualne amazonki z Dahomeju, królowa Hatszepsut w męskim stroju i z fałszywą brodą. W sali azjatyckiej zatrzymał się przed kamienną figurą półżeńskiego bóstwa Ardhanariśwary.

– Z wyspy Elefanta – powiedział, po czym zasłonił usta dłonią. – Nie słyszałaś mnie – dodał ze szczerym przejęciem.

– Miałam ci pokazać kostiumy z chińskich oper, w których mężczyźni odgrywali role żeńskie – rzekła – ale może na dzisiaj wystarczy.

– Powinienem już iść – powiedział.

– Napiję się teraz tej whiskey.

I przy śniadaniu następnego dnia, siedząc w białej pościeli, gdzie chrupała rogalika, paliła papierosa, wymamrotała z kolejną szklaneczką whiskey w dłoni:

– Znam nazwę kraju, którego nie chcesz wymienić – oświadczyła – znam też nazwę miasta, o którym nie chcesz mówić.

Szepnęła mu do ucha obydwa słowa.

– Chyba się w tobie zakochałem – wyznał. – Ale chcę wiedzieć, dlaczego w tym stoliku w przedpokoju trzymasz broń.

– Żeby zastrzelić każdego, komu się wydaje, że się we mnie zakochał – odpowiedziała. – I może siebie również, ale co do tego jeszcze nie podjęłam ostatecznej decyzji.

– Nie mów mojemu ojcu, co wiesz – poradził – w przeciwnym razie nie będziesz musiała podejmować tej decyzji.

Zamykam oczy i wyświetlam w głowie film. Otwieram oczy i zapisuję, co zobaczyłem. A potem znowu zamykam oczy.

9

Oto Wasylisa, młoda Rosjanka. Jest uderzająco piękna. Można powiedzieć – olśniewająca. Ma długie ciemne włosy. Jej ciało jest wysmukłe, nadzwyczajne; biega maratony, jest znakomitą gimnastyczką, specjalizującą się w układach ze wstążką. Twierdzi, że mało brakowało, a w młodości dostałaby się do rosyjskiej reprezentacji olimpijskiej. Ma dwadzieścia osiem lat. Jej młodość przypada na czasy, gdy miała lat piętnaście. Pełne imię i nazwisko brzmi Wasylisa Arsienjewa. Pochodzi z Syberii i jej przodkiem jest ponoć sam Władimir Arsienjew, wielki podróżnik, autor licznych książek o tym regionie, między innymi sfilmowanego przez Kurosawę *Dersu Uzały*, ale ten rodowód nie jest potwierdzony, Wasylisa bowiem, jak się niebawem przekonamy, umie kłamać jak z nut, jest mistrzynią w sztuce fałszu. Mówi, że wychowała się w głębokim lesie bezmiernej tajgi pokrywającej większą część Syberii, a jej rodzina wywodzi się z ludu Nanajów, którego mężczyźni byli myśliwymi, traperami i przewodnikami. Wasylisa urodziła się w roku igrzysk olimpijskich w Moskwie i jej bohaterką, gdy dorastała, była wybitna gimnastyczka Nelli Kim, pół Koreanka, pół Tatarka. Sześćdziesiąt pięć krajów łącznie ze Stanami Zjednoczonymi zbojkotowało moskiewską olimpiadę, ale polityka była daleko od leśnej głuszy, chociaż Wasylisa usłyszała o upadku muru berlińskiego, gdy miała dziewięć lat. Cieszyła się, bo zaczęła oglądać czasopisma i chciała wyjechać do Ameryki, gdzie byłaby adorowana i skąd wysyłałaby rodzinie amerykańskie dolary.

To właśnie uczyniła. Uciekła na Zachód. Teraz jest w Ameryce, w Nowym Jorku, a także, od czasu do czasu, na Florydzie, i wzbudza zachwyt, zarabiając pieniądze w sposób dostępny urodziwym. Wielu mężczyzn jej pożąda, ona jednak nie szuka jedynie mężczyzny. Pragnie protektora. Cara.

Oto Wasylisa. Jest w posiadaniu czarodziejskiej lalki. Gdy w dzieciństwie wcześniejszą Wasylisę zła macocha wysłała do domku Baby-Jagi, która pożera małe dzieci i mieszka w głębi lasu, właśnie ta czarodziejska lalka pomogła jej uciec, aby mogła rozpocząć poszukiwania cara. Tak głosi legenda. Są jednak tacy, którzy opowiadają inną wersję, utrzymując, że Baba-Jaga istotnie pożarła Wasylisę, połknęła ją tak jak wszystkie inne dzieci, a gdy to się stało, stara i brzydka wiedźma przejęła wielką urodę dziewczynki – i stała się na zewnątrz Nadobną Wasylisą, jakby zdjął skórę, w środku jednak pozostała Babą-Jagą o ostrych zębiskach.

Oto Wasylisa w Miami. Jest teraz blondynką. Niedługo pozna swego cara.

Zimą dwa tysiące dziesiątego, kilka dni przed Bożym Narodzeniem, czterej Goldenowie, zaniepokojeni groźnymi prognozami pogody, w towarzystwie dwóch zaufanych asystentek Nerona, paniami Fuss-Marudą i Blather-Ględą, oraz moim, odlecieli na południe z lotniska Teterboro na pokładzie czegoś, co stali użytkownicy tych maszyn nazywali w skrócie PO, czyli prywatnym odrzutowcem, o czym uświadomił mnie dopiero Apu, i w ten sposób umknęliśmy przed wielką śnieżycą. W mieście, które zostawiliśmy za sobą, wszyscy mieli niedługo narzekać na powolność pługów śnieżnych, pojawiły się też zarzuty o celowe spowalnianie prac w proteście przeciwko cięciom budżetowym burmistrza Bloomberga. W Central Parku spadło pół metra śniegu, w New Jersey miejscami dziewięćdziesiąt centymetrów i nawet w Miami był to najzimniejszy grudzień w historii pomiarów, ale to tylko znaczyło, że temperatura spadła tam do szesnastu stopni Celsjusza, a więc arktyczne mrozy to nie były. Golden senior wynajął kilka apartamentów w dużej rezydencji na prywatnej wyspie niedaleko Miami Beach i raczej nie marzliśmy.

Pietii podobało się na wyspie; jej jedynym punktem stycznym z lądem stałym był port promowy i nikt nie mógł postawić stopy na tej zaczarowanej ziemi bez poręczenia mieszkańców. Pawie, zarówno ptasie, jak i ludzkie, przechadzały się tutaj bez obawy, że podglądają je niepożądane oczy. Bogaci odsłaniali kolana oraz tajemnice i nikt nigdy się nie wygadał. Pietia mógł więc sobie wmówić, że wyspa jest zamkniętą przestrzenią, i jego lęk przed światem zewnętrznym cofnął się, powarkując, w cień.

Ach, nie wiesz też, co to PO? Prywatny odrzutowiec, mój drogi. Nie dziękuj.

Apu – dusza towarzystwa Apu, nie mój chmurny rówieśnik D – zaprosił mnie, bym poleciał z nimi, i matka zachęcała mnie: „Leć!", mimo iż miałem przez to spędzić święta poza domem. „Rozerwij się trochę, czemu nie?" Wtedy nie wiedziałem, że już nigdy nie będę świętował z rodzicami fikcyjnych narodzin Jezuska ani witał z nimi Nowego Roku. Nie mogłem przewidzieć, co się wydarzy, ale teraz odczuwam ogromny żal.

Apu był w swoim żywiole, ucinając sobie pogaduszki z silną reprezentacją rosyjskich miliarderów na wyspie i namawiając ich żony do obstalowania u niego portretu, najchętniej w dezabilu. Nie odstępowałem go jak wierny psiak. Żony miliarderów nie zauważały mojej obecności. Co mi nie przeszkadzało; niewidzialność była stanem, do którego przywykłem i który też najczęściej preferowałem.

Z kolei D Golden zabrał ze sobą Riyę i ta dwójka przyssała się do siebie, trzymając się przeważnie na uboczu. Kelnerzy kelnerowali, osoby towarzyszące towarzyszyły, pani Fuss-Maruda marudziła, a jej młodsza pomagierka, pani Blather-Ględa, ględziła – i pobyt Goldenów na wyspie upływał bez większych komplikacji. Ja, ich potulny Tintin, też byłem całkiem zadowolony. W sylwestra zorganizowano na wyspie wytworną imprezę dla jej wytwornych mieszkańców, typowe kosztowne fajerwerki, najwyższej jakości homary i tańce z bogatą oprawą, kiedy to Neron Golden ogłosił swój zamiar wyjścia na parkiet.

Przekonałem się, że starszy pan jest nie lada tancerzem.

– Szkoda, że go nie widziałeś kilka lat temu w jego siedemdziesiąte urodziny – zwrócił się do mnie Apu. – Wszystkie laski czekały w kolejce, a on potem kręcił nimi i wywijał w walcach, tangach, polkach i jive'ach. Taniec towarzyski, nie te dyskotekowe podrygi, wygibasy i trzęsawki naszych zdegenerowanych czasów.

Teraz, kiedy już znam ich rodzinne tajemnice, mogę oczami wyobraźni umiejscowić go na wielkim tarasie nad morzem w kolonii Walkeśwar z pięknościami bombajskiej socjety w ramionach. Gdy jego udręczona, podpierająca ściany żona – nadal będę ją nazywał Poppeą Sabiną, zgodnie z julijsko-klaudyjskimi preferencjami tej familii – obserwowała wszystko z dezaprobatą, lecz milcząco, z boku. Teraz był starszy, skończył już siedemdziesiąt cztery lata, nie stracił jednak ani wyczucia równowagi, ani tanecznego kunsztu. I tym razem młode kobiety czekały tylko, żeby nimi zakręcił w tańcu. Jedną z nich była Wasylisa Arsienjewa, która życiowe motto zapożyczyła od Jezusa Chrystusa, z Ewangelii według św. Mateusza, rozdział czwarty, wers dziewiętnasty. „Pójdźcie za Mną, a uczynię was rybakami ludzi"*. Miała znakomite wyczucie czasu. Z wybiciem północy, czyli godziny duchów, zarzuciła swą zgubną wędkę. I gdy zaczęła z nim tańczyć, żadna inna nie mogła już jej zastąpić. Ona zamykała stawkę.

Oto Wasylisa. Tańczy ze swoim carem. Otacza go ramieniem i oto, co mówi jej twarz: już nigdy cię nie wypuszczę. Wyższa od niego, lekko się pochyla, żeby zbliżyć usta do jego ucha. On podtyka ucho do jej ust, żeby zrozumieć, co takiego mówią. Oto Wasylisa. Wsuwa do jego ucha język, który posługuje się niemą mową zrozumiałą dla wszystkich mężczyzn.

Rezydencja Vanderbiltów znajduje się w samym sercu wyspy. Przeskok w czasie: oto William Kissam Vanderbilt II na swoim siedemdziesięciopięciometrowym jachcie zawiera transakcję wymienną z przedsiębiorcą Carlem Fisherem. Jacht w zamian za wyspę. Uścisk dłoni. Oto Bebe Rebozo, w czasie afery Watergate oskarżany o to, że jest „rekieterem Nixona", przystępuje do grupy, która kupuje wyspę od gościa, który kupił wyspę od gościa, który kupił wyspę od Van-

* Wszystkie cytaty z Nowego Testamentu za *Biblią Tysiąclecia*, Poznań 2000.

derbilta. Jest to więc wyspa z historią. Z obserwatorium. I, o czym wspomniano wcześniej, z pawiami. Z poszanowaniem dyskrecji. Z polem golfowym. Z klasą.

I w tym mroźnym okresie świątecznym w domu Vanderbiltów, po sylwestrowych tańcach na pięknym parkiecie ułożonym między drzewami, które udekorowano sznurami lampek, między płonącymi koksownikami, muzykami, kobietami obwieszonymi biżuterią, ochroniarzami strzegącymi biżuterii i mężczyznami, którzy kupili tę biżuterię, podziwiającymi swoją własność, na wyspie rozgrywa się także szeroko komentowany romans zimy z wiosną, listopada z kwietniem. Moje pieniądze za twoją urodę. Uścisk dłoni na potwierdzenie transakcji.

Noc sylwestrowa to noc tańca, a gdy cichnie muzyka, Wasylisa rozkazuje Neronowi – idź do siebie, chcę, żebyś był wypoczęty, gdy zaczniemy na serio. A on jak grzeczny chłopiec oddala się posłusznie do swojego łóżka na oczach nieposiadających się ze zdumienia synów. To się nie dzieje naprawdę, zdają się mówić ich spojrzenia. Przecież on nie da się na to złapać. Autorytet ojca jest jednak tak wielki, że żaden z nich się nie odzywa. Następnej nocy Neron opróżnia apartament, który wynajął dla siebie oraz swych dwóch asystentek, zsyła pracowników i rodzinę do pozostałych trzech, gdzie zresztą wolnych sypialni jest pod dostatkiem. Jest sam na szóstym piętrze i spogląda na czubki palm, niewielki półksiężyc plaży i błyszczącą wodę za nią. Kolacja – koktajle z krewetek, wędliny, sałatki z awokado i jarmużu, kosz owoców, na deser tiramisu – została dostarczona motorówką z wyśmienitej restauracji na południowym brzegu Miami River i rozstawiona na stole. Jest lód i kawior, wódka i wino. Dokładnie o umówionej porze, ani minutę wcześniej ani później, Wasylisa podchodzi do drzwi jak prezent w złotym opakowaniu, z kokardą na plecach sukienki, żeby mógł ją z łatwością rozpakować.

Uzgadniają, że nie chcą jeść.

Oto Nadobna Wasylisa oddaje się swemu carowi.

Pierwsza noc i druga noc, pierwsze dwie noce nowego roku Wasylisa demonstruje swoje „towary", pozwala mu sprawdzić jakość tego, co ma do zaoferowania, nie tylko cieleśnie, ale i emocjonalnie. Wasylisa... ale tutaj zatrzymuję się i cofam zawstydzony niczym Prufrock przywiedziony do nagłej *pudeur*, bo ostatecznie jakże się ośmielę? Mam powiedzieć, znam je wszystkie, widziałem ją jak żółtą mgłę, co ociera się grzbietem, rozpłaszcza mordę, powiedzmy, wtykając ozór w każdy kąt wieczoru? Czy się odważę, czy się odważę? Bo w końcu kim jestem? Nie jestem księciem, prędzej już którymś z Dworzan, co zawsze do usług chętny, oględny. Czasem – niemalże Błazen... Ale zostawmy poezję, za późno, żeby teraz przerywać. Już ją sobie wyobrażam. Być może klęczy obok niego na łóżku. Tak, klęczy, chyba. I pyta: czy o to chodziło? Czy o to? Czy chodziło o coś zupełnie innego?*

On jest królem. Wie, czego chce. I: wszystko, czego chcesz, kiedy chcesz, jest twoje, zapewnia go ona. Trzeciej zaś nocy porusza kwestię pieniędzy. To nie jest dla niego szok. Takie podejście wiele ułatwia. Gdy Neron rozmawia o interesach, czuje się swobodnie. Wasylisa wyciąga zadrukowaną kartkę wielkości pocztówki, z okienkami do zaznaczania. Przejdźmy do szczegółów, proponuje.

Naturalnie nie powinnam się wprowadzać do domu na Macdougal Street. To twój dom rodzinny, dla ciebie i twoich synów. A ja nie jestem twoją żoną, więc nie należę do rodziny. Możesz wybrać (a) mieszkanie w West Village, bo wygoda, bo łatwy dostęp lub (b) w Upper East Side, bo nieco dalej, nieco dyskretniej. Świetnie, (b), to też mój wybór. Więc rozmiar mieszkania, minimum dwie sypialnie, tak? I może jeszcze jeden pokój jako przestrzeń na atelier? Okej! I czy będę właścicielką czy wynajmującą, a jeśli to drugie, umowa najmu na ile lat? Dobrze, przemyśl to. Przechodzimy do sprawy samochodu i całkowicie zdaję się tutaj na ciebie, (a) kabriolet Mercedesa, (b) BMW serii 6, (c) SUV Lexusa. Och, (a), jak miło, kocham cię. Powstaje pytanie, gdzie mam otworzyć konta: (a) Bergdorf, (b) Barneys, (c) w obydwu tych bankach. Fendigucciprada, rozumie się samo przez się. Equinox, Soho House Every House, widzisz listę. Kwestia miesięcznego kieszonkowego na bieżące wydatki. Muszę

---

* Tutaj i dalej fragmenty *Pieśni miłosnej J. Alfreda Prufrocka* T.S. Eliota w przekładzie Stanisława Barańczaka.

się prezentować w sposób, który nie przyniesie ci ujmy. Widzisz kategorie, dziesięć, piętnaście, dwadzieścia. Zalecałabym hojność. Tak, w tysiącach dolarów, skarbie. Doskonale. Nie pożałujesz. Będę dla ciebie idealna. Mówię po angielsku, francusku, niemiecku, włosku, japońsku, mandaryńsku i rosyjsku. Jeżdżę na nartach, także wodnych, surfuję, biegam i pływam. Giętkość mojej gimnastycznej młodości – tę wciąż zachowuję. W najbliższych dniach zorientuję się lepiej, niż sam wiesz, jak cię zadowolić i czy będzie potrzebny do tego jakiś sprzęt, czy trzeba będzie urządzić specjalny pokój, pokój dla nas, nazwijmy go komnatą uciech, dopilnuję, żeby wszystko przygotowano tam perfekcyjnie i z zachowaniem najwyższej dyskrecji. Już nigdy nie spojrzę na innego mężczyznę. Żaden inny mężczyzna mnie nie dotknie ani też nie będę tolerować niestosownych zalotów i komentarzy. Zasługujesz na wyłączność i musisz ją mieć, jestem tylko twoja, przysięgam. Na razie to wszystko, ale jest jeszcze jedna sprawa na później. Kwestia małżeństwa, dodaje, ściszając głos do najbardziej matowego i ponętnego. Jako twoja żona będę miała pozycję i zachowam honor. Tylko i wyłącznie jako twoja żona. A tymczasem, tak, jestem szczęśliwa, jestem najbardziej lojalną z kobiet, ale honor jest dla mnie ważny. Rozumiesz. Oczywiście. Jeszcze nigdy nie spotkałam mężczyzny, który okazałby mi tyle zrozumienia.

10

Powtarzam: za późno, żeby teraz przerywać. Muszę wyobrażać sobie nadal, muszę kontynuować ten peep-show, wrzucić kolejną monetę do szafy grającej, jak w tej piosence *Music, Music, Music*. Tak: w mojej wyobraźni to jest teraz film. Panoramiczny, czarno-biały.

Trzej synowie Nerona Goldena, PIETIA, APU i D, z których dwaj są znacznie starsi od nowej miłości ojca, a trzeci ma jedynie cztery lata mniej, nie wiedzą, co robić. Pomimo dzielących ich różnic jest to sprawa rodzinna szczególnej wagi, zbierają się więc, aby ją omówić, opracowanie strategii działania nie należy jednak do zadań łatwych. Nie spotykają się w wynajętych apartamentach, stoją w zbitej grupce na niewielkiej miejscowej plaży, która jest pusta w związku z wyjątkowo niekorzystną aurą, niską temperaturą, silnym wiatrem, pędzącymi po niebie chmurami, niebezpieczeństwem wystąpienia, o czym szybko się przekonają, zacinającego, marznącego deszczu. Mają na sobie płaszcze, szaliki, czapki i wyglądają jak spiskujący czescy intelektualiści na wybrzeżu Bohemii, bacznie obserwowani jak pociągi pod specjalnym nadzorem. Nie bacząc na skrzywione miny dwóch starszych braci RIYA Z jest tu razem z D, mocno do niego przytulona, jak gdyby się bała, że porwie ją wiatr. Riya jest w tym samym wieku co Wasylisa. D doszedł do tego, ale zatrzymuje tę informację dla siebie.

Kamera obserwuje ich w bardzo dużym zbliżeniu do czasu, aż zaczynają mówić. Gdy słyszymy ich głosy, przechodzi do szerokich ujęć.

PIETIA

(*wyraża swój niepokój teoretycznie, jak to on – nieporadnie, niepowstrzymanie*)

Życie jednostki wybitnej zasadza się na wyborze między tym, co słuszne, a tym, co chciałaby robić. Abraham Lincoln, który był zdolnym zapaśnikiem i lubił walczyć, prawdopodobnie wolałby spędzać czas na macie, zamiast wszczynać wojnę, w której zginęło około dwóch procent ludności, mniej więcej sześćset dwadzieścia tysięcy, ale tak postąpić należało. Bez wątpienia Maria Skłodowska-Curie wolałaby spędzać czas ze swoją córką, zamiast dawać się zabijać promieniowaniu, ale zgadnijcie, co wybrała. Albo weźmy takiego Mahatmę Gandhiego, który w młodości ubierał się szalenie elegancko w szyty na miarę angielski garnitur, o wiele efektowniejszy niż jakaś tam przepaska na biodra. Tylko że z politycznego punktu widzenia taka przepaska...

APU

(*przerywa coś, co mogłoby się w przeciwnym wypadku przerodzić w długą diatrybę*)

Więc nasz ojciec powinien oczywiście mieć więcej rozumu w głowie, a nie uganiać się za jakąś ruską... powstrzymam się tu od wulgaryzmów, za jakąś ruską gimnastyczką.

Okrężny ruch kamery, która obraca się wokół nich w chmurach piasku nieco ponad ich głowami, spoglądając w dół jak szpiegowski dron.

D

On się z nią ożeni. Już ona się o to postara. Nie odpuści, a on nie będzie się mógł oprzeć.

PIETIA

W razie ślubu wypłynie kilka kwestii prawnych. Problematyczny stanie się status najbliższego krewnego, nie wspominając o wykonawstwie testamentu i szerszej kwestii dziedziczenia. Trzeba też omówić problem, gdzie mieliby się pobrać, biorąc pod uwagę różnice w systemie prawnym Florydy i stanu Nowy Jork.

APU

Nasz ojciec nie jest głupcem. Może i w tej chwili stracił dla niej głowę, ale w najważniejszych sprawach głupcem nie jest. Przez całe życie zawierał umowy. Doceni praktyczność niepodważalnej intercyzy.

PIETIA

(*jego głos podnosi się, zamienia w lament, odzwierciedlając coraz głośniejszy świst wiatru*)

Kto z nim o tym porozmawia?

(*pauza*)

Ja nie mogę.

(*pauza*)

To mu się nie spodoba.

APU

Powinniśmy to zrobić wszyscy razem.

D

(*wzrusza ramionami, przygotowuje się do odejścia*)

Mam gdzieś kasę. Niech stary robi, co chce.

On i Riya odwracają się, żeby odejść.

RIYA

(*w dużym zbliżeniu, do Apu i Pietii*)

A czy braliście pod uwagę to, że ona może go uszczęśliwić, co więcej, zdobyć się na to, żeby sama go pokochać? Nawet jeśli udaje, i tak może z tego wyniknąć coś dobrego. Dobre jest wszystko, co pomniejsza w jakiś sposób ogrom cierpienia na świecie lub poziom niesprawiedliwości, albo jedno i drugie. Tak więc jeśli Wasylisa złagodzi jego cierpienia nawet na krótko, nawet podstępem, to też zaliczy się do dobrych uczynków.

Widzę, jakie wam wszystkim zapewnił życie. Jest niczym wielki dach, pod którym się chronicie. Opuszczając go, wyjdziecie na burzę, wszyscy, ale w tym momencie jest do waszej dyspozycji. Do czasu. Tylko że wasz ojciec nie jest jedynie domem, w którym mieszkacie. Jest mężczyzną i ma męskie potrzeby, pożąda i pragnie być pożądany. Dlaczego chcecie mu tego odmówić? Myślicie, że to przemija tylko z powodu kalendarza? No więc posłuchajcie mnie. Niezależnie od wieku, to nigdy nie przemija.

PIETIA

(*powtarza, zawstydzony, podskakując smętnie w padającym deszczu*)

Nigdy nie przemija, nigdy nie przemija, nigdy nie przemija, nigdy nie przemija, nigdy nie przemija, nigdy nie przemija, nigdy nie przemija, nigdy nie przemija, nigdy nie przemija, nigdy nie przemija, nigdy nie przemija, nigdy nie przemija, nigdy nie przemija, nigdy nie przemija, nigdy nie przemija, nigdy nie przemija...

Zaczyna się prawdziwa ulewa. Woda na obiektywie kamery. Stopniowe rozjaśnienie do bieli.

11

Oto najlepsza przyjaciółka Wasylisy oraz jej osobista trenerka fitness, powiedzmy, że o imieniu Masza. Masza jest drobna, niższa od Wasylisy, ale bardzo silna i – naturalnie – jasnowłosa. Jest lesbijką. Masza chce zostać aktorką filmową. Gdy Neron Golden się o tym dowiaduje, mówi:

– Skarbie, masz do tego odpowiednie kształty, ale znajdujesz się na niewłaściwym wybrzeżu.

Senior rodu przedłużył swój pobyt na wyspie i rodzina oraz cała jego świta też zostaje, przeprowadzono tylko pewne przetasowania mieszkaniowe. Wasylisa przenosi się do apartamentu Nerona ze swoją przyjaciółką i trenerką, natomiast wszyscy inni mają zostać rozlokowani w pozostałych pokojach. Nikt nie jest tym zachwycony oprócz Nerona, Wasylisy i Maszy. Tego wieczoru, kiedy panie się wprowadzają, Neron zabiera je na kolację. Na wyspie nie brakuje dobrych lokali, ale jego może zadowolić tylko to, co najlepsze, w związku z tym wsiada do bentleya z Wasylisą u boku i Maszą zwiniętą w kulkę z tyłu i wjeżdża na prom, żeby się dostać do słynnej włoskiej restauracji, skąd zamówił niezjedzone smakołyki w noc pierwszej schadzki. W słynnej włoskiej restauracji panie w podnieceniu wypijają za dużo wódki; Neron jako kierowca powstrzymuje się od spożycia alkoholu. W drodze powrotnej na wyspę obie śmieją się głośno i zachowują kokieteryjnie, co Neronowi zupełnie nie przeszkadza. Po powrocie do apartamentu on też wychyla kilka kieliszków wódki. A potem sprawy przybierają dziwny obrót. Osobista trenerka pochyla się do pięknej Wasylisy i całuje ją w usta. A Wasylisa odpowiada tym samym. W pokoju zapada cisza, gdy panie zaczynają się obejmować, a Neron Golden siedzi w swoim fotelu, przyglądając im się, ani trochę nie podniecony, raczej wstrząśnięty, czując się jak kretyn, zwłaszcza gdy obie wstają, nie zwracając na niego uwagi, gaszą w salonie światło, jakby go tam nie było, i udają się do sypialni – jego sypialni! – po czym zamykają za sobą drzwi.

Pod ich nieobecność tym, co wścieka go najbardziej, jest nonszalancja, z jaką zgasiły światło. W jego apartamencie! A przecież siedział tam! Jak gdyby był nikim, niczym! Gniew uświadamia mu potworną pomyłkę. Widzi siebie jako naiwnego starca i teraz wzbiera w nim duma i żąda od niego, by wrócił do swej prawdziwej postaci, człowieka wpływowego, tytana finansów, niegdyś potentata budowlanego i stalowego, głowy rodziny, kolosa stojącego na wielkim dziedzińcu złotego domu, przeszłego i przyszłego cesarza. Wstaje i zostawia obydwie panie w sypialni, aby mogły tam robić, na co mają ochotę, a następnie zmierza pewnym krokiem ku głównym drzwiom apartamentu.

W niewielkiej szafce w holu na półce nad wieszakami stoi mały skórzany sakwojaż. Starszy pan zawsze wierzył w zmienność rzeczy; wiedział, że choćby ziemia pod stopami wydawała się naprawdę twarda, w każdej chwili może się zamienić w ruchome piaski i zacząć go wciągać. Bądź zawsze gotów. Był przygotowany na wielkie przenosiny z Bombaju do Nowego Jorku i teraz też jest przygotowany na to odejście w mniejszej skali. Ściąga torbę, upewnia się, czy ma w kieszeni spodni, czyli tam, gdzie być powinny, klucze do pozostałych apartamentów, i po cichu wychodzi. Nie trzaska drzwiami. Wie, że po sąsiedzku, gdzie śpią Pietia i jego asystentki, jest pokoik dla służby, przez nikogo niezajęty. Neron w tej chwili nie potrzebuje luksusów. Potrzebuje drzwi, które można zamknąć, potrzebuje łóżka, niczego więcej. Rano zajmie się tym, czym trzeba się zająć, i wtedy też odzyska całą swoją moc. Jego głowa znów będzie sprawować kontrolę nad sercem. Wchodzi do pokoiku dla służby, zdejmuje marynarkę, krawat i buty, nie zawraca sobie głowy resztą i szybko zasypia.

• • •

Nie docenił jej. Błędnie oszacował zarówno własne nieprzejednanie, jak i jej determinację. Pod siłą, którą prezentuje światu, kryje się samotność, co ona wyczuwa tak, jak pies myśliwski woń rannej zwierzyny. Samotność jest jego słabym punktem, a to jest Baba-Jaga w skórze Nadobnej Wasylisy. Jeśli zechce, może go pożreć. Może go połknąć w tej chwili.

Nie śpisz? Och, najdroższy, tak bardzo cię przepraszam. Jest mi tak strasznie wstyd za siebie. Upiłam się, wybacz. Mam słabą głowę. Przepraszam. Zawsze wiedziałam, że ona coś do mnie ma, ale tego się nie spodziewałam. Odesłałam ją, już nigdy jej nie zobaczymy, przysięgam ci, jej już nie ma w moim życiu, nie istnieje dla mnie. Błagam, przebacz mi. Kocham cię, błagam, wybacz mi ten jeden raz, a już nigdy więcej nie będziesz mi musiał nic wybaczać. Wynagrodzę ci to na sto różnych sposobów, przekonasz się, codziennie będę się starać, żebyś puścił tę noc w niepamięć. Za dużo wypiłam i wzięła nade mną górę ciekawość, ja nawet nie lubię kobiet, nie jestem taka, nawet mi się nie podobało, właściwie to urwał mi się film, zasnęłam, a gdy się obudziłam, oczywiście byłam przerażona, mój Boże, co ja zrobiłam? Temu mężczyźnie, który okazał mi tylko dobroć, przepraszam z całego serca, całuję twe stopy, obmywam je łzami i wycieram moimi włosami, przez jakieś pięć sekund myślałam nawet, że to będzie dla ciebie podniecające, co za głupota, głupota wywołana alkoholem, tak bardzo cię przepraszam, jak jestem pijana, bywa, że staję się ździebko nieodpowiedzialna, trochę mi odbija, i dlatego już nigdy się nie upiję, no chyba że sam będziesz chciał, jeśli będziesz chciał, żebym była trochę bardziej szalona i nieodpowiedzialna w twoich ramionach, z największą przyjemnością zadowolę cię w ten sposób, wybacz mi, przyjmij moją skruchę i moje pokorne przeprosiny, gdzie jesteś, pozwól mi przyjść do siebie. Pozwól przyjść na jedną chwilkę i przeprosić cię, spojrzeć w oczy, i wtedy, jeśli każesz mi odejść, odejdę, zasłużyłam sobie, wiem, ale nie każ mi odchodzić bez tej jednej ostatniej szansy, żeby ci powiedzieć twarzą w twarz: wybacz, postąpiłam źle, bardzo źle, ale byłam pijana, i błagam, spójrz na mnie, stoję przed tobą ogarnięta wstydem i może zdobędziesz się na to, by mi przebaczyć, dostrzeżesz we mnie całą miłość całą wdzięczność całą miłość i przez wzgląd choćby na to może mnie wpuścisz z powrotem, może nie zatrzaśniesz mi przed nosem drzwi, może ujrzysz w moich oczach prawdę i się zlitujesz, a jeśli nie, nie mam żadnego prawa, odejdę ze spuszczoną głową i już nigdy mnie nie zobaczysz, nigdy nie ujrzysz znowu mego nagiego wstydu, nigdy nie zobaczysz, jak me ciało drży i łka przed tobą w skrusze, nigdy mnie nie zobaczysz, nigdy nie będę cię już mogła dotknąć, tyle rzeczy, nigdy więcej, tyle rzeczy, które już się nie wydarzą, jeśli mnie odeślesz, odejdę, ale może, bo jesteś wspaniałym człowiekiem, może pozwolisz mi zostać, tylko wielcy potrafią przebaczać, a to była drobnostka, pomyłka, głupota, może to dostrzeżesz i pozwolisz mi zostać, ale pozwól mi przyjść do siebie, przyjdę teraz, tak jak stoję, gdziekolwiek jesteś, jeśli chcesz, bym klęczała nago pod twoimi drzwiami, zrobię to, zrobię wszystko, cokolwiek, tylko pozwól mi przyjść tam, gdzie jesteś, tylko pozwól mi przyjść.

A więc to jest ta chwila. Może przerwać połączenie, ograniczyć dalsze straty, odzyskać wolność. Przekonał się, kim jest ta kobieta, maska się zsunęła i ukazało mu się jej prawdziwe oblicze, więc te wszystkie słowa nie sprawią, że zapomni, co widział i co poczuł, gdy zgasiły światło, przeszły do sypialni – jego sypialni! – i zamknęły drzwi. Może od niej odejść.

Postawiła wszystko na jedną kartę: że Neron zechce spróbować zapomnieć o tym, co widział i co czuł. Że zechce zapalić światło, otworzyć drzwi sypialni i znaleźć ją tam, samą, czekającą na niego. Że opowie sobie tę historię, historię o prawdziwej miłości, i zechce się w niej znaleźć.

Golden nie przerywa połączenia, wysłuchuje jej do końca. Wraca do apartamentu, gdzie Wasylisa na niego czeka. I oczywiście chce go na wiele sposobów przepraszać i wiele z tych sposobów sprawia mu przyjemność, ale to tylko fasada. Pod spodem kryje się prawda, taka mianowicie, że Wasylisa teraz już zna swoją moc, wie, że w tym związku jest i zawsze będzie stroną silniejszą, a on nic nie może na to poradzić.

*La Belle Dame sans Merci w jasyr cię bierze**.

---

* Fragment ballady *La belle dame sans merci* Johna Keatsa w przekładzie Stanisława Barańczaka.

Monolog W. Arsienjewej
na temat miłości i potrzeb

Proszę. Nie wymagam współczucia w związku z moim ubogim pochodzeniem. Tylko ci, którzy nigdy biedy nie zaznali, uważają, że należy jej współczuć, i jedyną słuszną reakcją na taki punkt widzenia jest pogarda. Nie będę się rozwodzić o ciężkich przejściach mojej rodziny, choć byłoby o czym mówić. Mieliśmy problemy z żywnością, z ubraniem, problemy z ogrzewaniem, ale jakoś w tym wszystkim nigdy nie było problemów z niedostatkiem alkoholu dla mojego ojca, mogłabym nawet powiedzieć, że był go nadmiar. W moich młodych latach przeprowadziliśmy się do Norylska niedaleko dawnego łagru Noryłłag, który oczywiście zamknięto jakieś sześćdziesiąt lat temu, ale pozostało miasto wzniesione przez więźniów. W wieku dwunastu lat dowiedziałam się, że do miasta nie wolno wjeżdżać cudzoziemcom, w związku z czym nie tak łatwo było też z niego wyjechać. Poznałam więc, co to komunistyczny ucisk, a także późniejszy niekomunistyczny, ale nie mam zamiaru wchodzić w szczegóły. Także pijaństwa mojego ojca. Bieda to odrażający stan, odrażająca jest także niemożność wyrwania się z niej. Na szczęście celowałam we wszystkim, zarówno intelektualnie, jak i fizycznie, zdołałam więc przyjechać do Ameryki i jestem za to wdzięczna, ale wiem też, że moja obecność tutaj jest wyłącznie owocem moich starań, toteż właściwie nie mam być komu wdzięczna. Porzuciłam przeszłość i tutaj, teraz, w tym stroju, jestem sobą. Przeszłość jest zniszczoną kartonową walizką pełną zdjęć tego wszystkiego, czego nie chcę już oglądać. O molestowaniu seksualnym też nie będę mówić, choć i to mnie spotkało. Najpierw wuj, a po rozwodzie rodziców fagas mojej mamy. Zamykam tę walizkę. Jeśli wysyłam pieniądze do domu, mojej mamie, to jakbym mówiła: proszę cię, nie otwieraj tej walizki. Są też rachunki ze szpitala, ojciec choruje na raka. Wysyłam pieniądze, ale nie utrzymujemy kontaktów. Walizka jest zamknięta. Dziękuję Bogu za urodę, bo pozwala mi nie dopuszczać do życia brzydoty. Jestem skupiona na tym, co przede mną, w stu procentach. Jestem skupiona na miłości.

Zdaniem cyników tym, co ludzie nazywają miłością, jest tak naprawdę potrzeba. Coś, co ludzie określają mianem „na zawsze", to według tych niezdolnych do miłości indywiduów tak naprawdę wynajem. Ja wznoszę się ponad tego typu kalkulacje, które są prymitywne. Wierzę w swoje dobre serce i jego otwartość na wielką miłość. Potrzeba istnieje, to jasne, i musi zostać zaspokojona, to konieczny warunek, bez którego miłość się nie narodzi. Trzeba podlewać ziemię, żeby wyrosły rośliny. W przypadku człowieka wielkiego należy sprostać jego wielkości, a on z kolei okaże wielką hojność, gdy dojdzie do zawarcia porozumienia, i to jest normalne, jest to, można powiedzieć, podlewanie ziemi. Jestem osobą praktyczną, rozumiem więc, że najpierw trzeba zbudować dom, a dopiero potem można w nim zamieszkać. Najpierw wybuduj solidny dom, dopiero potem żyj w nim długo i szczęśliwie. Taka jestem. Wiem, że jego synowie się mnie boją. Może się boją ze względu na ojca, może ze względu na siebie, ale myślą tylko o domu, nie o życiu w jego wnętrzu. Nie myślą o miłości. Dom, który buduję, jest domem miłości. Powinni to zrozumieć, ale jeśli nie zrozumieją, ja nadal będę prowadzić prace budowlane. Tak, nazywają go złotym domem, ale czymże jest, jeśli w żadnym pokoju nie ma miłości, w żadnym zakątku żadnego pokoju? Złota jest miłość, nie pieniądze. Ci synowie nigdy niczego nie potrzebowali, czy czegoś im kiedyś brakowało? Żyją w czarodziejskim zaklęciu. Ich zdolność oszukiwania samych siebie jest nadzwyczajna. Mówią, że kochają ojca, ale z miłością myli im się potrzeba. Oni go potrzebują. Ale czy kochają? Muszę zobaczyć więcej dowodów, zanim odpowiem. Ich ojciec powinien cieszyć się w swoim życiu miłością, dopóki może.

Ten ze swoją wiedźmą powinien zrozumieć: ojciec jest czarodziejem jego życia. Ten z dziwną dziewczyną powinien zrozumieć: ojciec jest jego tożsamością. Ten ze szwankującą głową powinien zrozumieć: ojciec jest jego aniołem.

Martwią się o spadek. Powinni przyjąć do wiadomości trzy rzeczy. Przede wszystkim: Czy to się godzi, żeby wyrzucić mnie na ulicę, mnie, która ofiarowała temu mężczyźnie miłość? Oczywiście, że nie, należy zatem zrobić odpowiedni zapis w testamencie, to rzecz normalna. Po drugie, podpisałam umowę małżeńską, którą mi podsunął, tak jak chciał, bez kłótni, to moje zaufanie, moja wiara wynikająca z miłości. Wszyscy więc są zabezpieczeni i nie muszą się mnie bać. Po trzecie, najbardziej obawiają się przyjścia na świat braciszka lub siostrzyczki. Boją się mego łona. Boją się, że zapragnie się wypełnić. Nie wiedzą nawet, czy ojciec jest wciąż zdolny spłodzić potomka, ale i tak się obawiają. Na to wzruszam ramionami. Powinni sobie przyswoić, że jestem mistrzynią samodyscypliny. Jestem generałem siebie, a moje ciało jest piechurem, który słucha rozkazów generała. W tym przypadku zrozumiałam, co powiedział mój ukochany. Postawił sprawę jasno. Na starość nie jest gotów od nowa stać się rodzicem, mieć dziecka, z jego wrzaskami, z jego gównem, mieć dziecka, którego dorosłości nie będzie mu dane oglądać. To właśnie powiedział. Klauzula ta jest częścią umowy, którą podpisałam. Zrzekłam się dziecka na piśmie. Tak też poinstruowałam swoje ciało, swoje łono. Nie będzie dziecka z moim ukochanym. Dzieckiem jest nasza miłość i to dziecko już się narodziło, a teraz je pielęgnujemy. Tego pragnie, ja też, jego życzenie jest także moim. Na tym polega miłość. W ten sposób miłość triumfuje nad potrzebą. Ci synowie ze swoimi potrzebami – niech się uczą miłości od ojca. I ode mnie.

Monolog Baby-Jagi w skórze Arsienjewej

Czekam na dogodny moment. Siedzę, gotuję, przędę, ze spuszczonym wzrokiem milczę i pozwalam mu mówić. Doskonale. Czekam na swoją chwilę.

Wszystko jest strategią: mądrość pająka. Cicho, cichuteńko przędę. Niech mucha brzęczy. Zanim pożarłam Wasylisę i przybrałam jej skórę, leżałam na piecu w mojej chatce, chatce na kurzej łapce, i czekałam, i przychodzili do mnie, stawali się moim pokarmem, a w końcu przyszła i ona, ta, której pragnęłam, i zamiast ją połknąć, wskoczyłam jej do brzucha i pozwoliłam połknąć siebie. Nie jest ważne, jak to wygląda! Chociaż pozwoliłam jej się zjeść, tak naprawdę ja ją pożarłam. Specjalna sztuczka trawienna: odwrócone przejęcie pożywienia przez pożywiającego się. A więc żegnaj, leśna chatko na kurzej stopce! Żegnaj na zawsze, obrzydliwy rosyjski smrodzie! Teraz jestem uperfumowana i przystrojona w urodę, moje ślepia za jej oczami, moje kły za jej zębami.

Wszystko, co robi, jest fałszywe, każde słowo – kłamstwem, bo to ja w niej siedzę, ja pociągam za sznurki, pajęczyną z jej słów i uczynków oplatam tę małą muchę, tego starego durnia. Uwierzył, że ona go kocha! Ha, ha, ha, ha, ha! He, he! Paradne.

Patrzcie, jak teraz będę żyła! Limuzyny, wytworne dania, futra. Koniec z lataniem w klasie ekonomicznej! Nie cierpię latać w klasie ekonomicznej prawie tak jak na kurzych łapkach lub miotłach. Pluję na klasę ekonomiczną. Patrzcie, jak przechodzę przez lotnisko niczym królowa! Wsiadam do swojego prywatnego odrzutowca, a dookoła wszyscy płaszczą się przede mną, dbają o moją aprobatę i komfort, mój dobry nastrój i relaks. Poczujcie miękkość mego łóżka i jakość sprzętu do ćwiczeń. Mam nowego trenera osobistego. Z nim żadnego seksu! Ostrożnie! Tak niewiele brakowało.

Wiadomo, że w świecie tradycyjnym dla samicy gatunku przemiana jest łatwiejsza niż dla samca. Kobieta opuszcza ojcowski dom, zrzuca z siebie stare nazwisko jak wąż skórę i wkłada nazwisko męża niczym ślubną suknię. Jej ciało się zmienia i staje się zdolne do przechowywania, a potem wyrzucania z siebie innych ciał. Jesteśmy przyzwyczajone do tego, że mamy w sobie innych, którzy narzucają nam przyszłość. Może życie kobiety nabiera sensu dzięki tym metamorfozom, temu połykaniu i wydalaniu, ale z mężczyzną jest odwrotnie. Porzucenie przeszłości pozbawia mężczyznę znaczenia. Cóż więc wyprawiają ci Goldenowie, umykając w bezsens, w absurd? Jakaż to potężna siła oddala ich od tego, co w życiu istotne? Są teraz śmieszni. Wygnaniec to skorupa człowieka, która znów usiłuje wypełnić się męskością, zjawa w poszukiwaniu utraconego ciała i kości, okręt w poszukiwaniu kotwicy. Tacy są łatwym łupem.

Co? Co mówi ten głupi? Najmłodszy syn? „Nadszedł czas wielu przemian, wielu płci i świat jest bardziej skomplikowany, niż ci się wydaje, Kurza Łapko, Spider-Woman!" To właśnie próbuje mi powiedzieć, gdy tak na mnie łypie spode łba, nie odsysając się od tej swojej kochanki spod znaku Nouvelle Vague? Przekonamy się, robaczku. Przekonamy się, jak się sprawy potoczą i kto będzie się śmiał ostatni, paląc papierosa w dzień końca świata. Muszę przyznać, Dionizosie, że jesteś trochę dziwny, ale ja jestem Babą-Jagą, najdziwniejszą babą ze wszystkich. Jestem Babą-Jagą – wiedźmą.

Ukrywam ten głos głęboko w sobie, tak głęboko, że ona, czyli ja, może sobie wmówić, że go nie słyszy, że to nie jest jej prawdziwy głos. Na poziomie skóry, języka przemawia inny głos, i ona opowiada sobie inną historię, w której jest zacna, a jej działania są usprawiedliwione, zarówno w wymiarze absolutnym, standardami moralnymi, jak i empirycznym, wydarzeniami wokół niej. Usprawiedliwia je też on, stary, władca złotego domu, to, kim jest, jak ją traktuje, jakie ma wady. Ale zaraz, znów go słychać, ten głos ze środka, który steruje nią na najgłębszym poziomie, poziomie molekuł instrukcji, wplecionych w cztery spiralne aminokwasy jej istoty będącej także moją. Oto, kim jest ja. Oto, kim jestem ona.

12

Najmłodszemu z Goldenów trudno było zerwać z nałogiem samotności. Czuł się samotny od najwcześniejszych lat jako wyobcowane dziecko z nieprawego łoża, po części akceptowane, po części budzące niechęć w bogatych rezydencjach, które był zmuszony nazywać swoim domem, najpierw w Bombaju, potem w Nowym Jorku. Czuł się samotny nawet w tłumie, ale teraz, gdy miał za towarzyszkę tylko Riyę, nawiedzały go uczucia, których nazwanie początkowo sprawiało mu kłopot. W końcu znalazł słowa. Więź, zażyłość. Stawał się jedną połówką podwójnej istoty. Dziwnie się czuł ze słowem *miłość* na ustach i na języku, było jak pasożytniczy obcy z innej planety, ale niezależnie od tego, czy to Marsjanin bytujący w jego ciele czy nie, słowo to bez wątpienia trafiło do jego ust i się przyjęło. *Jestem zakochany*, powiedział do swego odbicia w łazienkowym lustrze. Wydawało mu się, że ta zwierciadlana twarz poruszająca się synchronicznie razem z nim należy w rzeczy samej do kogoś innego, osoby, której nie zna. Pomyślał, że staje się tym sobą sobie nieznanym. Miłość poruszyła w nim mechanizmy, które miały go wkrótce całkowicie i nieodwracalnie odmienić. Informacja ta utkwiła mu w głowie i idea *rychłej transformacji* zaczęła dokonywać zmian w jego umyśle, tak jak słowo *miłość* zaczęło wpływać na jego mowę. Chociaż przez jakiś czas tłumił w sobie tę świadomość.

Był pierwszym, który się wyprowadził z Macdougal Street. „Niech stary robi, co chce", oznajmił braciom na Florydzie, ale to nie znaczyło, że musi zostać i się temu przyglądać. Pewnego dnia do domu Goldenów przyjechała Wasylisa Arsienjewa, a razem z nią pewna ilość drogiego bagażu, co wskazywało, że Neron Golden prawdopodobnie nie był jej pierwszym protektorem. Ewidentnie posuwała się dalej, niż zakładała umowa przewidująca mieszkanie osobno. Niedługo potem najmłodszy syn Nerona spakował swoje rzeczy i przeniósł się do Chinatown, gdzie Riya znalazła im czyste mieszkanko na drugim piętrze bez windy w łososioworóżowym budynku o ramach okiennych podkreślonych jaskrawożółtą farbą. Pod nimi na pierwszym piętrze mieszkała Madame George, specjalistka od tarota, szklanych kul, horoskopów tudzież przewidywania przyszłości, na parterze zaś działał sklep firmy Run Run Trading Inc. z wiszącymi kaczkami i markizami w niebiesko-różowe pasy zacieniającymi tace z towarem. Sklep prowadziła sroga pani Run, która była także właścicielką całego budynku i odrzucała wszelkie prośby o zmianę przepalonych żarówek w holu lub podkręcenie ogrzewania, gdy robiło się zimno. Riya od razu wkroczyła z nią na wojenną ścieżkę, ale nie chciała się wyprowadzić, bo za oknem salonu mieli płaski dach sąsiedniego budynku i w słoneczne dni mogli otworzyć okno, wyjść na zewnątrz i poczuć się, jakby mieli podniebny taras.

Zaczęli się podobnie ubierać, zimą w skórzane kurtki, okulary lotnicze i cyklistówki, i czasem pod okularami D nakładał delikatny cień do powiek tak jak ona, brano ich więc za bliźnięta, blade, fizycznie słabowite istoty niczym uciekinierzy z tego samego kina studyjnego. Wiosną zaś Riya, a zatem i on, czesała swe czarne włosy na punka i niczym gotycka wersja Jeanne Moreau przesiadywała na dachu z dużą akustyczną gitarą, śpiewając piosenkę ich miłości: *Elle avait des yeux, des yeux d'opale/qui me fascinaient, qui me fascinaient* z papierosem zwisającym z kącika ust. *Chacun pour soi est reparti/Dans l'tourbillon de la vie...*

Bo tak właśnie ewoluował ich związek: zamienił się w coś czułego, owszem, lecz także szorstkiego, drażniącego, i wina leżała po jego stronie, oznajmiła Riya, bo ona była zaangażowana na całego, od samego początku, taka już jest, wszystko albo nic, on natomiast znajdował się gdzieś pomiędzy.

– Tak, kocham cię, dlatego mieszkamy razem, ale nie jestem twoją własnością, twoja rodzina dużo wie o posiadaniu, ale ja nie jestem nieruchomością i musisz zrozumieć moją wolność. Zresztą sam nie wyjawiasz mi ważnych rzeczy o sobie, a ja muszę to wiedzieć.

Gdy mówiła w ten sposób, zaczynało mu się kręcić w głowie, jak gdyby cały świat rozpadał się na kawałeczki, a on bał się tego rozproszonego świata i tego, co dla niego znaczy, ta piosenka mówiła prawdę, życie to wir, *un tourbillon*. Ale przecież wszystko jej powiedział, przekonywał, wypaplał jej rodzinne tajemnice jak dziecko podczas pierwszej spowiedzi.

– Nie wiem nawet, dlaczego się zgodziłem na to, czego chciał stary – rzekł. – Wyjazd stamtąd, przyjazd tutaj, zmianę tożsamości, wszystko. To nie moja matka zginęła w tamtym hotelu. Ani nikt, kogo bym choć trochę lubił. Ja nawet nie wiem, kim była moja matka, zniknęła, więc jest tak, jakby ją zabił dawno temu. Albo kazał ją zabić szef Towarzystwa Z.

– Jakiego Towarzystwa Z?

– Mafii – wyjaśnił. – „Z" od mafiosa Zamzamy Alankara. Imię nieprawdziwe.

Wzruszyła ramionami.

– Chcesz wiedzieć, dlaczego trzymam w szafce broń? Powiem ci. To jak historia z kiepskiego serialu. Mój ojciec, Zachariassen, upił się i zamordował moją matkę, gdy byłam u nich z wizytą na Święto Dziękczynienia, wybiegłam na ulicę, wrzeszcząc: pomocy! i policja!, a on strzelał za mną i krzyczał: Znajdę cię, wytropię! Kompletnie ześwirował. Wcześniej był pilotem w linii Northwest, ale po fuzji z Deltą kierownictwo szukało oszczędności, więc został zwolniony przez swoją huśtawkę nastrojów, a potem się rozpił, jego stan psychiczny jeszcze się pogorszył i ojciec zamienił się w kogoś przerażającego. Mieszkał z moją matką w Mendota Heights w Minnesocie, całkiem zamożnej dzielnicy na bliskich przedmieściach Minneapolis, ale teraz przerastało to jego możliwości finansowe. Matka była sierotą, jej rodzice zmarli, zostawiając pieniądze, kupiła więc ten dom i samochód, a ja tam dorastałam, chodziłam do dobrej szkoły, ale gdy ojciec stracił pracę, z trudem wiązali koniec z końcem. Wtedy już miałam dyplom, skończyłam Tufts dzięki stypendium i różnym dorywczym zajęciom, pracowałam tu w mieście, a po morderstwie szybko wyjechałam z Mendota Heights i zamknęłam ten rozdział na zawsze. Tylko że trzymam tę broń. Ojciec trafił za kratki na jakieś milion lat bez możliwości złagodzenia lub umorzenia kary, ale nie zamierzam się pozbywać tego rewolweru.

Grała jeszcze przez jakiś czas na gitarze *Le Tourbillon*, ale nie śpiewała.

– Tak więc moja łzawa historia przebija twoją – oznajmiła na koniec. – I powiem ci, dlaczego przystałeś na szalony plan swojego ojczulka. Zgodziłeś się, bo tam, skąd przyjechaliście, nie miałbyś możliwości być tym, kim musisz być, stać się tym, kim musisz się stać.

– Czyli?

– No właśnie czekam, aż sam mi powiesz.

Jest to coś, do czego Riya wraca, odkąd jej o tym opowiedział, upokorzenie przezeń macochy, jej niedoszłe samobójstwo.

Jesteś czuły i troskliwy, widzę to – mówi – ale tego nie rozumiem, jak mogłeś się zniżyć do czegoś takiego.

Wydaje mi się – odpowiada D – że nienawiść może spajać rodzinę równie silnie jak krew czy miłość. I gdy byłem młodszy, kipiała we mnie nienawiść, była czymś, co wiązało mnie z tą rodziną, dlatego też zrobiłem, co zrobiłem.

To za mało – oświadcza Riya. – Jest jeszcze coś.

Auto podjeżdża pod magazyn w Bushwick, gdzie Riya ma obejrzeć kilka południowoazjatyckich artefaktów, które zaproponowano Muzeum Tożsamości. Chodź ze mną – namawiała go wcześniej – co najmniej dwa z nich są związane z pobytem Dionizosa w Indiach, więc powinny cię zainteresować.

Riya nie ufa sprzedającemu. Przesłano jej wprawdzie dokumenty świadczące o tym, że przedmioty zostały wywiezione z Indii legalnie, ale tego typu papiery można zdobyć na czarnym rynku. Dawniej, przed przyjęciem Ustawy o obrocie indyjskimi antykami i dziełami sztuki, twierdzi Riya, przeszmuglowanie towarów z Indii było trudniejsze, bo ludzie nie mieli pojęcia, komu dać łapówkę.

Ale od tysiąc dziewięćset siedemdziesiątego szóstego eksporterzy wiedzą, do których urzędników uderzyć, więc sprawa jest prostsza. Nabywanie nowych eksponatów do muzeum komplikują więc tego typu kwestie dotyczące autentyczności. Mimo wszystko zawsze warto rzucić okiem.

Obrazem przedstawiającym Dionizosa w otoczeniu tygrysów i panter nie jest zainteresowana. Drugi przedmiot to marmurowa misa z wyrytym na niej triumfalnym orszakiem, i jest wspaniała, rozhulane towarzystwo satyrów, nimf, zwierząt, a pośrodku tego wszystkiego – bóg.

Zauważ, jaki jest kobiecy – mówi Riya. – Jest na granicy płci, nie wiadomo wręcz, czy nazwać go bogiem czy boginią.

Wypowiadając ten komentarz, wbija przenikliwe spojrzenie w D, z niewypowiedzianym pytaniem w oczach, a on się płoszy.

Co? – warczy. – O co ci chodzi? Czego chcesz?

To jest niemal na pewno nieautoryzowany eksport – zwraca się do sprzedawcy Riya, oddając mu czarę. – Ta dokumentacja mnie nie przekonuje. Nie możemy dokonać zakupu.

Są w samochodzie w drodze do domu. Roboty drogowe przy wjeździe na Manhattan Bridge spowalniają ruch do żółwiego tempa.

Przyznaj – naciska Riya – nie przyszedłeś do mnie przypadkowo, nie zjawiłbyś się ot tak przed muzeum, gdyby twoje zainteresowanie tym, co tam badamy, było zerowe. A jeśli chodzi o twoją macochę, może jest w tobie coś, co chce umrzeć, jakaś część ciebie, która nie chce już żyć, i dlatego pchnąłeś ją na skraj śmierci. Jest coś, o czym musisz mi powiedzieć. Dlaczego chciałeś przejąć jej rolę? Jaka część twojej osoby chciała być nią, matką, gospodynią z pękiem kluczy, która zarządza domem? Dlaczego ta potrzeba była tak paląca, że posunąłeś się do tak radykalnych kroków? Tak, muszę się tego wszystkiego dowiedzieć. Ale zanim ja, najpierw sam musisz to sobie uświadomić.

Wysadź mnie tutaj – rozkazuje D. – Zatrzymaj ten jebany samochód.

Naprawdę – odpowiada, nie podnosząc głosu – chcesz tutaj wysiąść?

Zatrzymaj, kurwa, ten jebany samochód.

• • •

Później z trudem przypominał sobie tę kłótnię, pamiętał jedynie wrażenie, jakie zrobiły na nim jej słowa, tę eksplozję w myślach, zamglony wzrok, dudniące serce, drżenie spowodowane oczywistą absurdalnością jej oskarżeń, obraźliwą perfidią jej ataku. Chciał wezwać sędziego na wysokościach, by ogłosił ją winną, ale na niebie nie było obserwującego ich oka ani nawet notującego anioła, którego można by stamtąd ściągnąć. Chciał, żeby go przeprosiła. Do diabła. Musiała przeprosić. *Pokajać się.*

Wrócił w furii do domu przy Macdougal Street, nikomu nic nie wyjaśniając, sypiąc z oczu błyskawice, które podpowiadały wszystkim, żeby zostawić go w spokoju. Przez cztery dni nie rozmawiali ze sobą, on i Riya. Piątego dnia zadzwoniła do niego, zachowując się jak opanowana dorosła kobieta, którą przecież była. *Wróć do domu. Potrzebuję towarzystwa w łóżku. Potrzebuję... twojego chrapiącego Towarzystwa D.*

Zaczął się śmiać, nie mogąc się powstrzymać, a potem już łatwo było powiedzieć, że przeprasza: przepraszam, przepraszam.

Porozmawiamy o tym, rzekła.

Siedziała na podłodze i czytała książkę. Na małej półce w mieszkanku w Chinatown trzymała siedem książek, kilka słynnych tytułów: Juana Rulfa, Elsy Morante i Anny Achmatowej, kilka mniej wzniosłych: *Kto zje zielone jajka sadzone*, *Zmierzch*, *Milczenie owiec*, *Polowanie na* Czerwony Październik. Wybrała do czytania Achmatową.

> *Usłyszysz grzmot i znów pomyślisz o mnie,*
> *przypomnisz sobie: ona chciała burzy.*
> *Brzeg nieba blaskiem twardym się wysmuży,*
> *A serce tak jak wtedy stanie w ogniu*.*

– Książka, gdy ją kończę czytać – wyjaśniła – nie potrzebuje mnie już i idzie dalej. Zostawiam ją na ławce w Columbus Park. Może Chińczycy, którzy grają tam w karty lub w go, nie zechcą

---

* Fragment wiersza *Prawie do albumu* Anny Achmatowej w przekładzie Anny Jędrychowskiej.

mojej książki, ani nostalgiczni Chińczycy kłaniający się uroczyście przed pomnikiem Sun Jat-sena, ale z ratusza wychodzą pary z aktami ślubu i gwiazdami w oczach, spacerują przez minutę wśród rowerzystów i dzieci, uśmiechnięci na myśl o swej przypieczętowanej właśnie miłości, i wyobrażam sobie, że mogliby się ucieszyć, znajdując książkę jako podarunek od miasta na cześć tego szczególnego dla nich dnia, albo książka mogłaby się ucieszyć, że znajduje ich. Początkowo najzwyczajniej je rozdawałam. Dostawałam nową, oddawałam starą. Zawsze trzymam tylko siedem. Ale potem zauważyłam, że inni zostawiają książki tam, gdzie ja zostawiałam swoje, i pomyślałam, że są dla mnie. Teraz więc uzupełniam bibliotekę przypadkowymi darami od nieznajomych i nigdy nie wiem, co będę czytać w następnej kolejności, czekam na wezwanie bezpańskich książek: hej, czytelniczko, jesteś moja. Nie wybieram już teraz lektur. Wędruję przez odrzucone historie tego miasta.

Stał w drzwiach z przepraszającą miną, skrępowany. Mówiła, nie podnosząc wzroku znad książki. Usiadł obok niej i oparł się o ścianę. Pochyliła się w jego stronę, odrobinę, ale to wystarczyło, żeby ich barki się zetknęły. Miała skrzyżowane ręce, zaciskając dłonie na ramionach. Podniosła jeden palec, żeby dotknąć jego ręki.

– Gdybyś palił – rzekła – mielibyśmy ze sobą coś wspólnego.

Cięcie.

– Następny dzień – mówi D. Jest następny dzień, dzień w czasie teraźniejszym. – Oto znaleźliśmy się w następnym dniu – dodaje. – Jutro, jeden z dwóch nieprawdopodobnych dni. Oto my i jest jutro.

– Ja jestem wolnym duchem – odpowiada Riya, wykrzywiając z lekceważeniem usta: *żadna rewelacja,* zdaje się mówić ten grymas. – Za to ty jesteś cały skuty łańcuchami. Rozbrzmiewają w tobie wewnętrzne głosy, których nie słuchasz, burzą się emocje, które tłamsisz, i śnią ci się niespokojne sny, które ignorujesz.

– Nic mi się nie śni – protestuje D. – Najwyżej czasem w innym języku, w technikolorze, ale to są zawsze spokojne sny. Łagodne morze, majestat Himalajów, moja matka, która się do mnie uśmiecha, i zielonookie tygrysy.

– Słyszę cię – mówi ona. – Kiedy nie chrapiesz, często zawodzisz, ale nie jak wilk, raczej jak sowa. *Huu... huu... huu...* tak to wygląda. Huu jak angielskie *who*? Pytanie, na które nie potrafisz odpowiedzieć.

Spacerują wzdłuż Bowery, chodnik wokół nich jest rozkopany przez robotników. Zaczyna dudnić wiertarka udarowa i w tym hałasie nie można usłyszeć, co się mówi. D odwraca się do niej i bezgłośnie porusza ustami, tak naprawdę nic nie mówi, jedynie otwiera i zamyka usta. Wiertarka milknie na minutę.

– To jest moja odpowiedź – kończy.

Cięcie.

Kochają się. Wciąż jest jutro, nadal popołudnie, ale oboje mają ochotę i nie widzą powodu, żeby czekać, aż się ściemni. Oboje jednak zamykają oczy. Seks ma wiele aspektów samotności, nawet w pobliżu drugiej osoby, którą się kocha i pragnie zadowolić. I nie ma potrzeby widzieć partnera, gdy kochankowie są wprawieni w tym, co lubią najbardziej. Ich ciała mają wystarczającą wiedzę o sobie nawzajem, każde uczy się poruszać tak, by dopasować się do naturalnych ruchów drugiego. Ich usta wiedzą, jak się odnaleźć. Dłonie wiedzą, co robić. Nie ma ostrych krawędzi; ich współżycie jest wygładzone.

Zazwyczaj coś zachodzi, pewna komplikacja, która zwykle daje o sobie znać. D ma problem z osiągnięciem i utrzymaniem erekcji. Uważa, że Riya jest niesamowicie atrakcyjna, zapewnia ją o tym po każdym takim niepowodzeniu, każdym zwiotczeniu, a ona przyjmuje jego słowa i przytula go. Czasem na chwilę znów jest gotów i próbuje w nią wejść, ale w chwili penetracji mięknie i osłabły członek wysuwa się z pochwy. Nie ma to większego znaczenia, bo odkryli wiele innych sposobów osiągania celu. Jej pociąg do niego jest tak silny, że czuje bliskość orgazmu przy pierwszym dotyku, toteż pieszczotami i pocałunkami, z wykorzystaniem narządów pomocniczych (dłonie, usta, język), doprowadza ją do szczytowania, aż Riya śmieje się wyczerpana z rozkoszy. Jej przyjemność staje się jego przyjemnością i często nawet nie musi się spuszczać. Zaspokaja go to, że ona jest zaspokojona. Z czasem stają się śmielsi, nieco ostrzejsi, co też im bardzo odpowiada. Riya uważa, chociaż tego nie mówi, że typowym problemem młodych mężczyzn jest to, że dostają wzwodu natychmiast i często, ale z braku cierpliwości, samokontroli lub zwyczajnie dobrych manier po dwóch minutach kończą. Te długie godziny intymności są nieskończenie bardziej rozkoszne. Mówi coś innego, wcześniej długo się zastanawiając, czy to powiedzieć: jest tak, jakbyśmy byli dwiema kobietami. Czuję się taka bezpieczna, taka swobodna, jedno i drugie. To drugie dzięki temu pierwszemu.

Wreszcie. Powiedziała to. Stało się. On leży na wznak wpatrzony w sufit. Przez dłuższą chwilę nie odpowiada, aż:

Tak – mówi.

Kolejna długa cisza.

Co: tak? – pyta cicho Riya z ręką na jego piersi, pieszcząc go palcami.

Tak – powtarza. – Myślę o tym. Dużo o tym myślę.

Retrospekcja. Roletka okrężna.

Tego roku Michael Jackson grał koncert w Bombaju. Mumbaju. *Bombaju.* W telewizyjnych wiadomościach mężczyźni w różowych i szafranowych turbanach na lotnisku podrygują ekstatycznie w rytm bębnów dhol. W sali przylotów wisi wielki transparent krzyczący NAMASTE MICHAEL NAMASTE OD ZARZĄDU INDYJSKICH LOTNISK. I MJ w czarnym kapeluszu i czerwonej marynarce ze złotymi guzikami nagradza tancerzy oklaskami. *Dla Indii mam szczególne miejsce w sercu* – wyznaje. – *Niech Bóg was zawsze błogosławi.* Mały D, lat dwanaście, w swoim pokoju, ogląda wiadomości, uczy się moonwalka, porusza ustami do słów znanych przebojów, wszystkie teksty ma zapisane, w stu procentach. Wspaniały dzień! Rano siedzi w samochodzie, kierowca wiezie go do szkoły. Zjeżdżają ze wzgórza na Marine Drive i przy plaży Ćaupatti powstaje korek. I nagle pojawia się on, MJ we własnej osobie, kroczy między unieruchomionymi samochodami! Oboże, oboże, oboże, oboże. Ale nie, oczywiście to nie jest Michael Jackson. To hidźra. Hidźra jak gigantyczny Michael Jackson w czarnym kapeluszu Michaela i czerwonej marynarce ze złotymi guzikami. Tanimi imitacjami tychże. Jak śmiesz. Zdejmuj je. Te rzeczy nie należą do ciebie. Hidźra prawą ręką dotyka ronda kapelusza i kręci piruety, łapiąc się za krocze. On/ona/ono ma sfatygowany przenośny magnetofon, płyną z niego dźwięki *Bad*, hidźra z pomalowaną na biało twarzą i uszminkowanymi na czerwono ustami śpiewa z playbacku. Obrzydliwe. Fascynujące. Przeraźliwe. Że też mu na to pozwalają. Teraz hidźra jest tuż za jego oknem, przy samochodzie małego milorda w drodze do Cathedral School, zatańcz ze mną, paniczyku, zatańcz ze mną. Wrzeszczy do zamkniętego okna, przyciska czerwone usta do szyby. *Hato, hato*, woła kierowca, machając ręką, *zjeżdżaj*, i hidźra parska śmiechem, wysoki, pogardliwy, falsetowy dźwięk, po czym odchodzi w stronę słońca.

Roletka okrężna.

Gdy pokazałaś mi figurę Ardhanariświary, wymsknęło mi się: z wyspy Elefanta, ale zaraz ugryzłem się w język. Ale tak, znam go-ją z dawnych lat. Zespolenie Śiwy i Śakti, sił biernych i czynnych hinduskich bogów, ognia i żaru, w ciele tego pojedynczego bóstwa o podwójnej płci. *Ardha*, pół, *nari*, kobieta, *iśwara*, bóg. Z jednej strony mężczyzna, z drugiej – kobieta. Myślałem o niej-nim od czasów dzieciństwa. Ale na widok hidźry ogarnął mnie strach. Każdy trochę się ich bał, trochę nimi brzydził, więc ja również. Byłem też zafascynowany, to prawda, ale ta fascynacja budziła we mnie strach. Co oni mieli ze mną wspólnego, ci ni-to-kobiety-ni-to-mężczyźni? Wszystko, co o nich słyszałem, przyprawiało mnie o dreszcze. Zwłaszcza *operation*. Tak to nazywają. Używają angielskiego słowa. Znieczulają się alkoholem albo opium, niczym więcej. Cały zabieg wykonują inni hidźrowie, nie lekarz, obwiązują genitalia sznurkiem, żeby cięcie było czyste, a potem długi zakrzywiony nóż, i ciach. Pozwalają ranie się wykrwawić, potem ją przyżegają gorącym olejem. W kolejnych dniach, gdy rana się goi, udrażnia się cewkę moczową, żeby nie zarosła. W końcu powstaje pomarszczona blizna przypominająca waginę i nadająca się do użytku jako pochwa. Co to miało ze mną wspólnego, nic, nie pałałem miłością do swoich genitaliów, ale coś takiego, fuj.

Co przed chwilą powiedziałeś? – weszła mu w słowo. – Że nie pałałeś miłością do swoich genitaliów?

Nic takiego nie powiedziałem. Przesłyszałaś się.

Cięcie.

• • •

Riya siedzi na podłodze, czyta fragment książki:

– „Według poetów-świętych śiwaizmu Śiwa to Ammai-Appar, połączenie matki i ojca. Mówi się, że Brahma stworzył człowieka, przeistaczając się w dwie osoby: pierwszego mężczyznę, Manu Swajambhuwę, i pierwszą kobietę, Śatarupę. Indie zawsze rozumiały androginiczność, ideę mężczyzny w ciele kobiety i kobiety w ciele mężczyzny".

D jest w stanie silnego wzburzenia, chodzi po pokoju wte i wewte, klepie w białą ścianę otwartą dłonią, gdy się do niej zbliża, po czym odwraca się i idzie w przeciwną stronę, podchodzi do ściany, plask, obrót, marsz, dojście, plask.

Nie wiem, co próbujesz osiągnąć. Od tej roboty w muzeum zaczyna ci odbijać. Oto, kim jestem. Jestem sobą, nikim innym. To ja.

Riya nie podnosi wzroku, czyta na głos dalej:

– „Niewielu hidźrów osiedla się w miejscu pochodzenia. Za tym wykorzenieniem stoją zapewne dezaprobata i odrzucenie przez rodzinę. Stworzywszy siebie na nowo jako istoty, które pierwotne rodziny często odtrąciły, hidźrowie zabierają swą nową tożsamość do nowych miejsc, gdzie tworzą się wokół nich nowe rodziny, przyjmując ich do swego grona".

Przestań – krzyczy D. – Nie mogę tego słuchać, nie jestem gotów. Chcesz mnie wciągnąć do rynsztoka? Jestem najmłodszym synem Nerona Goldena. Słyszysz mnie? Najmłodszym synem. Nie jestem gotów.

– „W dzieciństwie zachowywałem się jak dziewczynka, wyśmiewano mnie i besztano za lalusiowatość". „Często myślałem, że powinienem żyć jak chłopiec, i starałem się, ale mi nie wychodziło". „My też jesteśmy częścią stworzenia".

Riya podnosi wzrok znad książki, zamyka ją z trzaskiem, dźwiga się z podłogi i staje tuż przed nim – ich twarze są bardzo blisko siebie, jego wykrzywiona złością, jej całkowicie bez wyrazu, neutralna.

A wiesz, że wielu z nich nie przechodzi operacji? – mówi. – Nigdy. To nie jest konieczne. Najważniejsze, że wiedzą, kim są.

Czy to książka znaleziona na ławce w parku? – pyta ją. – Naprawdę?

Kręci głową, powoli, ze smutkiem: *Nie, oczywiście, że nie.*

Wychodzę – oznajmia D.

Wychodzi. Na zewnątrz, na ulicy tego upalnego popołudnia jest głośno, barwnie, rojno. Chinatown.

13

Gigantyczny owad. Potworny robak. Obrzydliwy insekt. Gdy Gregor Samsa obudził się pewnego ranka po nocy niespokojnych snów, stwierdził, że zmienił się w *ungeheuren Ungeziefer*. Nie ma zgodności co do najlepszego tłumaczenia. W opowiadaniu Kafki natura tego stworzenia nie jest dokładnie określona. Może megakaraluch. Posługaczka nazywa go starym żukiem. On sam nie ma pewności. W każdym razie jest to coś odrażającego, okrytego pancerzem, z krótkimi, ruchliwymi nóżkami. *Ungeheuren Ungeziefer*. Coś, czym nikt nie chciałby być. Zamienił się w coś, od czego wszyscy ostatecznie ze zgrozą się odwrócili, jego pracodawca, rodzina, nawet ukochana i dawniej kochająca siostra. A na koniec – w coś martwego, co posługaczka musi uprzątnąć i wynieść. Tym właśnie się staję, powiedział w duchu D, monstrum, nawet dla samego siebie.

Szedł przez Manhattan na północ zatopiony w tego typu makabrycznych myślach i chociaż słońce jasno świeciło, miał wrażenie, że spowija go mrok – a ściśle mówiąc, że jest oświetlony reflektorem punktowym, co pozwala wszystkim go oceniać i badawczo mu się przyglądać, ale otoczony przez czarne miazmaty nie widzi twarzy swoich sędziów. Dopiero gdy stanął pod drzwiami ojcowskiego domu, zdał sobie sprawę, że stopy przywiodły go z powrotem na Macdougal Street. Odszukał w kieszeni klucz i wszedł do środka, mając nadzieję, że nie spotka nikogo z rodziny. Nie był gotów. Nie był sobą. Gdyby go zobaczyli, może od razu dostrzegliby w nim przemianę i krzyknęli zatrwożeni: *Ungeziefer*! Na to nie był przygotowany.

Jak dziwne wydawały mu się teraz wnętrza tego domu! Wrażenie to powstało nie tylko z oczywistego powodu, jakim było to, że kochanka ojca Wasylisa Arsienjewa przystąpiła do radykalnego programu „modernizacji" wystroju, gdy tylko się tu wprowadziła, tym samym wskakując o jeden szczebel wyżej na drabinie intymności ze statusem „kochanki-rezydentki". Palec serdeczny u jej dłoni wciąż był goły, ale niedługo, wszyscy młodzi Goldenowie się co do tego zgadzali, miał zabłysnąć na nim diament, a po diamencie z pewnością pojawi się złota obrączka. Na pewno Wasylisa zaczęła się zachowywać jak u siebie. Cała rezydencja została przemalowana na modny perłowoszary kolor i wszystko, co stare, zostało wymienione lub było w trakcie wymieniania na rzeczy nowe i „z górnej półki": meble, dywany, dzieła sztuki, oświetlenie, lampy stołowe, popielniczki, ramki do zdjęć. D poprosił, żeby niczego nie tykać w jego pokoju, i Wasylisa uszanowała to życzenie, przynajmniej coś pozostało więc znajome. Wiedział jednak, że to wrażenie obcości nie ma swego źródła w zmianach wystroju, lecz w nim samym. Jeśli opadły go złe przeczucia, gdy sunął holem i wspinał się po schodach, przekonanie, że wszystko się niebawem zmieni i że ta zmiana będzie pewnego rodzaju katastrofą, powodów nie należało upatrywać w perłowej farbie ani sofach ze srebrzystego weluru, nie wisiały w nowych zasłonach w salonie, nie świeciły w nowym żyrandolu w jadalni ani nie iskrzyły w nowych gazowych kominkach, których płomienie zimą miały podgrzewać płytę z kamykami, by te świeciły zachwycająco i modnie. Było prawdą, że ta odnowiona przestrzeń nie jest już staroświeckim, przytulnym światem, jaki Neron Golden dla nich stworzył, by mogli w nim zamieszkać zaraz po przeprowadzce. Tchnęła niepokojącą, sztuczną obcością, której poprzednia wersja, również rodzaj imitacji życia, jakimś sposobem uniknęła. Ale nie! To nie o dom chodzi. Zmiana zaszła w nim. On sam był mrokiem, który wyczuwał wokół siebie, to on był siłą przysuwającą bliżej ściany, obniżającą sufit, jak w domu z horroru, to on stwarzał przygnębiający, klaustrofobiczny klimat. W domu, prawdę mówiąc, było znacznie jaśniej niż wcześniej. To on pociemniał.

Uciekał przed czymś, ku czemu – również z tego zdawał sobie sprawę – go znosiło. Wiedział, że to coś zbliża się coraz bardziej, co jednak nie znaczyło, że był z tego powodu zadowolony. Wręcz przeciwnie, miał poczucie nieuniknioności i to wywoływało burzę, która go teraz otaczała. Chciał wejść do swojego pokoju i zamknąć drzwi. Chciał zniknąć.

Gdy myślę o D w tym krytycznym momencie, przypominają mi się słowa Theodora W. Adorna: „Najwyższą formą moralności jest nie czuć się jak w domu we własnym domu". Tak, czuć się nieswojo wśród swojskości, czuć niepokój w spokoju, kwestionować założenia tego, co zazwyczaj radośnie przyjmujemy za pewnik, uczynić z siebie prowokację w przestrzeni, w której większość czuje się wolna od jakichkolwiek prowokacji; tak! Oto moralność podniesiona do poziomu, na jakim można ją niemal nazwać heroizmem. W przypadku D Goldena „dom" był przestrzenią jeszcze bardziej intymną niż rodzinne gniazdo; było nim, ni mniej, ni więcej, tylko jego własne ciało. Czuł się wyobcowany we własnej skórze, doświadczając w intensywnej formie tej ważnej od niedawna odmiany problemów na styku umysłu i ciała. Jego niecielesne ja, umysł, zaczynało się domagać, by stał się tym, czego ciało, jego fizyczne ja, mu odmawiało, a skutkiem była fizyczna i psychiczna udręka.

W domu Goldenów panowała cisza. Przystanął na chwilę na podeście piętra pod główną sypialnią ojca. Te drzwi były zamknięte, ale drzwi do pokoju obok, dawnej gościnnej sypialni, teraz zaś garderoby Wasylisy Arsienjewej, stały otworem, ukazując w słonecznym świetle późnego popołudnia całe rzędy lśniących toalet i półki, niezliczone półki z butami na agresywnie wysokim obcasie. Będzie z tym pewien problem – słowa te wpłynęły do jego świadomości z jakiegoś statku matki unoszącego się w kosmosie tuż za linią Kármána – bo masz giczoły kolosalnych rozmiarów, nie można z ciebie skorzystać, bo masz za duże stopy, nienawidzę cię, bo masz za wielkie kopyta. Tak, Fats Waller, ty też o tym śpiewałeś. I teraz te wielkie stopy wprowadziły go, z własnej woli, wprost do tego pomieszczenia, gdzie woń paczuli była mocniejsza niż wszędzie indziej w całym domu, zapach, który tu przywiozła, aby zagłuszył wszystkie inne, wcześniejsze, Wasylisa Arsienjewa, cicha i wyniosła na podobieństwo kotów, zostawiająca za sobą ślady, dokądkolwiek się udaje. I jego dłonie wyciągają się teraz do tych sukni, wciska twarz w wonne cekiny, wciąga powietrze, wypuszcza, wciąga znowu. Mrok wokół niego rozproszył się nieco; garderoba jaśniała światłem, które mogło nawet być szczęściem.

Jak długo tam był? Pięć minut czy pięć godzin? Nie miał pojęcia, kłębiło się w nim tyle emocji, całe jego jestestwo było istnym wirem, ale jakież to było cudowne uczucie, jak delikatny wydawał się materiał przy policzku, jak zdumiewające to wrażenie... *glamour*, jak mógłby się mu oprzeć, a także temu, co z niego wynikało, co było następnym krokiem.

Wasylisa stała w drzwiach, przyglądając mu się.

– Mogę w czymś pomóc? – spytała.

Mogę w czymś pomóc, serio? Jak gdyby byli w domu towarowym, a ona oskarżała go o kradzież, pasywno-agresywna, gdy tak stała tam, oaza spokoju, nawet lekko uśmiechnięta, tylko bez protekcjonalności, moja pani, bardzo proszę, *mogę w czymś pomóc*, nie, prawdopodobnie nie. Okej, wszedł do jej garderoby, wciska nos w jej kiecki, to prawda, ale mimo wszystko nie powinna była. A może to tylko problem natury językowej, może nauczyła się tego pytania z rozmówek rosyjsko-angielskich, nie ma też pojęcia o intonacji, pytanie zadane w taki sposób brzmi wrogo, gdy tymczasem ona może, nie wiadomo, bierze je dosłownie, dosłownie chce mi pomóc i pyta, jak ma to zrobić, nie osądza mnie, nie złości się, wręcz przeciwnie, wyciąga pomocną dłoń, nie chcę jej tu źle zrozumieć, sytuacja jest już wystarczająco krępująca, ale tak, podchodzi do mnie i teraz mnie obejmuje, po czym rozlega się kolejne zdanie z rozmówek:

– Zobaczmy, co możemy dla ciebie zrobić.

Wasylisa zaczęła wyciągać różne kreacje, przymierzać je do niego, *ta? może ta?* – pytała. I stwierdziła uspokajająco:

– Ty i ja jesteśmy tacy podobni – zauważyła – jeśli chodzi o kształty. Strzeliści, tak się mówi?

Tak, pokiwał głową, tak się mówi.

– Strzeliści jak topole – ciągnęła dalej, uspokojona tym potwierdzeniem. – Twoja matka musiała być wysoka i szczupła jak modelka.

Zamarł.

– Moja matka była kurwą – powiedział. Zaczął się trząść. – Sprzedała mnie ojcu i przepadła gdzieś w Kurwistanie.

– Cii, cii. Już dobrze. Opowiesz mi innym razem. A teraz korzystaj z chwili. Przymierz tę.

– Nie mogę. Nie chcę ci porozciągać sukienek.

– Wszystko jedno. Mam ich tyle. No już, zdejmuj koszulę. Wsuń przez głowę. Widzisz, tylko trochę przyciasna. Co sądzisz?

– A mogę przymierzyć tę tutaj?

– Tak, oczywiście.

(Chcę ich tam zostawić na minutę, dać tej dwójce odrobinę prywatności, odwrócić dyskretnie wzrok i wyłączyć „jestem komórkowym aparatem fotograficznym", a może skierować go na podest: oto schody prowadzące na dół do holu wejściowego, gdzie teraz, po remoncie, wejścia strzeże pies z balonów, ze ściany szczerzy zęby marynowana pirania, a nad drzwiami krzykliwymi różem i zielenią lśnią odblaskowe słowa miłości, a to drzwi, otwierają się właśnie. Wchodzi Neron Golden. Król wraca do swego pałacu. Obserwuję jego twarz. Rozgląda się zirytowany. Chce, żeby stała tu i go witała, gdzie ona jest, czyżby nie przeczytała jego esemesa? Odwiesza kapelusz oraz laseczkę i woła).

– Wasylisa!

(Wyobraźcie sobie, jak moje „jestem steadicamem" pędzi teraz po schodach do góry, do pokoju, gdzie ona i młody mężczyzna w jej sukni stoją sparaliżowani jego głosem, i ona, Wasylisa, spogląda na D i uświadamia sobie, że on wciąż się boi swego ojca).

– Zabije mnie. On mnie zabije. O Boże.

– Nie, nie zabije, to wykluczone.

Podaje mu jego codzienny strój.

– Przebieraj się. Postaram się go czymś zająć.

– Jak?

– Sprowadzę go na górę…

– Nie!

– …do sypialni i zamknę drzwi. Gdy usłyszysz, jak zaczynam robić dużo hałasu, będziesz wiedział, że droga wolna.

– Jakiego hałasu?

– No chyba możesz się domyślić. Nie muszę tego wyłuszczać w szczegółach.

– Ach.

Zatrzymuje się w drzwiach, nim zejdzie do Nerona.

– I jeszcze jedno, D.

– *Co!* To znaczy, przepraszam: Słucham?

– Może nie jestem tak do końca w tysiącu procentach złą wiedźmą.

– Aha, aha. No jasne. Chcę powiedzieć, że nie. Oczywiście, że nie.

– Proszę bardzo.

– Dziękuję.

Wasylisa uśmiecha się do niego konspiracyjnie. Powinienem zakończyć tę scenę tutaj. Dużym zbliżeniem tego sfinksowego uśmiechu Mony Lisy.

Później.

Pogodził się z cierpliwą, wyrozumiałą Riyą i siedzą teraz z Ivy Manuel w jamajskiej knajpie na rogu Houston i Sullivan Street, gdzie późną nocą popijają niebezpieczne koktajle. Albo wyobraźmy to sobie inaczej: cała trójka siedzi wokół zwykłego okrągłego stolika w całkowicie ciemnej pracowni i popija drinki (niebezpieczne koktajle są dopuszczalne, nawet w limbusie), świat nie istnieje, nie licząc ich, gdy omawiają głębokie kwestie językowe i filozoficzne. (Celowe nawiązanie: film Jeana-Luca Godarda *Radosna wiedza* z tysiąc dziewięćset sześćdziesiątego dziewiątego, z Jeanem-Pierre'em Léaudem i Juliet Berto. Przez wielu uznawany za zbyt dydaktyczny, ale czasem dydaktyzm jest konieczny). Początkowo D jest w minorowym nastroju i cytuje Nietzschego (autora *Die fröhliche Wissenschaft*), który zadaje „schopenhauerowskie pytanie: czyż istnienie ma w ogóle sens? – owo pytanie, które potrzebować będzie kilku stuleci, by być zupełnie i z wszystkich swych głębi słyszanem"*. Stopniowo jednak obydwie kobiety podnoszą go na duchu, ośmielają go, wspierają,

* Fragment *Wiedzy radosnej* Fryderyka Nietzschego w przekładzie Leopolda Staffa.

biorą pod włos, i wtedy, gdy skłania lekko głowę na znak zgody i uśmiecha się niepewnie, wprowadzają go krok po kroku w język jego przyszłości, przyszłości, w której zaimek „jego" przestanie być jego. Najistotniejszym słowem jest „przejście". W muzyce modulacja, z jednej tonacji do drugiej. W fizyce przemiana atomu, jądra, elektronu i tak dalej z jednego stanu kwantowego w drugi, z emisją lub absorpcją promieniowania. W literaturze fragment w tekście, który gładko łączy ze sobą dwa tematy lub sekcje. W obecnym przypadku… w obecnym przypadku proces przyjmowania przez daną osobę zewnętrznych, fizycznych cech płci, z którą się identyfikuje, w przeciwieństwie do cech płci przypisanej w chwili narodzin. Proces ten może lub nie wiązać się z podjęciem środków takich jak terapia hormonalna lub operacja zmiany płci.

– Nie myśl o operacji – przekonują go kobiety. – Nawet się nad tym nie zastanawiaj. Do tego jeszcze bardzo daleko.

(*Gdy scena ta będzie filmowana, aktorki mogą zdecydować, która z nich wypowiada którą kwestię. Tymczasem załóżmy, że te słowa wypowiedziała Riya, potem mówi Ivy i tak dalej na przemian*).

– Musisz dojść do tego, kim jesteś. Można skorzystać z pomocy specjalistów.

– W tym momencie mógłbyś być transgenderystą, transseksualistą, transwestytą, crossdresserem. Cokolwiek ci odpowiada. Nie ma powodu posuwać się ani kroku dalej, niż ci to pasuje.

– Dostępna jest pomoc specjalistów.

– Kiedyś ludziom przyczepiano łatki. Ten jest trans, tamten uprawia crossdressing. A jeszcze ktoś inny zmienił płeć. „O, patrzcie, idzie Sally po zmianie płci". Ale teraz cały świat trans dojrzał. Teraz Sally to po prostu Sally. Bez szufladkowania.

– Powinieneś natomiast pomyśleć o przyimkach. Słowa są ważne. Jeśli rezygnujesz z „on", co zamiast tego? Możesz wybrać „oni". Jeśli zdecydujesz, że nie identyfikujesz się ani jako kobieta, ani jako mężczyzna. „Oni" oznacza nieznaną tożsamość płciową. Bardzo dyskretnie.

– Jest jeszcze *ze*.

– Jest jeszcze *ey*.

– Jest jeszcze *hir, xe, hen, ve, ne, per, thon* i *Mx*.

– Jak widzisz, jest w czym wybierać.

– Na przykład *thon* to połączenie angielskiego *that* i *one*.

– *Mx* używa się zamiast *Mrs* i *Mr*, wymawia „miks". Osobiście ten zaimek podoba mi się najbardziej.

– Rzecz jasna chodzi tu o coś więcej niż same zaimki. Wspominałam już o tym podczas twojej pierwszej wizyty w muzeum. Słowa są ważne. Musisz być pewien swojej tożsamości, chyba że jesteś pewien, że nie masz pewności, w którym to przypadku możesz być płci płynnej.

– Lub należysz do kategorii *transfeminine*, bo urodziłeś się mężczyzną, identyfikujesz się z wieloma aspektami żeńskości, ale nie czujesz, że naprawdę *jesteś* kobietą.

– Słowo „kobieta" stopniowo odrywa się od biologii. Także słowo „mężczyzna".

– Albo jeśli nie identyfikujesz się ani z żeńskością, ani z męskością, może jesteś *niebinarny*.

– Więc nie ma pośpiechu. Jest wiele do przemyślenia.

– Wiele do przyswojenia.

– Przejście jest jak przekład. Wędrujesz między językami.

– Niektórzy łatwo się uczą języków. Inni mają z tym problemy. Ale tu można skorzystać ze specjalistycznej pomocy.

– Pomyśl o Indianach Nawaho. Uznają cztery płcie. Poza mężczyzną i kobietą są jeszcze *nadleehi*, „podwójne dusze", urodzeni jako mężczyźni, lecz funkcjonujący w roli kobiety, i vice versa oczywiście.

– Możesz być, kim chcesz.

– Tożsamość płciowa nie jest z góry określona. Jest wyborem.

D do tej pory milczał. W końcu się odzywa:

– Czy argument nie brzmiał odwrotnie? Że bycie gejem nie jest wyborem, lecz biologiczną koniecznością? A teraz twierdzimy, że jednak jest wyborem?

– Wybór tożsamości – odpowiada Ivy Manuel – to nie wybór płatków śniadaniowych w supermarkecie.

– Mówiąc o wyborze, można też mówić o „byciu wybranym".

– Ale to teraz wybór?

– Można skorzystać z pomocy specjalisty. Z taką pomocą wybór stanie się dla ciebie jasny.

– Stanie się koniecznością.

– Więc wtedy to nie będzie wybór?

– To tylko słowo. Czemu się do niego tak przyczepiłeś? To tylko słowo.

Ściemnienie.

14

O siódmej rano w dzień swego ślubu, jeden z najgorętszych dni lata, gdy meteorolodzy ostrzegali przed huraganami, Neron Golden jak zwykle udał się na tenisa na róg Czwartej i Lafayette Street z trzema członkami zżytej grupy przyjaciół ukośnik partnerów biznesowych ukośnik klientów. Ci tajemniczy mężczyźni (w sumie było ich chyba pięciu) wszyscy wyglądali podobnie: twardziele o orzechowej karnacji od długotrwałego przebywania na słońcu w luksusowych lokalizacjach, króciutko obcięte, rzednące włosy, gładko ogolone, silne szczęki, mocne torsy i owłosione nogi. W sportowych białych strojach przypominali drużynę emerytowanych marines, z tym że żołnierzy Korpusu Piechoty Morskiej nigdy nie byłoby stać na takie zegarki: doliczyłem się dwóch rolexów, jednego vacherona constantina, jednego piageta i audemarsa pigueta. Bogaci, wpływowi, samce alfa. Nigdy ich nie przedstawił ani nie zapraszał do Ogrodów na towarzyskie pogaduszki. To była jego paczka. Miał ich tylko dla siebie.

Gdy pytałem synów Nerona, w jaki sposób ojciec dorobił się fortuny, za każdym razem dostawałem inną odpowiedź. „Budownictwo". „Nieruchomości". „Sejfy i kasy pancerne". „Internetowe zakłady bukmacherskie". „Handel przędzą". „Spedycja". „Inwestycje venture capital". „Tekstylia". „Produkcja filmowa". „Nie twoja sprawa". „Stal". Gdy moi akademiccy rodzice ustalili jego tożsamość, zacząłem w miarę możliwości ukradkiem dochodzić prawdziwości lub nieprawdziwości tych jakże różnych stwierdzeń. Odkryłem, że mężczyźnie znanemu nam jako N.J. Golden na długo przed pojawieniem się wśród nas wszedł w krew nawyk dyskrecji, toteż sieć przykrywek, pełnomocników i firm widm, którą uplótł, aby ukryć swą aktywność przed ciekawością innych, okazała się dla mnie – młodego człowieka z głową w filmowych chmurach – zbyt skomplikowana, bym mógł ją na odległość rozwikłać. Zajmował się po trosze wieloma rzeczami i zdobył reputację liczącego się gracza. Spowił się anonimowością benami, ale gdy wykonywał jakiś ruch, wszyscy wiedzieli, kto za nim stoi. W kraju, którego nazwy nie można wymienić, miał nawet przydomek – Kobra. Jeśli kiedykolwiek uda mi się zrobić o nim film, pomyślałem, może tak powinien brzmieć tytuł. Albo *Król Kobra.* Po namyśle jednak odrzuciłem te pomysły. Już miałem swój tytuł.

Złoty dom Goldenów.

Moje śledztwo naprowadziło mnie na trop głośnej afery z licencjami na spektrum dla 2G, która niedawno trafiła na pierwsze strony gazet w kraju o niewymienialnej nazwie. Okazało się, że w tym kraju bez nazwy skorumpowani członkowie rządu bez nazwisk sprzedawali licencje faworyzowanym korporacjom za zdumiewająco niskie stawki, po czym owe forowane firmy zgromadziły około dwudziestu sześciu miliardów dolarów nielegalnych zysków. Według doniesień czasopisma „Time", które w tych czasach wciąż czytało jeszcze kilka osób, skandal ten zajął drugie miejsce na liście dziesięciu najgorszych przypadków nadużycia władzy na świecie, plasując się tuż za aferą Watergate. Prześledziłem nazwy i historię firm, którym przyznano licencje, i odkryłem ten sam rodzaj sieci, jaką stosował Neron, koronkowy system podmiotów będących w posiadaniu innych podmiotów, których spore udziały znajdowały się w rękach jeszcze innych podmiotów. Domyślałem się, że Neron był siłą stojącą za największą z tych korporacji, Eagle Telecom. Po fuzji z niemiecką firmą Verbunden Extratech sprzedała czterdzieści pięć procent udziałów firmie Murtasín z Abu Zabi, która przemianowała ją na Murtasín-EV Telecom. Podjęto kroki prawne przeciwko wielu z tych nowych licencjobiorców w specjalnych procesach zorganizowanych przez indyjskie Centralne Biuro Śledcze, w skrócie

CBI od angielskiego Central Bureau of Investigation. To był mój moment olśnienia. Nigdy nie wierzyłem, że Neron bez żadnego powodu przygotowałby tak misterny plan wyjazdu z ojczyzny – nie mógł przecież przewidzieć śmierci żony w ataku terrorystycznym na stary, legendarny hotel – za to jego rzekomy udział w tej potężnej aferze stanowił o wiele bardziej przekonujący powód do zorganizowania wyjazdu, na wypadek gdyby musiał salwować się ucieczką. Rzecz jasna nie śmiałem przedstawić mu swoich domysłów. Ale mój wymyślony film, a raczej wymarzony cykl filmów, stawał się dużo atrakcyjniejszy; przeobrażał się w thriller finansowo-polityczny lub cały cykl takich thrillerów z moimi sąsiadami w epicentrum zdarzeń. To było ekscytujące.

Śluby od razu budzą we mnie skojarzenia filmowe. (Wszystko budzi we mnie filmowe skojarzenia). Dustin Hoffman w *Absolwencie* łomoczący w szklaną ścianę kościoła w Santa Barbara, żeby porwać spod ołtarza Katharine Ross. Babcie tańczące w New Delhi w porze deszczowej w *Monsunowym weselu*. Złowróżbne rozlanie wina na suknię ślubną w *Łowcy jeleni*. Panna młoda z kulką w głowie w dzień ślubu w *Kill Bill 2*. Sepleniący Peter Cook podczasz ceremonii szlubu w *Narzeczonej dla księcia*. Niezapomniane przyjęcie weselne w *Żółtej ziemi* Chena Kaige, gdzie gościom na wiejskim weselu w zubożałej prowincji Shaanxi podaje się zamiast prawdziwego jedzenia drewniane ryby, bo prawdziwych ryb nie można dostać, a wesele bez nich jest czymś nie do pomyślenia. Lecz gdy Neron Golden brał ślub z Wasylisą Arsienjewą w Macdougal–Sullivan Gardens Historic District o godzinie czwartej po południu, do głowy nieodparcie cisnęła mi się najgłośniejsza scena ślubna ze wszystkich, jakie kiedykolwiek nakręcono, tylko że tym razem to nie Connie Corleone tańczyła ze swoim ojcem, tym razem nestor rodu tańczył z własną młodą żoną, gdy w mojej wyobraźni wyrazista włosko-amerykańska melodia skomponowana do tej sceny przez ojca reżysera, Carmine Coppolę, coraz bardziej zagłuszała autentyczną muzykę rozbrzmiewającą wówczas w Ogrodach, którą z godną pożałowania banalnością było nagranie Beatlesów pod tytułem *In My Life*.

Przeskok kilka godzin wstecz: gdy Neron wrócił do domu po tenisie, pocąc się obficie jak zawsze, do czego swobodnie się przyznawał: „Wystarczy, że wbiegnę po schodach, i koszula już do wyżęcia", gdy ściągnął ubranie i zawinął się w ciężki czarny szlafrok, wezwał do swojego gabinetu na rozmowę synów.

– W waszych głowach lęgną się pytania, do których chciałbym się odnieść – oznajmił im. – Przede wszystkim: nic się nie zmienia. Wciąż jestem waszym ojcem, to po pierwsze, a jeśli chodzi o was dwóch, zawsze będę kochał waszą nieżyjącą matkę tak jak wcześniej, to po drugie, a co do ciebie, najmłodszy synu, nadal jest mi przykro w związku z twoją sytuacją, ale wiesz o tym i jesteś tak samo moim synem jak tych dwóch, to po trzecie; a zatem status quo, rozumiecie? Ponadto, przechodząc do sedna: wszyscy zdajecie sobie sprawę, że powstała dość szczegółowa intercyza, którą Wasylisa bez sprzeciwu podpisała. Spokojna głowa, wasz spadek jest bezpieczny. Status quo zostaje utrzymane. Poza tym po tylu latach bycia ojcem waszej trójki nie biorę pod uwagę ewentualności dalszego poszerzania rodziny. Dziecko, powiedziałem jej, *dziecko* to dla mnie słowo tabu. Wobec tego dictum także nie wniosła sprzeciwu. Nie będzie czwartego brata. Nie będzie pierwszej siostry. Status quo. Tę obietnicę składam wam dzisiaj, w dzień mego ślubu. Od was oczekuję jedynie akceptacji dla mojej żony. Nikt tu nie próbuje nikogo na nic naciągać, nie będzie się płodzić czyhających na spadek potomków. Nie miałem obowiązku informować was o tym wszystkim, ale postanowiłem to zrobić. W moim wieku proszę was o błogosławieństwo. Nie jest to konieczne, ale zwracam się do was z prośbą. Proszę, nie zepsujcie ojcu tego szczęśliwego dnia.

W ogrodzie, gdy już urzędnik stanu cywilnego poszedł sobie po odprawieniu ceremonii, gdy Neron i Wasylisa stali się mężem i żoną, patrzyłem na nich tańczących jak wtedy, na Florydzie, on młodniał w ruchu, tak wyprężony, tak zwinny, tak lekki na nogach, tak skupiony na partnerce, gdy język muzyki szeptał mu do ucha magiczne zaklęcia, dzięki którym znów wyglądał jak dawniej. A ona w jego ramionach, uwalniając moc swej urody, przybliżała usta do jego ucha, a potem wyginała w łuk obnażone plecy i odchylała się od niego, i znowu, raz bliżej, raz dalej, rytmicznie, obezwładniając go najpotężniejszym ze wszystkich czarów, uwodzicielską mantrą „chodź tu/odejdź"; Wasylisa pozwalała mu się prowadzić i trzymać w ramionach, mówiąc nam, choć nie musiała nic mówić, by to powiedzieć: niczego się nie boję, jest mój, całą czarodziejską mocą swego ciała rozkazałam mu trzymać mnie w ramionach tak mocno, że nawet gdyby chciał, nie mógłby mnie puścić.

To nie jest taniec, pomyślałem, to koronacja.

Synowie Nerona Goldena patrzyli i uczyli się. Pietia obserwował wszystko ze swej kryjówki za drabinkami ze zjeżdżalnią dla dzieci, ściskając ramę jak więzienne pręty. W pewnym momencie, gdy stałem obok niego, rzekł:

– Zasoby miłości w naszym ojcu są stałe. Nie rozszerzają się ani nie kurczą. Teraz, gdy będzie rozsmarowana cieniej, każde z nas dostanie jej mniej.

Lecz ilekroć Wasylisa spoglądała w jego stronę, uśmiechał się szeroko.

– Najlepiej nie narażać się nowej królowej – oznajmił uroczyście, jak gdyby zdradzał tajemnicę państwową. – Mogłaby w każdej chwili kazać nas sprzątnąć.

Jego brat Apu stał pod drzewem jak zwykle w otoczeniu artystowskich typów z dolnego Manhattanu, malarzy, klubowiczów i Włochów, u jego boku zaś kopcił jednego papierosa za drugim w charakterystycznej aksamitnej bonżurce i białej koszuli z łamanym kołnierzykiem Andy Drescher, słynny zawodowy malkontent, do którego Apu miał z niewiadomego powodu słabość. Andy był ikoną Nowego Jorku, nie wydał niczego od czasu dwóch tomików poezji w latach osiemdziesiątych, ale jakimś cudem żył wygodnie, obracając się w najwyższych sferach, bez jawnego źródła dochodu ani innych środków utrzymania. Wyobrażałem go sobie w klitce z zimną wodą w budynku bez windy, jak pożywia się kocią karmą z puszek, a potem strzepuje kurz ze swoich aksamitnych ciuszków i udaje się na najelegantsze wieczorki towarzyskie, gdzie uśmiecha się z pożądliwą rezygnacją do ładnych młodzieńców i z kwaśną miną wywarkuje swoje słynne skargi. Lista rzeczy i osób, na które narzekał, stale się wydłużała i w tym momencie zaliczały się do nich: wyprawy do kina; burmistrz Bloomberg; idea małżeństwa, zarówno homo, jak i hetero; idea oglądania telewizji, kiedy można by w tym czasie uprawiać seks; urządzenia (wszelkiego typu, zwłaszcza jednak smartfony); East Village; tablice inspiracji, czyli tak zwane „moodboardy" w studiach projektantów mody (które nazywał zorganizowanym rabunkiem); turyści oraz publikujący pisarze. Tego dnia obraził biedną Riyę (choć z drugiej strony obrażał *wszystkich*), kpiąc z Muzeum Tożsamości, gdzie pracowała, oraz z pomysłu, że można sobie wybrać taką płeć, na jaką komuś przyjdzie ochota.

– W przyszłym tygodniu zamierzam kupić apartament za dziesięć milionów – zwrócił się do Riyi. – Zapytaj mnie, skąd mam na to kasę.

Riya wpadła w zastawioną pułapkę i zadała mu podsunięte pytanie.

– Ach, jestem teraz transmiliarderem – padła odpowiedź. – Identyfikuję się jako krezus, wskutek czego nim jestem.

Od tej pory Riya trzymała się blisko D i razem oglądali tańczącą królową w chwili triumfu, Piękną wirującą w ramionach kochającej Bestii, a wszędzie dookoła Ogrody, i my wszyscy, zaproszeni i niezaproszeni, prawdziwi i fikcyjni, gdy zapadał zmierzch i sznury ze świecących lampek zawieszone na drzewach podsycały ów magiczny disneyowski nastrój; moi uczeni rodzice radośnie tańczący razem, wpatrzeni tylko w siebie, smutny U Lnu Fnu z ONZ, pan Arribista z Argentyny i prawdziwi arystokraci naszej społeczności, Vito i Blanca Tagliabue, baronostwo Selinunte, oraz ja, wszyscy radośnie się integrowaliśmy, co ułatwiały duże ilości szampana, kosztowaliśmy znakomitych potraw dostarczonych przez najlepszą firmę cateringową w mieście i czuliśmy się przez krótką błogą pozaczasową chwilę, jaką niekiedy potrafi wyczarować ślub, szczęśliwi, wszyscy razem, zjednoczeni. Nawet piątka graczy w tenisa z drogimi zegarkami na rękach i uśmiechami przylepionymi do twarzy, które nie były stworzone do uśmiechania się, kiwała głowami z czymś w rodzaju sympatii do innych gości i oklaskiwała taniec monarchów.

Pewna grupka trzymała się jednak na uboczu i gdy grała muzyka, gęstniał mrok i nasilała się wesołość, ci goście zdawali się ścieśniać coraz bardziej, jak gdyby chcieli powiedzieć – nie podchodźcie do nas, zachowajcie dystans, nie jesteśmy częścią waszego towarzystwa. Byli to mężczyźni o gładko zaczesanych, przydługich z tyłu włosach, z brodami, a raczej kilkudniowym zarostem i językiem ciała wyrażającym skrępowanie, ubrani w źle dopasowane smokingi z mankietami białych koszul zanadto wystającymi z rękawów marynarek, mężczyźni bez kobiet, popijający wodę, napoje gazowane lub nic, przestępujący z nogi na nogę, bez przerwy ćmiący papierosy, i ni stąd, ni zowąd pomyślałem, że może moje skojarzenie z *Ojcem chrzestnym* nie zrodziło się ze zbyt częstego oglądania tej trylogii, może coś wywęszyłem, bo ci faceci wyglądali, jakby byli podwładnymi, ludźmi, którzy biorą udział w wielkim dniu mafiosa, żeby móc ucałować jego pierścień. Albo (teraz już mnie ponosiło pod wpływem tego gangsterskiego tropu) wyglądali, jakby mieli pochowane spluwy. Wyświetliłem sobie w głowie ten film, nagłe wyciągnięcie broni z pękatych wewnętrznych kieszeni tych źle skrojonych strojów, krew zbryzgującą dzień wesela tragedią.

Nic takiego się nie wydarzyło. Ci dżentelmeni reprezentują branżę hotelarską, jak nas poinformowano, są partnerami pana Goldena w interesach. Jakby się słyszało, że handlują oliwą: może i prawda, ale i niecała prawda.

Najstarszy z synów pana młodego stał przy bufecie ze złotym obrusem, gdzie na głodnych czekały tace z przekąskami, i metodycznie przedzierał się przez stos parówek w cieście. Przyszła mi do głowy pewna myśl.

– Hej, Pietia – zwróciłem się do niego jak najbardziej nonszalanckim tonem – co wiesz o tym przekręcie w Indiach, aferze 2G Spektrum?

Na jego twarzy zaznaczyła się lekka konsternacja, może dlatego, że słowo „spektrum" natychmiast obudziło w nim inne skojarzenia, a może dlatego, że jego nadzwyczajna pamięć i odruch mówienia prawdy toczyły w nim bój ze złożoną przez wszystkich Goldenów przysięgą zachowania tajemnicy. Uznał nareszcie, że jego odpowiedź nie będzie złamaniem przyrzeczenia, nie podlega więc zakazowi.

– Machlojki w telekomunikacji – odpowiedział. – Mam wyrecytować listę zamieszanych firm? Adonis, Nahan, Aska, Volga, Azure, Hudson, Unitech, Loop, Datacom, Telelink, Swan, Allianz, Idea, Spice, S Tel, Tata. Należy też nadmienić, że w dwa tysiące ósmym Telenor wykupił pakiet większościowy w firmie telekomunikacyjnej grupy Unitech i obecnie zawiaduje dwudziestoma dwiema licencjami jako Uninor. Datacom działa jako Videocon. Firma Sistema z siedzibą w Rosji posiada pakiet większościowy w Telelinku i zmienia nazwę, pod którą prowadzi działalność, na MTS. Firma Swan była pierwotnie filią grupy Reliance. Idea wykupiła Spice. Bahrain Telecommunications i Sahara Group posiadają pokaźne udziały w S Telu. Trwa proces w interesie publicznym, który wkrótce trafi do Sądu Najwyższego. Oczekuje się, że co najmniej jednemu ministrowi i kilku korporacyjnym dyrektorom grożą surowe kary więzienia. 2G w paśmie 5 Mhz jest wyceniane za megaherc…

– Zauważyłem – przerwałem mu – że nie wymieniłeś Eagle, Verbunden Extratech ani Murtasín.

– Wymieniłem po prostu te firmy, których nazwy padały w związku z tą aferą – rzekł. – Korporacjom, o których wspominasz, nie postawiono zarzutów o jakiekolwiek nieprawidłowości, nie są prowadzone przeciwko nim żadne postępowania. Planujesz napisać scenariusz o tym niesamowitym, trzeba przyznać, i skażonym korupcją, co przewidywalne, boomie telefonii komórkowej w dalekim kraju? Jeśli tak, to powinieneś zdecydowanie zagrać główną rolę. Bo wiesz, jesteś taki przystojny, René, naprawdę powinieneś zostać gwiazdą filmową.

To było u niego pewne novum tego lata. Otóż Pietia doszedł do wniosku, wbrew świadectwu oczu wszystkich prócz własnych, że jestem najprzystojniejszym mężczyzną świata. Początkowo obwieścił, że jestem „bardziej przystojny niż Tom Cruise", potem stałem się „*o wiele* bardziej atrakcyjny niż Brad Pitt", a ostatnimi czasy byłem „*sto razy* bardziej urodziwy niż taki George Clooney". *Sic transit gloria*, Tom, Brad, George, pomyślałem sobie. Pietia nie wyrażał w ten sposób homoseksualnych ciągot. Mówił po prostu, co myśli, jak zresztą zawsze, a ja mogłem mu tylko podziękować.

– Coś w tym rodzaju – odpowiedziałem. – Ale nie widzę roli dla siebie.

– Absurd – obruszył się. – Natychmiast ją sobie napisz. Dużą rolę. Amanta. René, jesteś taki seksowny. Mówię poważnie. Ciacho z ciebie.

Może śluby rozbudzają pierwiastek romantyczny w nas wszystkich.

• • •

I pośród wesołości tej nocy w pewnym momencie Neron Golden gdzieś znikł, co nie umknęło mojej uwadze, w oknie jego gabinetu paliło się światło, przepadli też dżentelmeni w niedopasowanych smokingach. Pietia szalał na parkiecie. Tańczył kiepsko, w sposób tak nieskoordynowany, że ludziom wydawał się śmieszny, i pięciu tenisistów próbowało bez przekonania tłumić swoje alfasamcze uśmieszki, lecz na szczęście on w muzycznym amoku zdawał się tego nie zauważać. A potem Wasylisa tańczyła ze swoimi przyjaciółkami, samymi agentkami nieruchomości, każda ucieleśnieniem *glamour*, wykonywały nowojorskie wersje kozackich tańców z wykorzystaniem świec, chust, z klaskaniem, wymachami nóg i prysiudami. Zamiast futrzanych czap i wojskowych mundurów były cienkie jak pajęczyna suknie i kobieca skóra, ale nikt nie narzekał, pląsaliśmy w kręgu wokół tańczących pań, klaskaliśmy razem i na dany sygnał wykrzykiwaliśmy „Hej! Hej!", piliśmy wódkę z kieliszków, które nam podawano, i owszem, Rosja była super, kultura rosyjska świetna, bawiliśmy się po rosyjsku wesoło, wszyscy i każdy z osobna, a potem zjawił się Neron Golden w pełnym kozackim kostiumie, więc była chociaż jedna futrzana czapa i jeden niebieski wojskowy mundur ze złotymi galonami i guzikami, i panie tańczyły wokół niego jak wokół kapitana, króla, którym zresztą był, a on wymachiwał w powietrzu nad ich głowami specjalną szablą, szaszką, my zaś tańczyliśmy wokół nich, piliśmy, znowu wykrzykiwaliśmy „Hej! Hej!" i tak oto Neron i jego krasawica zostali sobie poślubieni.

Tymczasem panowie hotelarze w niedopasowanych smokingach już nie wrócili.

Po północy do Ogrodów przypełzła dziwna letnia mgła, upodabniając je do scenerii japońskiego filmu grozy, na przykład *Opowieści księżycowych* albo *Kwaidan*. Goście rozeszli się już do domów, a resztki po przyjęciu uprzątnął sprawny personel firmy cateringowej nagrodzony hojnymi napiwkami przez samego Nerona Goldena. Z gałęzi jednego z drzew zwisała ostatnia lampka, w której świeczka dopalała się z trzaskiem. Usłyszałem jedno huknięcie, możliwe że sowy, ale możliwe też, że się pomyliłem. Na niebie spoza zbierających się deszczowych chmur przeświecał słabowicie blady księżyc. Nadciągał huragan. Panowała cisza przed burzą.

I raz jeszcze bezsenność wypędziła mnie z łóżka. Narzuciwszy na siebie sportową bluzę i wciągnąwszy niebieskie jeansy, wyszedłem na mgliste powietrze, które zagęściło się jeszcze bardziej, i nagle byłem sam w kłębach mgły, jak gdyby cały świat zniknął, zostałem tylko ja. Wtem gdzieś z daleka doleciał mnie dźwięk, który zabrzmiał jeszcze kilkakrotnie, za każdym razem coraz głośniejszy. Był to lament człowieka w potwornej rozpaczy, zanoszącego się od szlochów. Poruszający serce płacz.

Podszedłem na palcach, gdy ciekawość pasowała się we mnie z bardziej cywilizowanym odruchem, by nie naruszać prywatności płaczącego. Nie ufając maskującym właściwościom mgły, przyczaiłem się w krzakach, lekko zawstydzony (ale niestety tylko *lekko*) triumfem moich voyeurystycznych ciągot. W końcu go ujrzałem i zdumiałem się niepomiernie, muszę przyznać, rozpoznając w nim gwiazdę minionego wieczoru, wokół której wszystko się kręciło, niemłodego pana młodego we własnej osobie, klęczącego na wilgotnej trawie w drogiej piżamie i bębniącego pięściami w piersi, zawodzącego jak zawodowa płaczka na pogrzebie. Co mogło go przygnać tutaj o tak nieludzkiej porze, skłonić do porzucenia małżeńskiego łoża i wycia do niknącego księżyca? Zakradłem się na tyle blisko, na ile starczyło mi odwagi, i wtedy usłyszałem, tak mi się przynajmniej wydaje, te oto słowa:

– Wybaczcie mi! Zabiłem was obie.

W tym miejscu chciałbym zaznaczyć, że nie wierzę w teorie tych, którzy mają skłonność do mistyki i zjawisk nadprzyrodzonych. Nie mam cierpliwości do nieba, limbusu ani żadnych innych pośmiertnych kurortów. Nie wierzę, że wrócę w innym wcieleniu, ani jako gnojak, ani jako George Clooney bądź spadkobierca jego męskiego charme'u. Pomimo entuzjazmu Joyce'a, Nietzschego i Schopenhauera wobec metempsychozy, ja do transmigracji dusz odwracam się plecami. Tajlandzki film Apichatponga Weerasethakula *Wujek Boonmee, który potrafi przywołać swoje poprzednie wcielenia* był chyba moim ulubionym filmem w tamtym roku, ale nie wierzę, żeby wujek Boonmee tu na ziemskim padole odbywał wcześniej wielokrotnie służbę, ani on, ani ja. Nie interesuje mnie diabelskie nasienie; Damien, Carrie, dziecko Rosemary – możecie się nadal kurzyć na półce z czytadłami. Nie dla mnie anioły, diabły ani potwory z błękitnej laguny. Dlatego właśnie tak trudno jest mi wyjaśnić, co widziałem tamtej nocy, i próbuję sobie wmówić, że były to halucynacje wywołane zażyciem zbyt dużej dawki zolpidemu (któremu nie udało się mnie uśpić) i spacerem w lekkim zamroczeniu we mgle: pewnego rodzaju koszmar na jawie. Jednak postać skruszonego Nerona wyglądała całkiem realnie i zobaczyłem wtedy, wiem o tym, wydaje mi się, że wiem, chociaż mój racjonalny umysł odrzuca tę ewentualność, otóż zobaczyłem, jak mgła wokół niego układa się niczym coś w rodzaju ektoplazmy w dwa ludzkie kształty, kształty kobiet stojących przed klęczącym mężczyzną, by wysłuchać jego lamentacyjnych przeprosin. Te kształty nie mówiły, nie przybrały też trwalszej formy, pozostały rozproszone i nieostre, ale przyszła mi do głowy myśl, tak wyraźnie, jakby ktoś wypowiedział ją na głos, że są to matki jego synów, żona, która zginęła w hotelu Taj, i biedna porzucona kobieta, która oddała własne dziecko i która według pani Golden zmarła anonimowo w samotności w jednym z tych miejsc, dokąd oddalają się umrzeć ludzie biedni.

Wybaczcie mi! Zabiłem was obie. Jak można zinterpretować taką prośbę wypowiedzianą w noc poślubną? Jako przejaw poczucia winy w związku ze znalezieniem szczęścia, gdy nieszczęśliwe leżą martwe u jego stóp? Czy jako efekt uświadomienia sobie, że dręcząca przeszłość ma dużo większą władzę nad jego emocjami niż płytka teraźniejszość, nawet jeśli jest młoda i piękna? I gdzie w tej chwili podziewała się nowa pani Golden i co sądzi o małżonku mazgającym się przed widmami w ogrodzie? Niezbyt obiecująca inauguracja pożycia, nie ma co. Odszedłem we mgłę, wróciłem do swojego łóżka, gdzie, o dziwo, natychmiast zasnąłem snem sprawiedliwego.

Rano Wasylisa ogłosiła następną fazę swojego projektu gruntownego oczyszczania i odnawiania domu, precz ze starym, witaj nowe! Nowe lampy w miejsce starych! On zaś, nestor rodu, ulegał. Dla niej wszak nie była to zwykła kwestia zmiany wystroju wnętrz.

– W Rosji – oświadczyła – nie jesteśmy tak głupi, by myśleć, że demony nie istnieją.

Słowa te padły w mojej obecności (wówczas już byłem tam częstym i mile widzianym gościem).

– Przepraszam cię, René, rozumiem, że jesteś sceptykiem, ale rzeczywistość nie jest kwestią wyboru. Nie zależy jej na twojej opinii w tej sprawie. Świat jest taki, jaki był zawsze. Wystarczy pójść do cerkwi w Rosji, żeby zobaczyć przyprowadzonych przez rodziny ludzi z diabłem w oczach, osoby przepełnione nienawiścią, także bluźnierców, obsceniczne indywidua, i tych, co mają w sercu lód. I wtedy się zaczyna. Najpierw przychodzi ze święconą wodą kapłan, polewa nią opętanego i recytuje fragmenty Ewangelii, w których Jezus wypędza demony, i mój Boże, jak one wyłażą, z kobiety wydobywa się męski głos, ciało się trzęsie, słychać syknięcia i wrzaski zapowiadające zemstę na duchownym, bo, widzicie, święcona woda ich parzy i wiele osób wydaje zwierzęce odgłosy, krowie, niedźwiedzie albo świńskie. Są wymioty i zemdlenia. To straszne, ale skuteczne. W tym domu jest inaczej. Może to nie ludzie są opętani, lecz sam budynek. Sprowadziliście ze starego kraju zło i teraz rozeszło się po ścianach, dywanach, mrocznych kątach, także po łazienkach. Mieszkają tu upiory, może te wasze albo jeszcze starsze, i trzeba je stąd przepędzić. Jeśli chcesz to obejrzeć, wpuszczę cię, gdy przyjdzie pop, bo wiem, że jesteś twórczym młodym człowiekiem w poszukiwaniu materiału, ale lepiej stój tam przy Matce Boskiej i gdy się zacznie, wypowiadaj tylko słowa modlitwy do Jezusa. *Panie Jezu, Boże, bądź miłościw mnie grzesznemu*. Nieistotne, jeśli jesteś niewierzący, po prostu powtarzaj te słowa, a uchronią cię od złego.

Na honorowym miejscu w przestronnym „głównym salonie" na parterze, gdzie jej oblicze muskał wzmagający się wiatr wpadający przez tarasowe okna od ogrodu, wiatr przesycony wilgotną obietnicą deszczu, stała od niedawna nieskazitelna wczesna kopia Fiodorowskiej Ikony Matki Bożej. Oryginał wisiał w pałacu w Carskim Siole w niewielkiej kapliczce na lewo od sypialni ostatniej carycy Rosji Aleksandry Romanowej, która codziennie godzinami modliła się do Najświętszej Marii Panny. Zaskakujące. Synowie Nerona Goldena nie kryli braku wiary i chociaż nigdy nie słyszałem, żeby ich ojciec się na ten temat wypowiadał, zakładałem, że ma podobne poglądy, co więcej, jest inspiratorem, że tak powiem, ich lekceważącej niewiary. Tymczasem ten święty obraz był prezentem ślubnym od Nerona dla młodej żony i teraz, nie protestując, starzec stał obok niej ze splecionymi dłońmi i pochyloną głową przed Matką Boską, po czym dał znak, że czas rozpocząć egzorcyzmy, sprowadzono też wszystkich trzech młodych Goldenów, stali więc z poważnymi minami, jak im przykazano. I oto jak na zawołanie zjawił się batiuszka, niczym namiot z brodą, i zaczął recytować modlitwy i spryskiwać nas wszystkich święconą wodą, i wtedy właśnie zerwał się huragan Irene, niebo pociemniało, niebiosa się rozwarły i pokój rozświetliła płonąca błyskawica. Pop zawołał coś po rosyjsku i Wasylisa przetłumaczyła jego słowa.

Chwalcie Pana, bo się dokonało.

W tejże chwili Neron Golden również zawołał głośno: „Zamknąć okna!", po czym jego synowie rzucili się do tarasowych okien, i gdy ja zrozumiałem to jako praktyczną reakcję na wiatr i zacinający deszcz, Wasylisa i pop zrozumieli to inaczej. Broda się trzęsła, otaczający ją namiot drżał, padły rosyjskie słowa wymówione z przejęciem, które nowa pani Golden triumfalnie przełożyła i sparafrazowała:

– Możecie zamknąć okna przed deszczem, ale nie ma potrzeby, żeby je zamykać przed demonami, bo te zostały wypędzone z mego męża i nigdy nie wrócą.

Cokolwiek się wydarzyło tamtego ranka – a ja co do autentyczności odprawionych egzorcyzmów zachowałem głęboki sceptycyzm – jest niewątpliwie prawdą, że skończyły się nocne spacery Nerona i płacze na trawnikach letnią porą. O ile wiem, zjawy obydwu kobiet już mu się nie ukazywały. A nawet jeśli, to panował nad swymi uczuciami, odwrócił się od nich i nie wspominał żonie o tych wizytach.

Tego wieczoru z jego prywatnego pokoju dolatywały dźwięki skrzypiec Guadagniniego wygrywających – jakże stosownie – przepojone potężnymi emocjami *Chaconne* Bacha.

W ten poniedziałkowy wieczór, gdy zaczęły się kłopoty, Neron Golden towarzyszył swej żonie Wasylisie w jej ulubionej rosyjskiej restauracji w dzielnicy Flatiron na kolacji na cześć Michaiła Gorbaczowa, który przyjechał do Nowego Jorku, żeby pozyskać środki dla swojej fundacji onkologicznej. Posadzono ich przy głównym stole obok emigranta miliardera i jego artystycznie uzdolnionej żony; emigranta miliardera, który wkupił się w branżę prasową w czasie, gdy branża prasowa zaczęła podupadać, lecz który na szczęście był też właścicielem drużyny baseballowej; emigranta miliardera z dużym udziałem w Silicon Valley z żoną także mocno inwestującą w silikon, przy pozostałych stołach siedzieli zaś pomniejsi miliarderzy z mniejszymi jachtami, drużynami piłkarskimi, sieciami kablowymi i już nie tak imponującymi żonami. Dla Wasylisy Arsienjewej, dziewczyny z Syberii, obecność w tak elitarnym towarzystwie była dowodem, że jej życie nareszcie stało się coś warte, i koniecznie chciała robić sobie zdjęcia z każdym z tych rosyjskich magnatów (i oczywiście z ich żonami), żeby od razu wysłać je matce przez telefon.

Zanim wyszli z domu, gdy była w pełni gotowa i wyglądała wręcz karygodnie pociągająco, klęknęła u stóp męża, rozpięła mu rozporek, po czym powoli i z wprawą zrobiła mu dobrze, „ponieważ – wyjaśniła – kiedy mężczyzna taki jak ty zabiera kobietę taką jak ja w miejsce takie jak to, powinien wiedzieć, na czym stoi, jeśli chodzi o nią". Popełniła rzadki dla siebie błąd – zwykle bowiem nie myliła się w tego typu seksualnych rachubach – ponieważ w efekcie Neron Golden stał się bardziej, nie mniej, podejrzliwy; w restauracji obserwował każdy jej ruch niczym coraz bardziej rozdrażniony sokół, i gdy wokół stołu krążyły potrawy, śledź pod czerwoną pierzynką, gołąbki z wołowym farszem, pierogi, uszka i ukraińskie hałuski, pielmieni z cielęciną, strogonow, wódka aromatyzowana agrestem i figami, blincziki oraz kawior, jego zazdrość nasilała się, zupełnie jakby Wasylisa na małych czerwonych serwetkach częstowała kęsami siebie wszystkich zgromadzonych mężczyzn, by mogli ją skonsumować dwuzębowymi widelczykami koktajlowymi niby apetyczną tartinkę. Oczywiście przy głównym stole wszyscy mężczyźni siedzieli w towarzystwie swych małżonek, każdy więc zachowywał się dyskretnie, miliarder z żoną o uzdolnieniach artystycznych oświadczył Neronowi, że jest szczęściarzem, złowiwszy „naszą Wasylisę", właściciel upadających gazet i odnoszącej sukcesy drużyny baseballowej powiedział: „Jest dla nas jak córka". Miliarder z udziałami w Silicon Valley i napompowaną silikonem żoną rzekł: „Bóg jeden wie, jak ją zdobyłeś", wykonując sprośny gest ręką sugerujący obecność czegoś gigantycznego w spodniach, ale wszyscy już wychylili mnóstwo kieliszków wódki, nikt więc nikogo nie chciał urazić ani nikt nie czuł się urażony, takie tam męskie pogaduszki. Po pewnym czasie jednak Neron zauważył, że Wasylisa macha do jakichś ludzi na drugim końcu sali, a oni jej odmachują, w dodatku ci wszyscy ludzie byli mężczyznami i wśród nich jeden się wyróżniał: dość młody, wysoki, muskularny, około czterdziestki, o włosach przedwcześnie posiwiałych, w ciemnych okularach lotniczych, chociaż był wieczór, ktoś, kto mógłby być trenerem tenisowym lub – co, z oczywistych powodów było dla Nerona Goldena najbardziej dyskwalifikujące – trenerem osobistym. A może fryzjerem, homoseksualistą, co by się świetnie składało. Albo, no tak, jeszcze jednym miliarderem, młodszym od pozostałych, takim, co to ma na przykład duży czerwony jacht wybudowany w stoczni Benetti we włoskim Viareggio i słabość do superszybkich aut za półtora miliona dolarów o nazwie zainspirowanej imieniem boga wiatrów ludu Keczua z równie szybkimi dziewczynami w środku. Tej możliwości nie można było odrzucić.

– Przepraszam cię na chwilkę – powiedziała. – Chcę się tylko przywitać ze znajomymi.

I już jej nie było, a on nie spuszczał jej z oka, uściski, teatralne całusy, nic niestosownego, ale coś mu tutaj śmierdziało, może powinien pójść i przyjrzeć się tym znajomym, tym tak zwanym znajomym. Może powinien się przyjrzeć tej blondynce, której nie widział dobrze, towarzyszce tego przystojniaka, drobnej blondynce odwróconej do niego plecami, rzuciła mu się w oczy muskulatura jej ramion, tak, pamiętał ją, sukę. Może powinien tam pójść i urwać jej ten parszywy łeb.

Ale wtedy zagadał do niego Gorbaczow.

– A więc teraz, panie Golden, mając tak śliczną żonę Rosjankę, jest pan jednym z nas, można powiedzieć, no, prawie, widzę też, że jest pan człowiekiem liczącym się, więc pozwoli pan, że zapytam…

Tylko że nie mówił tego Gorbaczow, lecz jego tłumacz, który miał na imię chyba Paweł i wyglądał zza Gorbaczowa jak druga głowa, mówiąc tak szybko po byłym prezydencie, że poruszali ustami niemal jednocześnie, co znaczyło, że jest albo najwybitniejszym, najsprawniejszym tłumaczem w historii, albo zmyśla angielskie kwestie, albo też że Gorbaczow zawsze mówi to samo. W każdym razie Neron Golden w swym ogromnym i narastającym rozdrażnieniu wywołanym zachowaniem Wasylisy nie zamierzał dać się przesłuchiwać przez honorowego gościa i przerwał mu, żeby zadać własne pytanie.

– Mam wspólników w Lipsku, dawniej w NRD – wtrącił. – Opowiedzieli mi interesującą historię i z przyjemnością usłyszałbym pański komentarz.

Gorbaczow spoważniał.

– Co to za historia? – spytała jego druga głowa, Paweł.

– W czasie niepokojów tysiąc dziewięćset osiemdziesiątego dziewiątego – zaczął Neron Golden – gdy protestujący schronili się w kościele Bacha, Thomaskirche, szef wschodnioniemieckiej partii komunistycznej, Herr Honecker, chciał wysłać wojska z bronią maszynową i wszystkich powystrzelać, żeby położyć kres tej całej rewolucji. Ale ze względu na zamiar użycia wojska przeciwko cywilom musiał zadzwonić do pana i uzyskać zgodę, a pan mu jej odmówił. Potem to już była tylko kwestia dni, żeby upadł mur berliński.

Ani Gorbaczow, ani jego druga głowa nie odzywali się.

– Moje pytanie jest następujące – kontynuował Neron Golden. – Gdy pana z nim połączono i Honecker zadał panu to pytanie, czy pańska odmowa była instynktowna i automatyczna... czy raczej musiał pan tę sprawę przemyśleć?

– Jaki jest cel tego przesłuchania? – powiedzieli Gorbaczow-Paweł z ponurymi minami.

– Żeby się zastanowić nad wartością ludzkiego życia – odparł Neron Golden.

– A jaki jest pana pogląd w tej sprawie? – spytali dwaj Gorbaczowowie.

– Rosjanie zawsze nas uczyli – powiedział Neron i teraz nie było już wątpliwości co do jego wrogiego nastawienia – że życie jednostki można poświęcić, gdy wymaga tego państwowa konieczność. Wiemy, co robił Stalin, do tego dochodzi jeszcze zabójstwo w Londynie

Georgiego Markowa z wykorzystaniem tak zwanego bułgarskiego parasola, otrucie polonem byłego funkcjonariusza Aleksandra Litwinienki. A to jeden dziennikarz ginie pod kołami samochodu, a to drugi też przypadkowo traci życie, choć stanowią drugorzędne zagrożenie. W kwestii wartości ludzkiego życia Rosjanie pokazują nam drogę ku przyszłości. W tym roku wydarzenia w świecie arabskim potwierdzają i w najbliższym czasie w dalszym ciągu będą to potwierdzać. Osama nie żyje, nie mam z tym problemu. Kaddafi przepadł, puf, krzyżyk na drogę. Ale teraz zobaczymy, że wkrótce nastąpi też koniec rewolucjonistów. Życie tymczasem toczy się dalej, niezbyt łaskawe dla wielu. Żywi mają niewielki wpływ na losy świata.

Przy stole zapadło milczenie. Wtem przemówiła druga głowa Gorbaczowa, chociaż sam Gorbaczow milczał.

– Georgi Markow – sprostowała druga głowa – był Bułgarem.

Gorbaczow odpowiedział bardzo powoli po angielsku:

– Nie jest to odpowiednie forum na tego typu debaty.

– Pójdę już – rzekł na to Neron, skłaniając głowę. Podniósł rękę i jego żona natychmiast wstawszy od stolika znajomych, ruszyła za nim w stronę drzwi. – Bajeczny wieczór – zwrócił się do zebranych. – Dziękujemy.

SZEROKIE UJĘCIE. ULICA NA MANHATTANIE. NOC.

DOŚĆ MŁODY MĘŻCZYZNA, wysoki, muskularny, około czterdziestki, o włosach przedwcześnie posiwiałych, w ciemnych okularach lotniczych, chociaż był wieczór, ktoś, kto mógłby być trenerem tenisowym lub trenerem osobistym, kroczy ulicą Broadway w stronę Union Square ze swoją towarzyszką, drobną BLONDYNKĄ podobną do pewnej trenerki osobistej, oboje mijają kino AMC Loews na rogu Dziewiętnastej Ulicy, mijają trzecią, przedostatnią lokalizację Fabryki Andy'ego Warhola na Broadway 860, a potem drugą lokalizację, w Decker Building na Szesnastej. Z uwagi na to, że są sami, bez obstawy ochroniarzy, on prawdopodobnie nie jest miliarderem, właścicielem wielkiego czerwonego jachtu ani superszybkiego auta za półtora miliona dolarów. Jest zwykłym facetem, sam ze swoją dziewczyną w mieście po zmroku.

Gra muzyka. Nieoczekiwanie jest to bollywoodzki szlagier *Tu hi Meri Śab Hai* z tekstem piosenki w napisach. Tylko ty jesteś moją nocą. Tylko ty jesteś moim dniem. Piosenka pochodzi z filmu z dwa tysiące szóstego roku z Kanganą Ranaut. Film nosi tytuł *Gangster*.

NARRATOR (spoza kadru)

Jak donosi „New York Times", liczba zabójstw w Ameryce
osiągnęła swe alarmujące maksimum w latach
dziewięćdziesiątych, teraz jednak spadła do nienotowanego
nigdy poziomu. Istnieją obawy, że heroinowa epidemia
i nasilenie się aktywności gangów mogą w niektórych miastach
znów doprowadzić do zmiany trendu: w Chicago, Las Vegas,
Los Angeles, Dallas, Memphis. Natomiast w Nowym Jorku,
co napawa nadzieją, z roku na rok liczba zabójstw spada
o dwadzieścia pięć procent.

Mężczyzna w lotniczych okularach i blondynka o mocno wyrzeźbionych ramionach przechodzą teraz przez park między pomnikiem George'a Washingtona i wejściem do stacji metra.

Piosenka rozbrzmiewa nadal, nie potrzebując napisów:

PIOSENKA

O-o-o-o-o-o
O-o-o-o-o-o
O-o-o-o-o-o
O-o-o-o-o-o

Gdy dość młody mężczyzna i blondynka mijają wejście do metra, wychodzi stamtąd DRUGI MĘŻCZYZNA, porusza się szybko, z motocyklowym kaskiem na głowie, wyciąga broń z tłumikiem, oddaje jeden strzał do dość młodego mężczyzny, w tył głowy; gdy ten pada i blondynka otwiera usta do krzyku, do niej też strzela, bardzo szybko, jeden raz, między oczy. Kobieta pada z miejsca na kolana i pozostaje w tej pozycji, z opuszczoną głową, klęcząca, martwa. Dość młody mężczyzna leży przed nią twarzą do dołu. Drugi mężczyzna oddala się szybkim krokiem, ale nie biegnie, na róg Czternastej i University, mija strefę szachistów, wciąż z bronią w ręku. Nie ma tam żadnych graczy, jest środek nocy. Jest za to MOTOCYKLISTA, który na niego czeka. Zabójca wyrzuca broń do pojemnika na śmieci na rogu, dosiada się na motor i odjeżdżają. Dopiero teraz, gdy motocykl odjechał, z radiowozów stacjonujących wokół placu wysiadają POLICJANCI i podbiegają do klęczącej kobiety i leżącego mężczyzny.

Cięcie.

WNĘTRZE. SYPIALNIA NERONA GOLDENA. NOC.

WASYLISA śpi mocno w ich wielkim łożu ze zdobionym, złoconym wezgłowiem w stylu rokoko. NERON też ma zamknięte oczy. Potem, w UJĘCIU Z WYKORZYSTANIEM EFEKTÓW SPECJALNYCH, „opuszcza swoje ciało" i podchodzi do okna. Ten widmowy on jest przezroczysty. Usytuowana za nim kamera widzi przez niego ciężkie zasłony, które on lekko rozsuwa, by wyjrzeć na ogród. „Prawdziwy" NERON nadal śpi w łóżku.

NERON (spoza kadru)

Mówię to, będąc w pełni władz umysłowych. Wiem, że na późniejszym etapie tej historii moje zdrowie psychiczne będzie kwestionowane, może nawet słusznie. Ale jeszcze nie teraz, to dopiero przyszłość. Wciąż jest czas, by przyznać się do własnej głupoty i pogodzić się z tym, że nie świadczy ona o mnie najlepiej. Żeby tak łatwo dać się omamić ładnej twarzy. Teraz zdaję sobie sprawę z rozmiarów jej egoizmu, z chłodu jej kalkulacji, a co za tym idzie – również serca.

Neron widmo podchodzi spokojnie do łóżka i „wnika z powrotem" w „prawdziwego" Nerona, a wtedy jest już tylko jeden Neron, z zamkniętymi oczami, u boku śpiącej żony.

Ożywa jej telefon z włączonym „wibrowaniem". Wasylisa nie budzi się, żeby odebrać.

Telefon wibruje po raz drugi i tym razem Neron, nie poruszając się, otwiera oczy.

Za trzecim razem Wasylisa budzi się i z jęknięciem sięga po telefon.

Natychmiast w pełni przytomnieje, siada w łóżku i wolną rękę przykłada w przerażeniu do policzka. Mówi coś szybko do telefonu po rosyjsku, zadaje pytania. Nagle milknie i odkłada telefon.

Przez dłuższą chwilę pozostają na swoich miejscach, ona siedzi wstrząśnięta do głębi, on leży spokojnie z otwartymi oczami, wpatrzony w sufit.

Potem Wasylisa powoli odwraca się do niego i wyraz jej twarzy ulega zmianie. Teraz jedyną malującą się na niej emocją jest strach.

Nie odzywają się.

Cięcie.

CZĘŚĆ DRUGA

15

Odnośnie do myszy i olbrzymów, procentów oraz sztuki

Apu Golden usłyszał o dużym zgromadzeniu ludzi protestujących przeciwko arogancji banków i okupujących park w dzielnicy finansowej, i gdy się tam przeszedł ubrany w szorty khaki, hawajską koszulę, z panamą na głowie, żeby się za bardzo nie rzucać w oczy, oczarował go karnawałowy charakter tego zbiorowiska: brody, ogolone głowy, biblioteczka, pocałunki, wonie, pełni pasji aktywiści, leciwe szajbusy, kucharze, młodzi, starzy.

– Nawet policjanci zdawali się uśmiechać – opowiadał mi – no, przynajmniej niektórzy, jeśli mam być szczery, inni wyglądali typowo, jak troglodyci, na których widok przechodzisz na drugą stronę ulicy.

Podobała mu się nie tylko wizualna, ale i literacka warstwa tego wydarzenia, recytowanie wierszy, transparenty sklecone ze starych kartonowych pudeł, wycięte pięści i znaki „V", największe wrażenie zaś zrobiło na nim wsparcie protestujących przez wielkich nieżyjących.

– Jak cudownie – zachwycał się – było zobaczyć Goethego leżącego między śpiworami, G.K. Chestertona stojącego w kolejce po zupę, Gandhiego poruszającego palcami w milczącym geście poparcia wymyślonym przez protestujących – choć właściwie mówimy tu o Ghandim, bo nikt nie potrafi już pisać bez błędów, ortografia jest strasznie burżuazyjna. Jest tam nawet Henry Ford i jego słowa niosą się przez tłum techniką zwaną ludzkim mikrofonem.

Wybrałem się tam z nim, bo udzielił mi się jego rozchichotany entuzjazm, i obserwowałem z podziwem szybkość i precyzję jego ołówka, gdy oddawał obraz rojnego tłumu, i owszem, na jego rysunkach wśród protestujących rzeczywiście widoczne były duchy nieśmiertelnych, Goethe perorował pompatycznie: „Nikt bardziej nie jest niewolnikiem niż człowiek, który uważa się za wolnego, chociaż nim nie jest"*, „Ghandi" zaś recytował swój oklepany tekst: „Najpierw cię ignorują, potem bla bla bla, na koniec wygrywasz".

– On niczego takiego nigdy nie powiedział – zaznaczył Apu. – To tylko internetowy mem, ale co robić, nikt nie ma o niczym pojęcia, jak mówiłem, wiedza też jest burżuazyjna.

Chesterton i Henry Ford w swoich frakach wyglądali tu trochę nie na miejscu, ale ich także publika słuchała z szacunkiem, a ich uwagi były, że tak powiem, na wagę złota. „Nauka współczesna ma wiele zastosowań; jej główne zastosowanie polega jednak na tym – zauważył G.K. – by za pomocą długich, uczonych słów tuszować błędy bogaczy"**, natomiast H. Ford stojący przy swojej fabrycznej linii montażowej zawołał: „Gdyby obywatele tego kraju zrozumieli nasz system bankowy i monetarny, sądzę, że jutro rano wybuchłaby rewolucja".

– Niesamowite – dziwił się Apu – jak internet zrobił z nas wszystkich filozofów.

Osobiście wolałem kartonowe hasła anonimowego myśliciela, którego zdawał się motywować głównie głód. „Pewnego dnia biednym nie zostanie do jedzenia już nic oprócz bogatych", napominał nas, na innym kartonowym dymku tę samą myśl wyrażając bardziej zwięźle: „Zjedz bankiera". Myśliciel ten nosił maskę ruchu Anonymous, uśmiechniętą, wąsatą, białą twarz Guya Fawkesa spopularyzowaną przez Wachowskich w filmie *V jak vendetta*, ale gdy go spytałem o człowieka, którego twarz nosił, przyznał, że ni-

---

* Fragment powieści *Powinowactwa z wyboru* Johanna Wolfganga Goethego w przekładzie Wandy Markowskiej.

** Fragment *Heretyków* G.K. Chestertona w przekładzie Jagi Rydzewskiej.

gdy nie słyszał o spisku prochowym i nie pamiętał *listopada piątego, dnia pamiętnego*. Apu to wszystko szkicował.

Wystawił te prace u Frankiego Sottovocego na Bowery, przestrzeni bardziej surowej niż jego galerie w Chelsea. Była to wspólna ekspozycja z Jennifer Caban, czołową artystką aktywistką tych konfliktowych dni, która w trakcie wernisażu położyła się w wannie pełnej fałszywych pieniędzy; i wkrótce zaangażowanie obojga spotkało się zarówno z szacunkiem, jak i szyderstwami. Apu nie zgodził się na zdjęcie w wannie i na etykietkę zaangażowanego społecznie. „Dla mnie aspekt estetyczny jest zawsze najważniejszy", próbował przekonywać, ale duch czasu go nie słuchał, i w końcu skapitulował przed opisami, które mu narzucano, a także pewną dozą politycznej sławy, jaka się z nimi wiązała.

– Może teraz jest o mnie głośno dalej niż w promieniu dwudziestu przecznic – rozmyślał przy mnie na głos. – Może teraz to raczej trzydzieści pięć lub czterdzieści.

W domu przy Macdougal Street agitpropowy szum wokół Apu nie doczekał się uznania. Sam Neron Golden nic nie mówił, ani nie chwalił, ani nie potępiał, ale cienka linia jego ust wyrażała tyle samo co słowa. Tyrady zostawił żonie. Wasylisa na podłodze salonu w otoczeniu eleganckich magazynów o wystroju wnętrz przerwała swe zajęcie, żeby przymówić Apu w iście rosyjskim stylu.

– Ci żebracy na ulicach hałasują, brudzą i po co to? Czy naprawdę myślą, że siły, które atakują, są tak słabe, że struchleją przed motłochem? Są jak mysz, która następuje na stopę olbrzymowi. Olbrzym nic nie czuje i nie chce mu się nawet zdeptać myszy. Bo i komu by na tym tak naprawdę zależało? Mysz zaraz ucieknie. Co zrobią, gdy nadejdzie zima? Przegoni ich pogoda. Nie ma potrzeby, żeby się wysilał ktoś inny. Poza tym nie ma przywódców, ta ludowa armia miłości. Nie mają programu. Dlatego też są niczym. Są jak mysz bez głowy. Są jak martwa mysz, która nie wie, że nie żyje.

Jedynie półżartem rzuciła w niego ilustrowanym magazynem.

– Przepraszam bardzo, a ty za kogo się uważasz? Myślisz, że jak przyjdzie ta ich rewolucja, włączą cię do swych świętych dziewięćdziesięciu dziewięciu procent, bo narysowałeś parę bohomazów? W moim kraju mamy pewne pojęcie o tym, co się dzieje, gdy przychodzi rewolucja. Powinieneś klęknąć razem ze mną przed Fiodorowską Madonną i pomodlić się do Najświętszej Panienki o ratunek, żeby armia bezgłowych myszy nie wymordowała nas w piwnicy bez okien.

W Wasylisie Golden zaszła jakaś zmiana. Chwilami, gdy światło padało pod pewnym kątem na jej twarz, przypominała mi Diane Keaton z *Ojca chrzestnego*, której rysy, umysł i serce mroziła codzienna potrzeba, aby nie uwierzyć w to, co się rozgrywa na jej oczach. Ale „Kay Adams" wyszła za „Michaela Corleone" przekonana, że jest on dobrym człowiekiem. Wasylisa, w pewnym sensie, poślubiła postać Marlona Brando, nie miała więc złudzeń co do okrucieństwa, amoralności i mrocznych sekretów, które są nieuniknionym *consiglieri* mężczyzn dzierżących władzę, a gdy światło padało na twarz Wasylisy inaczej, stawało się jasne, że jednak nie jest Diane Keaton. Była wspólniczką. Podejrzewała go o potworną zbrodnię i postanowiła w duchu, że odsunie te podejrzenia ze względu na życie, które sobie wybrała, życie godne, jak uważała, jej urody. A może dlatego, że teraz się bała. Wciąż wierzyła w swą władzę nad nim, ale teraz wierzyła też w jego władzę, i wiedziała, że jeśli dojdzie do starcia, konsekwencje mogą być dla niej... tragiczne. Nie zamieszkała w tym domu po to, żeby się narażać na tragiczne konsekwencje, a zatem musiała zmienić strategię. Nigdy nie była naiwną cudzoziemką. Ale w następstwie morderstwa na Union Square stała się jeszcze twardsza. Miała większą jasność co do tego, z kim sypia, i wiedziała, że konieczne będzie przemilczenie pewnych spraw, jeśli chce przeżyć.

Odnośnie do rodziny: przesłuchanie

– Raz jeszcze, proszę pana: dlaczego ktoś porzuca ojczyznę, zmienia nazwisko i zaczyna wszystko od nowa na drugim końcu świata? – Z rozpaczy, proszę pana, przez śmierć ukochanej żony, po której zmuszony był opuścić samego siebie. Ze zgryzoty i potrzeby odrzucenia wszystkiego, a odrzucenie wszystkiego zostało osiągnięte przez porzucenie siebie. – Przekonujące. Ale jednak nie do końca. Ale jednak chce się znowu zapytać: Co z przygotowaniami do wyjazdu, które poprzedzały tę tragedię? Chyba musi istnieć jakieś wytłumaczenie? – Szuka pan więc drugiego dna? Podejrzewa, że były jakieś krętactwa, machlojki, szwindle? – Mamy domniemanie niewinności. Nie wniesiono zarzutów przeciwko akurat temu patriarsze w związku z aferą spektrum dla 2G. To trzeba przyznać. Zresztą czy ktoś, kto ukrywa się przed organami ścigania, po przyjęciu incognito nie starałby się trzymać w cieniu? No chyba ktoś taki nie robi wokół siebie szumu po przybyciu do nowego kraju? Natomiast ten facet, w coraz większym stopniu, uparcie i z coraz większą werwą, robi szum, nieprawdaż? – Owszem, proszę pana. Co może, jak pan mówi, świadczyć o niewinności. Ale przychodzi też na myśl przypowieść o skorpionie i żabie. Skorpion zachowuje się zgodnie ze swoją naturą, nawet jeśli oznacza to dla niego samobójstwo. Dodatkowo, co by potwierdzało moje przypuszczenia, charakter tego człowieka cechuje brawura. Jest pewien, jak się zdaje, że nic go nie pokona, bezpieczny w przekonaniu o swej nietykalności. Jeśli istotnie złamał prawo czy, jakby to ująć, zraził do siebie pewnych ludzi (gdy najgroźniejsi wrogowie niekoniecznie sami przestrzegają prawa), wie z całą pewnością, że ci ludzie nie mogą go dosięgnąć. Groźni adwersarze nie mają nieograniczonego zasięgu. Mogą być niebezpieczni na swoim terenie, ale może trudno im działać gdzieś dalej ani też nie podejmują takich prób. – Tak tylko spekuluję. Nie jest to moja działka. – Ale jest jasne, że Neron czuje się coraz pewniej i w coraz grubszym pancerzu tej wiary w siebie śmiało wciela się w skorpiona, hałaśliwy i krzykliwy, jak się teraz mówi: buduje swoją markę, chce odcisnąć swoje piętno. – Piętno. Słowo o wielu znaczeniach, proszę pana, łącznie ze znakiem wypalanym kiedyś na skórze przestępców lub niewolników. Także cecha charakterystyczna albo blizna. – Zobaczymy, które z tych znaczeń ma zastosowanie w tym przypadku.

Kontynuując: nim nastał rok wyborczy dwa tysiące dwunasty, było już jasne, że Neron Golden nie zamierza wieść cichego życia. W poprzednim wcieleniu jadał chleb z niejednego pieca, ale to w branży budowlanej i deweloperskiej czuł się najswobodniej i pasja ta pozostawała w nim najsilniejsza, tak więc słowo GOLDEN, słowo złociste, złocone, na jasnym złotym neonie, z wielkich liter ze złota, zaczęło się pojawiać na placach budowy w całym mieście, a także poza miastem, a o właścicielu owego nazwiska zaczęło się mówić jako o nowym wielkim graczu w tej najbardziej hermetycznej z elit: garstce rodzin i korporacji, które kontrolowały budowę złotego miasta – Nowego Jorku.

– Rodzin, proszę pana? Gdy mówi pan o rodzinach, ma pan na myśli, delikatnie rzecz ujmując, *famiglie*? – Nie, proszę pana, nie do końca. W roku dwa tysiące dwunastym rynek był dużo czystszy niż przedtem. W latach dziewięćdziesiątych wszystkie firmy budowlane należały do mafii i narzucały astronomiczne stawki. Teraz wpływy „pięciu rodzin" zostały ograniczone. Na niektórych budowach Nerona Goldena wśród robotników pracowali niezrzeszeni. Dwadzieścia lat wcześniej zostaliby zamordowani. – Mówi pan teraz o cenionych osobistościach, takich jak Doronin, Sumaida, Khurana, Silverstein, Stern, Feldman, arystokratach rynku nieruchomości. – Niezupełnie, proszę pana, jak już wspominałem. Mafia jeszcze się trzyma. Teraz, kiedy jest już po wszystkim i sprawy zostały ujawnione, możemy wskazać na potajemne związki Nerona Goldena z takimi wspólnikami, jak filadelfijscy potomkowie Petruchia Leonego zwanego Kurczaczkiem, Arcimboldo Antonioni z Atlantic City, czyli Mały Archie, oraz, z Miami, Federico Bertolucci alias Szalony Fred. Możemy też wspomnieć, że w Nowym Jorku kilka wieżowców Goldena zbudowała firma Ponti & Quasimodo Concrete Co. – P&Q – przedsiębiorstwo, którym mocno się interesował Francesco Palermo, Gruby Frankie, rzekomo jeden z ważnych członków genueńskiej rodziny mafijnej. – O tym wszystkim wiadomo? – Teraz, po zakończeniu *l'affaire Golden*, wiadomo. Co więcej, Neron Golden najwyraźniej nie miał większych oporów przed współpracą z tymi indywiduami i rodzinami, które za nimi stały. – Nie miał oporów. – Stosunki te, proszę pana, cechowała wiele mówiąca poufałość.

Dwa ostatnie pytania: Czy Kurczaczek, Mały Archie, Szalony Fred i Gruby Frankie mają na swych kanciastych policzkach kilkudniowy zarost? I czy posiadali, a wieczorami czasem wkładali niedopasowane smokingi? – Owszem, proszę pana.

Oto Neron Golden – znosi medialne embargo i oprowadza fotografa z ilustrowanego darmowego magazynu po swym pięknym domu. (Koniec z tajemniczością; zamiast tego wszystko na pokaz). Oto Neron Golden – kolejnego fotografa oprowadza po swojej pięknej żonie. Mówi o niej jako o swej inspiracji, gwieździe przewodniej, źródle „odnowy". Jestem już stary, wyznaje, i może pora zwolnić, przesiąść się na jacht, chwycić kije golfowe, na zimę jeździć na Florydę, przekazać pałeczkę. Do niedawna takie właśnie miałem plany, chociaż moich synów, Bóg jeden wie, nie ciągnie do rodzinnych interesów. Najmłodszy, aż trudno uwierzyć, pracuje w klubie młodzieżowym dla dziewcząt na Lower East Side, wykonuje dobrą robotę, świetnie, ale może ja też go potrzebuję, odrobina zainteresowania, mogę? Mam jeszcze artystę, no i Pietię. Tak to wygląda. Ale nie przejmuję się już tymi sprawami, bo jestem jak nowo narodzony. Kobieta potrafi tak przeobrazić mężczyznę. Kobieta taka jak pani Golden jest eliksirem życia, dzięki niej siwe włosy znowu ciemnieją, spłaszcza się brzuch, nogi krzepną, a umysł, tak, również instynkt do interesów, wyostrza się jak nóż. Wystarczy na nią spojrzeć! Czy można mi nie wierzyć? Widział pan jej sesję dla „Playboya"? Oczywiście, że się nie wstydzi, z jakiej racji miałaby się wstydzić? Mieć takie ciało, dbać o nie, doskonalić, nie widzieć hańby w pięknie, to się nazywa wyzwolenie. Jest ideałem wyzwolonej kobiety, a także ideałem żony. Obie strony medalu. Tak: szczęściarz ze mnie. Na pewno. Los na loterii, bez wątpienia.

16

Odnośnie do miłości: tragedia

W dniu, w którym zginęli moi rodzice, nie było mnie w samochodzie. Zaczynał się długi weekend z Memorial Day i wybierali się za miasto, ja jednak w ostatniej chwili się rozmyśliłem i zostałem w Nowym Jorku, bo Suchitra Roy chciała, żebym jej pomógł przy kręceniu reklamówki dla włoskiego domu mody. Oczywiście byłem zakochany w Suchitrze, każdy, kto się kiedykolwiek zetknął z tą kobietą wulkanem, przynajmniej się w niej podkochiwał, ja zaś przez dłuższy czas za bardzo się bałem jej czystej energii, skali, jej czarnych włosów powiewających za nią na Szóstej Alei, jej niebiesko-złotej spódnicy błyszczącej nad modnymi tenisówkami, jej rąk wyciągających się w kilkunastu różnych kierunkach, jakby była hinduską boginią biorącą w objęcia całe miasto… za bardzo się bałem, by przyznać przed samym sobą, że ją kocham, teraz jednak nie miałem już co do tego wątpliwości i pozostawało jedynie pytanie, kiedy jej o tym powiem i czy w ogóle jej powiem. W mojej głowie rozbrzmiewał głos, który namawiał: *zrób to teraz, głupcze,* ale drugi, często głośniejszy, głos mego tchórzostwa, sugerował, że zbyt długo się przyjaźnimy, że na pewnym etapie nie można przedzierzgnąć przyjaźni w romantyczny związek, że jeśli się podejmie taką próbę, ale bez powodzenia, można zostać bez miłości i bez przyjaźni, i oto znowu wskoczył mi do głowy Prufrock Eliota zadający sobie moim wewnętrznym głosem dręczące pytanie: *Jakże się ośmielę?*, a odnośnie do strasznej i przerażającej kwestii wyznania miłości *Czy byłoby warto to robić, skoro ktoś, uklepując poduszkę czule, albo zsuwając z ramion szal i patrząc w okno, westchnie: „Nie, mnie chodziło w ogóle nie o to; o coś zupełnie innego".*

Postanowiłem zostać w mieście i z nią popracować, planując, że po zakończeniu montażu wyskoczymy na piwo, a ja jej wyznam miłość. Tak. Tak zrobię. Nie wsiadłem więc do samochodu rodziców i dzięki temu dzisiaj żyję. Życie i śmierć, jedno i drugie, są bezsensowne. Pojawiają się – lub nie – z powodów, które nie mają żadnej wagi, z których nie płynie żadna nauka. W świecie nie ma mądrości. Los drwi z nas wszystkich. Oto Ziemia, jaka piękna, a my mamy tyle szczęścia, że żyjemy na niej razem. Jacy jesteśmy głupi, jakie głupie jest to wszystko, co się nam przytrafia, nie zasługujemy na nasz durny fart.

Bredzę trzy po trzy. Zamiast tego opowiem wam o drodze.

Long Island Expressway była pełna rodzinnych opowieści i gdy latem jechaliśmy do wynajmowanego domu na Old Stone Highway w East Hampton Springs – właścicielem był jakiś prominent z Uniwersytetu Columbia, który po przejściu pełnoobjawowej boreliozy i kilkuletnim leczeniu nie miał już ochoty na wizyty w królestwie kleszczy – odhaczaliśmy po kolei wszystkie znajome punkty. Mineola, tamtejszy cmentarz, gdzie leżeli cioteczna babka i dziadek, w których pośmiertnym kierunku posyłałem pełne szacunku skinienie. Great Neck, Little Neck, nazwy, które w nas wszystkich budziły skojarzenia z Gatsbym, i chociaż nie mijaliśmy Remsenburga, gdzie przez wiele lat mieszkał P.G. Wodehouse w czasie swego powojennego wygnania z Anglii, często sobie wyobrażaliśmy, pokonując tę trasę, fikcyjny wszechświat, w którym bohaterowie Fitzgeralda i Wodehouse'a mogliby się nawzajem odwiedzać. Bertie Wooster i Jeeves mogliby wtargnąć do wytwornego świata East i West Egg, przygłupi Bertie wskoczyłby w buty rozsądnego Nicka Carrawaya, a Reginald Jeeves, ów rybolubny kamerdyner zaczytujący się w Spinozie, znalazłby sposób, żeby dać Jayowi Gatsby'emu i Daisy Buchanan zakończenie w stylu „żyli długo i szczęśliwie", którego Gatsby tak bardzo pragnął. Mój ojciec, starając się na swój belgijski, ojcowski, niemądry sposób żartować, niezmiennie wymawiał z francuskim akcentem Dix Hills jako *Dii Hiils*. A ja mówiłem, zawsze, że brzmi to jak nazwisko jakiejś gwiazdy porannych seriali telewizyjnych. Potem Wyandanch: gdy mijaliśmy zjazd na tę miejscowość, jedno z rodziców, dokładnie jak w zegarku, opowiadało o wodzu Montauków lub sachemie o tym imieniu, który sprzedał większość obszaru East End na Long Island Anglikowi, niejakiemu Lionowi Gardinerowi, a potem zmarł na dżumę. Wyandanch padało jeszcze wielokrotnie, gdy docieraliśmy do East End i rodzice wspominali historię Stephena Talkhouse'a, potomka Wyandancha, który codziennie pokonywał pieszo osiemdziesiąt kilometrów między Montauk, Sag Harbor i East Hampton. A między opowieściami o Wyandanchu i Talkhousie mijaliśmy znak wskazujący drogę do całkowicie fikcyjnej Indianki, Shirley Brodzącej przez Rzekę. W rzeczywistości znak ten prowadził do dwóch odrębnych miejscowości, jednej o nazwie Wading River i drugiej, Shirley, ale Shirley Brodząca przez Rzekę zadomowiła się na dobre w naszej rodzinnej tradycji. Jako fani science fiction czasem dawaliśmy jej do towarzystwa postapokaliptycznych wodzów, takich jak Trzy Bomby Wodorowe i Wytwarza Dużo Promieniowania z klasycznego opowiadania Williama Tenna z tysiąc dziewięćset pięćdziesiątego ósmego *Na wschód!*, innym znów razem wyobrażaliśmy ją sobie gigantycznych rozmiarów, jak matkę Grendela lub jak olbrzymią australijską wondżinę, która sunie do przodu, kształtując po drodze krajobraz.

W czasie jazdy słuchali radia. Stacji ze starymi przebojami, 101.1, słowa mówionego zaś we WNYC, aż tracili sygnał i potem czekali, aż pojawi się w eterze program East Hampton Music, znak, że zaczyna się właśnie weekend, wieczory pod znakiem soft rocka i kanapek z homarem, jak mawiał tata. Między nowojorskimi stacjami a WEHM włączali audiobooki i w tamtym roku mieli w planach odsłuchanie Homera. Myślę – nie jestem pewien, wydaje mi się tylko – że przed wyjazdem na weekend przed Memorial Day dotarli już do czwartej księgi *Odysei*, momentu, gdzie Telemach odwiedza pałac Menelaosa w dniu, gdy jego córka, córka odbitej Heleny, bierze ślub z synem Achillesa.

Może więc słuchali ustępu, w którym Menelaos opowiada, jak

to Helena podeszła do wielkiego drewnianego konia, podejrzewając, że w środku ukrywają się greccy wojownicy, i wykorzystując swą wielką przebiegłość oraz czar, naśladowała głosy wszystkich ich żon (wyobrażam sobie, że gdy ich wabi, podnosi rękę i głaszcze zmysłowo drewniany brzuch bestii) tak kusząco, że Diomedes, sam Menelaos i Odyseusz też chcieli natychmiast wyskoczyć z konia, ale Odyseusz powstrzymał siebie i towarzyszy. Tylko Antiklos już miał krzyknąć, gdy Odys go *pochwycił zaraz w bary obie,/Gębę zatkał**, i w niektórych wersjach tej opowieści udusił, żeby ochronić ukrytych Greków. Tak, może ten nieśmiertelny moment rozbrzmiewał w ich uszach, kiedy metalowa rura leżąca na drodze po prostu leżąca tam pieprzona metalowa rura z jakiejś cholernej ciężarówki i czy kierowca się zatrzymał nie skąd i czy w ogóle wiedział pewnie nie czy zabezpieczył odpowiednio swój ładunek nie kurwa nie bo na drodze leżała

metalowa rura

na pasie dla pojazdów z wieloma pasażerami bo to byli moi rodzice moi ukochani moi jedyni i nie byli piratami drogowymi co to to nie woleli toczyć się bezpiecznie po pasie bez wjazdów i zjazdów dla samochodów z wieloma pasażerami pasie dla rozsądnych użytkowników ruchu oznaczonym rombem dlatego ale kogo obchodzi dlaczego tylko że tym razem bezpiecznie nie było bo ta metalowa rura

turlała się

zbliżam się do tej potworności i muszę sobie zrobić przerwę żeby się opanować i może napiszę więcej później.

Nie.

Nie ma później.

Teraz.

Rura miała dwa metry długości. Turlała się pod koła innego samochodu, który o nią *zawadził,* jak donoszono w raportach. Rura obróciła się, w jakiś sposób poderwała z jezdni i zaczęła koziołkować, aż przebiła przednią szybę samochodu rodziców i trafiła ojca w głowę, zabijając go na miejscu. Ich samochód zjechał niekontro-

---

* Fragment *Odysei* Homera w przekładzie Lucjana Siemieńskiego.

lowanie na pas szybkiego ruchu i w karambolu, do którego doszło, zginęła również moja matka. Ażeby wydobyć ich z wraku, trzeba było posłać po kleszcze do rozcinania karoserii, ale oboje już nie żyli. Ich ciała zawieziono do szpitala uniwersyteckiego North Shore w Plainview w okręgu Nassau, gdzie natychmiast potwierdzono w obu przypadkach zgon. O północy, niedługo po tym, gdy lękliwie wyznałem miłość Suchitrze Roy w stylizowanym na brytyjski pubie na rogu Bleecker i La Guardia, po czym niemal zupełnie nieoczekiwanie usłyszałem, że ona też żywi do mnie głębokie uczucia, zadzwonił mój telefon.

Na większą część tamtego roku praktycznie całkowicie wyłączyłem myślenie. Słyszałem tylko ogłuszający łopot gigantycznych skrzydeł anioła śmierci. Uratowały mnie dwie osoby. Jedną z nich była moja nowa ukochana, genialna, kochająca Suchitra.

Drugą był pan Neron Golden.

Z typową dla siebie starannością – KTÓRA NIE URATOWAŁA IM ŻYCIA, NIEPRAWDAŻ, NIEDBALSTWO INNYCH WYMAZUJE NASZĄ DBAŁOŚĆ, NIEDBALSTWO RURY STAJĄCEJ DĘBA, WBIJAJĄCEJ SIĘ W TWARZ MOJEGO OJCA, KTÓREJ MOJA TWARZ JEST NĘDZNYM ECHEM, MY, KTÓRZY PRZYCHODZIMY PÓŹNIEJ, JESTEŚMY PODRÓBKAMI TYCH PRAWDZIWYCH, KTÓRZY NAS POPRZEDZALI I ODESZLI NA ZAWSZE, GŁUPIO, BEZSENSOWNIE, UŚMIERCENI PRZEZ PRZYPADKOWĄ RURĘ, BOMBĘ W NOCNYM KLUBIE LUB DRONA – rodzice pozostawili swoje sprawy w idealnym porządku. Przygotowali wszystkie niezbędne dokumenty, starannie zredagowane, aby zabezpieczyć mój status jedynego spadkobiercy, miałem do uiszczenia różne opłaty wymagane od osoby dziedziczącej, po czym czekała na mnie pewna suma. Tymczasowo więc moja sytuacja mieszkaniowa nie musiała ulec zmianie, chociaż w dalszej perspektywie dom należało sprzedać. Nie potrzebowałem aż tylu metrów, a poza tym dom był dużo wart i dochodziła kwestia kosztów napraw, podatków od nieruchomości i tak dalej, a ZRESZTĄ NIC MNIE TO NIE OBCHODZIŁO. Przemierzałem ulice w ślepej furii i nagle miałem wrażenie, że wlewa się we mnie także cały gniew kumulujący się w powietrzu, czułem to, gniew niezasłużenie martwych, młodych mężczyzn zastrzelonych na klatce schodowej, bo byli czarni, dziecka zastrzelonego w czasie zabawy plastikową bronią, bo było czarne, wszystkich czarnych ginących codziennie w Ameryce, którzy krzyczeli, że zasługują na życie, czułem też wściekłość białej Ameryki, bo musiała tolerować czarnego w białym domu, pieniącą się nienawiść homofobów, zranioną złość ich ofiar, proletariacki gniew wszystkich, którzy padli ofiarą zapaści na rynku nieruchomości, całe niezadowolenie wściekle podzielonego kraju, gdzie wszyscy są przekonani o swojej racji, o swojej słuszności, o wyjątkowości swego bólu, i że należy im się uwaga, wreszcie trzeba na nich zwrócić uwagę, na nich i na nikogo innego, i zacząłem się zastanawiać, czy my w ogóle jesteśmy istotami moralnymi czy zwykłymi dzikusami, które swoje prywatne fanatyzmy uważają za obowiązującą etykę, za jedyny możliwy sposób na życie. Moi drodzy, świętej pamięci belgijscy rodzice wpoili mi, że „dobro" i „zło" to idee, które ludzkiemu zwierzęciu przychodzą w sposób naturalny, że są wrodzone, nie formowane. Wierzyliśmy, że istnieje „instynkt moralny": zaprogramowany w naszym DNA podobnie jak „instynkt językowy", jak twierdzi Steven Pinker. Była to odpowiedź mojej rodziny na zarzuty wierzących, jakoby osoby nieuznające religii nie mogły być istotami moralnymi, że jedynie moralna struktura systemu wiary potwierdzonego przez jakiś rodzaj Najwyższego Arbitra może dać istotom ludzkim umiejętność skutecznego rozróżniania między dobrem a złem. Odpowiedź rodziców na takie rozumowanie brzmiała „brednie", ewentualnie stosowali staromodne wyrażenie „humbug". Moralność poprzedza religię i religia jest odpowiedzią naszych przodków na tę wewnętrzną potrzebę. A jeśli tak, wynikało z tego, że można wieść dobre życie, mieć silne poczucie tego, co słuszne, a co nie, nie wpuszczając Boga i jego harpii nawet do przedpokoju.

– Problem polega na tym – rozprawiała matka, siedząc na ławce w Ogrodach – że chociaż chęć etycznego postępowania jest w nas zaprogramowana, program nie mówi nam, co jest właściwie dobre, a co złe. Te kategorie w mózgu są puste i wymagają od nas, byśmy je wypełnili, ale czym? Myślą. Osądem. Czymś w tym rodzaju.

– Zauważyłem, że ludzkim zachowaniem rządzi pewna ogólna reguła – dodał mój ojciec, chodząc przed nią wte i wewte – mianowicie niemal w każdej situacji każdy wierzy, że on lub ona ma rację, przeciwnik zaś się mili.

Matka rzuciła w odpowiedzi:

– Żyjemy też w czasach, w których nie ma zgody w prawie żadnej kwestii egzystencjalnej, nie potrafimy nawet wspólnie uzgodnić, o co w tym wszystkim chodzi, a gdy natura rzeczywistości jest przedmiotem tylu sporów, podobnie musi się mieć sprawa z naturą dobra.

Gdy się tak nakręcali, upodabniali się do tancerzy albo badmintonistów, ich słowa poruszały się harmonijnie, rakiety odbijały lotkę w jedną i drugą stronę, puk, puk.

– Więc z idei, że mamy wrodzony instinkt eticzny nie winika wcale, że wiemy, jak owa etika ma wiglądać. Bo gdiby tak biło, filozofowie straciliby pracę, a my wsziscy żilibiśmy w mniej skonfliktowanim świecie – mówił ojciec, wskazując mnie palcem: *rozumiesz? Wiesz, o czym mówię?*, a ja jak uczniak kiwałem głową, tak, tato, tak, mamo, rozumiem, wszyscy się co do tego zgadzamy, to akurat wiemy.

– No, ale czy wiedziałeś, że jest na to słowo? – spytał mnie ojciec.

Na co słowo, tato?

– Definicja: rzekoma wrodzona sprawność ludzkiego rozumu umożliwiająca poznanie podstawowich zasad etiki i moralności. Termin filozoficzny, który określa wrodzoną regułę w moralnej świadomości każdego człowieka prowadzącą go ku dobru i odwodzącą od złego.

Nie, tato, co to za słowo?

– Syntereza – wtrąciła matka. – Słyszałeś kiedy lepsze słowo?

– Nie ma lepszego – przyznał ojciec. – Zapamiętaj sobie, młody. Najlepsze słowo na świecie.

Głosy, których już nigdy nie usłyszę.

I nie mieli racji. Rasa ludzka jest dzika, nie moralna. Żyłem w zaczarowanym ogrodzie, ale szaleństwo, bezsens, furia przedostały się przez mury i zabiły to, co kochałem najbardziej.

• • •

Nigdy nie widziałem martwego ciała, dopóki nie pokazano mi zwłok rodziców w kostnicy w Mineoli. Wcześniej przesłałem ubrania, zajął się tym jeden ze stażystów Suchitry, wybrałem też przez internet trumny do ceremonii kremacji, decydując się, jak to zwykle bywa, na absurdalnie drogie modele. Nasz dom wypełnił się wykładowcami z uczelni, mężczyznami i kobietami. Chcieli pomagać. Mogłem liczyć na pomoc czołowych specjalistów od sztuki sumeryjskiej, fizyki subatomowej, pierwszej poprawki i literatury Commonwealthu. Nikt jednak nie pomógł mi w oględzinach ciał. Zawiozła mnie tam swoim podstarzałym jeepem Suchitra, a ponieważ nie było możliwości, żebyśmy rozmawiali o tym, o czym musieliśmy, posiłkowaliśmy się czarnym humorem, przypominając sobie szczególnie makabryczne „trupy tygodnia" ze starego serialu HBO *Sześć stóp pod ziemią*. Moim ulubionym była kobieta, która podczas szalonej nocy z koleżankami w wynajętej długiej limuzynie wychyla się przez otwarty szyberdach, by wyrazić, jak bardzo jest szczęśliwa, po czym zderza się z koszem podnośnika. Doprowadzenie do porządku jej spłaszczonej twarzy musiało być nie lada zadaniem dla bohaterów serialu.

A potem zbyt jasno oświetlony pokój z dwoma łóżkami na kółkach i dwiema istotami w pozycji poziomej pod prześcieradłami, dwiema istotami, które kiedyś, w pozycji poziomej na innej, bardziej miękkiej powierzchni radośnie się połączyły – może niezdarnie, może nie, ale nie byłem sobie w stanie wyobrazić rodziców jako wygimnastykowanych demonów seksu, ale też nie chciałem, żeby byli nieporadnymi ciamajdami – czego owocem była ta tępa, bezmyślna istota stojąca przy łóżkach, by potwierdzić, że nie są już zdolne do czynności, która powołała ją do życia, ani do żadnej innej.

Personel kostnicy zrobił, co mógł. Podszedłem najpierw do matki. Usunęli z jej twarzy nie tylko wszelkie odłamki szkła i metalu, jakie się w nią wbiły, ale też wyraz trwogi, i chociaż miała mocniejszy makijaż niż kiedykolwiek za życia, to była ona, widziałem, że to ona, i wyglądała, a przynajmniej zdołałem siebie przekonać, że wygląda, jakby odnalazła spokój. Odwróciłem się do ojca, Suchitra podeszła do mnie od tyłu, oparła się policzkiem o moje plecy i objęła mnie w pasie. No dobrze, powiedziałem, no dobrze, i podniosłem prześcieradło. Wtedy wreszcie się rozpłakałem.

Na drugi dzień po kremacji rodziców przez ogród przeszedł Neron Golden i zapukał do naszego domu – wyrażenie „mojego domu" nie miało sensu: rodzice byli w nim obecni w każdym zakamarku – a właściwie zastukał swoją laseczką do tarasowych drzwi. Było to tak nieoczekiwane, król pukający do osieroconego plebejusza, że początkowo Neron wydał mi się fantasmagoryczną projekcją wyobraźni. W następstwie tragedii mój kontakt z rzeczywistością nieco się rozluźnił. W Ogrodach mieszkała pewna starsza dama, pani Stone (w czterech wysokich pokojach na piano nobile budynku podzielonego na mieszkania – po jednym na każdej kondygnacji), która często opowiadała o duchach. Nie wspominałem jeszcze o niej i prawdopodobnie zostawię ją samą sobie po tym gościnnym występie. Starsza pani, którą dzieciaki w Ogrodach nazywały Kapeluszniczką ze względu na jej umiłowanie kapeluszy z szerokim rondem, od wielu lat wdowa, której eksmąż był teksańskim ranczerem, ale gdy odkrył na swojej ziemi złoża ropy naftowej, natychmiast rzucił hodowlę bydła na rzecz światowego życia i podziwianej w kręgach międzynarodowych kolekcji znaczków pocztowych. Pani Stone dorwała mnie przy drabinkach, by rozgadać się o stracie. Śmierć w rodzinie, podobnie jak narodziny dziecka, upoważnia obcych lub prawie obcych do tego, by podchodzili i wygłaszali monologi.

– Męża nigdy nie widziałam, odkąd odszedł – wyznała mi. – Chyba cieszył się, że uciekł. Ani razu żadnej próby nawiązania kontaktu. Człowiek uczy się całe życie. Ale pewnej nocy w Macdougal Alley ujrzałam chłopaka, kilkanaście lat, ubranego w liberię, Murzynka w dość wykwintnym stroju, no i chodził na kolanach. Dlaczego on chodzi na kolanach, zastanawiałam się, nie ma tu żadnych zabytków o charakterze sakralnym. Aż w końcu mnie olśniło. On wcale nie porusza się na kolanach. Poziom ulicy podnosił się przez lata, a on chodzi po ulicy na jej dawnym poziomie, więc widzę go tylko od kolan w górę. Był to przypuszczalnie mały stajenny zmierzający do starych stajni, które kiedyś tu były, w latach trzydziestych dziewiętnastego wieku, na tyłach domów przy Washington Square North. Albo jakiś służący, zatrudniony na przykład u Gertrude Whitney, która tu mieszkała, wie pan, gdy zakładała to swoje muzeum. W każdym razie duch, ewidentnie duch. Ale to jeszcze nic...

Przeprosiłem ją i się ulotniłem pod jakimś pretekstem. Niestety osiedlowe historie o duchach w tych melancholijnych dniach najwyraźniej mnie prześladowały. Duch Aarona Burra nawiedzający Greenwich Village w poszukiwaniu dziwek. Duchy muzyczne, duchy teatralne, które w swych kostiumach występowały zimą na Commerce Street. Moje dawne ja nie było zainteresowane, ale moje nowe osierocone ja pozwalało ludziom snuć swe opowieści i w nocy nadstawiałem uszu, czy nie słychać śmiechu rodziców rozbrzmiewającego w pustych pokojach. W tym właśnie nastroju ujrzałem na tarasie Nerona Goldena i pomyślałem: *zjawa*. Ale to był on, z krwi i kości.

– Pozwolisz, że wejdę – rzekł i władował się do środka, zanim wyraziłem zgodę. A gdy już wszedł, oparł laseczkę o ścianę i usadowił się w ulubionym fotelu ojca. – Jestem człowiekiem bezpośrednim, drogi René, szczerym, który nigdy nie znalazł niczego, co warto byłoby owijać w bawełnę. Chcę ci więc powiedzieć, że jeśli chodzi o twoją stratę, to jest *twoja* strata. Rodzice odeszli, więc nie zawracaj sobie nimi głowy, ich już nie ma. Zajmij się sobą. Nie chodzi tylko o to, że musisz wygoić ranę. Także o to, że teraz rodzice nie stoją już między tobą a twoim grobem. Tak się zaczyna wiek męski. Znalazłeś się teraz na linii frontu i zieje przed tobą mogiła. Dlatego też czas zmądrzeć; nauczyć się być mężczyzną. Jeśli pozwolisz, zaoferuję ci pomoc.

Była to imponująca oracja. Jeśli zamierzał mnie zirytować i w ten sposób wyrwać z przygnębienia, to mu się udało. Zanim jednak zdążyłem się odezwać, podniósł w apodyktycznym geście rękę.

– Odczytuję reakcję z twojej twarzy, która się zachmurzyła, jakby szło na burzę. Uszy do góry! Złość jest niepotrzebna. Jesteś młody, ja jestem stary. Proszę cię, byś brał przykład ze mnie. Twój kraj jest młody. Myśli się inaczej, gdy ma się za sobą całe tysiąclecia. Wy nie macie nawet dwustu pięćdziesięciu lat historii. Chcę też powiedzieć, że nie jestem jeszcze ślepy i mam świadomość twojego zainteresowania moją rodziną. Wybaczam ci, bo uważam cię za całkiem dobrego chłopaka, drugim wyjściem byłoby kazać cię sprzątnąć, ha ha. Uważam, że teraz, gdy się stałeś mężczyzną, możesz się czegoś nauczyć od każdego z nas, Goldenów, rzeczy dobrych i złych, co robić i czego nie robić. Od Pietii: jak walczyć z czymś, co się dzieje nie z twojej winy; jak grać, gdy los rozdał ci słabe karty. Od Apu może tego: nie bądź taki jak on. Obawiam się, że nie zdołał osiągnąć głębi. Od Dionizosa, mego udręczonego syna, ucz się dwuznaczności i bólu.

– A od pana?

– Jeśli chodzi o mnie, drogi René: może już się domyśliłeś, że nie zawsze byłem święty. Bywam surowy, zarozumiały i przyzwyczajony do tego, by górować nad innymi. Biorę to, czego chcę, i usuwam z drogi to, czego nie chcę. Ale gdy mnie widzisz, pewnie zadajesz sobie następujące pytanie: Czy możliwe jest być jednocześnie dobrym i złym? Czy człowiek może być dobry, kiedy jest zły? Jeśli wierzyć Spinozie i zgodzić się, że wszystko determinuje konieczność, czy potrzeby motywujące człowieka mogą go pchnąć nie tylko do czynów szlachetnych, ale i niegodziwych? Kim jest dobry człowiek w tym deterministycznym świecie? Czy ten przymiotnik w ogóle coś znaczy? Jak będziesz miał odpowiedź, daj znać. Ale zanim to wszystko, wieczorem wyskoczymy gdzieś się napić.

Później.

– Śmierć, stawiamy jej czoło, godzimy się z nią i jedziemy dalej – wyjaśniał Neron Golden. – Pozostaliśmy wśród żywych, więc musimy żyć. Poczucie winy, tak, ale to nic dobrego. Tkwi w nas i działa na naszą szkodę.

Siedzieliśmy w Russian Tea Room – na jego koszt – i trzymaliśmy w rękach kieliszki z lodowatą wódką. Podniósł swój, wychylił, ja też. Po to tu przyszliśmy. I na jedzenie – bliny, kawior, pierożki, kurczaka po kijowsku – ale jedliśmy tylko po to, żeby móc więcej wypić.

– Jeśli wrócimy do domu trzeźwi – stwierdził Neron Golden – to będzie znaczyło, że pokpiliśmy sprawę. Musimy osiągnąć stan, w którym nie będziemy wiedzieć, jak w ogóle trafiliśmy do domu.

Pokiwałem poważnie głową.

– Zgoda.

Następny haust.

– Moja żona nieboszczka, weźmy jej przypadek – Neron dźgnął mnie palcem – nie udawaj, że nie znasz tej historii, wiem, że w moim domu mają za długie języki. Wszystko jedno. Co do jej śmierci, wielki smutek, ale właściwie nie tragedia, do poziomu tragedii się nie wzniosła. – Znowu łyk wódki. – Poprawiam się. Oczywiście tragedia osobista. Tragedia dla mnie i moich synów. Ale wielka tragedia jest uniwersalna, nieprawdaż?

– Tak jest.

– Więc. O co mi chodzi. Dla mnie czynnikiem destrukcyjnym, czynnikiem destrukcyjnym w stopniu zmieniającym życie, była nie sama śmierć, lecz kwestia odpowiedzialności. Mojej. Mojej odpowiedzialności, w tym tkwi sedno sprawy. To ona mnie dręczy, gdy przemierzam nocą Ogrody.

Na tym etapie wieczoru doszedłem do wniosku, że powinienem go pocieszyć, chociaż cel tego wypadu było zgoła inny – to on miał pocieszać mnie.

– Doszło między wami do kłótni – rzekłem. – Zdarza się. Kłótnia nie obciąża jednak pana brzemieniem jej śmierci. W etycznym wszechświecie jedynie morderca jest winny mordu. Tak być musi, w przeciwnym razie wszechświat byłby moralnie absurdalny.

Milczał, popijając alkohol, a kelnerzy krążyli w pobliżu, w razie potrzeby donosząc wódkę.

– Dam panu inny przykład – powiedziałem, teraz już wzniośle, z wysokości swych przemyśleń, czując się prawdziwym dzieckiem swych rodziców. – Przypuśćmy, że jestem palantem.

– Skończonym palantem?

– Skończonym, stuprocentowym. I śmierdzącym.

– Wyobrażam sobie, dobra.

– Przypuśćmy, że codziennie stoję przed pańskim domem i ubliżam panu i pańskiej rodzinie.

– Używasz brzydkich słów?

– Najgorszych. Obrzucam pana i pana bliskich najbardziej wulgarnymi epitetami.

– To byłoby naturalnie nieznośne.

– No więc ma pan w domu broń.

– Skąd wiesz?

– Zakładam hipotetycznie.

– Ach, hipotetycznie. Świetnie. Wszystko jasne. Hipotetyczna broń.

– No więc bierze pan tę domniemaną broń i wie pan, co robić?

– Postanawiam cię zastrzelić.

– Strzela mi pan prosto w serce, padam martwy, i proszę zgadnąć, co się z panem dzieje.

– Czuję się szczęśliwy.

– Staje się pan mordercą.

– Staję się szczęśliwym mordercą.

– Jest pan winny morderstwa i w sądzie nie pomogłoby panu, gdyby pan tłumaczył: Wysoki Sądzie, on był palantem.

– Nie?

– Nawet kanalie, gdy się je morduje, nie są odpowiedzialne za własną śmierć. Ciężar zbrodni spada wyłącznie na barki mordercy.

– To filozofia?

– Potrzebuję jeszcze wódki. Filozofia kryje się w butelce.

– Kelner!

Po następnej wódce Neron się rozrzewnił.

– Jesteś młody – rzekł. – Nie wiesz, co to odpowiedzialność. Nie poznałeś poczucia winy ani wstydu. O niczym nie masz pojęcia. To nieważne. Twoi rodzice nie żyją. To jest bieżąca sprawa na teraz.

– Dziękuję – powiedziałem, a co było potem, nie pamiętam.

Koniec.

– Na początku – wyliczała Suchitra, siedząc przy moim łóżku, gdy ja jęczałem, że pęka mi głowa – na początku była oficjalna Komunistyczna Partia Indii, czyli KPI. Ale Indie mają problemy demograficzne i tamtejsze partie lewicowe także ignorują kontrolę urodzeń. Tak więc po KPI narodziły się jeszcze: Komunistyczna Partia Indii (Marksistowska), KPI(M), i Komunistyczna Partia Indii (Marksistowsko-Leninowska), w skrócie KPI(M-L). Dosyć partii? Skarbie, to party dopiero się rozkręca. Tylko się nie pogub. Do tego dochodzi Komunistyczna Partia Indii (Marksistowsko-Leninowska) Wyzwolenie plus Komunistyczna Partia Indii (Marksistowsko-Leninowska) Naksalbari, a także Komunistyczna Partia Indii (Marksistowsko-Leninowska) Dżanaśakti, ponadto Komunistyczna Partia Indii (Marksistowsko-Leninowska) Czerwona Gwiazda, i nie zapomnijmy o Centralnym Zespole Komunistycznej Partii Indii (Marksistowsko-Leninowskiej), nie możemy też nie wspomnieć o Rewolucyjnym Komunistycznym Centrum Indii (Marksistowsko-Leninowsko-Maoistycznym), nie mówiąc już o Komunistycznej Partii Stanów Zjednoczonych Indii i Komunistycznej Partii Indii (Marksistowsko-Leninowskiej) Czerwona Flaga, Komunistycznej Partii Indii (Marksistowsko-Leninowskiej) Nowa Demokracja, Komunistycznej Partii Indii (Marksistowsko-Leninowskiej) Nowa Inicjatywa, Komunistycznej Partii Indii (Marksistowsko-Leninowskiej) Somnath, Komunistycznej Partii Indii (Marksistowsko-Leninowskiej) Drugi Komitet Centralny i Komunistycznej Partii Indii (Marksistowsko-Leninowskiej) Bolszewickiej. Nie dekoncentruj się z łaski swojej. Wśród innych ugrupowań także następuje szybkie rozmnażanie. Było Maoistowskie Centrum Komunistyczne, które się połączyło z Grupą Wojny Ludowej, by stworzyć Maoistowskie Centrum Komunistyczne Indii. Możliwe też, że to Maoistyczne Centrum Komunistyczne Indii połączyło się z Komunistyczną Partią Indii (Marksistowsko-Leninowską) Wojna Ludowa, powołując Komunistyczną Partię Indii (Maoistyczną). Czasem trudno się połapać. Mówię ci o tym wszystkim, by wyjaśnić decyzję moich bengalskich rodziców, dwojga nieustraszonych przedsiębiorców o kapitalistycznych inklinacjach uwięzionych w Kalkucie wśród wielogłowych Rawanów Komunistycznej Partii Indii (Uranowo-Plutonowej), głowic jądrowych lewicy, o ucieczce i osiedleniu się na przedmieściach Atlanty w stanie Georgia, w dzielnicy Alpharetta, gdzie przyszłam na świat. To może i byłby dobry pomysł, i od strony finansowej taki był, bo powiodło im się w rozmaitych przedsięwzięciach, takich jak salony kosmetyczne, sklepy odzieżowe, agencja nieruchomości, centrum medycyny niekonwencjonalnej, więc, jak widzisz, oni też byli płodni. Niestety jednak na żyznej amerykańskiej ziemi mnożyły się wokół nich także instytucje polityczne indyjskiej prawicy, kiełkowały zagraniczne oddziały RSS, czyli Narodowego Stowarzyszenia Ochotników, kwitł VHP, czyli Światowy Komitet Hindusów, rozwijała się Indyjska Partia Ludowa podobnie jak organizacje zajmujące się zbiórką pieniędzy dla wyżej wymienionych. Moi rodzice uciekli przed jednym wirem, żeby wessał ich następny, a gdy zaczęli chodzić na galowe kolacje RSS i zachwycać się baryłkowatym osobnikiem, którego nazywali NaMo, musiałam niechętnie ich opuścić i uciec z rodzinnego gniazda. Prysłam więc do Nowego Jorku, gdzie jestem teraz i dwoję się i troję, żeby cię rozweselić, więc byłoby miło z twojej strony w tym momencie, gdybyś przynajmniej wykrzywił usta w uśmiechu.

– I to jest środek na kaca twojego pomysłu – poskarżyłem się.

Co do dwojenia się i trojenia: Suchitra harowała codziennie, w każdej minucie. Nie znałem nikogo, kto by pracował tak intensywnie i wciąż miał ochotę na przyjemności, do której to kategorii miałem szczęście się zaliczać. Wstawała wcześnie, chodziła na spinning, biegła do biura, w pracy dawała z siebie wszystko, szła biegać nad rzekę albo przez most Brookliński i z powrotem, po czym zjawiała się świeża jak pączek róży i dwa razy bardziej elegancka, gotowa na to, co miał do zaoferowania wieczór: wernisaż, pokaz filmu, przyjęcie urodzinowe, karaoke, kolację ze mną, a po wszystkim starczało jej jeszcze sił na seks. Jako kochanka była równie energiczna, acz niezbyt oryginalna, ale ja nie narzekałem. Sam raczej nie byłem bogiem seksu, a wtedy akurat miłość dobrej kobiety ratowała mnie przed czarną czeluścią. Męska sympatia Nerona Goldena i nasze mocno zakrapiane wódką wieczory oraz łaskawa, superszybka miłość z Suchitrą Roy pozwoliły mi przetrwać tamten czas. Przypomniałem sobie historię o ratownikach medycznych w karetce pogotowia w rolach dobrego i złego gliny po próbie samobójczej pani Golden i zdałem sobie sprawę, że tym razem to mnie się podejrzewa o samobójcze zamiary.

W niebie panowała cisza, czyli pies w bardo

Nowy Jork przez całe lato tamtego roku był mi matką i ojcem, aż nauczyłem się żyć bez rodziców i zająłem, tak jak zalecał Neron, swoje dorosłe miejsce na czele kolejki czekającej na ostatni seans. Jak zwykle tym, co mi pomogło, był film. *Det sjunde inseglet*, czyli

Siódma pieczęć Ingmara Bergmana, w opinii wielkiego reżysera „nierówny", przez resztę nas wprost uwielbiany. Rycerz (Max von Sydow, który później zagrał nudnego artystę Fredericka w *Hannah i jej siostrach* i nieśmiertelnego Minga Bezlitosnego we *Flashu Gordonie*) w drodze powrotnej z wyprawy krzyżowej gra w szachy z zakapturzoną Śmiercią, aby odwlec to, co nieuniknione, i by nim umrze, móc raz jeszcze zobaczyć żonę. Zrozpaczony rycerz i cyniczny giermek, nieśmieszni Don Kichot i Sanczo Bergmana szukający tegorocznych ptaków w zeszłorocznych gniazdach. Bergman, który pochodził z głęboko wierzącej rodziny, miał do przepracowania kilka kwestii religijnych, lecz ja nie musiałem oglądać tego filmu z tej perspektywy. Tytuł pochodził z Apokalipsy św. Jana. „A gdy otworzył pieczęć siódmą, zapanowała w niebie cisza jakby na pół godziny" (Ap 8,1). Dla mnie owa cisza w niebie, nieobecność Boga, była prawdą świeckiej wizji wszechświata, *pół godziny* zaś to długość ludzkiego życia. Otwarcie siódmej pieczęci ujawniło, że Bóg nie ma nic do powiedzenia, nie ma go, człowiek natomiast otrzymał w darze przestrzeń swego krótkiego życia, by spełnić, jak tego pragnął rycerz, jeden znaczący uczynek. Żoną, którą chciałem zobaczyć przed śmiercią, było moje marzenie o tym, by zostać filmowcem. Znaczącym uczynkiem był film, o którego stworzeniu marzyłem, mój film o Ogrodach zaludniony prawdziwymi i wyimaginowanymi postaciami jak u Altmana z zespołem aktorskich gwiazd i z Goldenami w swoim domu na drugim końcu Ogrodów. „Uczynkiem" była podróż, a „żoną" cel. Przekazałem coś w tym sensie Suchitrze, na co pokiwała głową z poważną miną.

– Pora, żebyś już skończył pisać ten swój scenariusz i zaczął zbierać kasę.

Tymczasem wielka metropolia tuliła mnie do swego łona i usiłowała dawać lekcje życia. Łódka na stawie, gdzie żeglował Stuart Malutki, przywodziła mi na myśl piękno niewinności, a miejsce na Clinton Street, gdzie wciąż jeszcze żyła Judith Malina, a jej Living Theatre nadal czerpał radość z pokazywania golizny, było dla mnie przykładem oldskulowej zuchwałości pod znakiem „mam wszystko gdzieś". Na Union Square grano w szachy i może wśród szachistów była sama Śmierć, błyskawiczne rozgrywki, które zabierają życie, jakby nie miało ono żadnego znaczenia, lub powolne pojedynki, po godzinach, które pozwalają czarnemu aniołowi udawać, że szanuje życie, choć jednocześnie werbuje swych szachowych partnerów do *danse macabre*. Nieobecności przemawiały do mnie tak samo jak obecności: z Ósmej Ulicy zniknął sklep obuwniczy, z Upper West Side zniknęła ekscentryczność. Tam właśnie Maya Schaper prowadziła swój sklep z serami i antykami, a na pytanie, skąd taki pomysł, często odpowiadała: „Bo to są rzeczy, za którymi przepadam". Wszędzie, gdzie kierowałem kroki, miasto trzymało mnie w objęciach i szeptało do ucha słowa pocieszenia.

W wieczór drugiego wernisażu Apu u Sottovocego na Bowery, jedną przecznicę od Muzeum Tożsamości (te obrazy były błyskotliwe, gładkie, technicznie znakomite, energetyczne, popartowe i zupełnie do mnie nie przemawiały), w różnych miejscach w mieście ustawiono duże prace Laurie Anderson ukazujące czterdziestodziewięciodniowe doświadczenie jej ukochanej nieżyjącej już terierki Lolabelle w stanie bardo, buddyjskiej strefie między śmiercią a ponownymi narodzinami. Razem z Suchitrą staliśmy przed jednym z największych obrazów tej ślicznej suczki, która patrzyła na nas szeroko otwartymi oczami z zaświatów, gdy nagle uformowały się we mnie słowa *Jest dobrze*, a ja wypowiedziałem je na głos. „Jest dobrze – powiedziałem i na moją twarz wypływał coraz szerszy uśmiech. – Jest dobrze, jest dobrze, jest dobrze". Uleciał ze mnie jakiś cień, przyszłość wydawała się możliwa, szczęście wyobrażalne i życie zaczęło się od nowa. Dopiero dużo później, gdy sięgnąłem myślami wstecz, zdałem sobie sprawę, że od śmierci moich rodziców minęło wtedy czterdzieści dziewięć dni.

Nie wierzę w stan bardo. A jednak.

Flash! Kocham cię! Ale mamy tylko czternaście godzin, żeby ocalić Ziemię!

Tamtej nocy owładnęła mną jakaś euforia, byłem na haju, który wywołało przebaczenie rodzicom za to, że zginęli, i sobie, że ostałem się wśród żywych. Wróciłem do domu z Suchitrą i wiedziałem, że czas spróbować zakazanego. Odurzeni już nieco życiem rozerwaliśmy od dawna przechowywaną paczuszkę „Afgańskiego księżyca" i zaczęliśmy się zaciągać. W naszych szyszynkach natychmiast otworzyło się trzecie oko, dokładnie jak zapowiadał ojciec, i poznaliśmy tajemnice kosmosu. Zrozumieliśmy, że świat nie jest ani bezsensowny, ani absurdalny, co więcej, ma głęboki sens oraz formę, ale owa forma i sens były do tej pory przed nami ukryte, zaszyfrowane w hieroglifach i ezoteryce władzy, w interesie panów tego świata było bowiem ukrywanie sensu przed wszystkimi z wyjątkiem oświeconych. Pojęliśmy też, że ocalenie planety zależy wyłącznie od nas, a siłą, która uratuje ziemski glob, jest miłość. Oszołomieni zdaliśmy sobie sprawę, że Max von Sydow przybywa podbić ludzkość jako Ming Bezlitosny, totalitarny, kapryśny i fatalnie ubrany w krwiście czerwoną pelerynę komiksowy geniusza zła, i jeśli czasem twarz Minga zamazywała się i przybierała rysy Nerona Goldena, było to niesprawiedliwe z uwagi na okazywaną mi przez niego ostatnimi czasy dobroć, ale czy dany człowiek może być jednocześnie dobry i zły, zastanawialiśmy się, i „Afgański księżyc" odpowiadał, że sprzeczności nie do pogodzenia oraz jedność przeciwieństw to najgłębsza tajemnica ze wszystkich. Ta noc jest nocą miłości, powiedział też „Afgański księżyc", ta noc jest nocą celebrowania żywych ciał i żegnania się z utraconymi ciałami bliskich, którzy odeszli, ale gdy rano wzejdzie słońce, nie będzie chwili do stracenia.

17

Jeśli miałeś w banku kilkudolarowy dług, byłeś nierobem z debetem. Jeśli miałeś w banku kilkumilionowy dług, byłeś bogaty, a bank dla ciebie pracował. Trudno było ustalić, jakim majątkiem dysponował Neron Golden. W tamtym czasie jego nazwisko pojawiało się wszędzie, na wszystkim od hot dogów do prywatnych uczelni, krążyło po Lincoln Center, zastanawiając się nad przekazaniem *jednostki* na odnowienie sali koncertowej Avery Fisher Hall, byle tylko zmieniono jej nazwę i umieszczono tam wielkimi literami ze złota nazwisko Goldena. *Jednostka* była skrótem, którego używało jego nazwisko w miejsce „stu milionów dolarów", tyle właśnie wynosiła cena za dostanie się do świata ludzi prawdziwie majętnych. Dopóki nie uzbierało się swojej setki, było się nikim. Jego nazwisko obnosiło swoją *jednostkę* po mieście, chciało się umieścić na afiszach festiwalu filmowego Tribeca, ale to by kosztowało dużo mniej niż całą *jednostkę*, więc ostatecznie festiwal filmowy wydał mu się grą niewartą świeczki; tak naprawdę jego nazwisko chciało się znaleźć wysoko na Yankee Stadium. To by dowiodło, że podbiło Nowy Jork. Potem mogli je umieścić już tylko na szczycie ratusza.

Przypuszczałem, że gdy przenosił się na Zachód, zabrał ze sobą poważne fundusze, krążyły jednak uporczywe pogłoski, że wszystkie jego przedsięwzięcia są mocno kredytowane, że cały ten megabiznes pod jego nazwiskiem to jeden wielki przekręt, a bankructwo jest cieniem, który nie odstępuje jego nazwiska, ilekroć zabiera je na przechadzkę. Uważałem go za obywatela nie Nowego Jorku, lecz niewidzialnego miasta, które Marko Polo opisuje Kubłaj-chanowi w książce Calvina, miasta pajęczyny rozsnutego w wielkiej sieci nad czeluścią między dwiema górami. „Zawieszone nad przepaścią, życie mieszkańców Oktawii jest mniej niepewne niż w innych miastach – napisał Calvino. – Wiedzą, że sieć ma ograniczoną wytrzymałość"*. Kojarzył mi się też z jednym z bohaterów kreskówek, może Wilusiem E. Kojotem, którzy bez przerwy trafiają w biegu na skraj przepaści, ale biegną dalej, wbrew prawu ciążenia, i spadają dopiero wtedy, gdy spojrzą w dół. Uświadomienie sobie bezsensu próby doprowadza ją do katastrofalnego końca. Neron Golden biegł dalej może dlatego, że nigdy nie patrzył w dół.

Przez wiele miesięcy byłem zajęty porządkowaniem domu, przewożąc to, co chciałem zatrzymać, do magazynu Manhattan Mini Storage na West Side, tego z zabawnymi billboardami na ścianie wychodzącej na Highway, *Nowy Jork ma sześć zawodowych drużyn sportowych oraz Metsów; Jeśli nie podobają ci się małżeństwa homoseksualistów, nie wychodź za geja; „W domu Ojca mego jest mieszkań wiele" – J 14,2 – Jezus nie był nowojorczykiem, to jasne* i *Pamiętaj, jeśli wyjedziesz z miasta, będziesz musiał zamieszkać w Ameryce.* Ha, ha, dobre, ale przeważnie znowu byłem w wisielczym humorze, usiłując tego nie okazywać w obecności Suchitry, wiedziała jednak przez co przechodzę. Aż w końcu nadeszła pora, żeby wystawić dom na sprzedaż, i wtedy zagabnęła mnie w ogrodzie Wasylisa Golden – objęła mnie, pocałowała w policzek i powiedziała: „Pozwól, że zrobię to za ciebie, wszystko zostanie w rodzinie", co było tak miłe z jej strony, że tylko przytaknąłem tępo i pozwoliłem jej zająć się sprzedażą.

I znowu trudno mi było w tamtym roku zachowywać wobec Goldenów obiektywizm. Z jednej strony doświadczałem dobroci Nerona, a teraz jeszcze jego żony. Z drugiej – nie było wątpliwości co do tego, że Golden entuzjastycznie popiera kampanię prezydencką Romneya, a jego uwagi na temat prezydenta i pierwszej damy zahaczały mocno o filisterstwo, *oczywiście, że lubi gejów, przecież wziął ślub*

---

* Fragment *Niewidzialnych miast* Itala Calvina w przekładzie Aliny Kreisberg.

z facetem – brzmiał jeden z łagodniejszych żarcików. Bardzo często opowiadał swój „zabawny republikański dowcip", ten o starszym białym mężczyźnie, który podchodzi do strażnika w Białym Domu po zakończeniu kadencji obecnego prezydenta, kilka dni pod rząd, i za każdym razem prosi o spotkanie z prezydentem Obamą. Za trzecim lub czwartym razem zirytowany strażnik mówi: „Proszę pana, pan ciągle przychodzi, a ja ciągle powtarzam: pan Obama nie jest już prezydentem Stanów Zjednoczonych i nie mieszka już pod tym adresem. Wie pan o tym, a jednak ciągle tu przychodzi, zadaje to samo pytanie i dostaje tę samą odpowiedź, więc po co znowu pytać?". Na co starszy mężczyzna odpowiada: „Och, po prostu lubię słuchać, jak mi pan o tym mówi".

Znosiłem to, chociaż obawiałem się za Nerona, że mroczna strona weźmie w nim górę nad jasną. Dałem mu do przeczytania *Cień*, wspaniałą baśń Hansa Christiana Andersena o człowieku, którego cień oddziela się od niego, podróżuje po świecie, staje się bardziej światowy niż jego poprzedni „właściciel", wraca do kraju, by uwieść i poślubić księżniczkę, z którą zaręczony jest ów mężczyzna, po czym razem z nią (kobietą dość bezwzględną) skazuje go na śmierć. Chciałem, żeby zrozumiał, w jakim niebezpieczeństwie znalazła się jego dusza, jeśli bezbożnik może użyć tego określenia, on jednak nie przepadał za literaturą i zwrócił mi książkę z lekceważącym gestem.

– Nie lubię bajek – oznajmił.

Aż pewnego dnia... wezwali mnie we dwoje, mąż i żona, przed swoje oblicze i ogłosili swoją decyzję co do mojej osoby.

– Musisz – zaczęła Wasylisa Golden – zamieszkać z nami. To duży dom, wiele sypialni, dwóch z trzech chłopaków rzadko już tu gości, a trzeci, Pietia, prawie nie wychodzi ze swojego pokoju. Będziesz więc miał mnóstwo przestrzeni dla siebie, a my dwoje zyskamy znakomite towarzystwo.

– Tymczasowo – wtrącił Neron Golden.

– Kto wie, jak się sprawy potoczą z tą twoją dziewczyną – stwierdziła Wasylisa. – Czas pokaże, czy będziesz chciał z nią zamieszkać, czy postanowisz z nią zerwać. Po co się narażać na stres? Nie potrzebujesz go teraz.

– Tylko na jakiś czas – dodał Neron Golden.

Była to prawdziwie hojna, aczkolwiek krótkofalowa oferta, złożona w absolutnie dobrej wierze, nie wyobrażałem sobie jednak, bym mógł ją przyjąć. Już otwierałem usta, żeby odmówić, gdy Wasylisa podniosła dłoń w iście cesarskim geście.

– Odmowa jest wykluczona – rzekła. – Idź, spakuj swoje rzeczy, a my kogoś przyślemy, żeby je przeniósł.

Zatem jesienią dwa tysiące dwunastego zamieszkałem w domu Goldenów, *tymczasowo, tylko na jakiś czas*, czując z jednej strony głęboką wdzięczność niczym sługa, któremu zaproponowano kąt w pałacu, a z drugiej – jak gdybym zawarł pakt z diabłem. Był tylko jeden sposób, żeby się przekonać, który to przypadek, mianowicie rozwikłać wszystkie tajemnice otaczające Nerona, z teraźniejszości i przeszłości, i jeśli chciałem ocenić go właściwie, może lepiej było, żebym w tym celu znajdował się wewnątrz, a nie poza murami jego domu. Otworzyli bramy i wciągnęli mnie do środka, a potem byłem już drewnianym koniem stojącym w murach Troi. Z Odyseuszem i wojownikami w środku. I oto stała przede mną Helena tego amerykańskiego Ilionu. I nim nasza historia dobiegnie końca, zdradzę ich, zdradzę kobietę, którą kochałem, oraz siebie. I spłoną wieże Ilionu.

„Chłopcy", synowie Nerona, odwiedzali go codziennie i były to nietypowe spotkania, świadczące o jego potężnej władzy nad nimi, nie tyle wizyty synów u ojca, ile wiernopoddańcze hołdy składane panu przez lenników. Zrozumiałem, że każdy treatment filmowy, sfabularyzowany oczywiście, będzie się musiał odnieść do tych dziwnie autorytarnych relacji. Niewątpliwie częściowo odpowiadały za nie kwestie finansowe. Neron nie szczędził pieniędzy, toteż Apu mógł sobie kupić własne lokum w Montauk, gdzie spędzał całe tygodnie, malując i imprezując. Wszystko wskazywało na to, że młody D Golden w Chinatown ma ograniczone środki na utrzymanie, a pracując jako ochotnik w klubie młodzieżowym dla dziewcząt na Lower East Side, jest skazany na życie z pensji Riyi, w rzeczywistości jednak, o czym Wasylisa prędko mi doniosła, przyjmował pieniądze od ojca.

– Ma teraz dużo wydatków – poinformowała, ale nie chciała zdradzić nic więcej, zgodnie z przyjętym u Goldenów zwyczajem, że domownicy nie poruszają ważkich tematów, jak gdyby chronili tajemnice, chociaż zdawali sobie sprawę, że wszyscy o wszystkim wiedzą.

Może jednak, pomyślałem, te sesje ojca z synami są też formą spowiedzi, kiedy to „chłopcy" przyznają się do swoich „grzechów", które zostają im w jakiś sposób, do pewnego stopnia i w zamian za nieznaną pokutę „przebaczone". Uznałem, że tak to należy opisać. Albo jeszcze ciekawsza ewentualność. Może synowie też byli spowiednikami swego ojca, nie tylko pokutnikami. Może każdy z nich przechowywał tajemnice pozostałych i każdy dawał reszcie rozgrzeszenie i spokój ducha.

W tym wielkim domu panowała zwykle cisza, co bardzo mi odpowiadało. Przydzielono mi pokój na ostatnim piętrze z mansardowymi oknami wychodzącymi na Ogrody, byłem więc w pełni zadowolony. I miałem co robić. Pracowałem nad swoim długofalowym projektem filmowym, a z Suchitrą nad jej krótkimi formami wideo dla sieci kablowej VOD, w których znane twarze kina niezależnego opowiadały o ulubionych filmowych momentach: o erotycznej scenie z pieczątkami z *Pociągów pod specjalnym nadzorem* Jiřiego Menzla (wolałem bardziej elegancką wersję brytyjskiego tłumaczenia tytułu *Closely Observed Trains* niż amerykańską *Closely Watched Trains*); o Toshirze Mifune wcielającym się w postać zaniedbanego, drapiącego się samuraja w *Sanjuro – samuraju znikąd* Kurosawy; o pierwszej scenie Michaela J. Pollarda w *Bonnie i Clyde* Arthura Penna („Jakiś brud w przewodzie paliwowym – wydmuchałem"); o zimowym pawiu rozkładającym ogon w *Amarcordzie* Felliniego; o dziecku, które wypada przez okno i ląduje bez szwanku w *Kieszonkowych* Truffauta; o ostatnich chwilach *Bilardzisty* Roberta Rossena („Gruby, jesteś świetnym bilardzistą". „Ty też, Szybki Eddie".) i o mojej ulubionej scenie gry z zapałkami w *Zeszłego roku w Marienbadzie* z drakulopodobnym Sachą Pitoëffem o granitowej twarzy („Jeśli nie może pan przegrać, to nie jest żadna gra". „Mogę przegrać, ale zawsze wygrywam".). Nakręciliśmy już materiał z udziałem kilkorga utalentowanych amerykańskich aktorów i filmowców (takich jak Greta Gerwig, Wes Anderson, Noah Baumbach, Todd Solondz, Parker Posey, Jake Paltrow, Chloë Sevigny), którzy wyrażali swój podziw dla tych klasycznych obrazów, a ja szlifowałem umiejętności montażowe na laptopie, przycinając materiał do zwięzłych trzyminutowych odcinków do zamieszczenia na rozmaitych stronach internetowych. Suchitra zostawiła to zadanie mnie i przygotowywała się do realizacji swojego pierwszego filmu jako scenarzystka i reżyserka, opuściwszy stronę produkcyjną; oboje byliśmy mocno zaabsorbowani własnymi projektami i spotykaliśmy się późnym wieczorem, żeby zrelacjonować sobie nawzajem, co się tego dnia zdarzyło, szybko i za późno coś zjeść, i albo od razu zaczynaliśmy się kochać, albo po prostu zasypialiśmy wyczerpani w swych ramionach w mojej artystycznej mansardzie lub w jej kawalerce. W następstwie tragedii była to moja droga powrotna ku radości.

W wolnych chwilach studiowałem dynamikę domu Goldenów. Personel sprzątający, pomoc kuchenna, złota rączka Gonzalo – wszyscy przychodzili i odchodzili tak dyskretnie, że wydawali się *wirtualni*, dzieci widma ery postrzeczywistości. Dwie smoczyce były bezsprzecznie prawdziwe, zjawiały się co rano, emanując operatywnością, po czym zamykały się w pokoju obok gabinetu Nerona, skąd wyłaniały się dopiero wieczorem, brzęcząc jak szerszenie wyfruwające przez otwarte drzwi. Wszystkie dźwięki wydawały się stłumione, jak gdyby same prawa fizyki w tych ścianach działały, że tak powiem, w białych rękawiczkach.

Neron zazwyczaj nie wychodził ze swojego domowego gabinetu, choć główna siedziba Golden Enterprises znajdowała się w Midtown w wieżowcu należącym do niejakiego Gary'ego Gwynplaine'a zwanego Zielonym, prymitywa, którego nazwisko nie mogło przejść Neronowi przez gardło, tak bardzo go irytował, i który lubił nazywać siebie Jokerem z uwagi na to, że z niewyjaśnionych powodów urodził się z jasnozieloną czupryną. Gwynplaine, w fioletowej marynarce, z białą cerą i czerwonymi ustami, uczynił z siebie lustrzane odbicie osławionego komiksowego antybohatera i zdawał się upajać tym podobieństwem. Neron nie mógł znieść właściciela budynku i któregoś wieczoru oświadczył mi, ni z gruszki, ni z pietruszki, bez żadnego wstępu – myśli od czasu do czasu wypadały jak pociąg z tunelu jego ust, a ktokolwiek znajdował się akurat w pobliżu, stawał się stacją, na której na krótko przystawał:

– Jeden świat. Gdy tylko zaczną wpuszczać, będę pierwszy, który przejdzie przez drzwi.

Zajęło mi chwilę, nim się połapałem, że Neron nie mówi o panglobalizmie, lecz o One World Trade Center, biurowcu, który miał być gotowy dla najemców dopiero za kilka lat, i deklaruje zamiar opuszczenia budynku Jokera i przeprowadzenia się do nowej wieży wybudowanej w miejscu tragedii.

– Na górnych piętrach mogę trafić świetną okazję – tłumaczył. – Pięćdziesiąt, sześćdziesiąt pięter, dobra, tyle mogą zapełnić, ale wyżej? Po tym, co się stało, nikt nie chce wynajmować tak wysoko. Więc świetna okazja. Najlepszy deal w mieście. Cała ta pusta przestrzeń biurowa poszukująca najemców, tylko że nie ma chętnych. Ja, osobiście, idę tam, gdzie dostaję okazyjną cenę. Wysoko, prawie w niebie? Super. Obniżycie cenę, to biorę. Okazja. Piorun nie trafia dwa razy w to samo miejsce.

Pracownicy widywali go rzadko. Przestał się strzyc. Zacząłem się zastanawiać, jaką długość mają paznokcie u jego stóp. Po porażce Romneya jego nastrój się pogorszył i Neron stał się prawie niewidoczny nawet dla żony i domowników. Nabrał zwyczaju zasypiania na rozkładanym łóżku w swoim domowym gabinecie i zamawiania późno w nocy pizzy. W godzinach nocnych telefonował do swoich pracowników w różnych krajach – zgadywałem przynajmniej, że to pracownicy – a także na Manhattanie. Wyznawał zasadę, że może zadzwonić o każdej porze dnia lub nocy, spodziewając się, że wszyscy będą czujni i gotowi z nim rozmawiać, o czym tylko zechce, o interesach, kobietach lub newsach z prasy. Potrafił nawijać przez telefon godzinami i jego rozmówcy musieli to znosić. Pewnego wieczoru w Ogrodach, gdy był w bardziej towarzyskim nastroju, przywołałem swój najniewinniejszy uśmiech i spytałem go, czy myślał kiedyś o Howardzie Hughesie.

– O tym świrusie? – upewnił się. – Masz szczęście, że cię lubię. Nigdy mnie nie porównuj z tym dziwolągiem.

Ale w tym samym czasie zaczął się jeszcze bardziej chować przed ludzkimi spojrzeniami. Wasylisa była zmuszona spędzać wiele dni w spa lub na zakupach w rozmaitych sklepach na Madison Avenue albo spotykała się na lunch z przyjaciółkami w Bergdorfie lub Sant

Ambroeus. Spuść z oka piękną kobietę na dłużej, a zaczną się kłopoty. Ile to jest „dłużej"? Pięć minut? Minuta powyżej jednej godziny: niechybna katastrofa.

Dom stał się odzwierciedleniem zarówno jej urody, jak intensywności jej potrzeb. Na szarych ścianach zawieszała wielkie lustra powstałe z mniejszych lustrzanych kwadratów, niektóre pod kątem, niektóre podbarwione prawie na czarno, wyrażając, podobnie jak kubiści, potrzebę wielu jednoczesnych perspektyw. W głównym salonie zainstalowano olbrzymi nowy kominek, który miał przyćmić świetlistość mroźnych dni. Nowe dywany pod stopami, jedwabiste w dotyku, w kolorze stali. Ten dom był jej językiem. Przemawiała do męża poprzez wprowadzane zmiany, wiedząc, że jest mężczyzną nieobojętnym na otoczenie, przekazywała mu bez słów, że jeśli król potrzebuje pałacu, ów pałac, aby stał się dostatecznie okazały, wymaga królowej.

I powoli jej czary zaczęły działać. Do Bożego Narodzenia Neron przebolał wynik wyborów prezydenckich i opracował cały krytyczny wywód przeciwko pokonanemu kandydatowi, najgorszemu w historii, twierdził w czasie posiłków, dźgając widelcem powietrze dla podkreślenia swych słów, nigdy w wyborczych annałach nie było słabszego, nie można go było nawet nazwać prawdziwym kandydatem, nie było mowy o rywalizacji, zupełnie jakby gość skapitulował przed pierwszym ciosem, więc następnym razem nie powtórzmy tego błędu, nie wybierajmy *klauna*, dopilnujmy, żeby to był ktoś *wielkiego formatu*, kto wygląda, jakby był w stanie utrzymać stery. Następnym razem. Na pewno.

Zanim doszło do zaprzysiężenia prezydenta, pogoda w domu Goldenów zdążyła już się znacznie poprawić. Oglądanie ceremonii w telewizji było zabronione, ale król i królowa zaczęli żartować, zachowywali się nawet kokieteryjnie. Wiedziałem, że wewnętrzna pogoda Nerona Goldena jest kapryśna i że jego seksualna podatność na uroki żony z czasem tylko się zwiększa, i że to właśnie w sypialni Wasylisa dokonuje niezbędnych zmian w jego osobistej meteorologii. Nie wiedziałem jednak wtedy tego, co wiem teraz – że Neron nie był w pełni zdrów. Wasylisa, udowadniając, że ma mistrzowskie wyczucie czasu, dostrzegła szansę i ją wykorzystała. Pierwsza zauważyła coś, co później stało się aż nazbyt widoczne dla nas wszystkich: że mąż traci siły, że niedługo nadejdzie chwila, gdy przestanie być tym, kim był do tej pory. Wyczuła pierwsze oznaki nadchodzącej niemocy jak rekin wyczuwa pojedynczą kroplę krwi w wodzie, po czym ruszyła po zdobycz.

Wszystko jest strategią. Tak brzmi mądrość pająka.

Wszystko jest pożywieniem. Tak brzmi mądrość rekina.

Monolog pająka przed muchą lub rekina przed swoją ofiarą

Bo widzisz był wykonany na specjalne zamówienie specjalnie
z tymi specjalnymi kryształkami które lśnią w ten szczególny
sposób gdy odbija się w nich ogień tak jak teraz – lśnią jak
diamenty w jaskini Ali Baby która nazywała się Sezam o czym
nie wiedziałam tak się nazywała ta jaskinia a ty wiedziałeś? –
no w każdym razie czytałam o tym w czasopiśmie więc kiedy
on mówi Sezamie otwórz się zwraca się do jaskini po imieniu
a ja zawsze myślałam że to jakieś zaklęcie – *se-za-mie!* – ale
wszystko jedno mówiłam o ogniu o ogniu który stworzyłam
by reprezentował ogień w twoim sercu ogień który w tobie
kocham. Wiesz o tym. Wiem że wiesz. A więc jesteśmy razem
jesteśmy razem od pewnego czasu – jesteś szczęśliwy? – twoje
szczęście jest wielkim dziełem mojego życia więc mam nadzieję
że odpowiedź brzmi tak – i teraz ty musisz zapytać mnie czy
jestem szczęśliwa a ja odpowiadam – tak – ale. Teraz powiesz
jak mogę mówić „ale" wiedząc gdzie byłam gdy mnie znalazłeś
i gdzie jestem teraz i zgadzam się dałeś mi wszystko dałeś mi
moje życie ale mimo wszystko jest to ale – mimo wszystko jest
ale. Nie musisz pytać co to jest na pewno wiesz. Jestem młodą
kobietą. Jestem gotowa być więcej niż kochanką chociaż bycie
twoją kochanką jest zawsze dla mnie na pierwszym miejscu – ty
zawsze jesteś na pierwszym miejscu – ale chciałabym także –
znasz moje pragnienie – zostać matką. I tak rozumiem że jest to
pogwałcenie warunków naszego porozumienia bo powiedziałam
że wyrzeknę się tego dla ciebie i że naszym dzieckiem będzie

nasza miłość ale ciało się domaga czego się domaga serce również – temu nie można zaprzeczyć. Takie jest więc moje stanowisko kochanie i mam dylemat ale widzę tylko jedno wyjście chociaż serce mi pęka więc z pękającym sercem mówię o tym że przez mój ogromny szacunek do ciebie i przez wzgląd także na własny honor który nakazuje mi uszanować warunki porozumienia z moim ukochanym muszę od ciebie odejść. Kocham cię tak bardzo ale z uwagi na potrzeby mojego młodego ciała i mego złamanego serca muszę odejść i znaleźć sposób by urodzić dziecko i chociaż jestem zdruzgotana na myśl o tym że nie będę już z tobą jest to jedyna odpowiedź jaką jestem w stanie znaleźć – a zatem – kochanie – muszę to powiedzieć. Żegnaj.

W grze w szachy ruch zwany gambitem hetmańskim lub gambitem królowej jest stosowany nadzwyczaj rzadko, ponieważ poświęca najsilniejszy pion na szachownicy dla ryzykownej przewagi pozycyjnej. Tylko najwięksi mistrzowie decydują się na tak śmiały manewr, zdolni przewidzieć wiele posunięć naprzód, rozważyć każdy wariant i w ten sposób zdobyć pewność co do sensu tej ofiary: poddania królowej, aby zabić króla. Bobby Fischer podczas słynnej „partii stulecia", grając czarnymi pionami, wykorzystał gambit królowej przeciwko Donaldowi Byrne'owi, miażdżąc przeciwnika. W czasie, który spędziłem w domu Goldenów, dowiedziałem się, że Wasylisa Arsienjewa Golden jest zapaloną entuzjastką „królewskiej gry", i potrafiła zademonstrować mi słynną rozgrywkę, gdzie rosyjski mistrz Michaił Tal poświęcił królową i po dwudziestu dwóch ruchach dał szacha przeciwnikowi, Alexandrowi Koblencsowi. Grywaliśmy w leniwe popołudnia, gdy Suchitra miała gdzieś zdjęcia, i Wasylisa niezmiennie mnie ogrywała, potem jednak tłumaczyła, jak tego dokonała, twierdząc, że gram na coraz wyższym poziomie. Z perspektywy czasu widzę, że uczyła mnie też gry życia, posunęła się wręcz do tego, że zawczasu zademonstrowała mi ruch, który chciała wykorzystać. Gdy poprosiła Nerona Goldena o rozwód, zrozumiałem głębię jej geniuszu. Było to mistrzowskie posunięcie.

Jej prośba nim wstrząsnęła i początkowo uciekł się do ordynarności, kłócąc się z nią głośno na podeście pod swoim gabinetem, aż służący widma rozpierzchli się do swoich kryjówek. Brutalnie jej przypomniał, że odejście unieważni ich umowę finansową, Wasylisa zostanie więc bez niczego, zabierając najwyżej wymyślne kreacje i kilka błyskotek.

– Zobaczymy, jak daleko z nimi zajdziesz – warknął, po czym zamknął się w swoim prywatnym azylu.

Dyskretnie, nie próbując otwierać zatrzaśniętych drzwi, Wasylisa oddaliła się do swojej garderoby i zaczęła się pakować. Poszedłem zamienić z nią słowo.

– Dokąd się udasz? – spytałem.

W tym momencie, gdy zwróciła ku mnie płonące spojrzenie, ujrzałem po raz pierwszy królową wiedźmę bez maski i aż się cofnąłem o krok. Roześmiała się i nie był to jej normalny śmiech ślicznotki, lecz coś zgoła bardziej dzikiego.

– Donikąd – warknęła. – Przypełźnie jeszcze do mnie i będzie błagał na kolanach, żebym została, będzie przysięgał, że spełni każde moje życzenie.

Zapadła noc; noc, która wzmogła jeszcze jej władzę. W domu było cicho. Pietia w swoim pokoju pławił się w niebieskim świetle zanurzony w sobie i w świecie monitorów. Wasylisa w głównej sypialni przy otwartych drzwiach siedziała prosto po swojej stronie łóżka, w pełni ubrana, ze spakowaną torbą podróżną gotową u jej stóp, z rękami złożonymi na kolanach, przy zgaszonym świetle oprócz małej lampki do czytania podświetlającej jej szczupłą sylwetkę. Ja, szpieg, wyczekiwałem w drzwiach swojego pokoju. I z wybiciem północy jej przepowiednia się sprawdziła. Stary drań przywlókł się przed jej oblicze pokonany, by uznać jej majestat, by błagać ją o pozostanie i przyjąć jej warunki. Stał przed nią ze spuszczoną głową, aż przyciągnęła go do siebie i padła na wznak na poduszkę, po czym znów pozwoliła mu na iluzję bycia panem w swoim domu, chociaż tak jak wszyscy inni doskonale wiedział, że to ona siedzi na tronie.

Dziecko.

Tak.

Mój kochany. Chodź do mnie.

Zgasiła lampkę do czytania.

18

Gdy zaczynałem samodzielne życie, za inspirację mając biografie swoich rodziców niczym banderę, pod którą żeglowałem, planowałem zrobić wszystko, co w mojej mocy, aby być – przyznaję się publicznie do używania w duchu tego słowa – cudowny. No bo czy warto się starać być jakiś jeszcze? Odrzuciwszy banalnych, zwyczajnych, monosylabowych, pospolitych René, zwróciłem oblicze ku wszechstronnie uzdolnionemu, nadzwyczajnemu ja, wkroczyłem na pokład wyimaginowanego Argo w poszukiwaniu złotego runa bez jakiegokolwiek pojęcia o tym, gdzie może leżeć moja osobista Kolchida (oprócz tego, że prawdopodobnie gdzieś w pobliżu kina) ani jak odnaleźć do niej drogę (oprócz tego, że kamera filmowa może być najbliższym dostępnym mi odpowiednikiem koła sterowego). Potem się okazało, że obdarzyła mnie uczuciem pewna wspaniała kobieta i stoję na progu kariery filmowej, co było moim skrytym pragnieniem. I w tym szczęśliwym stanie udało mi się zaprzepaścić to wszystko, co osiągnąłem.

Reporter na froncie codziennie staje przed dylematem: Uczestniczyć czy nie uczestniczyć? Co jest szczególnie trudne, gdy walkę toczy własny naród, zaangażowani są w nią swoi, a co za tym idzie, także ty. Czasem jednak walki toczą się nie o twoją sprawę. Nie jest to nawet wojna, bardziej walka bokserska, a tobie przez przypadek dostaje się miejsce tuż pod ringiem. I wtem jeden z pięściarzy wyciąga rękę jak kochanek zapraszający do trójkąta. *Dołącz do nas.* W tym momencie rozsądna, a przynajmniej ostrożna osoba wrzuciłaby bieg wsteczny i jak najszybciej się stamtąd ewakuowała.

Ja tego nie zrobiłem. Rozumiem, że nie świadczy to o mnie zbyt korzystnie. Kolejne wydarzenia, opis tego, jak włączyłem się do wojny, stawiają mnie w jeszcze gorszym świetle. Bo nie tylko zdradziłem swego gospodarza w jego własnym domu oraz kobietę, którą kochałem, i to z wzajemnością, zdradziłem także siebie. A uczyniwszy to, uświadomiłem sobie, że pytania, które miałem rozważyć na prośbę Nerona Goldena, pytania odnośnie do jego osoby, dotyczą również mnie. Czy jest możliwe, żeby ktoś był dobrym, będąc jednocześnie złym człowiekiem? Czy zło i dobro mogą koegzystować, a jeśli tak, czy te pojęcia coś jeszcze znaczą, gdy tworzy się na siłę tak niewygodny i być może nierealny sojusz? Możliwe, pomyślałem, że gdy dobro i zło się rozdzielają, jedno i drugie staje się równie destrukcyjne; że święty jest postacią nie mniej przeraźliwą i groźną niż skończony łotr. Jednak gdy prawość i nieprawość połączą się w odpowiednich proporcjach, idealnie, jak whiskey i słodki wermut, dopiero wtedy powstaje klasyczny koktajl ludzkiego zwierzęcia o nazwie Manhattan (tak, z kapką angostury i skórki pomarańczowej i możecie sobie alegoryzować te elementy do woli, także kostki lodu w szklance). Nigdy jednak nie byłem pewien, co myśleć o tej koncepcji yin i yang. Może połączenie przeciwieństw tworzących naturę ludzką jest po prostu czymś, co ludzie sobie wmawiają, żeby zracjonalizować swe niedoskonałości. Może jest to zbytnie uproszczenie, a prawda jest taka, że złe uczynki przebijają te dobre. Nie miało na przykład znaczenia, że Hitler był dobry dla psów.

Zaczęło się w ten sposób: Wasylisa poprosiła mnie, jak to jej się czasem zdarzało, gdy mieszkałem u Goldenów, bym wybrał się z nią na zakupy do ekskluzywnych salonów mody na Madison Avenue, *bo mam zaufanie do twojego gustu, skarbie, a Neron, on tylko chce, żeby było seksownie, im więcej golizny, tym lepiej, ale tak nie można, my o tym wiemy, prawda? Czasem zakrycie jest bardziej zmysłowe niż negliż.* Prawdę powiedziawszy, kupowanie ubrań było jedną z najmniej lubianych przeze mnie czynności; sam zaopatrywałem się w ciuchy głównie przez internet, byle jak najszybciej. W modnych salonach moja zdolność koncentracji mocno się kurczyła. Suchitra nie była do końca przeciwna modzie – miała kilkoro przyjaciół w branży i nosiła rzeczy, które jej przysyłali, z wdziękiem i klasą – ale była zdecydowanie przeciwna łażeniu po sklepach i tym między innymi mnie sobie zjednała. Jednak dla Wasylisy domy wykwintnej mody były teatrem, a mnie przypadała rola publiczności, oklaskiwałem ją więc, gdy się zjawiała na scenie i wygięta w łuk przez ramię podziwiała się w lustrze, potem spoglądała na ludzkie lustro reprezentowane przeze mnie, a potem znowu na siebie w lustrze, gdy obsługa salonu biła brawo i rozpływała się w zachwytach. I to prawda, wyglądała zjawiskowo, cokolwiek na siebie wkładała, była jedną z około dwustu kobiet w Ameryce, dla których szyto te kreacje, przypominała węża, który może zrzucać i przybierać wiele skór, wyślizgując się z jednej w drugą, gdy jej mały rozdwojony język oblizywał kąciki ust, przystosowywała się i przyjmowała hołdy, ubierając się jak przystało na węża – zabójczo.

Tego popołudnia jej uroda jaśniała wyjątkowym blaskiem, niemalże oślepiając, jak gdyby ta, która nie musiała się specjalnie starać w kwestii wyglądu, starała się za bardzo. Pracownicy tych salonów, fendiwini, gucciści, pradanie, w odpowiedzi zachowywali się bardziej pochlebczo, niż mieli w zwyczaju. Przyjmowała te komplementy niczym należne jej hołdy. I po tych wszystkich pokłonach wmaszerowała do restauracji na szóstym piętrze Bergdorfa Goodmana, zwracając się po imieniu do kelnerów, ignorując wszystkich, acz ściągając pełne podziwu zainteresowanie chudych, kosztownie ubranych kobiet w różnym wieku, zajęła miejsce przy „swoim stoliku" pod oknem, pochyliła się do przodu z łokciami na stole i dłońmi splecionymi pod brodą i patrząc mi prosto w oczy, zadała katastrofalne pytanie.

– René, czy mogę ci zaufać? Zaufać tak naprawdę, na sto procent? Bo muszę komuś zaufać i chyba mam tylko ciebie.

Było to, jak podają stare podręczniki łaciny, pytanie *nonne*, takie, na które oczekiwana odpowiedź brzmi „tak", zresztą Wasylisa Golden zadawała tylko takie pytania, pytania-tak, chciałbyś pójść ze mną na zakupy? Dobrze wyglądam? Możesz mi zapiąć sukienkę? Dom wygląda pięknie, nie sądzisz? Masz ochotę na partyjkę szachów? Kochasz mnie? Odpowiedź przecząca była niemożliwa, tak więc, oczywiście, odpowiadałem „tak", ale przyznaję, że metaforycznie krzyżowałem za plecami palce. Ależ był ze mnie mały faryzeusz! Nie szkodzi, wszyscy pisarze są złodziejami, a ja w tym czasie intensywnie pracowałem.

– Oczywiście – rzekłem. – Ale o co chodzi?

Otworzyła torebkę, wyjęła złożony list i podała mi go nad stołem.

– Cii – powiedziała. Dwie kartki z laboratorium diagnostycznego na Upper West Side, wyniki badań zarówno Wasylisy, jak i Nerona Goldena. Odebrała mi kartkę ze swoimi wynikami. – Ta nie jest ważna, ze mną wszystko w najlepszym porządku, na mur-beton.

Zerknąłem na dokument pozostały w mojej dłoni. Nie jestem zbyt dobry w odczytywaniu takich danych i musiała dostrzec zmieszanie na mojej twarzy, bo pochyliła się nad stołem.

– Seminogram to jest – wysyczała. – Badanie nasienia.

Ach. Popatrzyłem na różne pomiary i komentarze. Nic mi nie mówiły. Ruchliwość. Oligozoospermia. Witalność NICE.

– Co to znaczy? – wymamrotałem.

Westchnęła z irytacją: Czy wszyscy mężczyźni są aż tak beznadziejni, nawet w kwestiach tak istotnych dla ich męskości? Mówiła bardzo cicho, artykułując słowa z przesadną starannością, żebym wszystko zrozumiał. *To znaczy, że jest za stary, by spłodzić dziecko. Na dziewięćdziesiąt dziewięć procent na pewno.*

Teraz zrozumiałem, pod jaką była presją, co w efekcie skłoniło ją do tego, żeby tego dnia olśniewać bardziej niż zwykle. Odegrała swą wielką scenę i Neron ustąpił – a potem to.

– Jakby umyślnie mi to zrobił – poskarżyła się tym samym ściszonym głosem. – Tylko że on nic o tym nie wie, jestem pewna. Myśli, że ogier z niego, seksmaszyna, że zapładnia kobiety, jeśli tylko w odpowiedni sposób na nie spojrzy. Przeżyje wstrząs.

– Co zrobisz?

– Jedz sałatkę – rzuciła. – Pogadamy po obiedzie.

Na ziemi w parku leżał śnieg, a po drodze do karuzeli perorował bezdomny mówca. Był starym weteranem, ów dżentelmen w werbalnym transie: biały mężczyzna, krzaczasta siwa broda, wełniana czapka naciągnięta na oczy, jeansowe ogrodniczki, rękawiczki bez palców, lenonki bez ramek, wyglądał jak ktoś, kto powinien grać na tarze w jug-bandzie z Południa. W jego głosie jednak nie dało się słyszeć ani śladu południowego akcentu i przedstawiał swoją teorię całkiem kwiecistym językiem. Prywatnemu życiu kobiet i mężczyzn w Ameryce, chciał nam powiedzieć, kładzie kres publiczne życie broni palnej, która, obdarzona umysłowością, próbuje ni mniej, ni więcej, tylko zdziesiątkować i wreszcie podbić ludzkość. Trzysta milionów żywych sztuk broni w Ameryce dorównuje liczebnością populacji ludzkiej i usiłuje stworzyć małą *Lebensraum*, pozbywając się znacznej liczby *Homo sapiens*. Broń ożyła! Myśli samodzielnie! Chce robić to, co leży w jej naturze, czyli, a więc, to znaczy – strzelać. Te żywe pukawki w konsekwencji pomagały panom odstrzeliwać swoje *krzoski*, gdy pozowali do nagich selfie, pam!; zachęcały ojców do tego, by przypadkowo strzelali do swoich dzieci na stuprocentowo bezpiecznych strzelnicach, przypadkowo? – w to wątpił, pam!; namawiały małe dzieci, żeby strzelały matkom w głowy, gdy te prowadzą rodzinną terenówkę, bum!; a nie zaczął jeszcze nawet mówić o masowych morderstwach, ratatatata!, uczelniane kampusy, ratatatata! centra handlowe! raatatatata!, pieprzona *Floryda*, ratataatata! A *nie zaczął* jeszcze mówić o ożywającej broni gliniarzy zmuszającej ich do odbierania życia czarnym ani o broni szalonych weteranów nakłaniającej tychże szalonych weteranów do zabijania policjantów z zimną krwią. Nie! O tym jeszcze się nawet *nie zająknął*. Tego dnia, tutaj, w tym zimowym parku mówił nam o tym, że *trwa najazd zabójczych maszyn*. Nieożywiona broń budziła się do życia jak zabawka ożywająca w horrorze. Gdyby twój pluszowy miś potrafił teraz myśleć, co takiego by sobie pomyślał? Chciałby rozerwać ci gardło. Jak ktokolwiek może się teraz martwić swym małym prywatnym życiem, gdy odchodzą takie numery?

Wrzuciłem mu do puszki kilka dolarów i poszliśmy dalej. Nie była to odpowiednia pora na dyskusje o zasadności drugiej poprawki.

– Powiem ci, co zamierzam – rzekła Wasylisa. – Będę chronić Nerona przed tą wiadomością, i ty też, nawiasem mówiąc. Usiądź tutaj. Teraz sfałszujemy wyniki.

Usiedliśmy przy jednym ze stołów przy karuzeli. Sama karuzela była zamknięta na zimę. Wasylisa wyciągnęła długopis i zaczęła metodycznie zmieniać spisane ręcznie dane.

– Ruchliwość I, cyfra rzymska – powiedziała. – Fatalnie. To znaczy zerowa ruchliwość, a bez niej nie ma parcia do przodu, rozumiesz mnie. Ale jeśli dopiszę małe V po I, będziemy mieć Ruchliwość IV, doskonale, świetny wynik. A tutaj, stężenie plemników, pięć milionów na milimetr, bardzo niskie, ale teraz wstawię małe jeden przed piątką: piętnaście milionów to norma według Światowej Organizacji Zdrowia, sprawdzałam. I tak dalej, tutaj, tu i tu. Poprawa, poprawa, poprawa. Widzisz? Teraz nic mu nie jest. Teraz jest całkowicie zdolny do zapładniania.

Aż klasnęła w dłonie. Moc szczęśliwego uśmiechu rozpromieniającego jej twarz była tak wielka, że mógł niemal przekonać osobę, w którą był wycelowany (czyli mnie), że fikcja jest faktem, że sfałszowanie diagnozy zmieni w istocie diagnozę w prawdziwym świecie. Niemal, ale nie całkowicie.

– W ten sposób może uratujemy jego pewność siebie – zauważyłem – ale bociany nie przyniosą dziecka, prawda?

– Oczywiście, że nie – odparła.

– Więc co, przez jakiś czas będziesz udawać, że próbujecie, a potem namówisz go na adopcję?

– Adopcja nie wchodzi w grę.

– No to już nie rozumiem.

– Znajdę dawcę.

– Dawcę nasienia.

– Tak.

– Jak przekonasz Nerona, żeby się zgodził, skoro nie będzie wiedział, że jego własne nasienie jest do niczego?

– Nigdy się nie zgodzi.

– Zdobędziesz dawcę nasienia, nie mówiąc mu o tym? Czy to w ogóle możliwe? Nie trzeba podpisać jakichś dokumentów? Zgoda męża nie jest konieczna?

– Nigdy nie da zgody.

– No to jak?

Sięgnęła przez stół i chwyciła moją dłoń.

– Mój kochany René – rzekła – i właśnie tutaj wkraczasz ty.

• • •

Później.

– Nie chcę dziecka kogoś obcego – oświadczyła. – Nie chcę, żeby mnie zapłodniono szpatułką. Chcę to zrobić normalnie, z kimś, komu ufam, z kimś, kto jest dla mnie jak rodzina, z kimś, kto jest ślicznym, przystojnym chłopakiem, który mógłby, niech cię to nie zawstydzi, bez trudu mnie podniecić. Potraktuj to, proszę, jako komplement. Chcę to zrobić z tobą.

– Wasyliso – odparłem – to straszny pomysł. Nie tylko zdradzilibyśmy Nerona, ale i zrobilibyśmy świństwo Suchitrze.

– Nie zdradzilibyśmy – upierała się. – I to nie byłoby żadne świństwo, chyba że byśmy trochę poświntuszyli, bo przyszłaby nam taka ochota. Nie mam zamiaru wtrącać się do waszego związku. Jest to tylko coś, co byś dla mnie zrobił poufnie.

Później.

– Neron, René – wymruczała marzycielsko – zupełnie, jakbyście mieli to samo imię, te same sylaby, no, prawie te same, tylko że odwrotnie. Widzisz? Los tak chciał.

Zaczął prószyć śnieg. *Śnieg cicho spływający**. Wasylisa podniosła kołnierz płaszcza i nie mówiąc już nic więcej, wepchnęła dłonie głęboko do kieszeni, po czym zdecydowanym krokiem ruszyła na zachód. Wasz zdumiony narrator, obleczony w biel, doznał czegoś, co później będzie opisywał jako eksterioryzację, doświadczenie przebywania poza ciałem. Wydawało mu się, że słyszy upiorną muzykę, jakby nieczynna karuzela zaczęła grać *Temat Lary* z *Doktora Żywago*. Miał wrażenie, jakby unosił się nad własnym prawym barkiem i obserwował siebie, gdy bezwolnie rusza za nią przez park i dalej, do Columbus Circle, przy czym jego ciało w tym momencie zrzekło się wszelkiej kontroli i podlegało jej władzy, jak gdyby Wasylisa była haitańskim bokorem, a jego podczas obiadu w domu towarowym Bergdorf Goodman poczęstowano tak zwanym „ogórkiem żywych trupów", co zaburzyło jego procesy myślowe i uczyniło zeń jej niewolnika do końca życia. (Jestem świadomy, że przerzucając się na

* Cytat z *Dublińczyków* Jamesa Joyce'a w przekładzie Kaliny Wojciechowskiej.

trzecią osobę liczby pojedynczej i powołując na paraliż woli, próbuję się zwolnić z odpowiedzialności moralnej. Jestem także świadomy, że „nic nie mógł poradzić" nie jest zbyt silną linią obrony. Oddajcie mi chociaż to: mam samoświadomość).

Jego (moja) fantazja z Julie Christie rozwiała się i teraz myślał(-em) o *Nożu w wodzie* Polańskiego. O małżeństwie, które zaprasza na jacht autostopowicza. W końcu dochodzi do zbliżenia między kobietą a intruzem. Naturalnie widziałem siebie, z pewnym zażenowaniem, jako autostopowicza, trzeci wierzchołek trójkąta. Może to małżeństwo w filmie było nieudane. Autostopowicz wyraźnie ją pociągał i kobieta nie miała oporów przed seksem z nieznajomym. Autostopowicz był jak *tabula rasa*, na której małżonkowie zapisywali swoją historię. Podobnie jak ja, gdy kroczyłem w ślad za Wasylisą, by mogła zapisać historię swej przyszłości w sposób, w jaki zdecydowała, że musi być zapisana. I oto znaleźliśmy się na Sześćdziesiątej Zachodniej, a ona skierowała kroki do tamtejszego pięciogwiazdkowego hotelu. Wsiadłem za nią do windy, wjechaliśmy na pięćdziesiąte trzecie piętro, omijając recepcję na trzydziestym piątym. Miała już klucz do pokoju. Wszystko zostało zaplanowane, a ja, wciąż owładnięty tą dziwną omdlałą biernością, nie miałem dość silnej woli, by zapobiec temu, co miało się wydarzyć.

– Wchodź szybko.

Później.

Jest pewna wypowiedź, którą zawsze przypisywałem François Truffautowi, chociaż teraz, gdy sprawdzam, nie znajduję żadnego dowodu, że to jego słowa. A więc, apokryficznie, rzekł ponoć: „Sztuka filmowa polega na tym, żeby zwrócić obiektyw kamery na piękną kobietę". Gdy wbijałem wzrok w Wasylisę Golden rysującą się na tle okna, za którym toczyły się zimowe wody rzeki Hudson, przypominała mi jedną z bogiń z uwielbianych przeze mnie filmów, która zstąpiła z ekranu do sali kinowej jak Jeff Daniels w *Purpurowej róży z Kairu*. Myślałem o Ornelli Muti oczarowującej Swanna w filmie Schlöndorffa na podstawie prozy Prousta; o Faye Dunaway jako Bonnie Parker ze zmysłowo wykrzywionymi ustami, która uwodzi Warrenowego Clyde'a Barrowa; o Monice Vitti u Antonioniego wtulającej się zmysłowo w kąt ze słowami *No lo so*; o Emmanuelle Béart ubranej jedynie w swą krasę w *Pięknej złośnicy*. Myślałem o aktorkach Godarda, Seberg w *Do utraty tchu*, Karinie w *Szalonym Piotrusiu* i Bardot w *Pogardzie*, a potem próbowałem się besztać, przypomniawszy sobie o ostrej feministycznej krytyce francuskiej nowej fali, teorii „męskiego spojrzenia" Laury Mulvey, wedle której publiczność jest zmuszona oglądać te filmy z perspektywy heteroseksualnego mężczyzny, gdzie kobiety są sprowadzone do roli przedmiotu itd. Przez myśl przemknął mi też Mailer, sam niewolnik seksu, natychmiast jednak go odprawiłem. W kwestii mojej samoświadomości: tak, jestem świadomy, że za bardzo żyję we własnej głowie, zbyt zanurzony w filmach, książkach i sztuce, toteż drgnienia mojego serca, zdradzieckie odruchy mej prawdziwej natury są czasem dla mnie niejasne. W wydarzeniach, które mam teraz opisać, byłem zmuszony stanąć twarzą w twarz z tym, jaki jestem naprawdę, a potem zdać się na łaskę kobiety. I oto stała przede mną: moja demoniczna królowa, moja nemezis, przyszła matka mego dziecka.

Później.

Początkowo zachowywała się w sposób rzeczowy, nieznoszący sprzeciwu, na granicy opryskliwości.

– Chcesz drinka? To ci pomoże? Nie zgrywaj uczniaka, René. Oboje jesteśmy dorośli. Nalej sobie czegoś. I mnie też. Wódki. Z lodem. Kubełek z lodem jest pełen. A więc! Wypijmy za nasze przedsięwzięcie, które jest, na swój sposób, majestatyczne. Tworzenie życia. Niby po co umieszczono nas na Ziemi? Gatunkowi zależy na swym przedłużeniu. Zróbmy to i będziemy mieli z głowy.

Także po nie jednej, lecz dwóch wódkach:

– Dzisiaj tylko przełamujemy lody. Dzisiaj nie jest odpowiedni moment na zachodzenie w ciążę. Po dzisiejszym dniu poinformuję cię, kiedy przechodzę owulację, i wtedy udostępnisz mi siebie. Zawsze wiem dokładnie, kiedy to się stanie, jestem punktualna jak włoskie pociągi za Mussoliniego. Ten apartament będzie stale do naszej dyspozycji. Masz tu klucz. Będziemy się tutaj spotykać, w sumie trzy razy w czasie każdego cyklu. Poza tym nasze kontakty pozostaną takie jak do tej pory. Zgadzasz się, oczywiście.

Ten ton, którym zwracała się do służby, o mało nie wyrwał mnie z mego snu.

– Nie, skarbie, nie chcę widzieć tej skwaszonej miny – dodała zupełnie innym głosem, cichszym, ponętnym. – Jesteśmy tu oboje, co znaczy, że wszystkie ważne decyzje już podjęte. Teraz czas na przyjemności i, zapewniam cię, nie będzie ci jej brakowało.

– Tak – odparłem, ale jakaś nuta zwątpienia musiała przedostać się do mego głosu, bo Wasylisa podkręciła erotyczny potencjometr.

– Skarbie, oczywiście, że tak, zresztą ja też zaznam rozkoszy, bo spójrz tylko na siebie, jakie ciacho. Chodźmy do sypialni. Nie wytrzymam dłużej.

Ależ z niej była ryzykantka! Jak szybko doszła do siebie po tym, gdy los tak nieoczekiwanie rozdał jej fatalne karty! Bo to musiał być dla niej potworny cios, wyniki seminogramu, niszczycielskie dla jej planów na przyszłość, ale choć kryzys wystąpił tak nagle, ona natychmiast, intuicyjnie postanowiła ukryć tę informację przed mężem. A potem, bez chwili wahania, postawiła wszystko na mnie, opierając się na swojej ocenie mojego charakteru i na własnych zdolnościach uwodzicielskich (dostrzegała we mnie zarówno powagę oznaczającą, że można mi zaufać i powierzyć sekret, jak i słabość, która podpowiadała, że nie będę się w stanie oprzeć jej niebagatelnym wdziękom). To wszystko pomimo świadomości, że jeśli jej fortel spali na panewce i mąż o wszystkim się dowie, straci swoją pozycję, może nawet się znaleźć w niebezpieczeństwie. Tak zresztą jak i ja; wciągnęła mnie w ten spisek, nie bacząc na moje bezpieczeństwo, na moją przyszłość. Ale nie mogę jej winić, bo przecież nie potrafiłem się oprzeć, oferta jej ciała była zniewalająca i sam dobrowolnie wlazłem w jej pułapkę. A teraz znajdowałem się w potrzasku: byłem jej wspólnikiem, moralnie skompromitowanym tak samo jak ona, i nie miałem już wyjścia, musiałem przystać na jej plan i dochować jej tajemnic, które teraz stały się także moimi. Miałem do stracenia nie mniej niż ona.

Przyciągnęła mnie do siebie na łóżku.

– Z rozkoszy rodzą się piękne dzieci – stwierdziła. – Ale jest ona też przyjemna sama w sobie.

Cięcie.

19

Nie lubię tych twoich Goldenów – wypaliła Suchitra. – Już dawno chciałam ci to powiedzieć. Powinieneś jak najszybciej się stamtąd wynieść.

Klarowała mi to przy tradycyjnych już wieczornych drinkach w brytyjskim pubie niedaleko placu Waszyngtona: irlandzka whiskey z lodem dla niej, wódka z wodą sodową dla mnie.

– Prawdę mówiąc, synowie nie wzbudzają we mnie jakiejś silniejszej antypatii, ale ten ich ojciec... nie trawię gościa, żonki zresztą też. Ale głównie chodzi mi o ten ich dom. Przyprawia mnie o dreszcze. Nie potrafię wytłumaczyć dlaczego, ale tak się dzieje. Wygląda jak rezydencja rodziny Addamsów. Nie czujesz tego, gdy tam jesteś? Jak dom pełen duchów. Wykorzenieni krezusi odrzucający swoją historię, kulturę i nazwisko. I udaje im się dzięki przypadkowi koloru skóry, który pozwala im zdobyć akceptację. Jakim trzeba być człowiekiem, żeby wyrzec się swojej rasy? Wszystko mi jedno, czy mieszkasz w kraju swoich przodków czy nie, nie proponuję żadnych antyemigracyjnych natywistycznych rozwiązań, ale jeśli udają, że kraj ten nie istnieje, że nigdy nie istniał, że nic dla nich nie znaczy i że oni dla niego nic nie znaczą, nabieram przekonania, że w pewnym sensie godzą się być martwi. Zupełnie jakby żyli w zaświatach przed śmiercią. Wyobrażam sobie, że nocą kładą się w trumnach. Nie, nie w sensie dosłownym, oczywiście, ale wiesz, o co mi chodzi.

Suchitra była nietypową mieszkanką Nowego Jorku.

– Mam trzy zasady, jeśli chodzi o wszystkich moich chłopaków – wyznała mi, gdy zostaliśmy kochankami. – Muszą sami na siebie zarabiać, mieć własne lokum i nie wolno im prosić, żebym za nich wyszła.

Sama wynajmowała skromne dwupokojowe mieszkanko w Battery Park City.

– Właściwie korzystam tylko z jednego pokoju – wyjaśniła. – Drugi zajmują ciuchy i buty.

Był to narożny pokój z dużymi oknami, toteż rzeka wyglądała jak obraz na ścianie, o świcie zasnuta mgłą, po zimowej krze przychodził czas na pierwsze wiosenne rejsy, frachtowce, holowniki, promy, jacht regatowy z tęczową flagą miejscowego klubu żeglarskiego dla gejów, i serce Suchitry przepełniała miłość do jej miasta, ilekroć podziwiała ten widok, nigdy dwa razy taki sam: wiatr, światło, deszcz, taniec słońca i wody, a także apartament w budynku po drugiej stronie ulicy z wielkim mosiężnym teleskopem przy oknie i niczym niezasłoniętym widokiem na jej łóżko, ponoć *pied-à-terre* należące do Brada Pitta, z którego korzystał, gdy chciał uciec przed żoną; i zielona dama z pochodnią spoglądająca na to wszystko z oddali, opromieniająca świat.

– To miasto jest kochankiem, z którym mieszkam – oświadczyła mi na samym początku. – Byłoby zazdrosne, gdyby się tu wprowadził jakiś fagas.

Nie protestowałem. Miałem w swojej naturze upodobanie do pewnej dozy przestrzeni i ciszy wokół siebie, lubiłem też kobiety niezależne, z łatwością więc sprostałem jej warunkom. W kwestii małżeństwa byłem otwarty, ale z zadowoleniem skonstatowałem, że jej stanowcza postawa w tej sprawie pokrywa się z moją. Teraz jednak znalazłem się w zugzwangu, co ostatecznie staje się losem wszystkich kłamców, oszustów i manipulatorów – w szachach w ten sposób określa się sytuację, kiedy trzeba wykonać ruch, ale każdy będzie niekorzystny. Budziła się wiosna i na rynku nieruchomości drgnęło; znalazł się solidny kupiec na nasz stary rodzinny dom i transakcja prawie została sfinalizowana. Rozmawiając o tym ze mną, Wasylisa była ucieleśnieniem rzeczowości; ani śladu naszego tajemnego życia w głosie lub na twarzy. Miałem już spadek, a teraz jeszcze czekał mnie potężny zastrzyk kapitału, gdy tylko sprzedaż dojdzie do skutku. Chwilowo intuicja podpowiadała mi, żeby zostać na miejscu, później coś wynająć i rozejrzeć się za czymś odpowiednim do kupienia. Tak więc zachęta Suchitry, aby się wyprowadzić, brzmiała wprawdzie wielce rozsądnie, ale kłóciła się z moimi zamiarami. Opierałem się z trzech jawnych i jednego ukrywanego powodu. Oczywiście trzema pierwszymi się z nią podzieliłem.

– Jest tam cicho (a) – perswadowałem. – Dobrze się tam pracuje. Mam przestrzeń, której potrzebuję, i zazwyczaj nikt nie zawraca mi głowy. I wiesz (b), ci ludzie stanowią kanwę dzieła, które próbuję stworzyć. Owszem, ten stary coś ukrywa, ale zaczyna mu się podobać, że jestem na miejscu, i mam wrażenie, że w każdej chwili może się przede mną otworzyć, a na to warto trochę zaczekać. Myślę, że Pietia jest dla niego niemałym ciężarem, wiek też daje o sobie znać, nagle zachowuje się, jakby był naprawdę bardzo stary. No i jest jeszcze (c), mianowicie to, że Ogrody są i były całym moim życiem, i gdy się wyprowadzę od Goldenów, stracę do nich dostęp. Nie wiem, czy jestem już na to gotowy, na życie bez tej magicznej przestrzeni.

Nie spierała się.

– Okej – rzuciła pogodnie. – Tak tylko badam grunt. Jak będziesz gotowy, daj mi znać.

Zdrajca obawia się, że jego wina jest wypisana na twarzy. Rodzice zawsze mi powtarzali, że nie jestem w stanie dotrzymać tajemnicy, a gdy kłamię, widzą na moim czole migającą czerwoną lampkę. Zacząłem się zastanawiać, czy Suchitra widzi to światełko i czy jej namowy, bym się wyprowadził od Goldenów, wynikają z podejrzeń, że moje zachowanie pod ich dachem nie jest do końca niewinne. Najbardziej się obawiałem tego, że dostrzeże we mnie jakąś różnicę w sferze seksualnej. Nigdy nie uważałem seksu za sport olimpijski; podniecenie i pociąg fizyczny stanowią konsekwencję głębi uczucia między partnerami, siły ich przywiązania. Suchitra podzielała ten pogląd. Była niecierpliwą kochanką. (Przy tak napiętym grafiku nie miała czasu guzdrać się z niczym). Gra wstępna między nami ograniczała się do minimum. W nocy przyciągała mnie i mówiła: „Po prostu wejdź we mnie, chcę tego", a potem twierdziła, że jest zaspokojona, należąc do gatunku, który dochodzi szybko i często. Postanowiłem, że nie będę się czuł z tego powodu umniejszony, chociaż w tej całej procedurze mogłem się poczuć wręcz niepotrzebny. Była po prostu zbyt troskliwa, żeby umyślnie zaniedbywać moje potrzeby.

Z Wasylisą natomiast sprawy miały się zupełnie inaczej. Zawsze umawialiśmy się po południu, klasyczne francuskie *cinq-à-sept*. Nie sypialiśmy razem. W ogóle nie spaliśmy. Ponadto nasze amory miały konkretny cel, były poświęcone stworzeniu nowego życia, co przerażało mnie i ekscytowało jednocześnie, mimo iż Wasylisa bez przerwy mnie zapewniała, że dziecko nie będzie dla mnie obciążeniem, nie zmieni mojego życia ani na jotę. Była to prokreacja bez odpowiedzialności. O dziwo, myśl ta nie poprawiała, tylko pogarszała lekko moje samopoczucie.

– Jak widzę – powiedziała w naszym hotelowym gniazdku z widokiem na park – muszę się naprawdę postarać, żebyś zaczął o tym myśleć bardziej pozytywnie.

Była całkowicie przekonana, że płodzenie dzieci wymaga osiągnięcia najwyższego stopnia podniecenia, a siebie uważała za mistrzynię na tym polu.

– Słonko – wychrypiała gardłowo – potrafię być niegrzeczną dziewczynką, więc musisz mi zdradzić swoje sekrety, żebym mogła je wcielić w życie.

Po tym następował seks, jakiego nigdy jeszcze nie zaznałem, bardziej wyuzdany, bardziej eksperymentalny, bardziej ekstremalny i o dziwo bardziej ufny. Oboje będąc zdrajcami, mogliśmy obdarzyć zaufaniem tylko siebie nawzajem.

Suchitra: Czy podczas naszych mniej teatralnych łóżkowych sesji zauważy, że moje ciało porusza się inaczej, nabrawszy nowych nawyków, i bezgłośnie poszukuje innych rodzajów zaspokojenia? Jak może nie zauważyć? Przecież musiałem być inny, wszystko wydawało mi się inne – te trzy dni w miesiącu zmieniały dla mnie wszystko. A co z moim comiesięcznym wyczerpaniem po popołudniowych igraszkach? Jak je wyjaśnić, regularność występowania tych spadków formy? Na pewno coś podejrzewała. Musiała podejrzewać. Nie sposób ukryć takich zmian przed nią, moją najbliższą przyjaciółką.

Wszystko wskazywało jednak na to, że niczego nie zauważała. Wieczorami rozmawialiśmy o pracy i zasypialiśmy. Nasz związek nie opierał się nigdy na regule „seks codziennie albo do widzenia". Czuliśmy się swobodnie w swoim towarzystwie i cieszyliśmy się, że możemy odpocząć w swoich objęciach. Działo się to głównie w jej mieszkaniu. (Zawsze mogłem spędzać u niej tyle czasu, ile chciałem, pod warunkiem że nie było mowy o wprowadzeniu się). Nie lubiła odwiedzać mnie u Goldenów. Skutkiem tego nie spędzaliśmy każdego wieczoru razem, co to, to nie. Jak się więc okazało, nietrudno mi było zatrzeć ślady. Ona jednak nadal wracała do tematu mojej wyprowadzki z Macdougal Street.

– Zawsze możesz mieć dostęp do Ogrodów dzięki innym sąsiadom – przekonywała. – Twoi rodzice byli powszechnie lubiani i utrzymywali z wieloma z nich przyjacielskie stosunki.

– Potrzebuję więcej czasu z Neronem – przypomniałem. – Chcę go rozgryźć, ideę człowieka, który wymazuje wszystkie swoje punkty odniesienia, który przecina wszystkie więzy z historią. Czy można w ogóle powiedzieć, że taka osoba jest człowiekiem? Ta dryfująca swobodnie istota bez żadnej kotwicy, bez lin? To interesujące, prawda?

– No – przyznała – tak.

Po czym odwróciła się i zasnęła.

Później.

– A co z kurtyzaną? – spytała mnie Suchitra. – Jak często ją widujesz?

– Kupuje ubrania – odpowiedziałem – i sprzedaje luksusowe apartamenty Rosjanom.

– Kiedyś chciałam nakręcić dokument o kurtyzanach – rzekła. – O Madame de Pompadour, Nell Gwynn, Macie Hari, Umrao Dżan. Sporo wtedy wyszperałam. Może wrócę do tego projektu.

Zdecydowanie coś podejrzewała.

– Dobra – rzuciłem. – Wyprowadzę się.

Cięcie.

• • •

Gdy przyglądałem się światu poza sobą, dostrzegałem odbitą w nim własną moralną słabość. Moi rodzice dorastali w baśniowej krainie, ostatnie pokolenie bez problemów z zatrudnieniem, ostatnia epoka seksu bez strachu, ostatnia chwila polityki bez religii, ale jakimś sposobem te lata spędzone w baśni nauczyły ich mocno stąpać po ziemi, wzmocniły ich, obdarzyły przekonaniem, że własnymi czynami mogą zmienić lub ulepszyć świat, pozwoliły im także zjeść rajskie jabłko z drzewa poznania dobra i zła, przy czym nie dali się zahipnotyzować oczom zgubnego węża, spiralnie skręconego pytona Kaa z *Księgi dżungli.* Tymczasem teraz wszędzie w szybkim tempie rozprzestrzeniała się trwoga, a my zamykaliśmy oczy albo próbowaliśmy ją oswoić. Te słowa nie należały do mnie. W jednym z intrygujących małomiasteczkowych momentów życia na Manhattanie ten sam gawędziarz, którego widziałem w Central Parku, kroczył teraz wzdłuż Macdougal Street pod moim oknem, tym razem wypowiadając się o zdradzie, zdradzie, jakiej dopuścili się na nim jego rodzina, jego pracodawcy, przyjaciele, miasto, kraj, wszechświat... jak gdyby moje sumienie przybrało postać obłąkanego kloszarda gadającego do siebie bez usprawiedliwienia w postaci zwisającego z ucha kabla słuchawki. Ciepły dzień; zimne słowa. Był to człowiek z krwi i kości czy raczej wytwór moich wyrzutów sumienia? Zamknąłem oczy i znów je otworzyłem. Oddalał się w kierunku Bleecker Street. Może to był ktoś inny.

Wciąż zdarzały mi się chwile, kiedy czułem, że moje sieroctwo się ze mnie wylewa i wypełnia cały świat, a przynajmniej tę jego część, która znajduje się w moim polu widzenia. Chwile rozstrojenia. Wmówiłem sobie, że właśnie w stanie takiego rozchwiania zgodziłem się wziąć udział w niebezpiecznej intrydze Wasylisy Golden. Pozwoliłem sobie uwierzyć, że lament nad planetą, który w coraz większym stopniu wypełniał moje myśli, zrodził się z mojej prywatnej straty i że świat nie zasługuje na aż tak złą opinię. Jeśli uda mi się wydostać z osobistej moralnej otchłani, świat sam się uratuje, dziura w warstwie ozonowej się zasklepi, fanatycy wycofają się do ciemnych labiryntów pod korzeniami drzew oraz w rowach na dnie oceanu, zaświeci znowu słońce i radosna muzyka wypełni powietrze.

Tak, pora się wyprowadzić. Ale co rozwiąże sama wyprowadzka? Wciąż byłem uzależniony od moich trzech popołudniowych spotkań w miesiącu na pięćdziesiątym trzecim piętrze. Plan Wasylisy nie przynosił owoców dłużej, niż się spodziewała, i zaczęła się już skarżyć. Zarzucała mi negatywne podejście do całego przedsięwzięcia. W jakiś sposób przynosiłem pecha. Powinienem się bardziej skupić, skoncentrować, a nade wszystko powinienem tego chcieć. Jeśli nie będę chciał, do niczego nie dojdzie. Dziecina, nie czując się w pełni pożądana, nigdy się nie zmaterializuje.

– Nie odmawiaj mi tego – prosiła. – Może chcesz mnie tylko posuwać, tak? Więc przedłużasz sprawy. No dobrze, mogę się zobowiązać, że potem też będę się z tobą pieprzyć. Przynajmniej od czasu do czasu.

Gdy mówiła w ten sposób, chciało mi się płakać, ale moje łzy tylko by ją utwierdziły w przekonaniu, że z jakiegoś powodu odmawiam jej najlepszej spermy, że jestem w jej oczach biologicznie niegodziwy. Czułem, że tracę zmysły, i chciałem już, żeby to wszystko się skończyło, i nie chciałem, żeby się kończyło, chciałem, żeby zaszła w ciążę, i nie chciałem, tak, chciałem, nie, nie chciałem.

I w końcu stało się. I odwróciła się ode mnie na zawsze, pozostawiła zdruzgotanego. Zakochanego w innej, owszem, ale zdruzgotanego utratą naszej zdradzieckiej, nieziemskiej rozkoszy.

W filmie, który sobie wyobrażałem, w dziele mającym stać się aktem najwyższej zdrady, uwaga w tym momencie musiała się przenieść z Wasylisy na jej męża. Zatem: wyszła z apartamentu na pięćdziesiątym trzecim piętrze, zamknęły się drzwi i na tym koniec.

Sztuka wymaga zdrady i przebija ją, ponieważ zdrada zostaje przeobrażona w sztukę. Zgadza się, prawda? Prawda?

Powolne przenikanie.

– Wiesz, skąd przyjechałem – rzekł Neron Golden, mrużąc oczy. – Wiem, że wiesz. W tych czasach nic się nie utrzyma *sub rosa*.

Ściągnął mnie późno w nocy do swojego domowego azylu, chcąc porozmawiać. Byłem jednocześnie podekscytowany i przestraszony. Przestraszony, bo czy nie zamierzał rzucić mi w twarz tego wszystkiego, co wyprawiałem z panią Golden? Kazał nas może śledzić i teraz na jego biurku leży teczka ze zdjęciami napstrykanymi przez prywatnego detektywa? Ta myśl była głęboko niepokojąca. A podekscytowany, bo może miała to być spowiedź, na którą liczyłem, chwila szczerości, gdy starzejący się mężczyzna, znużony obcym kostiumem oblekającym jego prawdziwe jestestwo, chce raz jeszcze się ujawnić.

– Tak, proszę pana – przyznałem.

– Tylko mi nie mów! – zawołał, ale dość dobrodusznie. – Po prostu dalej udawaj, że jesteś nieuświadomionym szczylem, i odegraj zaskoczenie, gdy ci coś powiem. Okej?

– Pasuje mi – rzekłem.

W miesiącach ciąży jego żony pogarszający się stan zdrowia Nerona Goldena stał się widoczny dla nas wszystkich. Senior rodu dobijał już osiemdziesiątki i jego umysł przystąpił do swego powolnego zdradzieckiego dzieła. Golden wciąż co rano wychodził o ósmej w nieskazitelnie białym stroju do gry w tenisa, w białej baseballówce na głowie, wymachując rakietą w powietrzu z charakterystyczną miną mówiącą „żarty się skończyły", i wciąż wracał spocony i emanujący męskim zadowoleniem półtorej godziny później. Lecz pewnego razu, ledwie kilka dni przed naszą nocną rozmową, doszło do niefortunnego incydentu. Przechodził przez ulicę, gdy na skrzyżowaniu Bleecker i Macdougal potrącił go samochód, stary model corvetty, przejechawszy na czerwonym świetle. Jedynie lekko go stuknął, na tyle jednak mocno, żeby go przewrócić, chociaż nie dość mocno, by złamać kość. Golden szybko wstał, natychmiast przebaczył kierowcy, nie chciał składać żadnego zażalenia ani powiadamiać policji, a nawet zaprosił kierowcę, roztargnionego białego mężczyznę z gęstymi falami siwych włosów, *do domu na kawę*. To zachowanie było do niego niepodobne w stopniu tak zdumiewającym, że wszyscy zaczęli się martwić. Musiało minąć jednak trochę czasu, nim rozmiary problemu zostały właściwie zdiagnozowane.

– Nic mi nie jest, nic mi nie jest – powtarzał Neron po wypadku z corvettą. – Przestańcie robić zamieszanie. Po prostu zająłem się tym człowiekiem, bo był wyraźnie roztrzęsiony. Zrobiłem, co należało.

A teraz byłem z nim sam na sam w jego kryjówce po zmroku. Co mnie czekało? Poczęstował mnie cygarem – odmówiłem. Koniakiem – również odmówiłem. Nigdy nie przepadałem za brandy. „Napij się czegoś", zakomenderował, przyjąłem więc kieliszek wódki.

– *Prosit* – rzekł, wznosząc władczo swój kieliszek. – Do dna.

Wychyliłem wódkę, zauważając, że on najwyżej symbolicznie musnął brzeg pękatego kieliszka.

– Jeszcze po jednym – zaproponował.

Zastanawiałem się, czy próbuje mnie znowu spoić.

– Za chwilę – odparłem, zakrywając swój kieliszek lewą dłonią. – Nie ma pośpiechu.

Pochylił się do przodu, klepnął mnie w kolano i kiwnął głową.

– Dobrze, dobrze. Jak zawsze rozsądny.

Odezwał się znowu po chwili:

– Pozwól, że ci coś opowiem. Dawno temu w Bombaju... a widzisz? Używam starej nazwy tego starego miasta, to słowo po raz pierwszy przechodzi przez moje usta, odkąd wylądowałem w Ameryce, powinieneś czuć się zaszczycony moją poufałością... żył sobie niejaki don Corleone. Nie, oczywiście, że się tak nie nazywał, ale jego prawdziwe nazwisko i tak nic ci nie powie. Zresztą nazwisko, którego używał, też nie było jego. Nazwisko jest niczym, to tylko klamka, jak się tutaj mówi, do otwierania drzwi. „Don Corleone" daje ci pojęcie o tym, jakim był człowiekiem. W ten sposób otwieram jego drzwi. Tylko że ten don nigdy nikogo nie zabił ani nie użył broni. Chcę ci opowiedzieć o tym typku. Pochodził z południa kraju, ale jak wszyscy inni trafił w końcu do wielkiego miasta. Skromne korzenie. Naprawdę skromne. Ojciec prowadził warsztat naprawy rowerów niedaleko Crawford Market. Chłopak pomagał ojcu w naprawach i oglądał przejeżdżające wielkie samochody, wruuum! studebaker, wruuum! cadillac, i myślał sobie, że kiedyś, że pewnego dnia... jak każdy. Dorósł, zatrudnił się w porcie przy rozładunku. Zwykły tragarz, siedemnaście, osiemnaście lat, ale potrafił skorzystać z okazji, gdy ta się nadarzyła. Z muzułmańskich świętych miejsc przypływały statki z pielgrzymami, a pielgrzymi przywozili kontrabandę. Tranzystory, szwajcarskie zegarki, złote monety.

Towary objęte cłem. Wysokim cłem. Don Corleone pomagał im je szmuglować – w bieliźnie, w turbanie, gdzie się dało. Nagradzali go. Zebrał pewną sumę.

I wtem – kontynuował Neron – szczęśliwe spotkanie z przemytnikiem, rybakiem z Damanu. Niejakim panem Bakhią. W tym czasie Daman był kolonią portugalską. Niedbałe kontrole. Bakhia i don Corleone zaczynają szmugiel z Dubaju i Adenu przez Daman do Indii, przez dziurawe granice. Złoty interes. Don Corleone pnie się coraz wyżej. Zaprzyjaźnia się z głowami innych przestępczych familii. V. Mudaliarem, K. Lalą i tak dalej. Potem nawiązuje poufałe stosunki z politykami, łącznie z niejakim Sandźajem Gandhim, synem Indiry. Takie są fakty. Nim nastały lata siedemdziesiąte, był już wielką szychą, grubą rybą. Deptał mu po piętach pewien młody policjant, którego nie można było przekupić. Uczciwy chłopak. Uczciwość to w tym zawodzie przeszkoda. Niejaki inspektor Mastan. Don Corleone zlecił, żeby zesłano go na jakiś wygwizdów, i gdy policjant siedział już w samolocie, don Corleone wszedł na pokład, żeby mu pomachać na pożegnanie. Bezpiecznej podróży, panie Mastan. Udanego lotu. Bezczelnie. Ot tak, po prostu. Był w tym czasie aż tak pewny siebie.

Żył dostatnio – opowiadał dalej Neron Golden – lecz także wstrzemięźliwie. Najlepsze garnitury, najlepsze krawaty, najlepsze papierosy: State Express 555 oraz mercedes-benz. Wielki dom na Warden Road, niczym pałac, lecz mieszkał skromnie w jednym pokoju na górze. Cztery i pół na trzy metry. Nie więcej. Na dole bez przerwy kręciły się gwiazdy filmowe i zainwestował mnóstwo pieniędzy w filmy, wiesz. Przynajmniej trzy z nich powstały na podstawie jego biografii z największymi talentami aktorskimi. Ożenił się także z gwiazdką ekranu. O imieniu, które znaczyło Goldie. Ale w połowie lat siedemdziesiątych nastąpił upadek. Sandźaj Gandhi okazał się fałszywym przyjacielem i don Corleone spędził półtora roku za kratkami. To podcięło mu skrzydła. Całkowicie rzucił przemyt. Najpierw zamienił się w osobę religijną jak pielgrzymi, dzięki którym się dorobił. Potem spróbował polityki. W połowie lat dziewięćdziesiątych, gdy na szczyt wspięła się rodzina Zamzamy Alankara ze swoim Towarzystwem Z, w Bombaju doszło do pierwszych ataków terrorystycznych i ludzie myśleli, że stoi za nimi on, ale don był zbyt strachliwy do tego typu akcji. Niewinny, niewinny, niewinny. W następnym roku zawał serca, śmierć. Fantastyczna historia.

– Czy to naprawdę była śmierć naturalna? – spytałem. – Musiał mieć jakichś wrogów?

– Wtedy już – odrzekł Neron Golden – nie warto go było zabijać.

Długie milczenie.

– I to jest historia, którą chciał mi pan opowiedzieć – odezwałem się w końcu. – Mogę spytać dlaczego?

Długie milczenie.

– Nie – odparł.

Cięcie.

Miałem wrażenie, jakby z premedytacją mnie zwodził. Oto świat, w którym dorastał, z pewnością tak brzmiała część jego przesłania; ale czy przyznawał się, że był uczestnikiem tego świata, czy może tłumaczył, dlaczego go w końcu odrzucił, wyjeżdżając stamtąd? Czy jedno i drugie? Był uczestnikiem, ale chciał się uwolnić, a to znaczyło wyjazd gdzieś daleko, na tyle daleko, żeby nikt nie mógł go znaleźć. Na podstawie tego, co mi opowiedział, nie mogłem wyciągnąć żadnych definitywnych wniosków. Ponadto, odetchnąwszy z ulgą, że nie podsunął mi owej przeraźliwej teczki z dowodami schadzek z jego żoną, chętnie wysłuchałem historii dona Corleone w wersji, jaką mi podał, wypiłem jeszcze jedną wódkę i odszedłem do siebie. Starzec snujący wspomnienia o przeszłości; nie był pierwszy i na pewno nie ostatni. Teraźniejszość zaczynała mu się wymykać – drobne rzeczy, gdzie położył klucze, umówione spotkania, urodziny, ale miał ludzi, którzy mu przypominali o większości z tych drobiazgów – natomiast pamięć o przeszłości zdawała się wyostrzać. Podejrzewałem (i miałem nadzieję), że czekają nas kolejne nocne sesje takie jak ta, która właśnie dobiegła końca. Chciałem wszystkich jego historii – potrzebowałem ich, żeby na koniec móc go wymyślić.

Wiadomość o nieuchronnie zbliżającym się ojcostwie najwyraźniej podnosiła go na duchu, podkreślając, a chyba tego właśnie potrzebował, trwającą moc jego męskości. A tymczasem w interesach jego moc zdawała się nie słabnąć, co udowodnił nam wszystkim olbrzymi projekt budowlany rozpoczęty na zachodnim Manhattanie. Gigantyczna rewitalizacja obszaru Hudson Yards podjęta przez Related Companies LP oraz bank Goldman Sachs wspólnie z Oxford Properties Group Inc. Inwestycję rozpoczęto na bazie czterystu siedemdziesięciu pięciu milionów dolarów kredytu budowlanego uzyskanego przez spółkę z „różnych źródeł". Jestem prawie stuprocentowo pewien, że Neron Golden pod nazwą takiej czy innej firmy był jednym z pożyczkodawców obok dużych graczy, takich jak Starwood Capital Group Barry'ego Sternlichta i luksusowy detalista Coach. Po raz pierwszy zainwestował w zagospodarowanie tych ponad dziesięciu hektarów kilka lat wcześniej w ramach programu EB-5, który pozwalał imigrantom w Stanach Zjednoczonych lokować kapitał w zamian za zieloną kartę oraz – w swoim czasie – obywatelstwo. Wreszcie miałem wyjaśnienie, w jaki sposób Neron i jego synowie zdołali ulotnić się do Ameryki tak nagle i po przybyciu cieszyć się pełnymi prawami do pracy i mieszkania. Później, w roku ciąży Wasylisy, Golden poczynił następną inwestycję w formie pożyczki typu mezzanine, podobnej do drugiej hipoteki, z tym że była zabezpieczona akcjami firmy posiadającej nieruchomość, a nie samą nieruchomością. Teoretycznie więc, gdyby właściciel nieruchomości nie wywiązywał się z płacenia odsetek, Neron w ciągu kilku tygodni mógł przejąć akcje, a będąc właścicielem akcji, przejmował kontrolę nad nieruchomością. Z tego, co mi wiadomo, do takiej ewentualności nie doszło. Tak czy inaczej, z pomocą dźwigni finansowej czy nie, superinwestor lub miliardowy dłużnik, Neron grał o najwyższą stawkę w największej grze na rynku nieruchomości w mieście.

Nazwa przedsiębiorstwa udzielającego pożyczki typu mezzanine brzmiała GOWW Holdings. Gdy zmarł cesarz rzymski Neron (A.D. 68), kładąc kres panowaniu dynastii julijsko-klaudyjskiej, nastąpił tak zwany rok czterech cesarzy (A.D. 69), kiedy to bezpośredni następca Nerona imieniem Galba został obalony przez Otona, którego z kolei odsunął Witeliusz, aczkolwiek i ten nie przetrwał długo, zastąpiony przez założyciela dynastii Flawiuszy, Wespazjana. Galba–Oton–Witeliusz–Wespazjan: GOWW.

Gdy Wasylisa w tamtym roku urodziła Neronowi syna, dano mu na imię Wespazjan, jak gdyby intuicja podpowiadała Neronowi, że dziecko należy do innego rodu i z czasem założy własną dynastię.

Oczywiście nic nie mówiłem.

W oczekiwaniu na Wespazjana

Gdy po zajściu żony w ciążę Neron Golden czekał na narodzin małego cesarza Wespazjana, ogarnęła go obsesja na punkcie penisa Napoleona Bonapartego. Powinna być dla rodziny wystarczającym ostrzeżeniem świadczącym o pogarszającym się stanie psychicznym nestora rodu, tymczasem traktowano ją pobłażliwie jako zabawny konik starszego pana. Gdy nie zajmowały go interesy ani życie rozwijające się w łonie Wasylisy, ani rodzicielskie obowiązki wobec synów, Neron oddawał się swej nowej pasji związanej z członkiem francuskiego cesarza. Co się tyczy powyższego: po śmierci Bonapartego na Wyspie Świętej Heleny przeprowadzono sekcję zwłok, w czasie której z powodów dzisiaj nieznanych wycięto różne organy, między innymi niezbyt imponujący fallus. Mały Napoleona trafił później w ręce (być może powinienem to ująć jakoś inaczej) włoskiego księdza, następnie został sprzedany, przez jakiś czas znajdował się w posiadaniu londyńskiego księgarza, aż wreszcie wylądował za Atlantykiem, najpierw w Filadelfii, a potem w Nowym Jorku, gdzie w roku tysiąc dziewięćset dwudziestym siódmym został wystawiony w Museum of French Arts i przez jedną z gazet opisany jako „wyschnięty węgorz", a przez sam magazyn „Time" nazwany „sfatygowanym kawałkiem sznurówki z koziej skóry". W roku tysiąc dziewięćset siedemdziesiątym siódmym w ramach misji przywracania godności swojej profesji kupił go na aukcji wybitny urolog John Lattimer, a po jego śmierci prawo własności przeszło na córkę Lattimera wraz z innymi skarbami, majtkami Hermanna Göringa i zakrwawioną koszulą, którą prezydent Lincoln miał na sobie w Ford's Theatre. Te wszystkie pamiątki znajdowały się teraz w Englewood w stanie New Jersey; organ Napoleona spoczywał zawinięty w szmatkę w małym pudełku z monogramem „N" na wieczku, w walizce w domowej garderobie i to wszystko drażniło Nerona, który chciał, by traktowano ową relikwię z cesarskimi honorami, na jakie zasługuje.

– Oto, co powinno się wydarzyć – powiedział mi. – Odkupię tę rzecz i zwrócę ją narodowi francuskiemu, a ty nakręcisz film dokumentalny, ty i twoja dziewczyna. Osobiście zabiorę pojemnik do Paryża, udam się do Kościoła Inwalidów, podejdę do sarkofagu Bonapartego, gdzie powitają mnie oficjele Republiki, może nawet sam prezydent, i poproszę o zgodę na postawienie pudełka na sarkofagu, żeby do Napoleona wróciła wreszcie jego utracona męskość. W krótkiej przemowie oświadczę, że jako Amerykanin próbuję się w ten sposób zrewanżować za sprezentowanie Ameryce Statui Wolności przez Francuzów.

Wcale nie żartował. Udało mu się jakoś zdobyć numer stacjonarny domu w Englewood i znienacka zadzwonił do córki pana Lattimera, która odłożyła słuchawkę. Potem poprosił swe dwie smoczyce – panią Blather-Ględę i panią Fuss-Marudę – żeby i one spróbowały, co też uczyniły, aż osoba na drugim końcu linii oskarżyła je o nękanie. Teraz Neron poważnie się zastanawiał nad osobistą podróżą do New Jersey, z książeczką czekową w dłoni, by spróbować sfinalizować transakcję. Wasylisa musiała zmobilizować całą swoją siłę perswazji, żeby go odwieść od tego zamiaru.

– Właścicielka nie chce sprzedawać, mój drogi – przekonywała. – Jeśli się tam zjawisz, wezwie policję, i będzie miała do tego pełne prawo.

– Wszystko jest na sprzedaż – burknął. – Jeśli zaproponujesz odpowiednią cenę, rano możesz kupić czyjś rodzinny dom i przed obiadem będziesz mogła się wprowadzić. Jeśli masz dość gotówki, możesz sobie kupić cały rząd. A ja nie mogę kupić czterocentymetrowego fiutka?

– Daj sobie spokój – namawiała go żona. – W tym momencie nie to jest najważniejsze.

W tamtym roku wszyscy skrupulatnie unikaliśmy wiadomego tematu. Bez wątpienia Neron miał ambiwalentne odczucia wobec syna, do którego poczęcia został zmuszony. Nie ulegało wątpliwości, że ja jako autor nowego wątku w tej historii miałem mocno ambiwalentne odczucia wobec roli anonimowego ghostwritera poczętego życia. Co do odczuć Wasylisy, nie mogę się wypowiedzieć. Czasami zachowywała się enigmatycznie jak sfinks. A co do reakcji istniejących synów Goldena, teraz zostanie powiedziane więcej. W tamtym roku na przykład Apu Golden zaczął rozbijać różne przedmioty, tworząc w ten sposób sztukę coraz bardziej zaangażowaną politycznie, i wystawiał te potłuczone szczątki, które miały reprezentować rozbite społeczeństwo i złość wywołaną tym rozbiciem.

– Demoluje się ludziom życie – tłumaczył – są więc gotowi sami wszystko demolować, bo czemu, kurwa, nie?

I dokądkolwiek się w tamtym roku udawałem, miałem wrażenie, że wszędzie natykam się na gawędziarza z parku. W drugim trymestrze Wasylisy przeszedł przed kamerą na Dwudziestej Trzeciej Ulicy pod SVA Theatre, gdzie kręciliśmy z Suchitrą uliczny wywiad z Wernerem Herzogiem do naszego cyklu wideo o klasycznych momentach w kinie. Dokładnie w chwili, gdy wypowiedziałem słowa *Aguirre, gniew boży*, stary włóczęga przemaszerował za Herzogiem i za mną, wyglądając dokładnie, ale to *dokładnie* tak jak wielki szaleniec o dzikim spojrzeniu, *Zorn Gottes* Klausa Kinskiego, i mamrotał pod nosem coś o *przyspieszeniu* zła, o *rosnącej górze* zła w samym *środku miasta*, i kogo to obchodzi? Czy kogoś w Ameryce to w ogóle *obchodzi*? Dzieci odstrzeliwują swoim ojcom w sypialni genitalia. Czy ktoś to w ogóle *zauważa*? Nowe *globalne ocieplenie*, piekielny ogień roztapia wielkie lodowe czapy zła i wszędzie na świecie podnosi się jego poziom, nie powstrzymają go żadne zapory. Bam! Bam! – wołał, wracając do wcześniejszego tematu. – Zaraz dopadną was uzbrojone potwory, Decepticony, Terminatory, uważajcie na zabawki swoich dzieci, uważajcie na placach, w sklepach i w pałacach, uważajcie na plażach, w kościołach i szkołach, one już wymaszerowały, bam! bam! Te rzeczy potrafią *zabijać*.

– Ten gość jest rewelacyjny – stwierdził Herzog z niekłamanym podziwem. – Powinniśmy dać go do filmu i może to ja zrobię z nim wywiad.

20

Jest coś, co ci chętnie wyznam, przystojny draniu – oznajmił poważnym tonem Pietia Golden. – Otóż nie została we mnie ani krztyna braterskiej miłości. Co więcej, moim zdaniem powszechny pogląd, jakoby głębokie przywiązanie między rodzeństwem było wrodzone i nieuniknione, a jego brak nie świadczył najlepiej o jednostce, która go nie czuje, jest błędny. Takie przywiązanie nie jest genetycznie uwarunkowane, to raczej forma społecznego szantażu.

Nieczęsto zapraszał do swojej domowej dziupli gości, ale dla mnie robił wyjątek, może dlatego że pozostawałem w jego wyłącznej opinii najprzystojniejszym facetem świata, siedziałem więc w niebieskim świetle jego pokoju wśród komputerów i lamp firmy Anglepoise, pozwalałem się częstować grzankami z grillowanym żółtym serem i starałem się odzywać jak najrzadziej, świadomy, że to on chce mówić, a zawsze warto go było posłuchać, nawet gdy wydawał się bardziej niż zwykle rozstrojony.

– W starożytnym Rzymie – ciągnął – a właściwie we wszystkich wielkich imperiach na świecie i w każdej epoce rodzeństwa należało się bać. Gdy dochodziło do sukcesji, wybór był zwykle między zabij albo daj się zabić. Miłość? Ci książęta roześmialiby ci się w nos, gdybyś użył tego słowa.

Spytałem go, co by odpowiedział Williamowi Pennowi, co ma do powiedzenia o idei uwiecznionej w nazwie miasta Filadelfia, które w pierwszych latach tak świetnie się rozwijało, bo jego słynna tolerancja przyciągała ludzi różnych wyznań i talentów, a także zapewniała lepsze niż gdzie indziej relacje z miejscowymi plemionami indiańskimi.

– Koncepcja, że wszyscy ludzie są braćmi, jest zakorzeniona w wielu systemach filozoficznych i większości religii – ośmieliłem się zauważyć.

– Może należałoby się starać kochać ogólnie cały rodzaj ludzki – odparł tonem wskazującym na najwyższe znudzenie. – Ale *ogólnie* jest dla mnie zbyt ogólnikowe. Moje antypatie są bardzo konkretne. Dwie osoby urodzone i jedna jeszcze nienarodzona: oto przedmiot mojej niechęci, która może być nieograniczona, sam nie wiem. Mówię tu o rozwiązaniu więzów krwi, nie o zerwaniu z całym zasranym gatunkiem, i tylko, proszę cię, nie mów mi o afrykańskiej Ewie ani o „ostatnim uniwersalnym wspólnym przodku", tym liczącym trzy i pół miliarda lat kawałku gluta. Wiem co nieco o drzewie genealogicznym rasy ludzkiej i o życiu na Ziemi przed *Homo sapiens*, toteż uparte wracanie do tego rodowodu byłoby umyślnym rozmijaniem się z istotą problemu. Wiesz, co chcę ci powiedzieć. Nienawidzę tylko swojego rodzeństwa. Stało się to dla mnie jasne, gdy zacząłem myśleć o dziecku, które niedługo będziemy zmuszeni powitać.

Nie mogłem nic powiedzieć, chociaż czułem wzbierającą w piersi falę ojcowskiego gniewu. Najwyraźniej w czasie, gdy mój syn – mój sekretny syn Goldenów – rósł w łonie matki, jego przyszły brat Pietia zdążył się do niego uprzedzić. Chciałem ostro zaprotestować, bronić dziecka i zaatakować jego wroga, ale w tej kwestii przeznaczone mi było milczenie. Zresztą Pietia mówił już o czymś innym. Chciał mnie poinformować, że podejmuje doniosłą decyzję, postanowił mianowicie wyleczyć się z lęku przed światem zewnętrznym, a potem na zawsze opuścić dom na Macdougal Street, tym samym stając się ostatnim z trzech synów Nerona Goldena, który by się uniezależnił. On z całego rodzeństwa miał z tym największe trudności, teraz jednak ujawniał pokłady silnej woli, o jakie go nie podejrzewałem. Napędzała go jakaś siła i zrozumiałem, gdy perorował, że jest nią nienawiść wymierzona szczególnie w Apu Goldena: nienawiść zrodzona nad rzeką Hudson w noc uwiedzenia mistrzyni cięcia metalu, somalijskiej piękności Ubah przez jego brata, lub też uwiedzenia jego przez nią, nienawiść pielęgnowana w te długie samotne dni skąpane w niebieskim świetle i w końcu popychająca go do działania. Zamierzał wyleczyć się z agorafobii i wyprowadzić z domu. Wskazał na tabliczkę zawieszoną nad drzwiami jego kryjówki. *Porzuć swój dom, młodzieńcze, nowych lądów szukaj!*

– Kiedyś myślałem, że to o przenosinach do Ameryki – rzekł. – Ale tu, w tym domu, jest tak, jakbyśmy nigdy nie wyjechali, jakbyśmy zabrali nasz dom ze sobą. Teraz w końcu jestem gotów wypełnić nakaz mojego wielkiego imiennika. Może niekoniecznie na nowe lądy, ale przeniosę się chociaż do własnego lokum.

Po prostu przyjąłem tę informację do wiadomości. Obaj wiedzieliśmy, że agorafobia to mniejszy z problemów Pietii. Innej, poważniejszej dolegliwości wtedy nie zdecydował się ze mną omówić. Dostrzegłem jednak na jego twarzy wielką determinację. Było jasne, że postanowił się również zmierzyć z wyzwaniami związanymi z tym drugim problemem.

Następnego dnia w domu Goldenów pojawił się nowy gość i od tej pory zjawiał się codziennie punktualnie o piętnastej, mężczyzna mocnej budowy, ze zmierzwioną czupryną jasnych włosów, w conversach, z uśmiechem, który uparcie obstawał przy swej głębokiej szczerości, z australijskim akcentem i – na co zwrócił uwagę Neron Golden – więcej niż tylko ulotnym podobieństwem do emerytowanego zwycięzcy Wimbledonu, Pata Casha. Osobnikowi temu zlecono zadanie uwolnienia Pietii od lęku przed otwartą przestrzenią. Nazywał się Murray Lett i był hipnoterapeutą.

– Ważne, żeby wyjść na kort, potem już jakoś leci – lubił serwować (aua) tę tenisową metaforę, co tylko wzmacniało jego podobieństwo do dawnego australijskiego czempiona.

Niełatwo było zahipnotyzować Pietię, bo ciągle chciał się spierać z sugestiami hipnotyzera, a poza tym nie podobały mu się australijskie dźwięki w jego głosie, jego poczucie humoru i tak dalej. Pierwsze sesje były trudne.

– Nie jestem w transie – Pietia przerwał panu Lettowi. – Czuję się rozluźniony i w dobrym nastroju, ale całkowicie kontroluję swoje myśli.

Lub innego dnia:

– O rany, byłem już tak blisko. Ale mucha wleciała mi do nosa.

Pietia za dużo zauważał. Była to jedna z tych rzeczy, które najpoważniej mu zawadzały. Pewnego razu, podczas mojej wizyty w pokoju niebieskiego światła, gdy choć raz wykazał chęć rozmowy o aspergerze, wspomniałem o słynnym opowiadaniu Borgesa *Pamiętliwy Funes*, którego bohater nie potrafił o niczym zapomnieć, na co on stwierdził:

– Tak, to o mnie, ale nie chodzi tylko o to, co się wydarzyło lub co kto powiedział. Ten twój pisarz za bardzo się skupia na słowach i czynach. Trzeba jeszcze dodać zapachy, smaki, dźwięki i uczucia. Spojrzenia, kształty, wzory samochodów na ulicy i podobnie ruch pieszych na chodnikach, okresy ciszy między nutami i wpływ na psy pogwizdywań ich właścicieli. To wszystko cały czas przewija się przez mój umysł.

A zatem super-Funes, którego nieszczęściem jest wielokrotne przeciążenie sensoryczne. Trudno było sobie wyobrazić, jak wygląda jego świat wewnętrzny, jak ktokolwiek jest sobie w stanie poradzić z takim natłokiem bodźców, niczym pasażerowie metra w godzinach szczytu atakowani zewsząd ogłuszającą kakofonią jęków, klaksonów, eksplozji i szeptów, kalejdoskopową feerią obrazów, mętnym odorem smrodów. Piekło, karnawał potępionych, musi być czymś takim. Zrozumiałem wtedy, że opinia, jakoby Pietia żył w pewnego rodzaju piekle, jest dokładnym odwróceniem rzeczywistości, gdyż piekło tkwiło w nim. Zrozumienie tego pozwoliło mi docenić – i zawstydzało, że nie zrobiłem tego wcześniej – nieprawdopodobną siłę i odwagę, z jakimi Petroniusz Golden codziennie stawiał czoło światu, i z większym współczuciem traktować jego sporadyczne przejawy buntu przeciwko własnemu życiu – jak w czasie incydentów na parapecie i w metrze na Coney Island. Pozwoliłem też sobie na pytanie: Jeśli ta olbrzymia siła charakteru zostanie teraz ukierunkowana na nienawiść do nienarodzonego jeszcze nowego przyrodniego brata (właściwie to, o czym już wiemy, wcale nie brata, ale zostawmy na razie tę myśl), jego zagubionego przyrodniego brata, a przede wszystkim do zdradzieckiego brata nieprzyrodniego, do jakiego mściwego czynu będzie zdolny się posunąć? Czy nie powinienem się martwić o bezpieczeństwo mojego syna, czy odruch ten był raczej automatyczną irracjonalną reakcją na stan Pietii? (Czy słowo „stan" jest tu na miejscu? Może „rzeczywistość Pietii" byłaby lepsza. Jakże trudny stał się język, jak bardzo najeżony pułapkami. Dobre intencje nie były już wystarczającą obroną).

Pozwólcie, że przejdę teraz do picia. Stoję tu na pewniejszym gruncie. Pietia miał problem alkoholowy; nie sposób było tego ukryć. Pił w samotności, dużo, i upijał się na smutno, ale taki znalazł sposób na odcięcie się od wewnętrznego piekła, by zaznać trochę snu lub, ściśle mówiąc, stracić przytomność i spędzić kilka godzin w błogosławionej nieświadomości. I przed utratą przytomności ten jeden raz, kiedy pozwolił mi być świadkiem swego nocnego osunięcia się w zapomnienie, na początku ostatniego trymestru Wasylisy, gdy powiedział, że „potrzebuje mojego wsparcia", z rosnącym skrępowaniem, a nawet niechęcią przekonałem się, czym skutkuje jego nieumiejętność kontrolowania wpływających weń falą myśli lub cenzurowania własnej lingwistycznej powodzi, gdy ten werbalny tumult podleje się alkoholem – strumieniem świadomości, który ujawnił, jak bardzo przyswoił sobie antagonistyczne rozdrobnienie amerykańskiej kultury i uczynił z niej część swojej osobistej krzywdy. Mówiąc wprost, jego pijana nocna wersja zdradzała zwrot ku ekstremum konserwatyzmu; to inne, przejmujące retorykę z prawicowych kanałów telewizyjnych ja przebijało się przez jego usta, ośmielone trunkami, uaktywnione przez jego odosobnienie i w pełni usprawiedliwioną furię na cały świat: Obamacare – coś strasznego! Strzelanina w Maryland – nie mieszaj do tego polityki! Wzrost płacy minimalnej – skandal! Małżeństwa homoseksualne – niezgodne z naturą! Klauzula sumienia zabraniająca obsługiwać osoby LGBT w Arizonie, w Missisipi – wolność! Strzały policji – w samoobronie! Donald Sterling – wolność słowa! Strzelanina w kampusie w Seattle strzelanina w Vegas strzelanina w liceum w Oregonie – broń sama nie strzela! Uzbroić nauczycieli! Konstytucja! Wolność! Egzekucje przeprowadzane przez ISIS, Jihadi John – obrzydliwość! Nie mamy żadnego planu! Wszystkich zlikwidować! Nie mamy żadnego *planu*! A, i jeszcze wirus Ebola! Ebola! Ebola! To wszystko i jeszcze więcej w bezładnym potoku słów pomieszanym z jego wrogością wobec Apu, jeśli Apu skręcał w lewo, Pietia skręcał w prawo, jemu na złość, cokolwiek Apu popierał, on był temu przeciwny, konstruował moralny wszechświat będący odwrotnością rzeczywistości brata, czarne było białe, dobre było złe, dół był na górze, a środek na zewnątrz. Kilka razy w tamtym roku sam Apu poczuł na własnej skórze smagnięcia monologów Pietii, ale reagował łagodnie, nie dawał się sprowokować.

– Niech się wygada – powiedział mi. – Wiesz, że jego przewody tutaj niezbyt dobrze stykają. – Popukał się w czoło, dając mi do zrozumienia, że ma na myśli mózg Pietii.

– Jest jednym z najbardziej inteligentnych ludzi, jakich znam – oznajmiłem, i to szczerze.

Apu się skrzywił.

– To ułomna inteligencja – stwierdził. – Więc się nie liczy. A ja tu próbuję się mierzyć z ułomnym *światem.*

– Bardzo się stara, naprawdę – zauważyłem. – Ta cała hipnoterapia i tak dalej.

Apu zbył moją uwagę.

– Zawołaj mnie, gdy przestanie się zachowywać, jakby był na herbatce u Szalonego Kapelusznika. Zawołaj mnie, gdy przestanie się zachowywać jak republikański słoń w składzie porcelany.

Bardziej niż wielosłowna wrogość Pietii wobec zapatrywań politycznych Apu martwiła mnie jego pijacka manifestacja fobii na punkcie osób o odmiennej orientacji seksualnej. Jak się okazało, i to miało swoje źródło w problemach rodzinnych. Wulgarność jego języka, przed której powtórzeniem tutaj się powstrzymuję, wskazywała niezbicie, że traktat pokojowy zawarty z samym sobą dawno temu, aby przebaczyć D Goldenowi zachowanie wobec jego matki, już nie obowiązywał; i jego złość przejawiała się w gwałtownej niechęci do rosnącego seksualnego zagubienia przyrodniego brata. Zaczął używać wobec D określeń tak negatywnie nacechowanych, jak: *to niezgodne z naturą, zboczeniec* i *chory*. W jakiś sposób dowiedział się o popołudniu w garderobie Wasylisy i jej współudział w eksperymentach D z innością skłonił go do objęcia werbalną przemocą także macochy. Obiektem tej części jego gniewu stało się dziecko. I znowu martwiłem się o bezpieczeństwo nienarodzonego.

Hipnoza zaczęła wreszcie działać. Chód nastroszonego hipnoterapeuty, obutego w conversy pana Letta, nabrał nieobserwowanej wcześniej sprężystości.

– Jak postępy? – spytałem go, gdy mijaliśmy się w drzwiach po jednej z sesji, i w swym podekscytowaniu powiedział mi całkiem sporo.

– A dziakuja, bardzo dobrze – rzekł. – Byłem pewien, że tak bandzie. Tylko musiało to trocha potrwać. W tego typu sytuacjach korzystam z własnej metodologii o nazwie osobiście zaprogramowana moc, czyli w skrócie OZM. Kwestia prowadzenia osoby krok po kroku i powolnego umacniania pewności siebie oraz czegoś, co lubiam nazywać samoaktualizacją. Każdy krok postawiony na drodze OZM pogłambia wiaram w siebie pacjenta. Zaszliśmy już całkiem daleko. Zdecydowanie tak. Fundamenty są coraz mocniejsze. Kwestia tylko pokazania pana przyjacielowi namacalnych dowodów, dowodów kontroli nad procesami umysłowymi, które może odtwarzać wielokrotnie potem. Że ma władzam nad swoimi reakcjami fizycznymi i emocjonalnymi. Gdy tylko zda sobie sprawam, że to potrafi, bandzie miał pewność, że zdoła kontrolować swoje doświadczenia w świecie zewnantrznym. Krok po kroku. Cała filozofia. Dajam mu zdolność wyboru, jak chce reagować na ludzi wokół siebie i rzeczy, które mogą sia wydarzyć teraz lub w przyszłości, i na każdą sytuacjam, jaka może sia rozwinąć. Jestem bardzo dobrej myśli. Dobrego dnia.

W ramach procesu przejmowania kontroli Pietia studiował struktury czegoś, co nazywał „zaczarowanymi przestrzeniami", okultystycznego pentagramu i żydowskiego eruwu. Skoro zdołał uznać prywatną wyspę u brzegów Miami za jedną z takich przestrzeni, a za inną ogrodzoną posiadłość Ubah Tuur na północy stanu, gdzie doszło do niefortunnego epizodu z Apu, na pewno potrafił sam stworzyć takie zaczarowane strefy. W ten sposób wpadł na pomysł kredowego koła wokół Manhattanu. Zamierzał obejść całą wyspę i sam narysować ów czarodziejski krąg. Planował to zrobić samodzielnie, a dla powiększenia mocy kręgu chciał po drodze rozrzucać czosnek. Pokonanie lęków miały mu ułatwić bardzo ciemne gogle i bluza z kapturem. Planował też słuchać bardzo głośnej muzyki w wygłuszających słuchawkach i pić dużo wody. Nikt tego za niego nie zrobi. Było to coś, co musiał osiągnąć bez niczyjej pomocy.

Hipnoterapeuta Lett poparł ten plan i rozpływał się nad nim, zaproponował wręcz, że wybierze się na zakupy po kredę i główki czosnku. Neron Golden natomiast zmartwił się i zadzwonił do kilku osób.

Wyznaczony dzień wstał gorący i duszny pod bezchmurnym niebem. Petroniusz Golden zstąpił z pokoju niebieskiego światła ubrany tak, jak zapowiadał, z ponurą determinacją etiopskiego maratończyka na twarzy. Przy głównych drzwiach czekał na niego Murray Lett i zanim Pietia wyszedł na ulicę, terapeuta próbował mu przypomnieć, jakie zrobił postępy, wyliczając na palcach jego osiągnięcia.

– Nie zapomnij tylko. Wyraźny progres w poczuciu własnej skuteczności! Ogromnie podwyższona zdolność skupienia i koncentracji! Olbrzymia poprawa autonomiczności i pewności siebie! Dużo lepsze radzenie sobie ze stresem! Dużo lepsze radzenie sobie ze złością! Wielkie kroki naprzód w kontroli impulsów! *Dasz sobie radam.*

Pietia w owym szalenie podwyższonym stanie skupienia i koncentracji, do którego nawiązał Lett, słuchał przez słuchawki Nine Inch Nails i nic z dopingującej przemowy Australijczyka do niego nie dotarło. Miał przewieszoną przez ramię torbę pełną kredy, dźwigał też plecak z kartonami wody kokosowej, owocami, kanapkami, batonikami z płatków owsianych i pieczonymi udkami kurczaka. Także z trzema zapasowymi parami skarpetek. Doświadczeni piechurzy w internecie ostrzegali, że przepocone stopy w wilgotnych skarpetkach zaczynają pokrywać się pęcherzami, co uniemożliwi kontynuowanie marszu. W jednej dłoni trzymał torbę ze zmiażdżonym czosnkiem. W drugiej wymachiwał laseczką, do której końca przytwierdził pierwszy kawałek kredy. Kieszenie wypchał sobie rolkami taśmy, żeby w razie konieczności mógł zmienić kredę.

– Myśl o swoim zachowaniu społecznym – wrzasnął Murray Lett, zrozumiawszy wreszcie, że tamten go nie słyszał. – Unikaj introwersji. Nawiązuj kontakt wzrokowy. Dobrze pamiantać o tych sprawach.

Lecz Pietia był w swoim świecie i chyba nie miał w planach kontaktu wzrokowego.

– Jeszcze jedna rzecz na koniec – krzyknął Murray Lett i tym razem Pietia łaskawie ściągnął z głowy słuchawki i nadstawił uszu. – Mam nadziejam, że twój rytm snu jest ostatnio niezakłócony – dodał już ciszej Murray Lett. – Poza tym, wybacz, że pytam, ale kwestia enurezy, wyeliminowaliśmy ten problem, tak?

Pietia Golden tylko przewrócił oczami, nasunął z powrotem słuchawki, wydawał się zadowolony, że Axl Rose zastąpił już Trenta Reznora, pochylił głowę i zostawiając za sobą pana Letta, wyszedł z domu prosto do auta czekającego już na niego kierowcy Ubera, który miał go zabrać do wybranego punktu początkowego, South Street Seaport.

– Super! – zawołał za nim terapeuta. – Jestem z ciebie dumny. Dobra robota.

Neron Golden też stał przy drzwiach w towarzystwie Blather-Ględy i Fuss-Marudy oraz moim.

– Nie spiesz się – instruował syna. – Idź w swoim tempie, jak ci wygodnie. To nie wyścig.

Gdy samochód z Pietią odjechał, Neron powiedział coś do telefonu. Jego ludzie byli rozstawieni na trasie ukryci w SUV-ach. Mieli obserwować Pietię na każdym kroku.

Ponad pięćdziesiąt kilometrów, tyle liczyła trasa „wielkiej przechadzki" wokół wyspy Manhattan. Siedemdziesiąt tysięcy kroków. Dwanaście godzin, jeśli nie jest się superszybkim. Dwadzieścia parków. Nie poszedłem z nim, ale natychmiast zrozumiałem, że ten moment będzie punktem kulminacyjnym filmu, który sobie wyobrażałem, mojej wymyślonej filmowej historii Goldenów. Głośna muzyka na ścieżce dźwiękowej, *Metal Machine* Lou Reeda, Zeppelin, Metallica i umlautowy gang, Motörhead i Mötley Crüe. Wędrowiec idzie i przy każdym kroku słychać (pomimo heavymetalowego hałasu, tego jeszcze nie rozpracowałem) odgłos tamburynu. W parkach mija postaci ze swego życia, które mu się przyglądają: Czyżby zjawy, ektoplazma jego rozchwianej fantazji? Tutaj jego matka w parku Rockefellera, zdecydowanie duch lub wspomnienie. Tutaj Apu przebiega obok na East River Promenade. Nieco dalej D Golden i Riya w Riverside Park, nieruchomi, obserwują jego spacer, wbijają w niego widmowe spojrzenia. Wokół nich lękliwe, gołe drzewa*. Ubah Tuur stoi niczym strażniczka w Inwood Hill Park przy głazie Shorakkopoch zaznaczającym miejsce, gdzie kiedyś pod największym tulipanowcem na wyspie Mannahatta Peter Minuit kupił ją za sześćdziesiąt guldenów, i w parku Carla Schurza niedaleko Gracie Mansion zagrzewa go do marszu sam nastroszony Lett. Może Lett akurat rzeczywiście tam stał. Pietia idzie dalej, Pan z Tamburynem, gdzie mroźny i obłędny żal już go nie zwietrzy. I w czasie tej wędrówki następuje transformacja. Na szesnastym kilometrze, w West Harlem Piers Park, Pietia wyrzuca kredę, przestaje rysować linię, która do tej pory się za nim ciągnęła, a gdy minął rezydencję burmistrza, wyrzuca też czosnek. Coś się dla niego zmieniło. Nie musi już zaznaczać swojego terytorium. Sam spacer jest wystarczającym śladem, a jego ukończenie udoskonali niewidzialny, niezatarty eruw Pietii.

I gdy wraca lekko chwiejnym krokiem do punktu wyjścia, niebo zdążyło już ściemnieć; i obserwowany na koniec przez szkunery *Lettie G. Howard* i *Pioneer* oraz frachtowiec *Wavetree* zaczyna powoli, nie bacząc na spojrzenia podglądających, tańczyć na zabandażowanych, pokrytych pęcherzami stopach. Pod diamentowym niebem, wymachując swobodnie jedną ręką. Przełamał czar hoodoo. Jeden z nich. I może dowiedział się czegoś o swojej mocy, umiejętności stawiania czoła także innym wyzwaniom i wznoszenia się ponad nie. Spójrzcie teraz na jego twarz: jest jak oblicze uwolnionego niewolnika.

A co z nienawiścią?

Ach, ta pozostała.

---

* Fragmenty *Pana z Tamburynem* Boba Dylana w przekładzie Filipa Łobodzińskiego.

21

Pokłosiem wielkiej przechadzki Pietii Goldena była konieczność uznania przez nas, że hipnoterapeuta Murray Lett jest cudotwórcą pomimo swej fryzury, akcentu i obuwia, przyswoiliśmy sobie także lekcję miłosierdzia: otóż prawda często leży głębiej pod powierzchnią i człowiek może być kimś dużo więcej, niż wskazują na to jego najłatwiejsze do skarykaturowania cechy. Pietia zachowywał się teraz jak skazany na dożywocie więzień, którego oczyszczono z zarzutów. Z jego twarzy biła dostojna radość – przypominała o niesprawiedliwości jego cierpień i ze stopniowo zanikającą niewiarą jednocześnie potwierdzała, że się od nich uwolnił. I w swoim nowym życiu ufał, że właśnie pan Lett wprowadzi go do świata, którego otwarcie się przed Pietią było dla niego tak nieprawdopodobnym skarbem; do tego samego świata, gdzie cała nasza reszta ot tak, niefrasobliwie i często bezmyślnie sobie żyła, nie zauważając powszedniego karnawału cudowności, które Pietia tulił teraz do piersi niczym prezenty. Chodził z Murrayem Lettem na zakupy spożywcze do D'Agostino's, Gristedes i Whole Foods; przesiadywał z Murrayem Lettem w ogródkach kawiarni na Union Square i w Battery Park; wybrał się z Murrayem Lettem na swój pierwszy rockowy koncert pod chmurką w Jonas Beach, gdzie występowali Soundgarden i jego ulubieńcy z Nine Inch Nails; był z Murrayem Lettem na stadionie i skandował: „Dziękujemy, Derek" podczas jednej z ostatnich chwil Dereka Jetera na Yankee Stadium. I to właśnie

Murray Lett wybrał mu nowy apartament, umeblowany i gotowy w każdej chwili do zamieszkania, wynajęty na dwanaście miesięcy na trzecim piętrze sześciokondygnacyjnego szklano-metalowego budynku w stylu Mondriana po wschodniej stronie Sullivan Street, „a potem zobaczymy – dodał z dużą dozą pewności siebie Pietia – może pora będzie coś kupić".

Wtedy dopiero odkryłem, czując się jak idiota, bo mogłem się domyślić wcześniej, że Pietia przez cały ten czas zarabiał krocie jako twórca i jedyny właściciel praw autorskich do kilku szalenie popularnych gier, w które na smartfonach i komputerach grał cały świat.

Była to sensacyjna wiadomość. Wszyscy wiedzieliśmy, że poświęca tym grom mnóstwo czasu, po czternaście, piętnaście godzin dziennie; jakim cudem żadne z nas nie wpadło na to, że robi o wiele więcej, niż tylko zabija czas w te niespokojne godziny, mianowicie zajmuje się czymś, do czego jego dziwny, genialny umysł ma naturalne predyspozycje? Jak mogliśmy nie odgadnąć, że sam nauczył się pisania programów, szybko zgłębiając tajniki języka komputerów, i że nie tylko bez końca się zabawia, ale też wymyśla te gry? Jak bardzo byliśmy ślepi na dowody, nie dostrzegając, że okazał się sam przed sobą dwudziestopierwszowiecznym geniuszem, pozostawiając nas wszystkich z tyłu, ugrzęzłych w świecie drugiego tysiąclecia? Był to znak tego, jak bardzo go zawiedliśmy, każdego dnia zostawiając na większość godzin samemu sobie, pozwalając mu tkwić w zamkniętym pokoju, jak gdyby był naszą wersją owego starego gotyckiego motywu, wariatki na strychu, naszą własną Berthą Antoinettą Mason, pierwszą panią Rochester, która w mniemaniu Jane Eyre przypominała „wampira". I przez tyle czasu! Tyle czasu! Skromny, wycofany Pietia, niezmieniający nic w swoim życiu, niekupujący sobie niczego, wspinał się na Mount Everest tego tajemnego uniwersum i, szczerze mówiąc, prześcignął nas wszystkich. Kolejna lekcja do przyswojenia: nigdy nie lekceważ bliźniego. Sufit dla jednego dla drugiego jest podłogą.

Oni wszyscy mieli swoje tajemnice, ci Goldenowie. Może z wyjątkiem Apu, który był otwartą księgą.

W tamtym roku wybuchł paskudny skandal określany mianem Gamergate; świat gier komputerowych opanowała wojna: mężczyźni przeciwko kobietom, „tożsamość gracza" przeciwko różnorodności i jedynie totalny analfabeta w tych sprawach taki jak ja mógł nie słyszeć o tej całej aferze. W jakiś sposób, choć nie byłem w stanie tego ogarnąć, Pietia zdołał pozostać na uboczu konfliktu, mimo iż, gdy w końcu zgodził się ze mną na ten temat porozmawiać, zaprezentował zdecydowane stanowisko na temat postawy męskiej społeczności graczy, którzy w reakcji na serię zarzutów zadzierających ponoć nosa kobiet – krytyczek występujących w mediach i twórczyń gier komputerowych – opublikowali ich adresy, numery telefonów i narazili je na jeszcze gorsze szykany, łącznie z dużą liczbą gróźb pozbawienia życia, w związku z czym niektóre z atakowanych kobiet zmuszone były się ukrywać.

– Problem nie jest techniczny – wyjaśnił. – I nie ma też nań technicznego rozwiązania. Problem jest ludzki, ogólnie dotyczy natury ludzkiej, a w szczególności męskiej natury, a także swobody, jaką daje ludziom anonimowość, która wyzwala najgorsze elementy tejże natury. Jeśli chodzi o mnie, ja tylko tworzę rozrywkę dla młodych. Jestem przestrzenią neutralną. Jestem Szwajcarią. Nikt mnie nie zaczepia. Po prostu przyjeżdżają i szusują po moich stokach.

Autyzm wysokofunkcjonujący pomógł mu się stać fenomenalnym twórcą gier, a ja zainteresowałem się potencjalnymi korzyściami materialnymi. Najpopularniejsze apki – takie, które pozwalały się łączyć ze znajomymi i grać razem – przynosiły po jedenaście, dwanaście milionów dolarów miesięcznie. Stara niezawodna *Candy Crush Saga*, o której słyszałem nawet ja, wciąż zgarniała pięć i pół miliona. Gry wojenne, zarabiające niemal wyłącznie na wewnętrznych zakupach w aplikacjach, mniej niż dziesięć procent dochodu z reklam, mogły wyciągnąć dwa, dwa i pół miliona. Miesięcznie. Odczytałem Pietii pierwszą pięćdziesiątkę tytułów w iOS-ie i Androidzie.

– Czy któraś z nich to twoje dzieło? – spytałem.

Na jego twarz wypłynął szeroki uśmiech.

– Nie umiem kłamać – rzekł, wskazując na grę z pierwszego miejsca rankingu. – Zrobiłem ją swoją siekierką.

– A więc ponad sto milionów rocznie tylko z tego jednego tytułu. Wiesz co? – zwróciłem się do niego. – Właśnie przestałem się o ciebie martwić.

Przeprowadzono badania, które wykazały, że z autyzmu można „wyrosnąć", że pewni szczęściarze mogą należeć do grupy „optymalnego wyniku": nie przejawiają już żadnych symptomów autystycznych i za ten stan rzeczy prawdopodobnie odpowiada wysokie IQ. Co nieuniknione, wyniki tych badań kwestionowano, ale wiele rodzin potwierdzało je dowodami anegdotycznymi. Przypadek Pietii był inny. Nie chciał się wcale dostać do grupy „optymalnego wyniku" ani też tego nie osiągnął. Wysokofunkcjonujący autyzm i osiągnięcia były u niego ściśle ze sobą powiązane. Jednakowoż w następstwie przełomowego spaceru wokół Manhattanu sprawiał wrażenie, jakby coraz bardziej panował nad swoimi symptomami, jakby był mniej przygnębiony, mniej skłonny gwałtownie się załamać, i nie martwił się tak bardzo tym, że mieszka sam. Murray Lett był jego kumplem, ojciec dokładał starań, żeby codziennie go odwiedzać, cały czas też zażywał przepisane leki i... jakoś funkcjonował. Co do pokonanego niedawno lęku przed otwartymi przestrzeniami, nikt nie potrafił stwierdzić, na ile zmiana ta jest trwała i jak daleko od „bazy" będzie skłonny się wypuścić. Ogólnie jednak był w najlepszej formie od lat. Nie wykluczaliśmy, że można przestać się o niego martwić.

Wciąż za dużo pił. Może dlatego, że problem ten był znacznie bardziej oswojony, przejmowaliśmy się nim mniej, niż powinniśmy.

Później przez pewien czas przejmowałem się za to sobą. Niebawem miało przyjść na świat moje dziecko i, prawdę powiedziawszy, nie mogłem dłużej znieść sytuacji, w jakiej się znalazłem, toteż skwapliwie posłuchałem sugestii Suchitry i wyprowadziłem się z domu Goldenów. Moi rodzice rzeczywiście utrzymywali za życia bliskie kontakty z sąsiadami w Ogrodach i ku mojej wielkiej uciesze ich znajomy dyplomata z Mjanmy, którego na stronicach tej książki przemianowałem na U Lnu Fnu, żeby łatwiej mi się go wymyślało, ów wdowiec w okularach na smutnej twarzy z zapadniętymi oczami, który o mały włos stałby się drugim po U Thancie birmańskim sekretarzem generalnym ONZ, zaprosił mnie do swojego domu.

– To będzie dla mnie przyjemność – oznajmił. – Mieszkanie jest duże i przebywając w nim samemu, można się poczuć jak mucha brzęcząca w dzwonie. Słyszę echo samego siebie i nie jest to dźwięk, za którym przepadam.

Moment okazał się idealny, bo gdy spytałem pana Fnu o możliwość wynajęcia pokoju, usłyszałem, że jego dotychczasowy lokator właśnie się wyprowadza. Ową postacią schodzącą ze sceny był pilot Jack Bonney, który lubił żartować, że pracuje „dla największej linii lotniczej, o której nigdy nie słyszeliście", Hercules Air, w przeszłości zajmującej się transportem towarów, ale teraz przyjmującej na pokład żołnierzy i innych klientów.

– Niedawno – opowiadał – mieliśmy brytyjskiego premiera z obstawą, a ja spytałem, czy nie powinien lecieć swoim Air Force One. Jeden z ochroniarzy odpowiedział, że oni nie mają takich maszyn. Innym razem transportowałem do Iraku najemników, to dopiero było coś. Ale największa rzecz w mojej karierze? Z Londynu do Wenezueli, wenezuelska waluta warta dwieście milionów dolarów, którą Brytyjczycy im wydrukowali, kto by pomyślał, no nie? Ale najdziwniejsze? No więc ładują te palety na Heathrow i nie ma żadnej ochrony. Ja się rozglądam, ale jest tylko zwykły personel lotniska, żadnej uzbrojonej eskorty, niczego. A jak wylądowaliśmy w Caracas, rety, po prostu wielka operacja militarna. Bazooki, czołgi, potężne byki w kamizelkach kuloodpornych z karabinami sterczącymi na wszystkie strony. A w Londynie nic. O mało nie narobiłem w gacie.

Gdy pilot się wyniósł, a ja już się wygodnie rozlokowałem, U Lnu Fnu odwiedził mnie w moim pokoju i powiedział swoim delikatnym, ostrożnym głosem:

– Cieszyłem się z jego towarzystwa, ale też cieszę się, że pan z natury mniej gadatliwy. Pan Bonney to człowiek przyzwoity, ale powinien bardziej uważać na ten swój niewyparzony język. Ściany mają uszy, mój drogi panie René. Ściany mają uszy.

Troszczył się o moje dobre samopoczucie i raz tylko, nieśmiało, poprosiwszy wcześniej o zgodę, wspomniał o swoim szacunku dla moich rodziców i zrozumieniu dla mojego bólu po ich utracie. On sam, napomknął niepewnie, także cierpiał z powodu straty kogoś bliskiego. Suchitra była zadowolona z mojego nowego mieszkania, zauważywszy jednak u mnie utrzymujące się przygnębienie, wypaliła z innej beczki:

– Odkąd się wyprowadziłeś od rodziny Addamsów, wyglądasz

jak kupa nieszczęścia. Jesteś pewien, że nie tęsknisz za słodkimi rosyjskimi babeczkami?

Przybrała żartobliwy ton, ale było jasne, że oczekuje ode mnie odpowiedzi.

Uspokoiłem ją; była ufną duszą i obróciła wszystko w żart.

– Cieszę się, że udało ci się zostać w tych twoich ukochanych Ogrodach – dodała. – Mogę sobie tylko wyobrazić twoją rozpacz, gdybyś nie miał tyle szczęścia.

Ale mój syn, mój syn. Nie mogłem się za bardzo od niego oddalić ani zanadto do niego zbliżyć. Wasylisa Golden, w zaawansowanej ciąży, niedługo przed rozwiązaniem. Codziennie spacerowała po ogrodzie ze swoją matką, matrioszką w chustce na głowie, sprowadzoną po to, by wzięła udział w tym melodramacie, a ja pomyślałem: mój syn jest w rękach ludzi, których ojczystym językiem nie jest nawet angielski. Była to niegodna myśl, ale we wzburzonym stanie ojcowskiej frustracji miałem tylko takie. Czy nie powinienem puścić farby? Mam milczeć jak zaklęty? Co będzie najlepsze dla chłopca? Cóż, dla niego byłoby oczywiście najlepiej, gdyby się dowiedział, kto jest jego prawdziwym ojcem. Ale też, przyznaję, bardziej niż tylko trochę bałem się Nerona Goldena, czułem lęk początkującego młodego artysty przed w pełni rozwiniętym i potężnym światowcem, nawet w jego obecnym, z wolna podupadającym stanie. Co by zrobił? Jak mógłby zareagować? Czy dziecko znalazłoby się w niebezpieczeństwie? A Wasylisa? A ja? – Ja na pewno, pomyślałem. Za okazaną dobroć po tym, jak zostałem sierotą, odpłaciłem mu zapłodnieniem żony. Na jej prośbę, to prawda, ale nie przyjąłby takiego usprawiedliwienia, obawiałem się więc jego pięści; pięści w najlepszym przypadku. Ale jak mogłem zachować milczenie do końca życia? Nie miałem odpowiedzi, pytanie to jednak bombardowało mnie co noc, a schronu przeciwbombowego nigdzie nie było.

Czułem się jak kretyn – gorzej, czułem się jak zbłąkane dziecko mające na sumieniu jakąś wielką przewinę i teraz obawiające się kary z rąk dorosłych – i nie było nikogo, z kim mógłbym o tym pogadać. Po raz pierwszy w życiu poczułem jako takie zrozumienie dla katolickiego mechanizmu spowiedzi i boskiego rozgrzeszenia, które mu towarzyszy. Gdybym w tym momencie znalazł jakiegoś księdza i gdyby cała seria wyrecytowanych *mea maxima culpa* uciszyła przesłuchanie odbywające się bezustannie w mojej głowie, z wielką ochotą poszedłbym tą drogą. Ale żadnego księdza nie znałem. Nie miałem żadnych związków z tym całym kościelnym światem. Rodzice odeszli, a mój nowy gospodarz, U Lnu Fnu, choć niewątpliwie spokojna i kojąca dusza oraz wytrawny dyplomata, był już dość zniecierpliwiony gadulstwem poprzedniego lokatora i z pewnością przeżyłby szok, usłyszawszy te wszystkie skażone radioaktywnymi emocjami rewelacje, które musiałem z siebie wyrzucić. Suchitra naturalnie nie była brana pod uwagę. Nawiasem mówiąc, wiedziałem, że jeśli wkrótce nie uda mi się uspokoić, wyczuje pismo nosem i będzie to najgorszy ze wszystkich możliwych sposobów poznania przez nią prawdy. Nie, prawda nie mogła wyjść na jaw. Zrujnowałaby życie zbyt wielu osobom. Musiałem znaleźć jakiś sposób na uciszenie owego despotycznego głosu wydzierającego mi się do ucha, głosu ojcowskiej miłości, który żądał ujawnienia sekretu. W takim razie może terapeuta? Świecka wersja spowiednika naszych czasów? Zawsze się wzbraniałem przed poproszeniem obcej osoby o pomoc w przeanalizowaniu własnego życia. Sam miałem przecież być specem od opowiadania historii; aż mnie skręcało na myśl, że ktoś inny zrozumie moją historię lepiej niż ja. Życie niezbadane nie jest godne życia, powiedział Sokrates i wypił cykutę, ale owo badanie, jak zawsze mi się wydawało, powinno być samodzielnym analizowaniem siebie; autonomicznym, jak przystało na prawdziwego indywidualistę, który od nikogo nie oczekuje wyjaśnień ani rozgrzeszenia, jest wolny. Na tym się opierała renesansowa humanistyczna idea wyrażona na przykład w mowie *De hominis dignitate*, czyli *O godności człowieka* Pica della Mirandoli. No cóż! Ta szlachetna postawa wyleciała przez okno, gdy Wasylisa oświadczyła, że jest przy nadziei. Od tamtej pory szalała we mnie dzika burza, której nie byłem w stanie okiełznać. Może czas schować dumę do kieszeni i poszukać fachowej pomocy. Przez chwilę rozważałem, czy nie zwrócić się do Murraya Letta, ale natychmiast zrozumiałem, że to głupi pomysł. W kręgu przyjaciół moich rodziców nie brakowało znakomitych terapeutów. Może powinienem skontaktować się z którymś z nich. Może potrzebowałem kogoś, kto by przeniósł przygniatający mnie ciężar wiedzy w bezpieczne i neutralne miejsce; psychologicznego sapera, który rozbroi bombę prawdy. Zmagałem się więc ze swoimi demonami; ale po długich wewnętrznych sporach postanowiłem, słusznie lub nie, w ogóle nie sięgać po pomoc osoby obcej, tylko zmierzyć się z tymi demonami w pojedynkę.

Tymczasem mieszkańcy Ogrodów byli zaaferowani dramatem rozgrywającym się w rezydencji państwa Tagliabue vis-à-vis domu Goldenów, gdzie wielce udręczona Blanca Tagliabue, znużona przesiadywaniem w domu i opieką nad dziećmi, gdy mąż bawił na mieście, znudzona jego (szczerymi, jak sądzę) zapewnieniami o pełnej wierności, wdała się w romans z bogatym Argentyńczykiem z sąsiedztwa, Carlosem Hurlinghamem, którego w jednym z moim treatmentów nazwałem „panem Arribistą", zostawiła dzieci pod opieką niań i odleciała PO señora Hurlinghama obejrzeć słynne wodospady Iguazú na pograniczu argentyńsko-brazylijskim oraz niewątpliwie w czasie swojego pobytu tamże oddawać się różnym czynnościom z pogranicza perwersji. Vito nie posiadał się z wściekłości oraz żalu i miotał się po Ogrodach, wściekając się oraz żaląc, co sprawiało wszystkim sąsiadom ogromną frajdę. Gdybym nie był tak zaabsorbowany własnymi kłopotami, ucieszyłoby mnie, że różni bohaterowie mojej relacji z Ogrodów zaczynają się łączyć i wiązać w spójny wzór. Jednak w tamtym momencie liczył się dla mnie tylko mój smutek i nie byłem na bieżąco z rozwijającą się akcją telenoweli Tagliabue–Hurlingham.

Nie miało to jednak większego znaczenia. Byli oni najwyżej postaciami drugoplanowymi i mogli równie dobrze wylądować na podłodze montażowni. Dużo gorsze było to, że w swej rozpaczy straciłem z oczu Pietię Goldena. Nie twierdzę, że mógłbym zapobiec temu, co się wydarzyło, gdybym był bardziej czujny. Może Murray Lett powinien był coś wyczuć. Może nikt nie mógł nic zrobić. Mimo wszystko żałuję swego niedopatrzenia.

Galerie Sottovocego, dwa obszerne salony wystawiennicze w zachodniej części Manhattanu, na Dwudziestej Pierwszej i Dwudziestej Czwartej Ulicy, zostały opanowane przez jedną z ważniejszych wystaw sezonu, nowe prace Ubah Tuur. Konstrukcje w dużej skali przypominające metalowe monstra Richarda Serry, ale pocięte i przeistoczone za pomocą płomiennych ostrzy w przepiękne koronkowe wzory, wyglądały więc także jak gigantyczne, faliste, zardzewiałe wersje rzeźbionych w kamieniu dżali z Indii, stały podświetlone punktowo niczym bardziej figlarni, fantazyjni krewni kosmicznych surowych „strażników" z filmu Kubricka. W galerii na Dwudziestej Pierwszej Ulicy wpadłem na tryskającego energią Frankiego Sottovocego, zaróżowionego na twarzy, z rozwianymi siwymi włosami – wymachiwał rękami i chichotał zachwycony.

– Oszałamiający sukces. Sami najwięksi kolekcjonerzy i muzea. Ona jest gwiazdą.

Rozejrzałem się za artystką, ale nigdzie jej nie było.

– Właśnie się minęliście – rzekł Sottovoce. – Była tu z Apu Goldenem. Powinna jeszcze wrócić. Są tutaj cały czas. Rano prawie codziennie. Zna ją pan z tamtej imprezy w Ogrodach. Jest wspaniała. Piekielnie inteligentna. I piękna, mój Boże.

Potrząsnął luźno dłonią, jak gdyby sparzył się płomieniem jej urody.

– Potęga – rzucił na koniec i oddalił się w podskokach, żeby oczarować kogoś ważniejszego. – Ach. – Przystanął i odwrócił się do mnie, gdy jego zamiłowanie do plotek na chwilę przyćmiło smykałkę do interesów. – Ten drugi Golden też tu był, starszy brat, wie pan. – Postukał się w skroń, żeby w ten sposób wyrazić: „ten wariat". – Zobaczył ją tutaj z Apu i wątpię, żeby ten widok go szczególnie uszczęśliwił. Wypadł stąd jak oparzony. Czyżby jakaś mała rywalizacja? Hm? Hm? – Parsknął tym swoim błazeńskim piskliwym śmiechem i już go nie było.

Wtedy właśnie powinienem był się domyślić. Wtedy powinienem ujrzeć oczami wyobraźni czerwień zalewającą twarz Pietii, gdy do niego dotarło, że po tak długim czasie ukochana, kobieta, którą Apu mu wykradł, grzebiąc na zawsze jego największą szansę na szczęście, wciąż pozostaje w ramionach brata. Tamta zdradziecka noc pod dachem Ubah odrodziła się z całą mocą w jego myślach, jak gdyby wydarzyła się przed chwilą. Gniew także się odrodził, a razem z nim pragnienie odwetu. Ten jeden rzut oka na Ubah i Apu trzymających się za ręce wystarczył i to, co się stało później, nastąpiło z przeraźliwą nieuchronnością strzału po naciśnięciu spustu. Powinienem był się domyślić, że czekają nas kłopoty. Ale wtedy miałem na głowie inne sprawy.

W przypadku alarmu piątego stopnia w Nowym Jorku dyspozytorzy straży pożarnej wysyłają czterdzieści cztery jednostki i stu dziewięćdziesięciu ośmiu strażaków. Niebezpieczeństwo, że dwa takie pożary wystąpią w odległości trzech przecznic jeden od drugiego tej samej nocy, jest nadzwyczaj znikome. Prawdopodobieństwo, że te pożary są dziełem przypadku, jest... niemal równe zeru.

W galeriach Sottovocego kwestie bezpieczeństwa traktowano poważnie. W godzinach otwarcia zatrudniano ochronę, działały kamery oraz system awaryjny, który w dwadzieścia sekund blokował wszystkie wejścia. Była to sytuacja A. W sytuacji B, czyli w godzinach zamknięcia, galerię zabezpieczały promienie laserowe, które w razie ich przerwania aktywowały alarmy; kamery monitoringu przekazujące obraz do centrali firmy ochroniarskiej, gdzie czyjeś oczy śledziły ekrany dwadzieścia cztery godziny na dobę; a także tytanowe kraty oraz opuszczane stalowe rolety, każda zamykana na podwójne cyfrowe zamki: dwa otwory na karty identyfikacyjne z klawiaturą i nikt z kierownictwa nie znał wszystkich PIN-ów. Otwarcie bram wymagało obecności dwóch pracowników Sottovocego wyższego szczebla, przy czym każdy używał swojej karty i wpisywał indywidualny szyfr. Złamanie takiego systemu, lubił powtarzać Frankie Sottovoce, wymagałoby geniusza.

– To miejsce jest fortecą – przechwalał się. – Nawet ja bym się tam nie dostał, gdybym przechodził w nocy i zachciało mi się siku.

Co się dokładnie wydarzyło? W środku nocy, około trzeciej dwadzieścia, pod galerią na Dwudziestej Czwartej Ulicy zatrzymał się chevrolet suburban z przyciemnianymi szybami i bez tablic rejestracyjnych. Kierowca musiał już wcześniej odwiedzić galerię i zastosował, jak podano w oficjalnym oświadczeniu nowojorskiej policji, „bardzo zaawansowany sprzęt sczytujący kody", by sklonować karty identyfikacyjne i poznać PIN-y. Stalowe rolety podniosły się, tytanowe bramy rozsunęły, po czym odkorkowano plastikowe kanistry z benzyną, wrzucono je do środka i podpalono, być może tego samego rodzaju lampą lutowniczą, jaką stworzono wystawiane tam rzeźby. SUV odjechał, gdy ogień zaczął buchać ze środka, i podobną procedurę zastosowano na Dwudziestej Pierwszej Ulicy. Był jeden świadek, niezbyt wiarygodny, pewien pijaczek, który opisał kierowcę suburbana jako mężczyznę w czarnej bluzie z kapturem i ciemnych goglach.

– Wyglądał jak człowiek mucha – relacjonował. – No. Jak se o tym myślałem, to se przypomniałem, że z rękawów wystawały mu włochate łapska, no mucha, jak pragnę zdrowia.

Gdy jego zeznanie coraz bardziej ocierało się o science fiction, świadkowi podziękowano i pozwolono odejść. Nie zgłosił się już nikt inny. Największe nadzieje śledczy wiązali ze zidentyfikowaniem samochodu, ale nie znaleziono go od razu. I zanim pożary ugaszono, rzeźby zostały nieodwracalnie zniszczone.

WNĘTRZE. NOC. MIESZKANIE PIETII GOLDENA. SYPIALNIA.

Wciąż w czarnej bluzie z kapturem i goglach PIETIA siedzi w łóżku z kołdrą podciągniętą pod brodę. Szlocha spazmatycznie. Ściąga gogle i rzuca je na drugi koniec pokoju. Na nocnym stoliku otwarte butelki z alkoholem.

WNĘTRZE. NOC. MIESZKANIE PIETII GOLDENA. SALON.

Wciąż płacząc, niemal wyjąc z rozpaczy, Pietia zaczyna demolować swój nowy dom. Ciśnięta przez pokój lampa rozbija się o ścianę. Pietia podnosi krzesło i rzuca je w ślad za lampą. Potem przykuca na podłodze z głową w dłoniach.

WNĘTRZE. DZIEŃ. MIESZKANIE PIETII. SALON.

Płynne przejście do następnego dnia rano. Pietia w tej samej pozycji.

Dzwoni DZWONEK U DRZWI. Kilkakrotnie. Pietia się nie rusza.

Cięcie.

PLENER. DZIEŃ. PRZED „BUDYNKIEM MONDRIANA".

NERON GOLDEN wciska dzwonek. Przejście do ZBLIŻENIA jego twarzy, gdy mówi prosto do kamery. W tle głosu słyszymy bim-bam dzwonka, który Neron cały czas wciska.

NERON

Oczywiście od razu się zorientowałem, że to on. Gdy pokazali w telewizji portret pamięciowy, od razu wiedziałem. Żaden człowiek mucha. To Petroniusz. Także samochód. Zdjął tablice, ale to mój samochód. Sam dałem mu kluczyki, gdy się przeprowadził do nowego mieszkania. Jest dobrym kierowcą, jeździ bezpiecznie. Który ojciec spodziewałby się czegoś takiego po swoim synu? Trzymamy go na krytym parkingu pod Bleecker 100, tym wieżowcem należącym do uniwersytetu, podnajmujemy miejsce od wykładowcy dziennikarstwa, który mieszka na dziewiętnastym piętrze. Znam ten samochód, znam swojego syna, znam tę kobietę. Naturalnie. To kobieta, którą mu odbił brat. Zemścił się. Rzecz straszna, ale w końcu jest mężczyzną.

Cięcie.

WNĘTRZE. NOC. MIESZKANIE PIETII.

W mieszkaniu panuje bałagan, ale Pietia wpuścił MURRAYA LETTA. On, Pietia, wciąż siedzi na podłodze pochylony w głębi kadru. Lett siedzi obok z rękami na ramionach Pietii. Pietia bez przerwy mówi. Nie słyszymy jego monologu.

RENÉ (głos spoza kadru)

W lampę lutowniczą zaopatrzył się przez internet. To było łatwe. Po zdjęciu tablic z samochodu podjechał do sklepu w Queens, gdzie kupił plastikowe kanistry. Napełnił je na stacji benzynowej w okręgu Nassau. Jeśli chodzi o złamanie systemów zabezpieczeń galerii, stwierdził tylko, że było to naprawdę łatwe. Może nie spodziewał się fali wyrzutów sumienia, która go zalała zaraz po podpaleniach. O mało nie utonął. Załamanie było bardzo ostre. Ogarnęły go silny niepokój, histeria, przygnębienie, upił się. Terapeuta chciał, żeby poddano go obserwacji, na wypadek gdyby próbował popełnić samobójstwo. Jego ojciec zatrudnił całodobową opiekę pielęgniarską, żeby bez przerwy ktoś z nim był.

Przejście na Pietię, który wciąż wściekle peroruje, ale my słyszymy tylko narrację RENÉ. Czasem Pietia mówi synchronicznie z René.

RENÉ

Jego atak złości był wymierzony głównie przeciwko sobie, targanemu poczuciem winy i wstydu. Mówił też dużo o tym, jak bardzo nienawidzi brata. Jego uczucia do Apu zwarzyły się w grudki nienawiści tak twarde, że mogła je rozpuścić, powiedział, jedynie krew brata i może nawet to nie wystarczy, może później będzie musiał w krótkich odstępach czasu załatwiać się na śmierdzący grób Apu. W kronice kryminalnej tanich gazet czytał o mężczyznach, którzy latami więzili kobiety, i przyznał, że sam mógłby to zrobić, mógłby go związać, zakneblować i trzymać w piwnicy przy bojlerze, torturując go, gdy najdzie go ochota. W tamtych dniach po podpaleniach Pietia bardzo dużo pił. Był też całkowicie rozchwiany psychicznie.

Cięcie.

WNĘTRZE. DZIEŃ. GABINET NERONA. DOM GOLDENÓW.

NERON GOLDEN z piorunującym spojrzeniem stoi odwrócony plecami do okna, gdy jego dwie SMOCZYCE czekają na polecenia.

NERON

Chcę najlepszego adwokata w Ameryce. Sprowadźcie go dzisiaj i sprowadźcie go tutaj.

Otwierają się drzwi i staje w nich, z dłońmi na brzuchu, WASYLISA GOLDEN. Neron odwraca się do niej, zły, że mu się przerywa, ale wyraz jej twarzy skutecznie go ucisza.

WASYLISA

Już czas.

Cięcie.

22

Wiosna, z Hudson zniknęły ostatnie kawałki kry i na wody rzeki w weekendy wypływały wesołe żaglówki. W Kalifornii susza, Oscary dla *Birdmana*, ale w Gotham superbohaterów zabrakło. W telewizji wystąpił Joker, ogłaszając chęć startu w wyborach prezydenckich razem z resztą legionu samobójców. Kadencja aktualnego prezydenta miała jeszcze potrwać przeszło półtora roku, ja jednak już za nim tęskniłem i z nostalgią myślałem o teraźniejszości, o jego dobrych starych czasach – legalizacji małżeństw homoseksualnych, nowej trasie promowej na Kubę i siedmiu triumfach drużyny Yankees pod rząd. Nie mogąc patrzeć, jak ten zielonowłosy bęcwał wypowiada swoją niewiarygodną deklarację, otworzyłem gazetę na kronice kryminalnej i zacząłem czytać o morderstwach. W El Paso uzbrojony bandyta zastrzelił lekarza, a potem siebie. Ktoś zaczął strzelać do sąsiadów, muzułmańskiej rodziny w Karolinie Północnej, poszło o miejsce parkingowe. Małżeństwo w Detroit w stanie Michigan przyznało się do torturowania w piwnicy syna. (Formalnie rzecz biorąc nie zabójstwo, ale dobra historia, więc się liczyła). W Tyrone w stanie Missouri uzbrojony bandyta zabił siedem osób, a potem ósmą – siebie. Także w stanie Missouri niejaki Jeffrey L. Williams zastrzelił dwóch policjantów przed komisariatem w Ferguson. Funkcjonariusz policji Michael Slager zastrzelił Waltera Scotta, nieuzbrojonego Afroamerykanina, w North Charleston w Karolinie Południowej. Pod nieobecność Batmana pani Clinton i senator Sanders zaoferowali, że będą działać w zastępstwie legionu samobójców. W lokalu sieci Twin Peaks w Waco w Teksasie – „Żarło! Picie! Widoki!" – po bitwie gangów motocyklowych doliczono się dziewięciu ofiar śmiertelnych, a osiemnaście osób przewieziono do szpitala. Powodzie i huragany nękały stany Teksas i Arkansas, siedemnaście osób poniosło śmierć, czterdzieści zaginęło. A był dopiero maj.

– Dostojewski swoje pomysły fabularne czerpał z prasowych kronik kryminalnych – rozwodziła się Suchitra. – STUDENT MORDUJE GOSPODYNIĘ. Jakkolwiek to brzmi po rosyjsku. I proszę bardzo! *Zbrodnia i kara*.

Jedliśmy śniadanie – macchiato domowego parzenia przegryzane cronutami, po które staliśmy w kolejce na Spring Street od wpół do szóstej rano – i siedzieliśmy przy stole w przeszklonym kącie wychodzącym na południe w stronę portu i na zachód, na rzekę. Uzmysłowiłem sobie, że tak, jestem szczęśliwy, że znalazłem osobę, która może przynieść mi radość, a raczej to ona pozwoliła mi znaleźć siebie. Co też prawdopodobnie oznaczało, że nigdy nie będę jej mógł powiedzieć prawdy o dziecku; co z kolei oznaczało, że Wasylisa Golden trzyma mnie w garści, z której nigdy się nie wywinę. To prawda, że wyjawiając swoją tajemnicę, Wasylisa nie tylko zniszczyłaby moją największą szansę na dobre życie, ale i zniweczyła własną strategię. Ale może była tak pewna siebie, że nie miało to znaczenia. W końcu wyszła obronną ręką z dramatycznego epizodu z Maszą, swoją trenerką fitness, nieprawdaż? A Neron z każdym dniem stawał się coraz starszy i coraz bardziej zależało mu na tym, żeby za życia i w chwili śmierci nie być samotnym... Odsuwałem od siebie tego typu myśli, rozumiejąc, że zaczynam ulegać paranoi. Wasylisa nikomu nic nie powie. A tymczasem, chrupiąc cronuta i przeglądając recenzje filmowe w „Sunday Timesie", odczuwałem zadowolenie i pozwalałem Suchitrze myśleć na głos, co jej się często zdarzało w tych rzadkich chwilach oddechu w zabieganym życiu. Z tych niedzielnych monologów – gdy pozwalała myślom swobodnie się toczyć, od skojarzenia do skojarzenia, często wyłaniały się projekty, które chciała rozwinąć.

– Czy to prawda? – spytałem. – O Dostojewskim?

Nic więcej nie było jej trzeba. Pokiwała żarliwie głową, machnęła mi przed nosem cronutem, przeżuwając kęs, połknęła i się zaczęło.

– *Prawda* to taki dwudziestowieczny koncept. Pytanie, czy uda mi się sprawić, żebyś mi uwierzył, czy uda mi się powtórzyć coś tyle razy, by upodobniło się to do prawdy. Pytanie: Czy umiem kłamać tak, że kłamstwo wygląda lepiej niż prawda. Wiesz, co powiedział Abraham Lincoln? „W internecie jest bez liku zmyślonych cytatów". Może powinniśmy zapomnieć o kręceniu dokumentów. Może trzeba mieszać gatunki, postawić na gatunkowe *queer*. Może najbardziej aktualną formą sztuki jest mockument. Winą obarczam Orsona Wellesa.

– Mercury Theatre on the Air – wtrąciłem, przyłączając się do zabawy. – *Wojna światów*. Radio. Stare dzieje. Ludzie wtedy wciąż wierzyli w prawdę.

– Frajerzy – rzuciła. – Uwierzyli Orsonowi. Wszystko gdzieś ma swój początek.

– I teraz siedemdziesiąt dwa procent wszystkich republikanów myśli, że prezydent jest muzułmaninem.

– Gdyby tak martwy goryl z zoo w Cincinnati kandydował na prezydenta, zdobyłby co najmniej dziesięć procent głosów.

– W Australii jediizm jest teraz oficjalnym Kościołem, tak wielu ludzi w spisie powszechnym zadeklarowało, że to ich religia.

– Teraz ludziom się wydaje, że jedyną osobą, która ich okłamuje, jest ekspert. A ten rzeczywiście zna się na rzeczy. Nie można mu wierzyć, bo należy do elity, a elity są przeciwko ludziom, chcą tylko wciskać kit. Znać prawdę to należeć do elity. Jeśli powiesz, że widziałeś oblicze Boga w arbuzie, uwierzy ci więcej osób, niż gdybyś odkrył „brakujące ogniwo" w ewolucji człowieka, bo jeśli jesteś naukowcem, należysz do elity. Programy reality show są od początku do końca wyreżyserowane, ale to nie elita, więc je kupujesz. Programy informacyjne: elita.

– Nie chcę należeć do elity. Należę do elity?

– Musisz nad tym popracować. Musisz się stać bardziej postfaktowy.

– Czy to to samo co fikcyjny?

– Fikcja jest elitarna. Nikt w nią nie wierzy. Postfakty to rynek masowego odbiorcy, era informacyjna, trollowanie. Tego chcą ludzie.

– Winą obarczam niby-prawdę. I Stephena Colberta.

Tak wyglądały nasze niedzielne pogaduszki, ale tym razem to ja miałem chwilę olśnienia. Mój wielki projekt, ten związany z Goldenami, powinien być napisany i nakręcony w formie filmu dokumentalnego, ale z wykorzystaniem aktorów wypowiadających podane im kwestie. W chwili, gdy myśl ta zakiełkowała mi w głowie, pojawił się w niej także scenariusz i w ciągu kilku tygodni był gotów w wersji na brudno. Do końca roku miał zostać wyselekcjonowany do Laboratorium Instytutu Twórców Filmowych Sundance, a rok później… ale w tym podnieceniu zaczyna mnie ponosić. Cofnijmy się do tamtej wiosennej niedzieli. Bo tego dnia miałem spotkanie ze swoim synem.

Owszem, igrałem z ogniem, ale oprogramowanie człowieka jest potężne i domaga się, czego się domaga. Na myśl, że nie miałbym żadnych kontaktów ze swoim potomkiem, ogarniało mnie przerażenie, tak więc po wyprowadzce z domu Goldenów bezwstydnie starałem się wkupić w łaski Nerona, dla którego noworodek, pierwszy od dłuższego czasu, także stał się obsesją. Wmawiałem mu, że zaznawszy tyle dobrego z jego strony, chciałbym, byśmy pozostali w kontakcie, okazał mi przecież tyle życzliwości, jakbyśmy byli rodziną, teraz więc traktowałem go jako rodzinę (ostrzegałem, że zachowywałem się bezwstydnie), i zasugerowałem, byśmy podtrzymywali nasz nowy zwyczaj spotykania się przy posiłku – może przy herbacie? – w Russian Tea Room.

– Och, i byłoby wspaniale, gdyby zabierał pan ze sobą malucha – dodałem niewinnie.

Starzec zgodził się i oto mogłem obserwować, jak mój synek rośnie, mogłem się z nim bawić i trzymać go na rękach. Neron przychodził do lokalu z dzieckiem i opiekunką, która podawała mi małego bez szemrania, po czym zaszywała się w kącie.

– To niebywałe, jak sobie z nim świetnie radzisz – zwrócił się do mnie Neron Golden. – Mam wrażenie, że sam zaczynasz myśleć o dziecku. Ta twoja dziewczyna jest fantastyczna. Może powinieneś jej zmajstrować bachora.

Przytuliłem synka.

– Oj tam – powiedziałem. – Ten maluszek tutaj w zupełności mi wystarczy.

Matka dziecka nie była zachwycona moją strategią.

– Wolałabym, żebyś znikł – oznajmiła mi przez telefon. – Chłopiec ma wspaniałych rodziców, którzy mogą mu zapewnić wszystko, co jest mu potrzebne, i nie tylko, czego oczywiście nie można powiedzieć o tobie. Nie wiem, jaki masz motyw, ale podejrzewam, że finansowy. To mój błąd, trzeba było już dawno omówić sprawę. Więc dobrze, jeśli masz do zaproponowania jakąś kwotę, słucham, zobaczymy, jak się ma do tej, którą ja mam na myśli.

– Nie chcę twoich pieniędzy – obruszyłem się. – Po prostu chcę od czasu do czasu spotkać się przy herbacie z moim synem.

Zareagowała milczeniem, w którym dało się słyszeć zarówno niedowierzanie, jak i ulgę. Aż w końcu padło: „Dobrze", słowo, które wypowiedziała ze sporą dozą irytacji.

– Pamiętaj tylko, że on nie jest twoim synem.

Tamtej niedzieli Suchitra była nieco zaskoczona tym, jak bardzo się interesuję chłopcem.

– Czy to ma być jakaś aluzja? – spytała mnie w ten swój bezpośredni prosto z mostu kawa na ławę sposób. – Bo chciałabym tylko napomknąć, że moja kariera właśnie się rozkręca i aktualnie nie planuję przerwy, żeby zostać mamusią.

– Co ci mogę powiedzieć? Po prostu lubię dzieci – rzekłem. – I w cudzych dzieciach świetne jest to, że możesz się z nimi pobawić, a potem zaraz je oddać.

Udało im się uchronić Pietię przed więzieniem. W związku z tym, że na terenie podpalonych budynków nikogo nie było, a co za tym idzie, nikt nie poniósł uszczerbku na zdrowiu, czyn sklasyfikowano jako podpalenie trzeciego stopnia, przestępstwo klasy C. W stanie Nowy Jork minimalna kara za przestępstwo klasy C wynosi od jednego roku do trzech lat więzienia, maksymalna zaś – od pięciu do piętnastu. Jeśli jednak możliwe było przedstawienie okoliczności łagodzących, sędziowie mogli zastosować kary alternatywne, w tym dużo krótsze pobyty w więzieniu, a nawet całkowicie zrezygnować z kary pozbawienia wolności. „Najlepsi adwokaci w Ameryce" domagali się, skutecznie, aby wzięto pod uwagę wysokofunkcjonujący autyzm Pietii. Argumentu o *crime passionnel*, zbrodni w afekcie, który może i by się sprawdził na przykład we Francji, nie wykorzystano. Pietia został zobligowany do poddania się badaniom psychiatrycznym i rozpoczęcia leczenia, przydzielono mu dozór kuratorski, miał pokryć wszystkie koszty sądowe, a także wypłacić pełne zadośćuczynienie za spowodowane szkody majątkowe. Neron wynajął Murraya Letta w pełnym wymiarze godzin, toteż terapeuta porzucił wszystkich innych klientów i przeniósł się do mieszkania Pietii, by chronić go przed samookaleczeniem i pracować nad jego rozlicznymi problemami. Sąd zaakceptował rolę Letta, co ułatwiło sprawy. W ten sposób uporano się z aspektem kryminalnym, Pietia zaś posłusznie stawiał się u kuratorów, poddawał niezapowiedzianym badaniom na obecność narkotyków, zgodził się na monitoring elektroniczny w formie bransoletki zapiętej na kostce u nogi, wypełniał wszystkie surowe wymogi zwolnienia warunkowego i w milczeniu, bez słowa skargi, wykonywał godzinami prace społeczne przy remoncie i sprzątaniu budynków publicznych, uzyskawszy zgodę na pracę pod dachem ze względu na nawroty agorafobii, malowanie, tynkowanie, wbijanie gwoździ, milcząco, bez narzekania, biernie; oddzielony od swego ciała, tak przynajmniej to wyglądało, pozwalał kończynom wykonywać to, czego od nich wymagano, podczas gdy myślami błądził gdzie indziej lub nigdzie.

Kwestia finansowego zadośćuczynienia była bardziej złożona. Frankie Sottovoce wniósł pozew cywilny o odszkodowanie, wymieniając we wniosku jako pozwanych zarówno Pietię, jak i Nerona, i proces się toczył. Ubah Tuur nie brała w nim udziału. Okazało się, że przed wernisażem Sottovoce kupił od niej na pniu wszystkie prace, toteż w czasie pożarów należały do niego. A ona zainkasowała już swoje honorarium. Galeria była ubezpieczona, ale istniała spora różnica, jak twierdzili prawnicy marszanda, między tym, co miała wypłacić firma ubezpieczeniowa, a tym, ile warte byłyby prace Tuur, gdyby trafiły na wolny rynek. Poza tym budynki wymagały teraz gruntownego remontu i w grę wchodziły jeszcze utracone dochody z wystaw, które nie mogły się w tym czasie odbyć. Tak więc proces o wielomilionowe odszkodowanie pozostawał nierozstrzygnięty (chociaż, kwestia zasadnicza, dochody Pietii z jego aplikacji były aż nadto wystarczające, by w pełni pokryć żądania powoda), prawnicy Goldenów wykorzystywali bowiem różne sztuczki w nadziei, że ściągną marszanda w końcu do stołu negocjacyjnego celem zawarcia łatwiejszej do przełknięcia ugody, wykorzystywali też wszelkie luki prawne lub – to może lepsze określenie – elastyczność przepisów, by nie dopuścić do uwięzienia Pietii w czasie, gdy rozstrzygały się kwestie finansowe.

Pierwszym, który wyczuł, że bez względu na wynik procesu cywilnego pożar Pietii mocno uszkodził nie tylko dwie galerie, ale i dom Goldenów, był Apu. (Położył też kres jego współpracy z Frankiem Sottovocem, który bezceremonialnie zaproponował, żeby poszukał sobie nowego mecenasa). Odwiedziłem go w pracowni na Union Square, gdzie poczęstował mnie zieloną herbatą z Hangzhou i stertą grudek włoskiego żółtego sera.

– Chcę z tobą pogadać jak z bratem – rzekł. – Bratem honorowym, bo w tej chwili kimś takim jesteś. Spójrz na naszą rodzinę. Wiesz, co chcę powiedzieć? Spójrz na nią. Jesteśmy, przykro mi, że muszę tak szczerze, jesteśmy wrakiem. Zaczyna się zagłada domu Usherów. Nie zdziwiłbym się, gdyby nasza chata na Macdougal Street rozpadła się na pół i runęła na ulicę, wiesz, co mam na myśli? No. Przeczuwam jakieś nieszczęście.

Nie odzywałem się. Apu dopiero się rozkręcał.

– Romulus i Remus – kontynuował. – W ten sposób myślał o nas D. Wykluczony z naszych zabaw, tak się przejmował swoją krzywdą, że nigdy nie zauważył, jak trudno jest mi być bratem Pietii, ile wysiłku kosztowało mnie zapewnienie mu szczęśliwego dzieciństwa, przynajmniej tak szczęśliwego, jak to było możliwe, zważywszy na sytuację. Bawiłem się kolejką i samochodzikami Scalextric aż po wiek dorosły, bo lubił te rzeczy. Zresztą my wszyscy, łącznie z ojcem. I teraz mam wrażenie, że wszyscy go zawiedliśmy, bo Pietia się rozpadł i spłonął. On się rozpadł, spłonęły galerie. Teraz siedzi z tym swoim Australijczykiem, w pełnej rozsypce, i kto wie, czy da się go znowu poskładać. Do tego D, kto wie, co się z nim dzieje. Czy raczej już teraz *z nią*? Nie wiem. Czy on sam wie? Czy ona? Jakiś obłęd. A przy okazji, wiedziałeś, że nie powinno się już tak mówić, „obłęd"? Nie powinno się też mówić „zwariowałeś?" ani, jak się domyślam, „odbiło ci?". Te słowa są obraźliwe dla osób psychicznie chorych. Jest teraz brzydkie słowo na te brzydkie słowa, słyszałeś? Ja też nie. Nawet jeśli mówisz tylko: „to jakiś kretynizm" i w ogóle nie myślisz o umysłowo upośledzonych, na litość boską, podobno i tak im uwłaczasz. Kto wymyśla te idiotyzmy? Powinni spróbować przez jakiś czas pobyć w mojej sytuacji, wtedy się przekonają, czy nie będą się musieli trochę wyładować. Przekonają się, czy nie będą zmuszeni powiedzieć: tak, przepraszam, ale jeśli są ludzie normalni, to są też wariaci. Jeśli komuś nie odbija, to znaczy, że komuś odbija. Jeśli tak, to używamy tego słowa. Na tym polega język. Czy to w porządku? Czy jestem złym człowiekiem? A może zaczynam świrować?

Zmiana tematu nastąpiła nagle. W ostatnich dniach protestu w Zuccotti Park Apu skłócił się z wieloma uczestnikami ruchu Okupuj Wall Street, częściowo ze względu na swoją irytację na ich pozbawioną przywództwa i steru anarchiczność, częściowo dlatego, jak powiedział, że „bardziej interesuje ich postawa niż rezultat. Ten językowy bełkot jest częścią problemu. Przepraszam cię, ale jeśli zacznie się za bardzo oczyszczać język, to się go zabije. Brud to wolność. Trzeba zostawić trochę brudu. Czyszczenie? Nie podoba mi się nawet brzmienie tego słowa".

(Na późniejszym etapie mojej pracy badawczej spotkałem kilku uczestników protestu, z których większość nie pamiętała Apu. Ten, któremu utkwił w pamięci, stwierdził: „Ach, tak, ten dziany koleś, artysta, co to tu przychodził, bo chciał być bardziej cool. Od początku mi się nie podobał").

Przypuszczam, że tyrada Apu miała swoje źródło w czymś osobistym, bo zasadniczo nie kierował się ideami. *Cherchez la femme*, pomyślałem, a ona chwilę później wymsknęła mu się z ust.

– Ubah – rzekł – ona całkowicie to wszystko popiera. Wiesz. Pilnuj się. Uważaj, co mówisz. Obchodź się ze słowami jak z jajkiem. Każdy krok może cię wprowadzić na minę. Bum! Bum! Za każdym razem, gdy otwierasz usta, twój język jest w niebezpieczeństwie. To takie wyczerpujące, muszę ci powiedzieć.

– A więc wy dwoje już się nie spotykacie?

– Nie bądź głupi – rzucił. – Mogę tak powiedzieć, nie obrażając osób mniej inteligentnych? Trudno, mówię. Oczywiście, że się z nią spotykam. Jest tak wyjątkowa, że nie mógłbym przestać się z nią widywać. Jeśli chce, żebym uważał na słowa, niech jej będzie, dobra, uważam, przynajmniej w jej obecności, a potem niestety cierpisz ty, bo muszę jakoś odreagować, gdy nie ma jej w pobliżu. Ale po tym, gdy ten mój piekielny braciszek puścił z dymem całą jej wystawę, zatrzymanie jej przy mnie było prawdziwym wyczynem. Naprawdę: spalił *całą* wystawę. Teraz to tylko kupa złomu. Wiesz, ile trwa powstawanie takich konstrukcji? Miesiące, mówię serio. Oczywiście się wściekła, bo, na litość boską, to jest mój brat. Przez jakiś czas nie mogła ze mną rozmawiać. Ale teraz jest już lepiej. Uspokoiła się. W gruncie rzeczy to spokojna i dobra osoba. Wie, że to nie moja wina. To właśnie chcę powiedzieć, Pietia i ja nigdy nie byliśmy Romulusem i Remusem. Starałem się tylko, żeby się nie rozpadło… moje życie rodzinne, dzieciństwo, ale z tym już koniec, to wszystko jedna wielka ruina.

Pokręcił głową, przypominając sobie pierwotny temat.

– A, no tak. Przepraszam cię. Z tego wszystkiego mnie poniosło i odszedłem od głównego wątku. Już do niego wracam. Chciałem powiedzieć, na początku, że spotykamy się tutaj przy winie i serze z tego właśnie powodu, otóż cała moja rodzina jest w ruinie, a ty, brat-nie-brat, jesteś jedynym członkiem rodziny, z którym mogę o tym porozmawiać. Jeden brat jest podpalaczem, drugi nie wie, czy jest moim przyrodnim bratem czy siostrą. A ojciec, abstrahując od tego, że się starzeje i może zaczyna popadać w obłęd, no bo całkowicie stracił głowę dla tej baby, swojej *żony*, Jezu, to słowo z trudem przechodzi mi przez gardło, a teraz jeszcze ten bachor, nie potrafię nawet myśleć o nim jak o bracie. Przyrodnim bracie. Moim przyrodnim półrosyjskim bracie. Właściwie to on jest temu wszystkiemu winien. Rodzi się coś takiego i wywraca świat do góry nogami. Niczym jakaś klątwa. Doprowadza mnie to do szału, a przecież to niby ja w tej rodzinie jestem zdrowy psychicznie. Ale ja tylko tak sobie zrzędzę, co, jak wszyscy wiedzą, jest u mnie normalne. Ale nie o tym chciałem z tobą rozmawiać. Wiem, że jesteś nastawiony do tych spraw sceptycznie, ale mimo wszystko wysłuchaj mnie. Zacząłem widywać duchy.

Tak oto skończył się okres polityczny w jego malarstwie. Omal nie parsknąłem śmiechem. Tamtego dnia po raz pierwszy mój wzrok padł na nowe prace, które tworzył, i z zadowoleniem skonstatowałem, że odrzucił nadmierne wpływy współczesnych artystów agitacyjnych, takich jak Dyke Action Machine!, Otabenga Jones czy Coco Fusco, i że powróciła jego wcześniejsza, dużo bogatsza i żywsza ikonografia czerpiąca z mistycznych tradycji świata. Szczególnie zwrócił moją uwagę jeden duży obraz w formacie pejzażu w jasnych odcieniach pomarańczowych i zielonych, potrójny portret naturalnych rozmiarów jego ulubionej czarownicy, *mãe de santo* z Greenpointu, w otoczeniu jej wybranych bóstw, oriszy i Olodumare. Mistycyzm i środki psychotropowe w praktyce Apu nigdy nie były zbyt od siebie oddalone, co prawdopodobnie tłumaczyło pojawienie się wizji.

– Zażywasz teraz ayahuascę czy co? – spytałem.

Apu aż się cofnął w udawanym zdziwieniu.

– Chyba żartujesz? Nigdy bym nie zdradził mojej *mãe* i jej towarzyszy. – (Stosowanie ayahuaski w praktykach szamańskich związane było z religią Santo Daime w Brazylii i niektórzy nazywali narkotyk *daime* na cześć tego świętego). – W każdym razie to nie wizje Boga mi się ukazują.

Czasem trudno było stwierdzić, czy chce coś powiedzieć wprost czy w przenośni.

– Spójrz no na to – poprosił.

W głębi galerii stało duże płótno przykryte poplamioną farbami płachtą. Gdy ją ściągnął, moim oczom ukazała się nieprawdopodobna scena: ogromna i szczegółowa panorama Manhattanu, z której usunięto wszystkie pojazdy i pieszych, pusta metropolia zaludniona jedynie przez przezroczyste istoty, postaci mężczyzn ubranych na biało i kobiet przyobleczonych w szafran: mieli zielonkawą skórę i unosili się nad ziemią, jedni tuż nad nią, inni wysoko w powietrzu. Więc tak, duchy, ale czyje duchy? Duchy czego?

Apu zamknął oczy i wciągnął powietrze. Wydychając je, uśmiechnął się lekko i otworzyły się śluzy przeszłości. Popłynęły wspomnienia.

– Bardzo długo kontrolował nas pieniędzmi, kasą, którą nam dawał na życie, którą obiecywał nam do podziału, spełnialiśmy więc wszystkie jego życzenia. Ale też czymś dużo potężniejszym niż pieniądze. Ideą rodziny. On był głową, a my kończynami i ciałem, które robi, co każe głowa. Wychowano nas w ten sposób: według tych tradycyjnych pojęć. Całkowita lojalność, całkowite posłuszeństwo, żadnych kłótni. Z czasem te pojęcia się zatarły, ale przez wiele lat działały na nas, nawet gdy dorośliśmy. Nie jesteśmy już dziećmi, ale przez tyle lat skakaliśmy, gdy on skakał, siadaliśmy, gdy on siadał, śmialiśmy się i płakaliśmy, gdy mówił: śmiejcie się lub płaczcie. Kiedy się tu przeprowadziliśmy, w zasadzie zrobiliśmy to, bo powiedział: teraz się przeprowadzamy. Ale każdy z nas miał własny powód, żeby przystać na ten plan. Pietia oczywiście potrzebuje ogromnego wsparcia. Dla D, nawet jeśli nie zdawał sobie z tego sprawy, Ameryka była jego kluczem do metamorfozy, której pragnie lub nie, nie wiem, on sam nie wie, ale przynajmniej tutaj może poeksperymentować. Jeśli chodzi o mnie, musiałem przed kimś uciec. Uwikłałem się. Nie finansowo, chociaż przez pewien czas miałem długi hazardowe. Ale to już za mną. Borykałem się za to z kłopotami natury romantycznej. Pewna kobieta złamała mi serce, inna była lekko szalona, najczęściej w pozytywnym znaczeniu tego słowa, ale nie zawsze, może nawet niebezpieczna, znowu, nie fizycznie, ale sercowo, i jeszcze trzecia, która mnie kochała, ale przylgnęła do mnie tak mocno, że nie mogłem oddychać. Zerwałem z nimi wszystkimi albo one zerwały ze mną, nieistotne, w każdym razie nie zniknęły z mojego życia. Ale nikt nigdy całkowicie nie znika. Krążyły nade mną jak helikoptery, celując we mnie jasnymi reflektorami, a ja w tych krzyżujących się słupach światła uciekałem niczym jakiś zbieg. Potem pewien mój przyjaciel, pisarz, dobry pisarz, powiedział coś, co mnie zmroziło. Powiedział: wyobraź sobie, że życie jest powieścią, powiedzmy powieścią na czterysta stron, a potem pomyśl, ile stron z tej książki zostało już zapisanych. I pamiętaj, że na pewnym etapie wprowadzanie nowych ważnych postaci przestaje być dobrym pomysłem. Na pewnym etapie jesteś skazany na bohaterów, których już masz. Może więc powinieneś się zastanowić, jak wprowadzić nową postać, zanim będzie za późno, bo wszyscy się starzejemy, nawet ty. Powiedział mi to wszystko niedługo przed decyzją ojca o przeprowadzce. Kiedy więc ojciec zdecydował o wyjeździe, pomyślałem sobie, wiesz: świetnie. To lepsze niż próbować wprowadzić nową postać tutaj, gdzie krążą po niebie twoje byłe kochanki z reflektorami. W ten sposób udaje mi się wyrzucić całą książkę i zacząć pisać nową. Zresztą ta stara książka nie była znowu aż taka dobra. No więc wyjechałem i oto jestem tutaj, i teraz ukazują mi się duchy, bo problem z ucieczką przed sobą samym polega na tym, że próbujesz się tylko oszukać.

Moje oko wyłowiło teraz na płótnie postaci wiszących nad miastem kobiet helikopterów, ujrzałem też malutką czarną sylwetkę mężczyzny kulącego się pod nimi, jedyny cień na tym obrazie bez cieni. Prześladowany i duchy utraconej przeszłości, które go ścigają. I teraźniejszość, teraz to dostrzegłem, była niestabilna, skrzywione i zniekształcone budynki, jak gdyby się je oglądało przez taflę starego, nierównego szkła. Ta miejska panorama przywodziła mi na myśl *Gabinet doktora Caligari*. I natychmiast mi się przypomniało dawne skojarzenie Nerona Goldena z przywódcą gangu, doktorem Mabuse. Nie wspominałem o tym, zapytałem natomiast Apu o niemiecki ekspresjonizm. Pokręcił głową.

– Nie, te zniekształcenia nie są referencyjne. Są rzeczywiste.

Okazało się, że wystąpiły u niego problemy z siatkówką: zwyrodnienie plamki żółtej.

– Na szczęście postać wysiękowa, bo na suchą nie ma lekarstwa, tracisz wzrok i po temacie. I tylko w lewym oku, też na szczęście. Jeśli zamknę lewe, wszystko wygląda normalnie, ale jeśli zamknę prawe, świat zamienia się w coś takiego. – Kciukiem wskazał obraz. – Właściwie wydaje mi się, że to lewe widzi prawdę – dodał. – Pokazuje wszystko zniekształcone i zdeformowane. Bo w końcu wszystko takie jest. Prawe oko widzi fikcję normalności. Mam więc prawdę i kłamstwa, jedno oko do jednego, drugie do drugiego. I świetnie.

Chociaż lekko ironizował, jak to zwykle on, wiedziałem, że jest poruszony.

– Te duchy są prawdziwe – podkreślił, zebrawszy się w sobie. – Z jakiegoś powodu czuję się lepiej, mówiąc o tym komuś takiemu jak ty, osobie antyduchowej. – (Kiedyś mu powiedziałem, że moim zdaniem słowu *duchowy*, które teraz stosowano do wszystkiego, od religii, przez programy ćwiczeń fizycznych, do soków owocowych, trzeba może dać odpocząć na jakieś sto lat). – I narkotyki nie mają z tym nic wspólnego. Przysięgam. Te duchy po prostu się zjawiają w środku nocy, ale także w środku dnia, w mojej sypialni albo na ulicy. Są zawsze zwiewne, widzę przez nie. Czasem jakby brzęczały, trzeszczały, poprzerywane jak wadliwy obraz wideo. Czasem widać je wyraźnie i czysto. Nie rozumiem tego. Mówię ci tylko, co widzę. Mam wrażenie, że wariuję.

– Opowiedz mi dokładnie, co się dzieje – poprosiłem.

– Czasami nic nie widzę – relacjonował. – Słyszę tylko coś. Słowa, które trudno wychwycić, albo i całkiem wyraźne. Czasami też ukazują mi się obrazy. Dziwne jest to, że one niekoniecznie zwracają się do mnie. Krążące nad głową byłe, owszem, na pewno, ale poza tym jest tak, że po prostu zajmują się swoim życiem, a ja jestem z niego wykluczony, bo sam się wykluczyłem, i mam głębokie poczucie, że zrobiłem coś złego. One wszystkie są z mojego kraju, rozumiesz? Wszystkie. – Teraz już uśmiech całkowicie zniknął z jego twarzy. Wyglądał na mocno przejętego. – Czytałem o doznawaniu wizji – podjął. – Joanna D'Arc, Święty Jan. Są pewne podobieństwa. Czasem towarzyszy im ból. Czasem zdają się wypływać z wnętrza, z okolic pępka, jakby wydobywano je z ciała. Innym razem wydają się czysto zewnętrzne. Po wszystkim często się traci przytomność. Wizje wyczerpują. To właśnie musiałem ci powiedzieć. I co, co o tym sądzisz?

– Nie ma znaczenia, co ja o tym sądzę – odparłem. – Jak ci się wydaje, powiedz, dlaczego to się dzieje?

– Chyba przez sposób, w jaki wyjechałem z kraju – stwierdził. – Byłem w kiepskim stanie. Wyjechałem, nie uzyskawszy przebaczenia. Teraz pewnie trudno ci się będzie ze mną zgodzić, ale rozgniewaliśmy znajome duchy, bóstwa naszego kraju. Wszystko można zrobić w sposób właściwy i niewłaściwy, i ja, my, my wszyscy po prostu wyrwaliśmy się stamtąd tak, jak się wyrywa kartkę, i był to pewnego rodzaju akt przemocy. Koniecznie trzeba obłaskawić przeszłość. Prześladuje mnie teraz myśl, że nie jestem w stanie zobaczyć drogi, która mnie czeka. Odnoszę wrażenie, że tej drogi nie ma. Albo że najpierw trzeba odbyć podróż do tyłu, żeby móc ruszyć do przodu. Tak mi się wydaje.

– O czym ty mówisz? – spytałem. – Chcesz przebłagać tego, kto za to odpowiada, składając mu ofiarę? Czy to w ogóle możliwe? Ja wymiękam. To nie na moją głowę.

– Muszę wrócić – rzekł. – W każdym razie Ubah też się chce tam wybrać. Więc potraktuj to jako połączenie wyprawy turystycznej i leku na tęsknotę za krajem. Potraktuj to jako moją chęć przekonania się, czy jest tam dla mnie jakieś „tam". Wtedy nie będziesz musiał gwałcić swojego racjonalistycznego punktu widzenia. – Te słowa wypowiedział niemal ze złością. Zaraz jednak posłał mi szeroki uśmiech mający mnie przeprosić i zrekompensować surowość jego tonu.

– Jak myślisz, co by się stało, gdybyś nie pojechał?

– Gdybym nie pojechał – odrzekł – myślę, że jakaś mroczna siła z przeszłości przefrunęłaby na drugi koniec świata i prawdopodobnie zniszczyła nas wszystkich.

– Aha.

– Może jest już za późno. Może ta mroczna siła już podjęła decyzję. Ale spróbuję. A tymczasem Ubah może się przejść wieczorem po Marine Drive, obejrzeć wiszące ogrody na Wzgórzu Malabarskim, odwiedzić studio filmowe i może wybierzemy się na dodatkową wycieczkę do Tadź Bibi w Agrze, czemu nie?

– Kiedy wyjeżdżacie?

– Dziś wieczorem – odparł. – Zanim będzie za późno.

23

Ilekroć słyszałem coś o przeszłości tej rodziny, zdawałem sobie sprawę z pewnych luk w narracji Goldenów. O niektórych rzeczach się nie mówiło i trudno było znaleźć sposób, jak się przedrzeć przez tę kurtynę opadającą na ich historię. Apu sprawiał wrażenie, jakby się czegoś bał, cokolwiek to jednak było, nie bał się duchów. Bardziej prawdopodobne wydawały się trupy w szafie. Łapałem się na tym, że wracam myślami, nie po raz pierwszy ani ostatni, do opowieści, którą przedstawił mi Neron Golden tamtego dnia w swoim gabinecie, opowieści o „donie Corleone".

Po spotkaniu z Apu zwróciłem się do Suchitry:

– Szkoda, że z nimi nie jadę. To może być ważna część tej historii.

– Jeśli pracujesz teraz nad mockumentem – zasugerowała – to zmyślaj.

Byłem nieco zszokowany.

– Po prostu zmyślać?

– Masz wyobraźnię – odparła. – Skorzystaj z niej.

Złota historia, przypomniałem sobie. Dla Rzymian: niewiarygodna opowieść, szalony koncept. Kłamstwo.

Tak się zdarzyło i tak się nie zdarzyło: otóż wielki wirtuoz gry na sitarze Ravi Shankar przez całe życie grał tylko na czterech instrumentach i na jednym z nich uczył gry George'a Harrisona, Beatlesa.

Lekcje odbywały się w apartamencie wspaniałego hotelu przy porcie i choć Ravi Shankar już nie żyje, jego sitar znajduje się w przeszklonej gablocie i dobrotliwie spogląda na gości przewijających się przez ów apartament. Hotel został pięknie odnowiony po terrorystycznych potwornościach, których był świadkiem, moc starej kamiennej konstrukcji pozwalała mu stać pewnie, wnętrza jeszcze nigdy nie wyglądały tak pięknie, ale co z tego, gdy połowa pokoi świeciła pustkami. Przed hotelem ustawiono barierki i wykrywacze metalu, zainstalowano rozmaite ponure zabezpieczenia, a to wszystko przypominało tylko o tamtym horrorze i kłóciło się z duchem gościnności. W murach hotelu w części handlowej liczne znane sklepy notowały spadek obrotów o pięćdziesiąt procent lub więcej. Konsekwencją terroru był strach i chociaż wiele osób mówiło o chęci wspierania hotelu przy porcie po jego odrodzeniu, suchy język liczb informował, że wspierających jest *za mało*. Zakochane pary i damy z towarzystwa nie przepłacały już za herbatę i przekąski w Sea Lounge, także wielu cudzoziemców chodziło gdzie indziej. Można było wyremontować gmach, ale jego magia została nieodwracalnie zniszczona.

Co ja tutaj robię, mężczyzna, który nazywał siebie teraz Apulejuszem Goldenem, zwrócił się do Ubah Tuur, gdy sitar Raviego Shankara nadstawiał ucha. W tym budynku zginęła moja matka. To jest miasto, którego już nie kocham. Czy naprawdę taki ze mnie wariat, że wierzę w duchy i lecę na drugi koniec świata, i po co? Żeby odprawić jakiś rodzaj egzorcyzmów? Głupota. Zupełnie jakbym czekał na coś, co ma się wydarzyć. Co się może stać? Nic. Zabawmy się w turystów i wracajmy do domu. Chodźmy do Leopolda na kawę i do muzeum imienia Bhau Dadźi Lada, żeby poobcować ze sztuką, też do Muzeum Księcia Walii, którego nie zamierzam nazywać Muzeum Śiwadźiego, bo on akurat miał sztukę w głębokim poważaniu. Chodźmy na uliczne żarcie na plażę Ćaupatti i zafundujmy sobie rozstrój żołądka jak prawdziwi cudzoziemcy. Kupmy sobie srebrne bransoletki na bazarze Ćor i obejrzyjmy fryzy ojca Kiplinga, i kupmy sobie kraby z czosnkiem w Kala Ghoda, zasmućmy się, że zamknęli Rhythm House, i zapłaczmy po Café Samovar. Żeby posłuchać muzyki, wybierzmy się do Blue Frog, żeby podziwiać widoki z wysoka – do Aer, widok na morze da nam Aurus, na światła miasta – Tryst, w Trilogy będą dziewczyny, a w Hype – *hype.* Pieprzyć to. Skoro już tu jesteśmy, zróbmy to.

Spokojnie – powiedziała. – Nie histeryzuj.

Coś się wydarzy – powtarzał. – Ściągnęło mnie tutaj z tak daleka z jakiegoś powodu.

W hotelowym lobby rzuciła mu się w ramiona nadzwyczaj elegancka kobieta. Groucho! – zawołała. – Wróciłeś! Po chwili zauważyła wysoką somalijską piękność mierzącą ją wzrokiem. Och, przepraszam – rzuciła. – Znam tego tutaj od małego. Jego starszego brata nazywaliśmy Harpo, wie pani. – Popukała się w skroń. – Biedak. A tego tutaj Groucho, bo był zawsze zrzędliwy i uganiał się za spódniczkami.

Coś o tym wiem – skwitowała Ubah Tuur.

Musimy zorganizować spotkanie! – ekscytowała się elegantka. – Zadzwoń do mnie, skarbie! Zadzwoń! Ściągnę wszystkich. Oddaliła się pośpiesznie, mówiąc coś do telefonu.

Brwi Ubah Tuur uniosły się pytająco.

Nie pamiętam, jak się nazywa – przyznał Apu. – Mam wrażenie, że nigdy w życiu jej nie widziałem.

Groucho – powtórzyła rozbawiona Ubah Tuur.

Tak – potwierdził. – A D przezywali Chico. Byliśmy, kurwa, braćmi Marx. Chyba zostałem nieźle wyślizgany na tych lodach. Nie chciałbym należeć do klubu, który miałby kogoś takiego jak ja za członka. Room service? Proszę przynieść większy pokój. Takie są moje zasady. A jak się panu nie podobają, to mam też inne. Spędziłem doprawdy upojny wieczór, ale nie tym razem. Zabiłbym cię za pieniądze. Ha ha ha. Nie, jesteś moim przyjacielem. Zabiłbym cię za darmo. Warto było przed tym uciec na drugi koniec świata.

A ja już czuję, że warto było tu przyjechać – odparła. – Dowiaduję się o tobie rzeczy, o których nie miałam pojęcia, a nie wyszliśmy jeszcze z hotelu.

Szukałem dziewczyny takiej jak ty – zacytował zrzędliwie Groucha. – Nie ciebie, ale dziewczyny takiej jak ty.

Cięcie.

• • •

Przeszli najwyżej kilka kroków po Nabrzeżu Apollińskim w kierunku Bramy Indii, gdy Ubah zatrzymała się i zwróciła uwagę Apu na czterech niemal komicznie rzucających się w oczy mężczyzn w ciemnych okularach, którzy pocili się w czarnych kapeluszach, garniturach i białych koszulach z wąskimi czarnymi krawatami, dwóch z tyłu i dwóch po drugiej stronie ulicy.

Wygląda na to, że mamy towarzystwo jakichś wściekłych psów – stwierdziła. – Albo braci Blues, wszystko jedno.

Zagabnięci przez nich członkowie owego kwartetu odpowiedzieli z szacunkiem. Sirdźi, jesteśmy wspólnikami pewnych wspólników pańskiego wielkiego ojca – wyjaśnił ten, który najbardziej przypominał Quentina Tarantino w roli Pana Brązowego. – Zlecono nam, byśmy zadbali o państwa osobiste bezpieczeństwo, i poinstruowano, że mamy działać z najwyższą delikatnością i dyskrecją.

Kto zlecił? – zapytał Apu, zirytowany, podejrzliwy, wciąż zrzędliwy.

Pański znakomity ojciec, sirdźi, różnymi kanałami. Pański znakomity ojciec nie wiedział o pańskiej decyzji o powrocie, a dowiedziawszy się, że pan tutaj przyjechał, martwi się o pana i nie życzy sobie, żeby stało się coś złego.

W takim razie niech panowie przekażą mojemu znakomitemu ojcu tymi samymi kanałami, że nie potrzebuję nianiek, a następnie proszę łaskawie nas zostawić.

Pan Brązowy zasmucił się jeszcze bardziej.

Nie do nas należy wydawanie poleceń – wyjaśniał. – Do nas należy tylko ich wykonywanie.

Znaleźli się w impasie. W końcu Apu wzruszył ramionami i odwrócił się. Trzymajcie się ode mnie jak najdalej. Nie zbliżajcie się. Nie chcę was w zasięgu wzroku. Jeśli się odwrócę, macie się schować. Nie właźcie w moje pole widzenia. To samo się tyczy mojej znajomej. Skaczcie w bok.

Pan Brązowy skłonił głowę jakby z łagodnym żalem.

Dobrze, sirdźi – rzucił. – Postaramy się.

Stali na nabrzeżu i oglądali statki w porcie. To jakaś komedia – zżymał się Apu. – Rozumiem, że kazał śledzić Pietię podczas jego długiego spaceru, bo to Pietia, ale mnie musi zacząć traktować jak dorosłego.

Ubah, niewzruszona jak to ona, zaczęła się śmiać. Gdy tu lecieliśmy – powiedziała – myślałam sobie: Indie, pewnie zaszokują mnie obrazy nędzy, może jest jeszcze gorzej niż w moim kraju albo równie źle, ale inaczej, w każdym razie muszę się odpowiednio nastawić. Nie zdawałam sobie sprawy, że w chwili, gdy wypuścimy się na miasto, wejdziemy prostu na plan bollywoodzkiego filmu.

Cięcie.

Gdy po kolacji wrócili do hotelu, w lobby czekał na nich pewien dżentelmen, siwowłosy, o rzymskim profilu, ubrany w kremowy garnitur z krawatem klubu krykietowego, z kapeluszem borsalino w rękach. Mówił po angielsku jak angielski arystokrata, chociaż Anglikiem nie był.

Najmocniej przepraszam, proszę mi wybaczyć. Nie chciałbym absolutnie deranżować i mam nadzieję, że nie poczytają tego państwo za zbytnią śmiałość, jeśli pozwolę sobie poprosić o kilka minut.

O co chodzi?

A czy moglibyśmy, nie wiem, czy ewentualnie byłoby możliwe… w bardziej dyskretnym otoczeniu, nie wiem, czy ośmielę się poprosić? Z dala od oczu i uszu?

Ubah Tuur aż zaczęła klaskać.

Coś mi się zdaje, że ty to wszystko zaplanowałeś – zwróciła się do Apu. – Żeby mnie rozbawić i żebym pomyślała, że tu jest tak cały czas. Oczywiście, proszę pana – rzekła do mężczyzny w kremowym garniturze. – Z przyjemnością zapraszamy pana do naszego apartamentu.

Roletka.

W apartamencie. Mężczyzna stał onieśmielony przy szklanej gablocie z sitarem Raviego Shankara, skubiąc rondo kapelusza i nie siadając pomimo zaproszenia.

Zapewne nie rozpoznaje pan mojego nazwiska – rzekł. – Mastan. Nazywam się Mastan.

Nie, przykro mi, pańskie nazwisko nic mi nie mówi – odparł Apu.

Nie jestem już młody – powiedział pan Mastan. – Bóg ofiarował mi już siedemdziesiąt wiosen. Ale niemal pół wieku temu, gdy byłem młodym funkcjonariuszem CID, łączyły mnie, że tak powiem, pewne relacje ze wspólnikiem pańskiego ojca.

Jeszcze jeden wspólnik wspólnika – zażartował Apu. – Co za dzień.

Proszę wybaczyć, że zapytam, ale czy pański znakomity ojciec wspominał kiedykolwiek o swoim wspólniku, którego krotochwilnie nazywał donem Corleone?

Apu zamilkł na dłuższy czas i to milczenie było tak głębokie, że stało się formą mowy. Pan Mastan pokiwał z szacunkiem głową.

Często się zastanawiałem – oznajmił – co synowie pańskiego ojca wiedzieli o jego przedsięwzięciach biznesowych.

Jestem artystą – rzekł artysta. – Nie zaprzątam sobie głowy finansami.

Oczywiście, oczywiście. To całkiem naturalne. Artyści żyją na innej płaszczyźnie i nie robią na nich wrażenia brudne pieniądze. Ja sam zawsze podziwiałem takie cyganeryjne podejście, chociaż niestety nie leży ono w moim charakterze.

Ubah zauważyła, że odkąd padły słowa „funkcjonariusz" i „don Corleone", Apu słucha bardzo uważnie.

Mogę opowiedzieć o swoich związkach ze wspólnikiem pańskiego ojca, donem? – spytał pan Mastan.

Proszę bardzo.

Mówiąc krótko i zwięźle, proszę pana, zrujnował mi życie. Ścigałem go, proszę pana, za liczne poważne przestępstwa i wykroczenia. Jeśli mogę się tak wyrazić, deptałem mu po piętach. Ponadto, jako człowiek młody, nie nabrałem jeszcze wielkomiejskiej mądrości. Byłem, proszę pana, nieprzekupny i nie dawałem się skorumpować. Bez wątpienia wielu wielkich ludzi nazwałoby mnie zawalidrogą, przeszkodą, która nie pozwala dobrze naoliwić trybów społeczeństwa, by gładko się obracały. I może rzeczywiście, ale wtedy taki właśnie byłem. Niesprzedajny, nieprzekupny, przeszkoda. Wspólnik pańskiego ojca skontaktował się z osobami mniej nieprzejednanymi, wyższymi ode mnie rangą, odsunięto mnie więc od sprawy i skazano na zesłanie. Słyszał pan o poecie Owidiuszu, prawda? Naraził się Oktawianowi Augustowi i zesłano go nad Morze Czarne, skąd nigdy do Rzymu nie wrócił. Taki sam los spotkał mnie, miałem marnieć całe lata bez szansy na awans w małej mieścinie w górach, w stanie Himaćal Pradeś znanym z masowej hodowli grzybów i czerwonego złota, czyli pomidorów, a także z tego, że w czasach mitycznych było to miejsce zesłania Pandawów. Ja też byłem małym Pandawą na wygnaniu wśród grzybów i pomidorów. Po wielu latach szczęście się do mnie uśmiechnęło. Los zrządził, że miejscowy dżentelmen, którego imienia tutaj nie zdradzę, ujrzał we mnie człowieka uczciwego, odszedłem więc z policji i nadzorowałem zbiory grzybów i pomidorów, by nie dopuścić do ich rozkradania. Z czasem, proszę pana, opuściłem góry i odniosłem sukces w branży ochroniarskiej i detektywistycznej. Dziękuję Bogu, że tak dobrze mi się powiodło. Teraz jestem na emeryturze, a moje miejsce w pracy zajęli synowie, nie przestałem jednak śledzić, co w trawie piszczy, proszę pana, co to, to nie.

Dlaczego przyszedł pan tutaj, żeby mi opowiedzieć tę historię? – spytał Apu.

Nie, nie, źle mnie pan zrozumiał, i to moja wina, bo za bardzo rozwiązał mi się język i tylko przedłużam spotkanie, które powinno trwać znacznie krócej. Przyszedłem, żeby panu powiedzieć dwie rzeczy. Pierwsza to taka, że chociaż nie jestem już policjantem, a dona Corleone, który zrujnował mi życie, nie ma już wśród żywych, ja wciąż poszukuję sprawiedliwości.

Co to ma wspólnego ze mną?

Chodzi o pańskiego ojca, proszę pana. Zaszedł wysoko, dużo wyżej, niż ja mógłbym kiedykolwiek marzyć, ale pomimo tak podeszłego wieku, z pomocą Boga i prawa doprowadzę do jego upadku. Był wspólnikiem mojego wroga, dona, współuczestniczył w jego działaniach, jest tym, który pozostał przy życiu, i dlatego.

Przyszedł pan grozić mi i mojej rodzinie. Myślę, że nadużył pan mojej gościnności.

Nie, proszę pana, powtórzę: powiedziałem za dużo i zboczyłem z tematu. Nie przyszedłem grozić. Przyszedłem ostrzec.

Przed czym?

Rodzina, która za bardzo się zaangażowała we współpracę z donami – odpowiedział pan Mastan – a potem bez słowa pożegnania zbiera manatki i wyjeżdża. Taka rodzina mogła zostawić w tym mieście osoby urażone. Ze zranionymi uczuciami i sprawami, które nie zostały dokończone. Być może z myślami, że zostało się na lodzie częściowo wskutek działań pańskiego znakomitego rodzica. Te osoby ze zranionymi uczuciami nie są ważnymi osobistościami, takimi jak pański ojciec. Lub może całkiem ważnymi w swojej okolicy, ale nic nieznaczącymi w wielkim świecie. Nie są bez wpływów w swoich stronach, ale są to wpływy lokalne. Pański ojciec może teraz jest poza ich zasięgiem. Tymczasem pan, niewinnie albo niemądrze, albo arogancko, albo lekkomyślnie, ale jednak wrócił.

Myślę, że na pana już czas – wtrąciła Ubah Tuur. I gdy tylko pan Mastan ukłonił się i wyszedł, zwróciła się do Apu: – I na nas też już czas. Powinniśmy wyjechać, i to jak najszybciej.

Nie przejmuj się – odrzekł. – To tylko jakiś zgorzkniały starzec, który próbuje się odegrać. Puste groźby. Bez treści.

Tak czy siak, ja już chcę stąd wyjechać. Koniec filmu.

I nagle przestał się z nią spierać.

Tak – powiedział. – Zgoda. Wyjeżdżamy.

Cięcie.

George Harrison grał na sitarze w *Within You Without You*, *Tomorrow Never Knows*, *Norwegian Wood* i *Love You To*. Wszystkie loty startowały w środku nocy, więc gdy się spakowali i byli gotowi do wyjazdu, ściemniło się już, siedzieli więc po ciemku i wyobrażali sobie, jak George i Ravi Shankar, siedząc tam, gdzie oni teraz, tworzyli muzykę. Przez jakiś czas nie odzywali się do siebie, ale w końcu zaczęli rozmawiać.

Powtórzę ci, co opowiedział mi kiedyś ojciec, gdy byłem młodszy – zaczął Apu. – Synu mój, powiedział, największą siłą w życiu tego kraju jest nie rząd ani religia, ani smykałka do interesów. Tylko przekupstwoikorupcja. Brzmiało to jak jedno słowo, jak elektromagnetyzm. Gdyby nie przekupstwoikorupcja, nic by się nie dało załatwić. To właśnie przekupstwoikorupcja jest smarem w machinie tego narodu, jest też rozwiązaniem problemów naszego kraju. Jeśli pojawia się terroryzm? Usiądź przy jednym stole z przywódcą terrorystów, podpisz czek in blanco, przesuń go po blacie i powiedz: wstaw tyle zer, ile chcesz. Gdy zainkasuje czek, masz kłopot z głowy, bo w naszym kraju rozumiemy, że przekupstwoikorupcja to rzecz honorowa. I gdy masz gościa w kieszeni, już tam zostaje. Mój ojciec był realistą. Jeśli się obracasz w tych kręgach, jest rzeczą nieuniknioną, że taki czy inny don zapuka do twoich drzwi, albo proponując łapówkę, albo się jej domagając. Nie sposób na dłuższą metę zachować czystych rąk. W Ameryce wcale nie jest inaczej, powiedział mi ojciec po przeprowadzce za ocean. Tutaj też mamy swojego Kurczaczka, Małego Archiego, Szalonego Freda, Grubego Frankiego. Oni też wierzą w honor. Może więc światy nie różnią się tak bardzo, jak udajemy.

Rozmawiał z tobą o tym.

Niezbyt często – przyznał Apu. – Ale raz lub dwa wygłosił mowę pod hasłem przekupstwoikorupcja. Wszyscy słyszeliśmy ją kilka razy i dobrze ją znaliśmy. Nie dociekałem szczegółów.

Jak się czujesz teraz, gdy wyjeżdżamy, tak szybko? Spotkaliśmy ile, dwie osoby? Nie pokazałeś mi, gdzie chodziłeś do szkoły. Nie kupiliśmy pirackiego filmu. Właściwie nie byliśmy tu jeszcze.

Czuję ulgę.

Dlaczego ulgę?

Nie muszę już tu być.

A co sądzisz o tym, że czujesz ulgę? Że cieszysz się z wyjazdu? Czy to nie dziwne uczucie?

Niezupełnie.

Dlaczego?

Bo nauczyłem się wierzyć w całkowitą zmienność siebie. Że pod presją życia po prostu przestajemy być tym, kim byliśmy, i jesteśmy tym, kim się staliśmy.

Nie zgadzam się.

Nasze ciało cały czas się zmienia. Nasze włosy, skóra, wszystko. W cyklu siedmioletnim każda komórka, która nas tworzy, zostaje zastąpiona przez inną komórkę. Co siedem lat jesteśmy w stu procentach różni od tego, kim byliśmy kiedyś. Czemu nie miałoby się tak dziać również z naszym wewnętrznym ja? Minęło mniej więcej siedem lat, odkąd stąd wyjechałem. Jestem teraz kimś innym.

Nie jestem pewna, co na to nauka.

Ja nie mówię o nauce. Mówię o duszy. Duszy, która nie jest stworzona z komórek. O duchu w maszynie. Mówię o tym, że z czasem stary duch się wynosi i wprowadza się nowy.

Więc za siedem lat nie będę cię znała.

A ja nie będę znał ciebie. Może będziemy musieli zacząć od nowa. Może niestałość mamy we krwi. Tak po prostu jest.

Może.

Cięcie.

Noc była parna. Spały nawet wrony. Smutnolicy Pan Brązowy i pozostałe wściekłe psy czekali przed hotelem z okularami przeciwsłonecznymi na nosach, chociaż było ciemno.

Odprawiliśmy pańską taksówkę – poinformował Pan Brązowy. – Jest naszym obowiązkiem odwieźć pana na międzynarodowe lotnisko Króla Śiwadźiego, dawniej Sahar.

To irytujące – rzucił Apu. – Nie jesteście nam potrzebni.

Będziemy zaszczyceni – oznajmił Pan Brązowy. – Widzi pan, już czekają trzy sedany Mercedes-Benz. Jeden z przodu, drugi z tyłu, a w środku pan. Proszę. Dla pana wszystko, co najlepsze, sirdźi. Maybach klasy S, jak prywatny odrzutowiec na czterech kółkach. Tak o nim piszą w broszurach. Ja sam będę panu towarzyszył w tym aucie prima sort.

Nocne miasto ukryło przed nim swoją naturę, gdy je opuszczał, odwróciło się do niego plecami, tak jak on kiedyś się od niego odwrócił. Fasady budynków były ponure i zamknięte. Mostem Sea Link przecięli zatokę Mahim, ale potem za wcześnie zjechali z Western Express Highway, przed skrętem na lotnisko.

Dlaczego jedziemy tą trasą – zdziwił się Apu Golden, po czym Pan Brązowy odwrócił się, zdjął okulary i odpowiedź nie była już potrzebna.

To sprawa finansowa – oświadczył Pan Brązowy. – Nie osobista. Jeden klient przelicytował drugiego. Jeden klient, który od bardzo dawna nie daje pracy, kontra drugi, stały klient. Chodzi, proszę pana, o przesłanie wiadomości pańskiemu znakomitemu ojcu. Już on ją zrozumie, jestem o tym przekonany.

Ale ja nie rozumiem! – zawołała Ubah. – Co to za wiadomość?

Pan Brązowy odpowiedział poważnym tonem:

Wiadomość brzmi: pańskie działania, proszę pana, utrudniły nam wiele spraw, a ostrzegaliśmy, żeby tego nie robić. Później, gdy przedzielił nas pan kontynentami i oceanami, nie mieliśmy ani środków, ani woli, żeby pana ścigać. Teraz jednak niemądrze pozwolił pan na przyjazd swojemu synowi. Tak mniej więcej brzmi tekst tej wiadomości. Proszę przyjąć przeprosiny, szanowna pani, jest pani niewinną, przypadkową ofiarą, prawda, tak zwane straty niezamierzone. Bardzo, ale to bardzo żałuję.

Samochody przejechały pomniejszym mostem przez rzekę Mithi niedaleko wielkich slumsów Dharawi i w połyskującym srebrnym maybachu mocno podgłośniono muzykę. Bogaci się bawią. Cóż by innego? Czemu nie? Nie ma mowy, żeby ktoś usłyszał strzały. Zresztą nałożono tłumik.

24

W tropikach pogrzeby organizuje się szybko, ale śledztwa w sprawie morderstw, co jest do przewidzenia, wymuszają opóźnienia. Bywałem u Goldenów codziennie, odkąd nadeszła wiadomość o tragedii, i wydawało się, że czas stanął wtedy w miejscu. Można było odnieść wrażenie, że nic i nikt się nie porusza, oprócz pokoju, gdzie panie Blather-Ględa i Fuss-Maruda organizowały sprowadzenie zwłok, ale nawet ich gabinet zdawał się tonąć w ciszy. Pietia wrócił do domu, żeby być przy ojcu, ale przeważnie zamykał się ze swoim australijskim terapeutą w pokoju niebieskiego światła. D Golden też większość dni spędzał w domu, ubrany na czarno, i zaszywał się w kącie, gdzie trzymała go za rękę Riya. Nikt się nie odzywał. Tymczasem poza domem huczało. Frankie Sottovoce występował wszędzie, opłakując śmierć swojej rzeźbiarskiej gwiazdy. Rodzina zmarłej, wszyscy wysocy i dystyngowani, zachowywała się z godnością królewskich wartowników, stojąc za marszandem w telewizji ze smutkiem w suchych oczach. Neron Golden nie pokazywał się publicznie, ale dla wszystkich domowników było jasne, że coś w nim pękło, że po wiadomości, którą otrzymał, łatwo się nie otrząśnie. Także na drugim końcu świata cisza mieszała się ze zgiełkiem. Byli policjanci, sekcje zwłok, dziennikarze i wszystkie syreny rozbrzmiewające zwykle po czyjejś gwałtownej śmierci, ci jednak, którzy znali tę rodzinę przed jej wyjazdem do Nowego Jorku, pozostawali niewidzialni, żadnej wiadomości od nikogo, jak gdyby cisza opanowała też utracony świat Goldenów, opadła nań jak całun. Niezidentyfikowana dotąd kobieta, która powitała Apu w hotelowym lobby okrzykami „Groucho!", nie ujawniła się. Pozostałe kobiety, o których opowiadał, jego trzy porzucone miłości, krążące nad głowami ekskochanki, nie przyjechały go opłakiwać. Jakby miasto odwróciło się od tych, którzy odeszli, zarówno od ekspatriantów, jak i zmarłych. Jeśli aresztowano Pana Brązowego i jego wspólników, nie słyszeliśmy o tym. Media z czasem straciły zainteresowanie sprawą. Groucho nie żył. Życie toczyło się dalej.

Jak można się było spodziewać, dwie smoczyce w domu Goldenów stanęły na wysokości zadania i błyskawicznie sprowadziły ciała do kraju, gdy tylko zostały wydane przez mumbajską policję. Skontaktowały się z renomowaną firmą o przydługiej nazwie Międzynarodowe Przedsiębiorstwo Transportu Zwłok i Usług Pogrzebowych – MPTZUP – i szybko poczyniły wszelkie niezbędne przygotowania, łącznie z zakupem szczelnych trumien i kontenerów z amerykańskimi atestami. Zdobyły dokumenty, poświadczone tłumaczenia aktów zgonu i pisemnych zgód władz lokalnych na przewóz zwłok, wystarały się także o wczesny termin transportu, żeby Apu i Ubah mogli jak najszybciej wrócić do Nowego Jorku. Na płycie lotniska JFK nastąpiło smutne rozstanie. Frankie Sottovoce i członkowie rodziny somalijskiej artystki zabrali ciało Ubah, żeby pochować je zgodnie ze swoimi zwyczajami. Apu wrócił na Macdougal Street.

Było to dziwne i niepełne pożegnanie. Trumny nie otwarto. Ciało nie zostało zabalsamowane i w tej sytuacji prawo stanowe zabraniało okazywania zwłok. Gdy Neron nie chciał się zgodzić na odprawienie jakiejkolwiek ceremonii religijnej i zlecił kremację zwłok zamiast tradycyjnego pochówku, dyrektor MPTZUP pochylił głowę i zaproponował, że zostawi ich na godzinę. Później przywiezie prochy. Albo, jeśli taka wola Nerona, sam nimi zadysponuje.

– Nie – powiedział Neron. – Proszę je przynieść.

Dyrektor raz jeszcze skłonił głowę.

– Jeśli mogę – powiedział cicho. – W stanie Nowy Jork nie ma przepisów, które określałyby, gdzie można przechowywać lub rozrzucać prochy. Może je pan trzymać w krypcie, niszy, grobie lub w urnie w domu, co panu odpowiada najbardziej. Jeśli postanowi je pan rozrzucić, jak najbardziej, jest to możliwe, ale odradzałbym miejsce, gdzie byłyby widoczne dla innych. Prochy po kremacji są zupełnie nieszkodliwe, więc nie ma mowy o zagrożeniu dla zdrowia publicznego. Rozrzucenie ich na terenie prywatnej posiadłości wymaga zgody właściciela i dobrze jest sprawdzić miejscowy plan zagospodarowania przestrzennego, jeśli będzie pan sobie życzył to zrobić w miejscu publicznym. Jeśli z kolei życzy pan sobie rozrzucić prochy na wybrzeżu lub w nowojorskim porcie, trzeba pamiętać o przepisach Agencji Ochrony Środowiska dotyczących pochówku morskiego...

– Dosyć – warknął Neron Golden. – Niech pan w tej chwili zamilknie i wyjdzie.

Przez następną godzinę nie padło ani jedno słowo. Wasylisa zabrała małego Wespazjana na górę, reszta nas stała lub siedziała przy trumnie, każdy sam na sam z własnymi myślami. W tej strasznej godzinie uzmysłowiłem sobie, że Apu swoją śmiercią w końcu przekonał mnie o czymś, czemu w latach naszej przyjaźni nie dawałem wiary: że rzeczy dla człowieka nieprzeniknione współistnieją stale z tymi, które gruntownie zbadano, i że istnieją ludzkie tajemnice, których nie zdoła wytłumaczyć żadna teoria. Bez względu na to, jak bardzo się starałem, nie mogłem pojąć łatwości, z jaką on, spośród wszystkich Goldenów, zgodził się zrzucić swą indyjską skórę i przenieść z rodzinnego miasta na Zachód, do Greenwich Village. Nestor rodu miał na swoim koncie dość szemranych interesów, Pietia prawdziwych i bieżących problemów psychicznych, a Dionizos ukrytych pragnień związanych z przyszłością, by uzasadnić ich wybory, ale Apu był mocno zaangażowany w życie swojego miasta, gdzie kochał i był kochany, a kłopoty sercowe wydawały się mizernym wytłumaczeniem chęci wyjazdu. Głos rozsądku podpowiadał mi, że Apu ze wszystkich synów Nerona najwyraźniej dostrzegał cienie otaczające ojca, przestraszył się tego, co zobaczył, i może taka była część prawdy. Może też zrobiło swoje to, co mi powiedział o tradycyjnym wychowaniu – decyzja ojca była po prostu zarządzeniem i trzeba je było wykonać. Ale inny głos, głos, który Apu we mnie obudził, a którego nie chciałem słuchać, odmalowywał teraz inną scenę: oto Apu siedzi na marmurowej podłodze obszernego tarasu ich starego domu na bombajskim wzgórzu, może po turecku, i medytuje, z zamkniętymi oczami, zaglądając do wnętrza czy gdzie tam akurat szuka porady, i słyszy inny głos, nie ten szepczący mi do ucha, a może to był ten sam głos, a może był to jego własny głos lub głos przez niego wymyślony, a może, jak sam by to ujął, nawiązał kontakt z czymś, w czego istnienie zawsze wierzył, z dźwiękiem wszechświata, mądrością wszystkiego, głosem, któremu ufał; i ten głos rzekł *Jedź*. I tak oto, niczym Joanna d'Arc, niczym Święty Jan, niczym wymyślony przezeń „Apu Golden" nawiedzany w Nowym Jorku przez duchy dawnego życia – niczym mistyk, którym był, wsłuchany w swoje głosy lub *pod wpływem impulsu*, jak moglibyśmy powiedzieć my, sceptycy, wyjechał.

Doświadczenie mistyczne istnieje. Zrozumiałem to. Gdy później doszło do głosu moje racjonalne ja, miało powiedzieć: tak, zgoda, ale jest to doświadczenie wewnętrzne, nie zewnętrzne; subiektywne, nie obiektywne. Gdybym stał obok Apu w jego atelier na Union Square, nie zobaczyłbym duchów. Gdybym klęknął obok niego na tamtym tarasie w Walkeśwar siedem i pół roku temu, Moc nie przemówiłaby do mnie. Nie każdy może zostać rycerzem Jedi. Choć wielu Australijczyków twierdzi coś odwrotnego, taka jest prawda. I może Apu nauczył się ufać temu, co nazwał kiedyś poziomem duchowym, i korzystał z niego. Ale nie ja, nie, nie ja.

Przez czterdzieści dni i nocy po powrocie Apu dom Goldenów był pogrążony w żałobie, niedostępny, z zasłonami zaciągniętymi nie tylko o północy, ale i w południe, z zamkniętymi okiennicami, a jeśli już ktoś przychodził z wizytą, poruszał się z eterycznością duchów. Neron zniknął z pola widzenia. Przypuszczałem, że Pietia wprowadził się z powrotem, i może zamieszkał tam też terapeuta Lett, ale to tylko moje spekulacje. Pietia Golden nie zszedł do trumny brata, gdy stała w największym salonie domu Goldenów, nie wybaczył mu, ani razu nie wymówił jego imienia i nie spytał, co się stało z ciałem Ubah, czy jest jakiś grób, który mógłby odwiedzić, nigdy nie pytał. Niektóre rany się nie goją. Mieszkańcy Ogrodów zajmowali się swoimi sprawami i uszanowali decyzję dotkniętej nieszczęściem rodziny o wycofaniu się z ich małego światka. Nie odwiedzałem ich, chociaż pragnienie, by ujrzeć małego Wespazjana, było silniejsze niż kiedykolwiek. Zastanawiałem się któregoś dnia, czy nie skontaktować się z Wasylisą i nie wybłagać u niej kilku chwil z synkiem, ale z góry wiedziałem, jaką dostanę odpowiedź – kategoryczną odmowę – siedziałem więc cicho. Zresztą był to dla mnie bardzo intensywny okres; Suchitra i ja mieliśmy ręce pełne roboty. W tym rozpolitykowanym czasie zostaliśmy wciągnięci w świat politycznych reklamówek, zwłaszcza dla ugrupowań kobiecych, które broniły idei świadomego rodzicielstwa i atakowały republikańską niewrażliwość na problemy kobiet. Stawaliśmy się coraz bardziej znani; w tymże roku nasze filmy zgarnęły nagrody Pollie za reklamy polityczne, w szczególności klip, w którym o swoich doświadczeniach opowiada dziecięca ofiara handlu żywym towarem. Suchitra – skróciwszy imię i nazwisko do Suchi Roy, żeby łatwiej było wymawiać – stawała się gwiazdą mediów, a ja cieszyłem się, że mogę jej asystować. Odwróciłem się więc od śmierci w stronę życia. Życie jednak stało się w tamtym roku hałaśliwe, wręcz zatrważające. Poza zamkniętym światem Ogrodów robiło się naprawdę dziwnie.

Wychodząc z tego zaczarowanego – a teraz dotkniętego tragedią – kokonu, można się było przekonać, że Ameryka wzięła rozbrat z rzeczywistością i wkroczyła do uniwersum komiksu; Dystrykt Kolumbii, DC, komentowała Suchitra, stał się celem ataku postaci z DC Comics. Był to rok Jokera w Gotham i nie tylko. Człowieka-Nietoperza ani widu, ani słychu – czas bohaterów minął – ale jego arcyrywal w fioletowym surducie i pasiastych pantalonach był wszechobecny, wyraźnie wniebowzięty, że ma scenę tylko dla siebie, i skupiał na sobie całą uwagę z niekłamaną rozkoszą. Pożegnał legion samobójców, lichą konkurencję, ale pozwalał kilku swoim podwładnym tkwić w przekonaniu, że są przyszłymi członkami administracji Jokera. Pingwin, Człowiek-Zagadka, Dwie Twarze i Trujący Bluszcz ustawiali się w szeregu za Jokerem na pełnych stadionach, kołysząc się jak chórek doo wop, gdy ich przywódca rozprawiał o niezrównanej urodzie białej skóry i czerwonych ust przed pełną uwielbienia publicznością w zielonych nastroszonych perukach, skandującą jednym głosem: *Ha! Ha! Ha!*

Pochodzenie Jokera było sprawą dyskusyjną, a sam zainteresowany najwyraźniej cieszył się z tego, że sprzeczne wersje walczą między sobą o prymat, ale w jednej kwestii wszyscy, zagorzali zwolennicy i zaciekli antagoniści, się zgadzali: Joker był totalnie i niepodważalnie szurnięty. Przy czym ludzie popierali go *dlatego*, że był szalony, a nie wbrew temu, co zdumiewało i co odróżniało ten rok wyborczy od wszystkich innych. Coś, co zdyskwalifikowałoby każdego innego kandydata, wśród jego zwolenników czyniło zeń bohatera. Sikhijscy kierowcy ciężarówek i jeźdźcy rodeo, zaciekłe blondyny z alternatywnej prawicy i czarni neurochirurdzy, wszyscy się zgadzali, kochamy jego szaleństwo, nie dla niego eufemizmy godne mięczaków, on wali prosto z mostu, mówi, kurwa, co mu ślina na język przyniesie, jeśli ma ochotę obrabować bank, to rabuje, jeśli ma ochotę kogoś zabić, zabija, nasz chłop. Czarny rycerz-nietoperz odleciał! Nastał nowy dzień i co to będzie za komedia! Heil Stany Zjednoczone Jokera! USJ! USJ! USJ!

Był to rok dwóch baniek. W jednej z nich Joker zanosił się wrzaskliwym śmiechem i tłumy wtórowały mu jak na zawołanie. W tej bańce zmiany klimatyczne nie zachodziły, a kurcząca się arktyczna czapa lodowa była tylko nową okazją dla deweloperów. W tej bańce mordercy z bronią w ręku korzystali ze swych konstytucyjnych praw, ale rodzice zamordowanych dzieci byli nieamerykańscy. W tej bańce, jeśli jej mieszkańcy odniosą zwycięstwo, prezydent sąsiedniego kraju na południu, który wysyłał do Ameryki zabójców i gwałcicieli, zostanie zmuszony do sfinansowania budowy muru oddzielającego dwa narody, żeby zatrzymać zabójców i gwałcicieli na południe od granicy, gdzie ich miejsce; przestępczość zniknie; wrogowie kraju zostaną błyskawicznie i bezspornie pokonani; masowe deportacje będą czymś pożądanym; dziennikarki będzie się uważać za niegodne zaufania, bo przecież wypływa z nich krew, wiadomo skąd; ujawni się, że rodzice poległych bohaterów wojennych działają na rzecz islamskich radykałów; nie będzie się respektować traktatów międzynarodowych; Rosja zostanie sojusznikiem, co nie będzie miało zupełnie nic wspólnego z tym, że rosyjscy oligarchowie wspierali finansowo podejrzane przedsięwzięcia Jokera; zmienią się znaczenia różnych rzeczy; wielokrotne bankructwa będą świadczyć o wielkich kompetencjach w biznesie; trzy i pół tysiąca wytoczonych komuś procesów będzie świadczyć o przedsiębiorczości; oszukiwanie kontrahentów będzie świadczyć o twardym podejściu do interesów; oszukańczy uniwersytet będzie świadczyć o twoim oddaniu sprawom edukacji; i choć druga poprawka będzie świętością, to pierwsza już nie; więc ci, którzy krytykowali przywódcę, poniosą konsekwencje; i ciemnoskórzy Amerykanie nabiorą się na to wszystko, bo cóż mają, cholera, do stracenia. W tej bańce wiedza była ignorancją, czarne było białe, a odpowiednią osobą do przejęcia kodów aktywacyjnych broni jądrowej był zielonowłosy, białoskóry, czerwonoszerokousty zgrywus, który pytał cztery razy doradców wojskowych, dlaczego użycie broni jądrowej jest aż tak złym pomysłem. W tej bańce zaostrzone karty do gry były zabawne, tryskające kwasem kwiaty w marynarce były zabawne, wypowiedziane życzenie, że chciałoby się przespać z własną córką, było zabawne, sarkazm był zabawny, nawet gdy to, co nazywano sarkazmem, nie było sarkastyczne, kłamstwo było zabawne, nienawiść była zabawna, fanatyzm był zabawny, przemoc była zabawna, a był to rok lub prawie był to rok, a może wkrótce będzie, jeśli żarty się sprawdzą, tysiąc dziewięćset osiemdziesiąty czwarty.

W drugiej bańce – co rodzice uświadomili mi już dawno – znajdował się Nowy Jork. W Nowym Jorku, przynajmniej chwilowo, wciąż utrzymywała się pewnego rodzaju zwyczajność, a nowojorczycy umieli rozpoznać oszusta, mając z nim do czynienia. W Gotham wiedzieliśmy, kim jest Joker, i nie chcieliśmy mieć z nim nic wspólnego, ani z nim, ani z córką, której pożądał, ani z córką, o której nigdy nie wspominał, ani z synami, którzy dla rozrywki zabijali słonie i lamparty. „Zdobędę Manhattan!", wrzeszczał Joker zwieszony z dachu drapacza chmur, ale my się z niego śmialiśmy, z niego, a nie z jego przaśnych żartów, musiał więc ruszyć ze swoją farsą w trasę do miejsc, gdzie ludzie jeszcze się na nim nie poznali lub, co gorsza, gdzie doskonale wiedzieli, jaki jest, i go za to uwielbiali: do tej części kraju, która była równie szalona jak on. Do swoich ludzi. Zbyt wielu, by się tym nie zaniepokoić.

Był to rok wielkiej bitwy między obłąkańczą fantazją a szarą rzeczywistością, między z jednej strony *la chose en soi*, przypuszczalnie niezgłębioną, ale prawdopodobnie istniejącą rzeczą samą w sobie, światem, jaki istnieje niezależnie od tego, co się o nim mówi i jak jest postrzegany, *Ding an sich*, by użyć terminu kantowskiego – a z drugiej strony tym rysunkowym bohaterem, który przekroczył granicę między komiksem a sceną (nielegalny imigrant pewnego rodzaju, pomyślałem), i miał w planach zamienić cały kraj, niby dla żartu, w tandetną współczesną powieść graficzną, pełną zbrodni popełnianych przez czarnych, pełną żydowskich zdrajców, fiutów i cip, takich bowiem słów lubił czasem używać, ot tak, na złość liberalnym elitom; komiks, w którym wybory są fałszowane, media nieuczciwe, a wszystko, czego nienawidzisz, spiskuje przeciwko tobie, ale w końcu! Hurra! Wygrywasz, nastroszona peruka zamienia się w koronę i Joker zostaje królem.

Miało się dopiero okazać, czy w listopadzie naród ma mentalność nowojorską, czy woli włożyć zieloną nastroszoną perukę i zarykiwać się ze śmiechu. *Ha! Ha! Ha!*

25

Gdy rozgrywają się kolejne akty tragedii domu Goldenów, ja kieruję z powrotem uwagę – teraz, ale wtedy zaniedbywałem swoje obowiązki! – na coraz bardziej nieznośną egzystencję Dionizosa Goldena. Trudno było pozostawać z [nim] w regularnym kontakcie jakiegokolwiek rodzaju. (Myśląc o [nim], wciąż używałem zaimków męskich, chociaż wydawało mi się to w coraz większym stopniu niewłaściwe, z szacunku zatem dla [jego] nieokreśloności, biorę je w nawiasy kwadratowe, podobnie jak męskie formy czasowników i przymiotników. Pod nieobecność wyraźnych wskazówek: „nie wiem jeszcze, jakie są moje zaimki", [powiedział] mi z pewnym zawstydzeniem, było to moje doraźne rozwiązanie). Świat wokół D, świat, w którym [miał] jakieś poczucie bezpieczeństwa, skurczył się do dwóch i pół miejsc: klubu dla dziewcząt 2-Bridge na Market Street w pobliżu trzech placów zabaw w narożniku między Manhattan Bridge i trasą FDR, gdzie [pracował] społecznie cztery dni w tygodniu, i mieszkania w Chinatown, które [dzielił] z Riyą Z. Od czasu do czasu odwiedzali też klub nocny na Orchard Street, gdzie śpiewała ognistowłosa Ivy Manuel – to była ta połówka w [jego] strefie komfortu – ale tu zawsze pojawiało się pytanie, jak się ubrać, kto może podejść, co powiedzieć, a także kwestia narastającej i paraliżującej nieśmiałości D. W 2-Bridge problem stroju rozwiązywał się sam, [nosił] tam bowiem ubiór uniseks dla personelu: białą koszulę wyłożoną na wierzch czarnych, luźnych spodni, do tego czarne tenisówki, wszędzie indziej jednak D nie bardzo [wiedział], jak ma prezentować siebie innym. Po przygodzie w garderobie Wasylisy [przyznał] przed [samym] sobą, że z przyjemnością wkłada kobiece stroje, i [zebrał] się na odwagę, żeby powiedzieć Riyi, a także Ivy, co się stało, odbyli więc rozmowę na ten temat.

– Dobrze – rzekła Riya. – To twój pierwszy krok. Potraktuj go jako punkt początkowy procesu, który potrwa mniej więcej trzy lata. Pomyśl o transformacji jak o działających powoli czarach. To twoja prywatna baśń z tysiąca i jednej nocy, gdzie przestajesz być żabą, którą nie chcesz być, i stajesz się, być może, księżniczką.

Ivy zaś dodała:

– Ale nie musisz się posuwać dalej, niż ci to odpowiada. Może jesteś tylko żabą, która chce wyglądać ładnie w różowym.

[Korzystał] z profesjonalnej pomocy, ale właściwie [mu] ona nie pomagała. Ciągle [miał] ochotę się spierać ze Specjalistką. Nie [chciał] mi zdradzić jej tożsamości; [wykorzystywał] mnie za to do wyładowywania swojej frustracji, na co nie [pozwalał] sobie w obecności Riyi, której pasją była tożsamość, która poświęciła się idei transmorficznej płynności własnego ja i która czasami sprawiała wrażenie, jakby nie mogła się doczekać [jego] przemiany M/K, kompletnej metamorfozy. Powinienem był jakoś [mu] pomóc. Może zapobiegłbym temu, co się stało. Może wszyscy [go] zawiedliśmy. A może D Golden po prostu się nie [nadawał] do życia na tym świecie.

Wyobrażam sobie, że poniższa rozmowa odbywa się w pustym, czarno-białym, przypominającym celę pomieszczeniu, gdzie [mówiący] siedzi z kamiennym wyrazem twarzy na metalowym krześle, a przesłuchująca [go] Specjalistka jest wysokiej klasy androidem, połączeniem Alicii Vikander z Ex Machina *i superkomputera Alpha 60 z* Alphaville *Godarda. Nie słyszymy głosu żadnej z tych postaci. Nie ma podłożonego dźwięku. Słyszymy tylko Monolog; chociaż, gdy w Monologu cytowane są czyjeś słowa, ruchy ust postaci w pomieszczeniu czasami – nie zawsze – odpowiadają temu, co się mówi. W tej scenie jest coś, co przywodzi na myśl spotkanie między więźniem i [jego] adwokatem w dniu odwiedzin. Nie byłoby zaskakujące, gdyby [mówiący był ubrany] w pomarańczowy kombinezon (gdyby scenę filmowano w kolorze) lub [miał] na nogach lub przegubach kajdany. Jest w tej scenie także coś, co sprawia, że gdyby ją odpowiednio nakręcić, byłaby zabawna.*

Monolog D [Goldena] na temat własnej seksualności i badania jej przez Specjalistkę

Rozdział pierwszy. Pyta mnie, na samym początku, ta Specjalistka, pierwsze pytanie, prosto z mostu, jaki był twój ulubiony kolor w dzieciństwie, różowy czy niebieski.

Jestem szczerze zdumiony tak sformułowanym zapytaniem. Czy w tym momencie historii świata należy pytać właśnie o to: różowy czy niebieski?

Proszę to zrobić dla mnie, odpowiada, spełnić moją prośbę, jakby to ona była pacjentką, a ja terapeutą.

Ostatnio powoduje mną jakaś nieokreślona przekora, przytaczam więc słowa Diany Vreeland, redaktorki naczelnej „Vogue'a", która powiedziała kiedyś, że róż jest granatem Indii, a zatem te dwa kolory, różowy i niebieski, w Indiach, jak przypuszczam, znaczą to samo.

Dlaczego to pytanie aż tak cię irytuje? Chodzi tylko o wybór jednego z dwóch kolorów – mówi. – Mogłabym też zapytać: kolejka elektryczna czy lalki. Tak postawione pytanie sprawiłoby ci mniej problemów?

Powinienem dodać w nawiasie, że nigdy nie pociągał mnie marksizm, ale jej linia ataku rozbudziła we mnie silne odczucia antykapitalistyczne. Wydawało mi się – odpowiadam – że skończyliśmy już z materialistycznymi kategoriami narzuconymi przez rynek, różowy dla dziewczynek, niebieski dla chłopców, kolejka i pistolety dla chłopców, lalki i sukienki dla dziewczynek. Dlaczego chce mnie pani wepchnąć z powrotem w ten staroświecki, skompromitowany dyskurs?

Reagujesz dość silną wrogością – stwierdza. – Czyżbym poruszyła jakiś czuły punkt, wywołując taką falę emocji?

No dobra – mówię – prawda jest taka, że moim ulubionym kolorem był żółty, i tak pozostaje do dziś. Przez pewien czas próbowałem nawet przeklinać na żółto jak przyjaciel Stephena

Dedalusa*, *a niech cię cholera z tą twoją żółtą laską*, ale zwyczaj ten nie utrzymał się długo.

Świetnie – odpowiada Specjalistka – żółty na spektrum barw znajduje się pośrodku między niebieskim i różowym.

Uznałem ten komentarz za strasznie głupi, po neandertalsku głupi, po kromaniońsku głupi, ale ugryzłem się w język i nic nie powiedziałem. Może to nie dla mnie, ta terapia, pomyślałem.

A co do drugiego pytania – mówię – *nigdy* nie miałem kolejki. Moi bracia owszem, i przyglądałem im się, jak się bawią, nawet gdy wyrośli już z zabawek. Mieli też tory wyścigowe Scalextric, to było żenujące, dorośnijcie w końcu, myślałem sobie. Widzi pani, byłem dużo młodszy od moich przyrodnich braci. Sam miałem parę zwierzątek z drzewa sandałowego, które wkładało się do wanny podczas kąpieli, bo pod wpływem wilgoci wydzielały intensywny zapach. Słoń i wielbłąd z drzewa sandałowego. Wymyślałem dla moich sandałowych przyjaciół przygody i każdego wieczoru powstawała przed snem inna opowieść. Co słoń ukrywa w swojej trąbie, dlaczego wielbłąd nienawidzi pustyni i tak dalej. Może powinienem był je spisać. Teraz już większości nie pamiętam. A więc w odpowiedzi na pani pytanie, jeśli jest wybór między lalkami i kolejką, no cóż, wybieram chyba zwierzęce figurki z drzewa sandałowego. Nigdy ich jednak nie przebierałem. Opowiadałem im tylko bajki i zanurzałem w wodzie.

I tak to wyglądało cały czas: ona naciskała, ja się opierałem. W pewnym momencie wydobyła ze mnie historię o macosze i kluczach do domu. Przyznaję: najgorsza rzecz, jaką mam na sumieniu. Mówię o tym Specjalistce. Wspominam o swoich wyrzutach sumienia. Ale jej nie interesowały moje

---

* W dwóch polskich przekładach dzieła Jamesa Joyce'a *A Portrait of the Artist as a Young Man*: Zygmunta Allana (*Portret artysty z czasów młodości*) i Jerzego Jarniewicza (*Portret artysty w wieku młodzieńczym*) Lynch, przyjaciel Dedalusa, nie przeklina jednak „na żółto". Allan zastąpił „żółty" klasycznym przekleństwem „cholerny", Jarniewicz zaś przymiotnikiem „solony".

żale, posuwała się tym samym szlakiem co Riya, gdy się pokłóciliśmy w samochodzie i wysiadłem. Nienawiść nie była wystarczającym wytłumaczeniem tego czynu, oznajmiła. W końcu przeszliśmy do sedna. Przypuśćmy, że zasugeruję – mówi – że zamarzyło ci się zostać panią domu. Przypuśćmy, że zasugeruję, że w tym tkwiła istota rzeczy. Jaka jest twoja pierwsza reakcja? Moją pierwszą reakcją było: bum! Wychodzę, nic z tego nie będzie, i gdy jestem już prawie przy drzwiach, ona pyta mnie cichym głosem, co zamierzam zrobić, zatrzymuję się więc i moja wyciągnięta ręka odsuwa się od klamki, wracam, siadam i mówię: Może ma pani rację. A więc czym w takim razie jestem? Kim jestem?

Jesteśmy tu właśnie po to, żeby się tego dowiedzieć – odpowiada.

Rozdział drugi. Dopytuję się jeszcze o zabawki i kolory. Dawno temu, mówię, jeśli chłopiec lubił kolor różowy i lalki, rodzice obawiali się, że jest homoseksualistą, i starali się go zainteresować chłopięcymi rzeczami. Chcę powiedzieć, że mogli mieć wątpliwości co do jego orientacji, ale nie przyszłoby im do głowy kwestionować jego płci. Teraz, zdaje się, przechodzicie do drugiej skrajności. Zamiast mówić, że chłopak jest pedałkiem, staracie się mu wmówić, że jest dziewczynką.

No dobrze – odpowiada – w takim razie jesteś gejem? Fizycznie pociągają cię inni faceci?

Nie – mówię. – To chyba jedyna rzecz, którą wiem: nie pociągają mnie.

Świetnie – rzuca. – Darujmy więc sobie zgłębianie motywacji wyimaginowanych rodziców i skupmy się na bieżącym zadaniu, czyli na tobie. Skoro nie jesteś męskim homoseksualistą, to może jesteś osobą homoseksualną płci żeńskiej?

Co.

Czy jesteś lesbijką – pyta Specjalistka.

Moja przemiana jeszcze się nie zaczęła i żyję z heteroseksualną kobietą – wyjaśniam.

Po pierwsze, nie omawiamy tutaj seksualności twojej kochanki, która też może być złożona i którą możesz upraszczać dla własnej wygody, ale to nie jest nasz temat. A po drugie, pytanie to nie musi się wiązać z tym, co robisz, lecz kim jesteś. Różnica jest taka jak między: „pracuję jako pizzaman" i „jestem kimś, kto lubi dobre jedzenie".

Dziwna pani jest – mówię jej.

Nie ja jestem tu osobą badaną – odpowiada Specjalistka.

Jak mogę być lesbijką – protestuję – to fizycznie niemożliwe.

Dlaczego.

Z oczywistych powodów.

Więc dwa pytania. Po pierwsze: Czy kiedykolwiek pociągała cię lesbijka? Kobieta, która woli się kochać z inną kobietą?

Były takie sytuacje – odpowiadam. – Jedna lub dwie. Ale nie podejmowałem żadnych prób.

Dlaczego.

Z oczywistych powodów. Nie chciałyby się ze mną przespać.

Dlaczego.

Oj, no wiadomo.

No dobrze. Drugie pytanie. Czym jest kobieta?

To przedziwne pytanie, które sprawia, że nagle czuję się w tym kraju strasznie obco. Nie wyobrażam sobie, żeby można je było zadać w większości innych rejonów świata. Czyżby Amerykanie stracili co do tego jasność? Teraz zapyta mnie pani o oznaczanie toalet? Przypomni zakaz wystawienia *Monologów waginy* w Mount Holyoke College?

Czy jest to coś, co do czego *ty* nie masz jasności.

Wiem, czym jest kobieta. Po prostu nie wiem, czy ja nią jestem. Albo czy chcę nią być. Albo czy mam odwagę nią zostać. Bardzo się boję, że nie mam dość odwagi. Ogólnie rzecz biorąc – bardzo się boję.

Czego się boisz.

Nagości zmiany. Jej dramatyzmu, radykalności, jej przeraźliwej widoczności. Ludzkich spojrzeń. Ludzkich ocen. Zastrzyków. Operacji. Przede wszystkim operacji. To naturalne, prawda?

Nie wiem, co znaczy słowo: „naturalne". Nadużywano go tak długo, że lepiej teraz o nim zapomnieć. Innym takim słowem jest „płeć".

Mieszkam z kimś, kto by się z panią zgodził.

Pozwól, że podsunę ci takie zdanie: „Nie ma czegoś takiego jak ciało kobiety".

Przez co oczywiście nie chce pani powiedzieć, że nie ma czegoś takiego jak ciało kobiety. Bo przecież istnieją kobiety, temu nie można zaprzeczyć, i są ciała, to także obiektywna prawda, a jedno zawiera się w drugim. *Ergo...*

Chociaż kwestionujesz mój postulat, pojąłeś jego podstawowy sens. Istniejemy, istnieją nasze ciała i zamieszkujemy je, ale nie jesteśmy przez nie określani ani ograniczani.

W taki oto sposób dochodzimy do problemu umysł–ciało. Proponuje pani, żeby odrzucić ideę, jakoby istniała jednolita rzeczywistość, substancja lub istota, przez co oddzielenie umysłu i ciała jest niemożliwe. To stanowisko monistyczne, nie podoba się ono pani? Woli pani Kartezjusza z jego dualizmem. Ale czy zatem *kobieta* lub choćby *żeńskość* jest kategorią samego umysłu? Nie ma tu żadnej ingerencji fizyczności? I czy ta niezależna od ciała tożsamość płciowa, ta bezcielesna niefizyczność nie podlega zmianom, bo przecież z racji bycia niefizyczną powinna być zmienna jak dym, jak wiatr? Czy może znajdujemy się na terytorium religijnym albo arystotelesowskim i płeć tak jak umysł jest właściwością duszy? Czytałem o tym co nieco. Ale trudno mi to wszystko ogarnąć.

Ujmę to w sposób prosty. Żeńskie genitalia i narządy rozrodcze nie czynią z ciebie kobiety, jeśli się z nimi rodzisz. Jeśli się rodzisz z męskimi genitaliami, też nie czynią one z ciebie mężczyzny. Chyba że taki jest twój wybór. To sąd, do którego chciałabym, żebyś się odniósł. Że w waginie nie ma nic definiująco żeńskiego. Ani też nie jesteś wykluczony z żeńskości, jeśli jesteś właścicielem męskiego członka. Kobieta trans z penisem jest mimo wszystko kobietą. Zgadzasz się z tym czy nie?

Chce pani powiedzieć, że operacja może nie być konieczna.

Kastracja.

Już samo to słowo boli.

Nie, jeśli taki jest twój wybór.

Wracamy więc do kwestii *wyboru*.

Proponowałabym, żeby nazywać to wolnością. Powiedziałabym, że to twoje prawo.

Mam o tym pewne pojęcie. Pochodzę z rodziny, która postanowiła się przeistoczyć. Imię, którym się pani do mnie zwraca, zostało wybrane przeze mnie. Rozstanie ze światem, który zmusił mnie do wyjazdu tam, gdzie być może zdołam się stworzyć na nowo, było moim wyborem. Jestem za możliwością wyboru. Mnie już odmieniły podjęte decyzje. Ale.

Ale.

Jeśli powiem, że jestem kobietą, ale nie rozstanę się ze swoim męskim narządem, i znajdę się wśród lesbijek i będę mieć ochotę na seks, ale one nie chcą się kochać z osobą z męskim narządem, no to jaką jestem kobietą, jeśli mój wybór, by stać się kobietą, jest nie do przyjęcia dla kobiet?

Jeśli ktoś odniesie się do ciebie w ten sposób, to znaczy, że jest TERF.

TERF.

To skrót angielskiego terminu na określenie radykalnej feministki, która wyklucza osoby trans.

A to coś złego.

W rozmowie, którą teraz prowadzimy, tak, to coś złego.

Więc powołuje się pani na przypadek kobiet z waginami, które nie chcą się kochać z kobietami z penisami, i krytykuje je pani, twierdząc, że są złe. Jak to ma pomóc mnie?

Pomaga ci wytrwać przy swoim wyborze.

Bo ja mam rację, a one nie.

W Michigan odbywa się prywatny festiwal dla kobiet, już od czterdziestu lat, żeby mogły się spotykać, muzykować, gotować, rozmawiać i po prostu być razem, i są to między innymi kobiety, które tworzyły ruch feministyczny, kobiety cisseksualne, w większości starsze panie, rewolucjonistki w swoim czasie. Nie pozwalają jednak kobietom trans z męskimi narządami być częścią tego wydarzenia, trwa więc spór, który ociera się o przemoc. Uzbrojeni aktywiści trans koczują wokół terenu festiwalu, planują protesty i akcje sabotażowe i czasem je przeprowadzają, graffiti, odcięte linie wodociągowe, przebite opony i ulotki z ich penisami. Twierdzę, że w tej debacie kobiety z waginami nie mają racji, bo nie potrafią się przystosować do nowych czasów, w których kobieta z waginą jest tylko jednym rodzajem kobiety, ale inne rodzaje kobiet są nimi w nie mniejszym stopniu niż one. Jeśli dokonujesz wyboru, by zostać Amerykaninem, po czym przyjmujesz amerykańskie obywatelstwo, nie musisz całkowicie rezygnować z tego, kim byłeś przedtem. Sam zostałeś Amerykaninem, ale mówisz, że czujesz się tu obco, gdy twój światopogląd zostaje zagrożony, a więc zachowujesz swoją cudzoziemską część niejako nienaruszoną. Jeśli dokonujesz wyboru, by zostać kobietą, obowiązuje ta sama zasada. I jeśli ktoś próbuje cię wykluczyć z wybranej przez ciebie płci, masz prawo protestować.

Ale jeśli ja nie dostrzegam w tym wyborze wyboru, to co? A co, jeśli słyszę od społeczności gejowskiej, że homoseksualizm jest wrodzony, że ludzkiej natury nie można sobie wybrać ani z niej zrezygnować, i jeśli mnie skręca na myśl o tym reakcyjnym pomyśle, że osobę homoseksualną można „uzdrowić", że może ona dokonać innego wyboru i zrezygnować ze swego homoseksualizmu? A co, jeśli podejrzewam, że te różne wybory, które pani tu przedstawia, te płciowe niuanse z wielorakimi możliwościami, są częścią tej samej reakcyjnej ideologii, bo po wyborze można się rozmyślić, a zmiana zdania to przywilej kobiety? A co, jeśli stwierdzę, że moja tożsamość jest po prostu problematyczna, bolesna, dezorientująca i że nie wiem, co ani jak wybrać, ani nawet czy musi dojść do jakiegoś wyboru, co, jeśli po prostu muszę brnąć na oślep, próbując odkryć, kim jestem, a nie kim postanowię być? A jeśli wierzę, że jest jakieś jestem i muszę je odnaleźć, to co? A co, jeśli to nie kwestia wyboru, lecz odnalezienia siebie, dojścia do tego, kim się zawsze było, nie wskazania jednego ze smaków w genderowej lodziarni? A co, jeśli uważam, że skoro czyjeś kobiece *jestem* oznacza, iż nie może się kochać z kobietą z męskim narządem, należy to uszanować? A co, jeśli się martwię, że może dojść do wojny domowej po żeńskiej stronie granicy między płciami, i jeśli uważam, że taka wojna byłaby zła? A co, jeśli jesteśmy wszystkie odrębnymi rodzajami kobiet, nie jesteśmy takie same i jeśli te podziały, łącznie z podziałami związanymi z życiem intymnym, są w porządku, nie są czymś wstecznym ani złym? A co, jeśli jesteśmy federacją różnych stanów istnienia i musimy szanować prawa tych stanów, nie tylko samej unii? Zaczynam wariować, próbując to wszystko analizować, a nawet nie znam właściwych słów, używam tych, które znam, ale cały czas mam wrażenie, że są nieodpowiednie, a jeśli próbuję żyć w niebezpiecznym kraju, którego języka jeszcze się nie nauczyłem, to co? Co wtedy?

Wtedy bym powiedziała, że mamy dużo do zrobienia, by przebić bawełniany sufit w twojej głowie.

Czyli.

Bieliznę robi się z bawełny. Zawartość bielizny kobiety trans stanowi oś jej prześladowania i marginalizacji. To cytat.

Ktoś opowiedział mojej dziewczynie kawał o transmiliarderze. Identyfikuję się jako miliarder, więc teraz jestem bogaty, powiedział. Jak by pani na to zareagowała?

To nie jest śmieszne.

[Stanął] na progu, ale nigdy nie [wszedł] do środka. [Uwięziony] między strachem i słowami, [zorientował] się, że nie jest w stanie zrobić kroku, nie [mógł] też zostać tam, gdzie [był] wcześniej. Znaki ostrzegawcze były dosyć wyraźne. Riya odebrała telefon z klubu 2-Bridge i powiedziano jej, całkiem uprzejmie, że zmuszeni są poprosić [go], by przestał przychodzić do klubu, [zaczął] bowiem narzucać się dziewczynom z wyjątkowo intymnymi pytaniami i czuły się skrępowane w [jego] obecności. W klubie panowała atmosfera swobody, ale i zaangażowania, dziewczyny przykładały się do nauki – brały udział w programach promujących sprawiedliwość społeczną i edukację środowiskową, poznawały tajniki grafiki cyfrowej i sztuki nagłaśniania, uczestniczyły w kursach dla początkujących w zakresie nauk ścisłych i przedmiotów technicznych, pomagały prowadzić efektowne planetarium działające w budynku (dar od bogatego sponsora), studiowały taniec lub dietetykę. Odwiedziłem [go] tam, gdy [zaczynał] dopiero swoją działalność w wolontariacie, zanim rozpoczęło się [jego] pikowanie, i [wydawał] się szczęśliwy w otoczeniu ich szczęścia, a ich tolerancyjne podejście do różnorodności płciowej wydawało się pomocne. Czy ktoś był homo czy hetero, cis czy trans, z gwiazdką czy bez, gender-queer czy agenderowy – żadna z tych rzeczy nie stanowiła problemu. Początkowo było to pokrzepiające, nawet ekscytujące, ale gdy [stanął] wobec przeszkód na drodze do swojej przemiany, wobec swoich fizycznych i społecznych lęków oraz trudności z opanowaniem nowego języka, nie pomagała [mu] myśl, że może cierpi na problemy pokoleniowe, od których generacja następująca po [nim] jest wolna. Pomyślałem o neandertalczykach ze *Spadkobierców* Goldinga, którzy ze złością i nierozumną zazdrością zerkali na bardziej rozwiniętych, posługujących się ogniem przedstawicieli nowej rasy *Homo sapiens*, gdy zjawili się po raz pierwszy i skazali ich, poprzedników, na zagładę. Tak samo D [zaczął] postrzegać siebie, jako prymitywną istotę, natomiast dziewczyny z 2-Bridge jako nowy gatunek, lepszy od [niego], lecz także zajmujący [jego] miejsce, dochodzący tam, dokąd [on] dojść nie [potrafił], do ziemi obiecanej niedostępnej dla [niego] za sprawą ograniczeń świadomości. [Zaczął] je więc nagabywać, przypierać do muru w kącie stołówki, pod salami zajęć lub na pobliskim boisku softballowym i lodowisku hokejowym, szukając u nich odpowiedzi, których one nie miały, i rad, których nie potrafiły udzielić, i coraz bardziej agresywne zachowanie D budziło w nich strach. [Jego] zwolnienie było nieuniknione. [Przyjął] je bez sprzeciwu.

Oderwaliśmy od [niego] wzrok. Nie ma co do tego wątpliwości. Powinniśmy byli dostrzec narastającą kruchość i może ją zauważyliśmy, ale wszyscy postanowiliśmy patrzeć gdzie indziej. Neron Golden po zamordowaniu Apu całkowicie się wycofał z życia towarzyskiego, pogrążając się w mroku, którego pozorny powód był zrozumiały, lecz którego głębsze znaczenie stało się jasne dopiero później. Trzymał urnę z prochami syna na biurku i chodziły słuchy, że bez przerwy z nim rozmawia, codziennie. Dostęp do niego miały obydwie smoczyce, znajdował też czas dla Pietii, zawsze znajdował czas dla tego ze swoich synów, którego problemy były najbardziej widoczne – niezmiennie okazywał Pietii wyrozumiałość i oddanie, gdy ten po podpaleniach wolno i mozolnie wracał do swojego lepszego ja; tymczasem dla swego dryfującego i zmierzającego ku katastrofie syna, teraz już nie najmłodszego, nie miał prawie nic. Miał za to małego Wespazjana i żonę, która znajdowała wiele sposobów, by przekonać męża o szczególnych prawach malucha do ojcowskich uczuć. Nazywali go Małym Wespą, jakby był skuterem, na którym oboje mieli powrócić ku szczęściu. W towarzystwie Małego Wespy twarz Nerona niekiedy łagodził uśmiech. Wasylisa traktowała męża z taką samą matczyną troską, jaką otaczała swoje maleństwo, źródło dumy i radości, częściowo na pewno z tej przyczyny, że dostrzegała i chciała ukoić jego żal, lecz także bez wątpienia z bardziej egoistycznych pobudek. Spośród nas wszystkich ona widziała najlepiej przygasanie tego potężnego i żywiołowego mężczyzny. Widziała, jak postępuje jego zapominalstwo, jak słabnie uchwyt na lejcach rydwanu, i zrozumiała, że z czasem i on stanie się jej dzieckiem, ale była gotowa pogodzić się z tym wszystkim, nagroda czekająca ją bowiem po zakończeniu tego przedsięwzięcia miała być przewspaniała. (Mój stosunek do Wasylisy mocno się ochłodził od narodzin mego syna, gdy wzniosła mur między mną a chłopcem). Matka Wasylisy też z nimi mieszkała, lecz Neron zapałał niechęcią do teściowej i Wasylisa trzymała swoją matrioszkę w chustce z dala od niego, wykorzystując ją głównie do niańczenia Małego Wespy. Było oczywiste, że w relacjach między nimi matka nie ma nic do powiedzenia. Wypełnia tylko polecenia. I ona też czekała na swój moment. Ona też znała charakter toczącej się gry. Pozostawała w cieniu, śpiewała małemu rosyjskie piosenki i opowiadała mu rosyjskie bajki, może nawet tę o Babie-Jadze, czarownicy, żeby wiedział, gdy dorośnie, jak się sprawy mają. Gdyby umiała czytać angielskie książki dla dzieci, mogłaby powiedzieć, że Wespazjan jest potterowskim złotym zniczem.

26

Ja też oderwałem wzrok od D Goldena. Przez całe lato i jesień tamtego roku razem z Suchitrą mieliśmy ręce pełne roboty za sprawą Batwoman. W tym surrealistycznym roku wyborczym nagłe wyniesienie nas do statusu gwiazd reklamy politycznej, które zawdzięczaliśmy nagrodom otrzymanym na rynku wideo, przyciągnęło do nas postępowe grupy interesu i supersponsorów wspierających silną, nadzwyczaj kompetentną, lecz niepopularną rywalkę Jokera. Nakręcony – z pomocą kilku pierwszoligowych artystów, którzy narysowali Jokera – dla jednej z takich grup film animowany zdobył oszałamiającą popularność w internecie: szczerzący zęby drań wywrzaskiwał na Manhattanie teksty, które jego polityczne wcielenie wypowiedziało naprawdę, kpiąc z własnych zwolenników: *Głupcy! Mógłbym zastrzelić kogoś na Times Square i nie straciłbym ani jednego głosu*, aż sfrunęła na ziemię w nietoperzowym przebraniu nasza superbohaterka i założywszy mu kaftan bezpieczeństwa, przekazała go ubranym na biało sanitariuszom z wariatkowa. Narodziła się Batwoman polityki i kandydatka lub jej sztab zamieścili naszą reklamę na oficjalnym profilu Nietoperzycy w portalu społecznościowym, po czym w ciągu pierwszych dwudziestu czterech godzin filmik nabił trzy miliony odsłon. W sumie nakręciliśmy jeszcze trzy odcinki i wszystkie spotkały się z równie entuzjastycznym przyjęciem. Wybory zamieniły się w pojedynek między Batwoman i Jokerem – Batwoman, która miała swoją ciemną stronę, ale wykorzystywała ją w walce o dobro, sprawiedliwość i amerykański styl życia, przywódczyni, która mogła ocalić ten kraj przed zamianą w katastrofalny Żart. Definiowaliśmy tę walkę; stawała się taka, jak ją opisywaliśmy.

Na pomysł Batwoman wpadła Suchitra, choć duża część scenariusza została napisana przeze mnie albo przez nas wspólnie. Tworzyliśmy zgrany tandem, ale ja wciąż się zastanawiałem, co ona we mnie widzi; byliśmy tak sobie nierówni, jej bezustanna twórcza błyskotliwość przyćmiewała moje nikłe światełko tak bardzo, że chwilami czułem się jak jej pudelek. Pewnego razu późno w nocy po pracy wypiłem na tyle dużo, że zdobyłem się na odwagę i ją o to zapytałem, a ona nie mogła się przestać śmiać.

– Ale z nas para – wydusiła w końcu – oboje jesteśmy zakompleksieni, a jedno nie zdaje sobie sprawy z kompleksów drugiego.

Czyżbym tego nie widział? To ja mam wykształcenie, to ja jestem intelektualistą, to ja wyłapuję odniesienia, aluzje, echa, argumenty i kształty, podczas gdy ona wie tylko, jak nakierować kamerę, i zna mnóstwo innych technicznych sztuczek. Absurdalnie wręcz umniejszała swoją rolę, ale teraz przemawiało przez nią niskie poczucie własnej wartości. Przypomniałem jej tylko o jednej pięknej rzeczy, której mnie nauczyła. Obraz ma kształt, podobnie jak dźwięk, montaż i dramatyzm. Wyczucie filmowe jest sztuką dążenia do tego, żeby te cztery kształty były identyczne. W ten sposób zaadaptowała teorie Siergieja Eisensteina, reżysera *Aleksandra Newskiego* i *Pancernika Potiomkina*.

– No dobrze – przyznała z szerokim uśmiechem, gdy odświeżyłem jej pamięć. – Tak, w porządku, ten tekst nawet mi się udał.

Te wyznania – moje twórcze kompleksy, jej przekonanie o swojej intelektualnej pośledniości – znacznie nas do siebie zbliżyły. Tacy jesteśmy: zakochujemy się w mocnych stronach partnera, ale miłość tężeje, gdy zakochujemy się w naszych słabościach. Zanurzaliśmy się w uczuciu płynącym głębiej niby woda pod lodem i zrozumieliśmy, że choć do tej pory czuliśmy się w swoim towarzystwie cudownie, jedynie ślizgaliśmy się po powierzchni jak na łyżwach, teraz zaś wpadliśmy tak głęboko, jak to tylko możliwe. Nigdy jeszcze czegoś takiego nie czułem, ona zresztą też, jak twierdziła, i spoglądaliśmy po sobie z pewnego rodzaju radosnym niedowierzaniem.

Na tym właśnie skupiała się moja uwaga. Gdy rodzina Goldenów się staczała, ja szybowałem wysoko. Fruwaliśmy razem, moja słodka ptaszynka i ja, i zataczaliśmy leniwe kręgi na niebie niczym jastrzębie w *Oklahomie!*

– Ach, przy okazji – powiedziała mniej więcej w połowie tej naszej szczęśliwości – pamiętasz o moich trzech regułach?

– „Zarabiasz na swoje utrzymanie, mieszkasz u siebie i nie prosisz mnie, żebym za ciebie wyszła". Zgadza się?

– Myślę, że są do negocjacji.

– O.

– „O"? Serio? To wszystko, na co cię stać?

– Zastanawiałem się tylko – wyjaśniłem – jak przekazać tę wiadomość mojemu gospodarzowi, panu Fnu.

– Po suma – opowiadał U Lnu Fnu – chodzę czasem do Whole Foods na Union Square, ale nie zawsze mają. Jeśli nie tam, to do Chinatown. Potrzebne są też makaron ryżowy, sos rybny, pasta rybna, imbir, łodyga bananowca, trawa cytrynowa, cebula, czosnek, mąka z cieciorki. Proszę, usiądź i czekaj cierpliwie. To tradycyjne śniadanie z mojego kraju: mohinga. Siadaj, proszę.

– Panie U – zacząłem.

Uciszył mnie łagodnym uniesieniem ręki.

– Teraz, na koniec, muszę sprostować – oznajmił. – To „U", wiedz, nie jest imieniem, lecz tytułem grzecznościowym nadawanym starszym mężczyznom piastującym wysokie stanowiska. Także mnichom. Więc „panie U" brzmi jak „panie Panie". Lnu to imię mojego ojca, które także przyjąłem. Powinieneś się więc do mnie zwracać per Fnu. Tak będzie najlepiej.

– Panie Fnu...

– Fnu. Teraz jesteśmy przyjaciółmi. Mohinga gotowa, pałaszuj.

– Fnu.

– Wiem, co chcesz powiedzieć. Chcesz zamieszkać z tą swoją dziewczyną, więc składasz wypowiedzenie, ale ponieważ kochasz Ogrody, chciałbyś mnie poprosić, czy mógłbyś zatrzymać klucz. A że jesteś dobrze wychowany i wiesz, że mieszkam samotnie, powiesz, że bardzo się do mnie przywiązałeś, że chcesz często wpadać i takie tam.

– Oglądałeś *Kroniki Seinfelda*?

– Wszystkie odcinki, teraz też powtórki.

– Skąd wiedziałeś?

– Zadzwoniła do mnie twoja dziewczyna, bo wie, że gdy masz o coś prosić, zapominasz języka w gębie. Ale ja z przyjemnością się zgadzam. Zatrzymaj klucz. Naturalnie wynajmę twój pokój komuś innemu, ale zawsze będziesz tu mile widzianym gościem.

– Ogrody są tak piękne o tej porze roku.

– Nigdy nie wrócę do kraju – oznajmił stary dyplomata. – Nawet do zmieniającej się Mjanmy pod rządami Aung San Suu Kyi. W czasie podróży następuje taki moment, kiedy wędrowiec siada nad rzeką i wie, że to koniec jego drogi. Następuje taki dzień, kiedy godzi się z tym, że idea powrotu jest iluzją.

– Przepraszam – powiedziałem, nie znajdując lepszych słów.

– No i Goldenowie są tacy interesujący, nieprawdaż? – spytał U Lnu Fnu i rozchmurzył się, a nawet klasnął w dłonie, ujawniając złośliwą stronę swego charakteru, o jaką bym go nie podejrzewał. – Rozpadają się na oczach, a ja mam teraz mnóstwo czasu na podglądanie.

Jakim byłem człowiekiem, zajadając na śniadanie zupę rybną z makaronem ze starszym i samotnym dżentelmenem z Birmy (Mjanmy) i udając, że moja miłość do Ogrodów ma charakter czysto nostalgiczny i ogrodniczy. Jaki człowiek, planując zamieszkać z zakochaną w nim kobietą, zachowuje możliwość wkraczania do tajemnej przestrzeni, gdzie może spotkać nieujawnionego syna, codziennie, w spacerówce, pilnowanego przez groźną rosyjską matronę; a jednak zachowuje swoje ojcostwo w tajemnicy nawet przed kobietą, którą naprawdę kocha. Jaki człowiek, wychowany w tejże przestrzeni przez ludzi z zasadami, wychowany na kogoś honorowego i uczciwego, tak chętnie daje się zwabić śpiewającym syrenom. Może wszyscy mężczyźni są zdrajcami. Może ci przyzwoici są po prostu zdrajcami, którzy nie doszli jeszcze do rozwidlenia dróg.

A może moje pragnienie generalizowania na podstawie własnych decyzji było po prostu sposobem usprawiedliwienia tego, co przyszło mi tak łatwo.

I telefon Suchitry do mojego gospodarza – stała za tym miłość, czy może to też było nieco dziwne? Czyżby wiedziała więcej, niż się domyślałem? A jeśli tak, co znaczyło jej zachowanie? – Nie mogła przecież wiedzieć o Wespazjanie? W taki sposób tajemnice sumienia czynią z nas wszystkich paranoików.

I gdy wzrastało moje osobiste szczęście, to samo działo się z niewypowiedzianym autokrytycyzmem, a jednak, a jednak, mimo wszystko, tutaj w Ogrodach mieszkał mój syn. Jak mogłem się od niego odwrócić i odejść – nawet ku życiu wzbogaconemu miłością? Często teraz, bardzo często, przeklinałem dzień, w którym dałem się wciągnąć – nie, to był mój wybór! – w orbitę domu Goldenów, wykazując się taką krótkowzrocznością, że uwierzyłem, iż staną się moimi bohaterami i paszportem do kinematograficznej przyszłości, że to ja będę kontrolował narrację, nie dostrzegłem jednak, że sam jestem bohaterem, ja, nie żaden z Goldenów, i że sposób, w jaki ta historia się rozwija, powie mi więcej o mnie samym niż o kimkolwiek innym. Jak wielu młodych mężczyzn byłem pod wieloma względami zagadką dla siebie oraz dla tych, którzy mnie kochali, ale te tajemnice, nim historia dobiegnie końca, będą musiały zostać odkryte.

W ślad za hybris przychodzi nemezis: *Adrastea,* nieuchronna. Mężczyzna dobry może być zły, a zła kobieta – dobra. Być niewiernym sobie, młodzieńcze! – to najstraszniejsza zdrada. Nawet najsilniejszą warownię można zdobyć oblężeniem. Niebo, na które patrzymy, może runąć na ziemię, góra zaś może wpaść do morza. A na koniec zgubi cię twoja przyziemna magia, o, Prospero, chyba że ją uwolnisz tak jak Ariela. Chyba że złamiesz swoją różdżkę.

Czarodziejskie dziecię w *Rybakach* Ajschylosa okazało się superbohaterem Perseuszem. Czarodziejskie dziecię w *Tropicielach* Sofoklesa okazało się boskim Hermesem. Teraz mieliśmy Wespazjana, nazwanego imieniem cesarza, czarodziejskie pacholę w Ogrodach i w moim sercu. Żeby przeżyć, czy musiałem dać mu odejść? Musiałem go uwolnić?

• • •

Zakład karny Clinton Oaks w Jefferson Heights był jedynym więzieniem o zaostrzonym rygorze w stanie Minnesota. Jednak po ucieczce dwóch więźniów śledztwo wykazało, że tamtejsi strażnicy notorycznie zaniedbywali obowiązki, fałszując dane w więziennych rejestrach, do których wpisywano, że odbył się obchód, gdy ten w rzeczywistości się nie odbył. Za zaniedbania tego typu ukarano aż dziewiętnastu strażników. Jednak niedbalstwo personelu więziennego nie było głównym czynnikiem, który umożliwił więźniom ucieczkę. Kluczowa okazała się miłość – tudzież seks lub pożądanie. Więźniowie, skazani mordercy Carl Zachariassen i Peter Coit, którzy zajmowali tę samą celę i odsiadywali dożywocie bez możliwości skrócenia kary, pracowali w warsztacie krawieckim na terenie zakładu, gdzie zaprzyjaźnili się z pracownicą więzienia, panią Francine Otis, zamężną, matką dwóch synów. Owa przyjaźń pogłębiła się, nie używajmy dosadniejszego języka, i między Otis i dwoma mężczyznami, do czego później się przyznała, w magazynie sąsiadującym z głównym pomieszczeniem warsztatu dochodziło do zbliżeń. Później Otis dostarczyła mężczyznom narzędzi, łącznie ze sprzętem do cięcia metalu, których potrzebowali, by przystąpić do realizacji swojego planu. W głębi celi wycięli prostokątne otwory w stalowej ścianie za łóżkami, zrobili z ubrań kukły i ułożyli je w pościeli, żeby oszukać strażników. (Chociaż, jak później ustalono, tamtej nocy strażnicy nie pofatygowali się na obchód ani razu). Za ścianą celi biegł nieużywany łącznik, od wielu lat niepatrolowany. Uciekinierzy zeszli pięć pięter niżej do rury parowej, wyłączonej, bo o tej porze roku było ciepło, wycięli w niej otwór i przeczołgali się do włazu sto dwadzieścia metrów za murami więzienia, gdzie za pomocą narzędzi dostarczonych przez Francine Otis przecięli łańcuch i stalowy zamek zabezpieczające właz, i w ten sposób wydostali się na wolność.

Obława trwała trzy tygodnie i wzięło w niej udział ponad ośmiuset policjantów, helikoptery i psy tropiące. Zachariassen i Coit, jak później zeznała Otis, planowali się z nią spotkać w umówionym miejscu przy drodze numer trzydzieści pięć, gdzie obiecała czekać z ubraniami, pieniędzmi i bronią, łudząc się, co godne ubolewania, że ją ze sobą zabiorą, aby mogli zacząć nowe życie pod znakiem miłości i seksu w Kanadzie; ostatecznie jednak postanowili się z nią nie spotykać, szczęśliwie dla niej, ponieważ według pierwotnego planu mieli zabrać dostarczone rzeczy, a następnie się jej pozbyć. W ciągu następnych trzech tygodni widziano ich kilka razy, psy podjęły trop, w leśnej chacie znaleziono ślady DNA, aż w końcu osaczono ich w lesie stanowym Kabetogama niedaleko granicy kanadyjskiej. Coita schwytano żywego, ale Zachariassen zginął, otrzymawszy trzy kulki w głowę, gdy próbował uniknąć aresztowania. Obławę szeroko relacjonowano w ogólnokrajowych wiadomościach.

Oderwaliśmy wzrok od D, wierząc, że codziennie jest przy [nim] Riya Z, że jej oczy dostrzegą wszystko, co musi być dostrzeżone. Lecz przez trzy tygodnie, odkąd jej ojciec uciekł z Clinton Oaks, każdej minuty każdego dnia i każdej nocy do czasu, aż zastrzelono go w lesie Kabetogama, Riya odchodziła od zmysłów. W tym samym czasie D poproszono o odejście z klubu 2-Bridge. Wyjątkowy zbieg niesprzyjających okoliczności; D [potrzebował] Riyi najbardziej w momencie, gdy jej myśli były zaabsorbowane czymś innym.

Podają w wiadomościach, że próbuje się przedostać do Kanady, ale to gówno prawda – stwierdziła irracjonalnie. – Próbuje się przedostać do mnie.

Takiej Riyi nigdy jeszcze nie [widział], była przerażona, niepewna siebie, trzaskająca dookoła elektrycznymi iskrami. Była jedynym, w co [wierzył]. [Znalazł] w niej swoją cudowną opokę. Wtedy ona się rozpadła i to było ponad [jego] siły.

Po co miałby przyjeżdżać tutaj, do miasta? Jest za daleko, zbyt wiele by ryzykował, bo w mieście ktoś by go na pewno zauważył i zostałby schwytany.

Jeśli chcesz się ukryć, to tylko w mieście – odparła. – Na prowincji, w małych miasteczkach, na polach albo w lesie wszyscy cię widzą i wszyscy wiedzą, kim jesteś. W mieście jesteś niewidzialny, bo nikomu nie zależy.

Ale on jest na drugim końcu kraju. Nie przyjedzie tutaj.

Zapowiedział, że mnie znajdzie. I wytropi.

• • •

Nie wytropił. Próbował dotrzeć do granicy w lesie na północy kraju. Ale mimo zgłoszeń, że widziano go daleko od Nowego Jorku, Riya wciąż tkwiła w przeświadczeniu, że ojciec przedziera się do niej, wyciągnęła więc kolta z perłowym uchwytem, naładowała go, wsunęła do torebki, ale nawet wtedy ze strachu odchodziła od zmysłów. W Muzeum Tożsamości współpracownicy zauważyli jej rozbiegany wzrok, nerwowość, rozchwianie szokujące u kogoś zwykle tak opanowanego, i każdy miał na to jakiś sposób: może potrzebuje urlopu, może jest nieszczęśliwa w związku, może powinna zacząć zażywać kavę, która jest w stu procentach organiczna i pozwoli jej się naprawdę odprężyć.

W nocy prawie nie sypiała, przesiadywała za to przy oknie sypialni, spodziewając się, że jej morderczy rodzic może w każdej chwili wspiąć się na płaski dach na zewnątrz, i kilkakrotnie o mało nie strzeliła do kota. Także kilkakrotnie zrobiła coś, czego nie robiła nigdy wcześniej, mianowicie zasięgnęła konsultacji u drag queen Madame George na dole w salonie pod szyldem „Przepowiem Ci Przyszłość – Tarot, Szklana Kula, Horoskopy", i gdy Madame George zapewniała, że czeka ją długa i jasna przyszłość, Riya upierała się, że to nieprawda, trzeba potasować karty raz jeszcze, i chociaż wróżka dodawała: sprowadź tu lepiej tego swojego chłopaka, to o niego bardziej się martwię, nie spełniała tej prośby, wydawało jej się bowiem, że zna problemy D i nie potrzebuje pomocy drag queen, żeby go zrozumieć, a w tym momencie, ten jeden raz, nie chodziło tylko o niego, chodziło o nią i jej ojca sukinsyna, który mógł jej złożyć nocną wizytę. Odwiedziła właścicielkę różowo-żółtego budynku, gdzie mieszkali, panią Run, i oznajmiła sekutnicy za głośno, o wiele za głośno, że najwyższy czas zainstalować w domu system alarmowy z prawdziwego zdarzenia z wideodomofonem, alarmem i lepszymi zamkami na zewnątrz i w środku, dużo lepszymi zamkami, bo teraz do domu może wejść, kto chce, a miasto jest bezwzględne i niebezpieczne. Przerwała dopiero wtedy, gdy pani Run oznajmiła:

– Przyjdzie poprosi o żarówkę, to się zastanowię. Przyjdzie jak skaczący wampir *jiangshi* z wrzaskiem na ustach, to po minucie mówię: wynocha z mojego domu. Niech teraz wybiera.

Riya zaniemówiła i stała w milczeniu na korytarzu, dysząc ciężko, podczas gdy pani Run pstryknęła jej palcami przed nosem, obróciła się i odeszła do sklepu Run Run Trading, gdzie piorunowała wzrokiem wiszące kaczki. A Riya, pocąc się i z trudem łapiąc powietrze, nawet wtedy nie rozumiała, że strach odbiera jej rozum, ale D Golden, obserwując ją z przerażeniem ze szczytu schodów, [rozumiał] to doskonale i to też wytrąciło [go] z równowagi.

Trzy tygodnie szaleństwa Riyi pogłębiające [jego] wewnętrzny zamęt. Dni spędzane samotnie w mieszkaniu, noce zagęszczane jej budzącym klaustrofobię lękiem. [Jego] własny lęk, lęk przed sobą, spotęgowany jej strachem przed cieniem ojca. I w końcu te cienie okazały się zbyt silne, opanowały [jego] umysł i ducha. I żadne z nas nie było przy [nim], żeby to dostrzec i [mu] pomóc.

Poszedłem się z [nim] zobaczyć raz jeszcze, chociaż wtedy nie wiedziałem, że widzimy się po raz ostatni. Gdy Riya była w muzeum, usiłując nie stracić pracy mimo niemal histerycznego przerażenia z powodu wyimaginowanej bliskości ściganego Zachariassena, zabrałem [go] na spacer po Chinatown. Na ławce na Kimlau Square, gdzie zbiega się osiem ulic, pod dumnym, łagodnym spojrzeniem bohatera wojennego, kapitana Benjamina Ralpha Kimlaua z 380. oddziału bombowców z Fifth Air Force, zaginionego podczas akcji powietrznej przeciwko Japonii w tysiąc dziewięćset czterdziestym czwartym, D Golden [przyznał] się, że nie potrafi pogodzić wojujących w [nim] elementów. Tamtego dnia [miał] na sobie koszulę w kratę, bojówki i okulary lotnicze, delikatny ślad szminki i różową baseballówkę nasuniętą na długie włosy, które teraz sięgały już poniżej ramion.

– Popatrz na mnie – [jęknął]. – Czuję się źle w męskim ubraniu, za bardzo się boję wyjść w sukience, a te pomalowane usta i różowa czapka, jaki to żałosny gest.

Powtórzyłem, co wszyscy [mu] mówili, krok po kroku, przemiana jest cudowną podróżą z tysiąca i jednej nocy, ale [on] tylko [kręcił] głową.

– Nie dla mnie otwiera się sezam. Mojej żałosnej historii nie opowie nieśmiertelny gawędziarz – [rzekł], a ja czekałem na więcej, widząc, że chce powiedzieć coś jeszcze. – Mam teraz sny, w których co noc widzę hidźrę z mojego dzieciństwa, który robił piruety na ulicy przebrany za Michaela Jacksona, zabębnił w szybę mojego samochodu i wrzasnął: *Zatańcz ze mną*. Budzę się zlany zimnym potem. Prawda jest taka: wiem, czego chciał ten hidźra, chciał mi przekazać, że to musi być wszystko albo nic. Jeśli chcesz to zrobić, musisz pójść na całość. Z operacją, ze wszystkim, jak prawdziwy hidźra. Wszelkie półśrodki wydają się nieuczciwe, jak przebranie się za Michaela, gdy jesteś tylko męską prostytutką z plaży Ćaupatti. Ale, o Boże. Tak naprawdę jestem za słaby, za bardzo się boję, jestem zbyt, kurwa, przerażony – [wyznał]. – Może Apu jest tym, który miał szczęście.

[Rozejrzał] się.

– Gdzie my jesteśmy? – [spytał]. – Zgubiłem się.

Odprowadziłem [go] do [jego] mieszkania. I tak właśnie [go] zapamiętałem, jak rozbitka na ławce wśród ośmiu zatłoczonych ulic, który [wiedział], że nie może być [bohaterem] w swojej prywatnej wojnie, tymczasem samochody sunęły w [jego] stronę i oddalały się od [niego], a [on] nie [potrafił] wskazać kierunku, nie [wiedział], gdzie jest dom.

Zastrzelili Zachariassena, o czym poinformowano w wieczornych wiadomościach, i Riya się uspokoiła, od razu, jak gdyby za przyciśnięciem jakiegoś guzika, wydała z siebie tylko głośne westchnienie, wypuszczając razem z powietrzem całe szaleństwo, i oto pojawiła się znowu w swoim poprzednim wydaniu, „prawdziwa" Riya ocalona przed własnym strachem, który ją zafałszował, i przepraszała za swoją chwilową niepoczytalność, funkcjonuję znowu normalnie, przekonywała wszystkich, nie martwcie się o mnie. I bardzo szybko, rzecz jasna, przestaliśmy się martwić. I tak wszyscy – oprócz D – zapomnieliśmy o rewolwerze.

[Podjechał] pod dom Goldenów z klasą, [wyłonił] się z tylnego siedzenia limuzyny Daimler, wybranej specjalnie, bo takim samym samochodem wszyscy Goldenowie przybyli na Macdougal Street pierwszego dnia, by się zainstalować w nowym domu. Szofer w liberii otworzył drzwi i opuścił schodki, żeby D w butach na zakrzywionym obcasie od Waltera Steigera [mógł] bez potknięcia stanąć na ulicy. [Miał] – nie! – Teraz już należałoby zmienić formę czasowników, przymiotników oraz zaimki, powiedzieć po prostu: miała, ona! – a zatem *miała* na sobie długą, szkarłatną suknię wieczorową od Alaïa, na której urzekająco lśniła w słońcu kaskada *jej* włosów, w ręku zaś *trzymała* niewielką, zdobioną klejnotami torebkę Mouawad. Tak więc ubrana szałowo, podawszy klucz szoferowi, żeby mógł jej otworzyć frontowe drzwi, D Golden po raz ostatni weszła do domu ojca – być może po raz pierwszy będąc sobą, prawdziwą sobą, której zawsze się obawiała i której uwolnienie przysporzyło jej tylu trudności.

Neron stał na szczycie schodów w otoczeniu pań Blather-Ględy i Fuss-Marudy, rzucając z podestu ogniste spojrzenia.

– Dzieci władców rodzą się, żeby mordować ojców – rzekł. – Poza tym te rzeczy pochodzą z garderoby mojej żony.

Zjawiła się Wasylisa Golden, stając u boku męża.

– W takim razie wiemy już, kto stoi za kradzieżą – stwierdziła.

D ani nie podniosła wzroku, ani nie odpowiedziała. Przedefilowała przez dom i stanęła przy wyjściu na taras, by wyjrzeć na Ogrody. Ach, jakież nastąpiło wtedy poruszenie zasłon w oknach! Jakby wszyscy okoliczni mieszkańcy chcieli rzucić okiem. D nie zwracała na to najmniejszej uwagi, podeszła do ławki, gdzie kiedyś, lata temu, przesiadywał jej brat Pietia i rozśmieszał dzieci swoimi opowieściami. Tam usiadła ze skradzioną torebką na kolanach – torebką Riyi! – złożyła na niej dłonie i zamknęła oczy. W ogrodzie bawiły się dzieci, ich piski i śmiech były więc ścieżką dźwiękową jej milczenia. Nie spieszyło jej się. Czekała.

Vito Tagliabue, porzucony mąż z przyprawionymi rogami, wyszedł do ogrodu, by zaproponować jej solidarne wsparcie, pochwalił jej odwagę, pogratulował znakomitego gustu i nie wiedział, co jeszcze mógłby rzec. Z wdziękiem przechyliła głowę, słuchając tych pochwał i gratulacji, po czym dała mu do zrozumienia, że może odejść. Baron Selinunte wycofał się tyłem, jak gdyby znajdował się w obecności członkini rodziny królewskiej i odwrócenie się od niej byłoby pogwałceniem protokołu, i kiedy upadł, potknąwszy się o kolorowy plastikowy trójkołowiec porzucony przez jakiegoś brzdąca, wprowadziło to element slapstickowy do ogólnie poważnej atmosfery. Usta D zadrżały w nikłym, ale wyraźnym uśmiechu, po czym spokojnie, nieśpiesznie wznowiła medytacje.

W filmie zestawiłbym jej bezruch z bardzo dynamiczną sceną: do domu wraca Riya, zastaje otwartą szafę, ubrania w nieładzie, torebka z rewolwerem zniknęła, na toaletce leży zaś liścik, pojedyncza kartka złożona na pół; zaraz potem Riya wybiega pędem na ulicę, chce zatrzymać taksówkę, ale żadnej nie widzi, po chwili dostrzega jedną, ta jednak ją mija, aż wreszcie Riyi dopisuje szczęście.

Gdy tylko dzieci rozeszły się do domów, żeby coś zjeść, odpocząć, czy co tam teraz robią dzieci przed takim lub innym monitorem albo wyświetlaczem, D Golden w Ogrodach otworzyła oczy, wstała i zaczęła iść.

Tymczasem Riya pogania taksówkarza, żeby się pospieszył, on zaś odpowiada: pani siedzi spokojnie, pani jest pasażerką, a ja kierowcą, niech mi pani pozwoli łaskawie prowadzić własną taksówkę. Riya osuwa się na kanapę i zamyka oczy (przebitka, powtórzenie ujęcia z Ogrodów, gdzie D otwiera oczy), a ze ścieżki dźwiękowej dobiega nas głos D czytającej list pożegnalny.

D GOLDEN (spoza kadru)

Decyduję się na ten krok nie przez trudności w swoim życiu.
Lecz dlatego, że coś jest nie tak ze światem, przez co życie
staje się nie do zniesienia. Nie potrafię wskazać precyzyjnie,
o co chodzi, ale świat ludzi nie funkcjonuje prawidłowo.
Obojętność jednego człowieka wobec drugiego. Ludzka
nieżyczliwość. To takie rozczarowujące. Jestem istotą ludzką
pełną uczuć, ale nie umiem się już z nikim porozumieć.
Nie wiem, jak do ciebie dotrzeć, Riyo, chociaż nie znam
nikogo o tak dobrym sercu. W Starym Testamencie Bóg zniszczył
Sodomę, ale ja nie jestem Bogiem i nie mogę zniszczyć Sodomy.
Mogę tylko usunąć siebie z jej granic. Skoro Adam i Ewa
przyszli na świat w Edenie, w takim razie stosowne będzie,
jeśli ja, jednocześnie Adam i Ewa, też odejdę z tego świata
w Ogrodzie.

Myślę o Maurisie Ronecie z *Błędnego ognika* (1963) Louisa Malle'a, który krążył po swoim mieście, Paryżu, z bronią przy sobie, rozczarowany ludzkością, coraz bliższy samobójstwa.

Przeszła przez cały ogród, powoli, uroczyście, z jednego końca na drugi, a potem, na przeciwległym skraju, przed moim dawnym rodzinnym domem, z majestatem królowej zrobiła w tył zwrot. Po czym zaczęła iść z powrotem, zatrzymała się pośrodku i otworzyła torebkę.

A ponieważ to film, w tym momencie konieczne jest, żeby przez tarasowe okno rezydencji Goldenów wybiegła Riya, wołając:

RIYA

Nie!

Teraz już twarze pojawiły się we wszystkich oknach. Mieszkańcy Ogrodów, porzucając wszelkie pozory dyskrecji, stali za szybami zahipnotyzowani zbliżającą się tragedią. Po okrzyku Riyi Z nikt już się nie odezwał, zresztą Riyi też skończyły się słowa. W postawie D Golden było w tym momencie coś z gladiatora, roztaczała wokół siebie aurę wojownika czekającego na werdykt cesarskiego kciuka. Tylko że teraz była swoim własnym cesarzem i już ogłosiła werdykt. Powoli, nieśpiesznie, spowita w samotność swojej decyzji, ze spokojem będącym skutkiem całkowitej jasności celu wyjęła z ozdobionej klejnotami torebki kolta z perłową rękojeścią, przyłożyła lufę do prawej skroni i strzeliła.

27

Grecka flota musiała się udać pod Troję, żeby odbić wiarołomną Helenę, najpierw jednak trzeba było złożyć Artemidzie w ofierze córkę Agamemnona Ifigenię, w przeciwnym razie rozgniewana bogini nie zesłałaby pomyślnych wiatrów, następnie nieutulona w żalu matka, Klitajmestra, siostra Heleny, odczekała, aż mąż wróci z wojny, żeby go zamordować, po czym ich syn Orestes musiał pomścić śmierć ojca, mordując matkę, a wtedy w pogoń za Orestesem rzuciły się erynie i tak dalej. Tragedia była pojawieniem się w ludzkim doświadczeniu nieuchronności, która mogła mieć charakter zewnętrzny (rodzinna klątwa) lub wewnętrzny (defekt charakteru), ale w obu przypadkach sprawy miały się potoczyć według nieodwołalnego scenariusza. Przynajmniej częściowo leży jednak w ludzkiej naturze kontestowanie idei nieuchronności, mimo iż inne słowa na supermoc tragedii – przeznaczenie, kismat, karma, los – są tak silnie obecne w każdym języku. Przynajmniej częściowo leży w ludzkiej naturze uporczywe przywiązywanie wagi do działań i woli człowieka, trwanie w wierze, że ingerencja przypadku w sprawy ludzi jest lepszym wytłumaczeniem ich niepowodzeń niż istnienie przesądzonego z góry planu nieodłącznie związanego z ich narracją. Antyczny strój absurdu, idea bezsensu życia jest dla wielu z nas atrakcyjniejszą filozoficzną szatą niż ponury ubiór tragika, który, gdy się weń przebrać, staje się zarówno świadectwem, jak i zwiastunem katastrofy. Lecz jednym z elementów natury ludzkiej – cechą targanego sprzecznościami ludzkiego zwierzęcia równie silną co jej przeciwieństwo – jest także fatalistyczne pogodzenie się z tym, że w istocie istnieje jakiś naturalny porządek rzeczy, i przyjęcie z rezygnacją takich kart, jakie rozda los.

Dwie urny z ludzkimi prochami na biurku Nerona Goldena: czyżby działała tragiczna nieuchronność czy może straszliwy przypadek, podwójny pech? A obłąkany Joker zwieszony z Empire State Building, pożądliwie spoglądający w stronę Białego Domu: był konsekwencją nieprawdopodobnego nagromadzenia nieprzewidywalnych fatalnych zbiegów okoliczności czy raczej produktem ośmiu lub więcej lat publicznego bezwstydu, którego stanowił ucieleśnienie i kulminację? Tragedia czy przypadek? I czy istniały jakieś trasy ewakuacyjne dla tej rodziny i tego kraju, czy rozsądniej było raczej rozsiąść się wygodnie i pogodzić z losem?

Neron Golden codziennie godzinami wpatrywał się w prochy swoich synów na biurku, przepytując ich w poszukiwaniu odpowiedzi. Aby złagodzić smutek męża, Wasylisa przychodziła z wiadomościami o tym, jak się rozwija mały Wespazjan, o jego pierwszych słowach, pierwszych krokach, starzec był jednak niepocieszony.

– Patrzę na niego, patrzę na Pietię i zastanawiam się, który z nich będzie następny – rzekł.

Na te słowa Wasylisa zareagowała stanowczo.

– Co do mojego syna, nic mu nie grozi – oznajmiła. – Będę go chronić własną piersią i wyrośnie na silnego i wspaniałego mężczyznę.

Podniósł na nią wzrok z pewnego rodzaju rozwodnioną dezaprobatą, lecz także z kruchością, a nawet słabością w spojrzeniu.

– A co z moim Pietią? – spytał. – Jego nie będziesz chronić?

Podeszła i położyła dłoń na jego ramieniu.

– Myślę, że Pietia ma już kryzys za sobą – rzekła. – Najgorsze już się stało, a on wciąż jest z nami i wróci do lepszej formy, takiej jak kiedyś.

– Gdy synowie umierają przed ojcem – powiedział Neron – to tak, jak gdyby zapadła noc, gdy słońce wciąż świeci na niebie.

– Twój dom oświetla teraz nowe słońce – przekonywała go Wasylisa – więc czeka nas słoneczny dzień.

Lato dobiegało końca. Upalne tygodnie przechodziły w pochmurną wilgotność. Miasto pulsowało wrześniową magią, przybrawszy swe coroczne jesienne wcielenie, ale Suchitra i ja wyjechaliśmy do Telluride na festiwal filmowy; nasz cykl wywiadów na temat klasycznych momentów w kinie ułożył się w całkiem sensowny dokument pod tytułem *Najlepsze kawałki* z udziałem wielu utalentowanych ludzi filmu opisujących ukochane sceny – obok Wernera Herzoga wystąpili Emir Kusturica, Michael Haneke, Jane Campion, Kathryn Bigelow, Doris Dörrie, David Cronenberg oraz w swoim ostatnim wywiadzie, zmarły niestety, Abbas Kiarostami – i wytypowano nas, byśmy zawieźli swoje dzieło na to prestiżowe święto kina obchodzone w długi weekend września w górach stanu Kolorado, do miasta, gdzie Butch Cassidy i Sundance Kid napadli na swój pierwszy bank i gdzie łagodne (i nie tak łagodne) duchy Chucka Jonesa, jego „cholełnego kłólika" i Kaczora Daffy'ego spoglądały z wysoka na nas wszystkich. Nawet tam, w raju kinomana, rozmowy od czasu do czasu schodziły na temat zmarłych w tym roku, kiedy odeszli Starman, Książę, Łowca Jeleni, Młody Frankenstein („Fraankenstiin!"), R2-D2, Ptak na Drucie i sam Największy z Wielkich. Ale mieliśmy filmy – *La La Land, Nowy początek, Manchester by the Sea* – żeby zająć myśli i oczy, śmierć zeszła więc na plan dalszy, przynajmniej w trakcie festiwalu, bo prawdziwe życie, jak wszyscy doskonale wiedzieliśmy, jest nieśmiertelne, prawdziwe życie jest tym, co świeci w ciemności na srebrnym ekranie, odporne na śmierć.

Po powrocie do Nowego Jorku w stanie niemałego uniesienia po dobrym przyjęciu naszego filmu na festiwalu poszedłem złożyć Neronowi kondolencje z myślą o tym, by zaprosić go też do Russian Tea Room na wódkę i bliny i odwdzięczyć mu się za podlaną alkoholem troskliwość w okresie, gdy zostałem sierotą. Przyznaję, że byłem wciąż radośnie upojony naszym triumfem w Górach Skalistych, i być może nie postarałem się przybrać stosownie zasmuconej miny w tym domu wielorakich nieszczęść, ale gdy znalazłem się w rezydencji Goldenów i zastałem Nerona w salonie przy herbatce podanej na najlepszej porcelanie w towarzystwie owego apokaliptycznego kloszarda, który przypominał mi Klausa Kinskiego i którego brednie Neron najwyraźniej traktował poważnie, przyznaję, nie udało mi się powstrzymać śmiechu, bo ten Fitzcarraldo dla ubogich w sfatygowanym cylindrze włożonym na tę okazję i głośno siorbiący herbatę z filiżanki z rzadkiej miśnieńskiej porcelany był teraz uderzająco podobny do Szalonego Kapelusznika, Neron zaś, w skupieniu pochylony ku niemu, mógł z powodzeniem uchodzić za Marcowego Zająca.

Mój śmiech sprawił, że Kinski się wyprostował, w najwyższym stopniu zbulwersowany, jakby to określił P.G. Wodehouse.

– To pana bawi? – spytał z surowością jednej z przeraźliwych ciotek Bertiego Woostera.

Zamachałem rękami: nie, nie, ależ skąd, po czym opanowałem się.

– W tym, co przyszedłem powiedzieć, nie ma nic zabawnego – grzmiał Kinski, przenosząc uwagę z powrotem na gospodarza. – Siądźmy na ziemię i prawmy smutne powieści o zgonie monarchów*. – Słowa szekspirowskiego Ryszarda II brzmiały dziwnie w ustach amerykańskiego włóczęgi usadowionego na krześle w stylu Ludwika XV i sączącego herbatę Lapsang z miśnieńskiej filiżanki, ale mniejsza z tym.

– Siadajże, René – rzucił Neron, przywołując mnie gestem dłoni i poklepując siedzisko kanapy. – Napij się herbaty i posłuchaj tego pana. Jest piekielnie dobry.

W sposobie bycia Nerona zauważyłem nieobecną wcześniej słodycz, która zbiła mnie z tropu. Uśmiechał się, ale było to raczej obnażenie kłów niż oznaka zadowolenia. Mówił cichym głosem, ale była to aksamitna rękawiczka skrywająca bolesną surowość myśli.

– Sprawy nie wyglądają dobrze – oznajmił nagle Kinski, a filiżanka zatrzęsła się w jego dłoni. – Góra zła jest już wyższa niż najwyższy budynek, a broń wciąż żyje. Słyszę, jak Ameryka krzyczy: Gdzie jest Bóg? Ale w Bogu burzy się złość, bo zeszłaś z jego drogi. Ty, Ameryko! – W tym momencie, o dziwo, wskazał prosto na Nerona. – Odtrąciłaś Boga i teraz spotyka cię za to kara.

– Odtrąciłem Boga i spotyka mnie za to kara – wybąkał Neron i gdy zerknąłem w jego stronę, zauważyłem, że ma w oczach prawdziwe łzy. Ten otwarcie bezbożny człowiek w chwili kryzysu zapro-

* Fragment *Ryszarda II* Williama Shakespeare'a w przekładzie Leona Ulricha.

sił do swojego domu cuchnącego whiskey handlarza farmazonów i szczerze przeżywał jego szurniętą eschatologię.

Wyjeżdżam na pięć dni, pomyślałem sobie, a gdy wracam, okazuje się, że świat stanął na głowie.

– Panie Golden – zacząłem – ten człowiek...

On jednak uciszył mnie machnięciem ręką.

– Chcę to usłyszeć – upierał się. – Chcę usłyszeć wszystko.

Przenieśliśmy się więc z Rzymu do Grecji i mężczyzna, który przyjął imię ostatniego z dwunastu cezarów, będąc teraz uwięziony w nowojorskiej wersji *Króla Edypa*, desperacko poszukiwał odpowiedzi, z własną wersją niewidomego Terezjasza wieszczącego zgubę. Kinski perorował dalej, ale ja słyszałem jego numer już tyle razy, że szybko mnie znudził, i odpłynąłem myślami. Po jakimś czasie w drzwiach stanęła Wasylisa i położyła kres tej farsie.

– Dosyć – rozkazała i jej palec, wskazujący Kinskiego, uciszył go i rozgromił.

Wyobraziłem sobie scenę rodem z science fiction, potężny promień Mrocznego Lorda Sithów spływający z tego palca. Filiżanka w rękach włóczęgi zaterkotała niebezpiecznie, ale odstawił ją w całości i zerwał się nerwowo z miejsca.

– Może by tak kilka dolarów? – poprosił z resztkami bezczelności. – Co z moim honorarium?

– Wynoś mi się stąd – rozkazała Wasylisa – bo wezwiemy policję i już oni ci wypłacą honorarium.

Po jego wyjściu odwróciła się do Nerona i przemówiła do niego takim samym tonem siostry Ratched, jaki zastosowała wobec Kinskiego.

– Nie rób tego więcej – rozkazała.

Aha, pomyślałem sobie. Jesteśmy w kukułczym gnieździe.

W mojej opowieści jak dotąd nie towarzyszyłem jeszcze Neronowi Goldenowi w jego regularnych wypadach do mieszkania na York Avenue, gdzie spotykał się ze swoją ulubioną prostytutką, mademoiselle Loulou. Sam nigdy w życiu nie oglądałem wnętrza domu publicznego, nigdy nie zapłaciłem nikomu za seks, coś, co być może świadczy o moralnej nieskazitelności – lecz także, z drugiej strony, o frajerskiej naiwności, o pewnych lukach w mojej historii jako mężczyzny. Brak doświadczenia na tym polu sprawiał, że mojej wyobraźni trudniej było podążyć za Neronem w czasie tych wycieczek, gdy się wspinał wąskimi schodkami w świetle czerwonych żarówek do spryskanego wonnościami i obłożonego poduszkami buduaru; wiedziałem, że te wizyty zawsze były elementem jego dorosłego życia i że zanim poznał obecną żonę, czasami raczył sprośnymi anegdotami o swych wyczynach największych lubieżników wśród znajomych pokerzystów, parę podstarzałych amantów, którzy nazywali się – być może – Karlheinz i Giambologna, a może Karl-Otto i Giambattista, zapomniałem, w każdym razie dwóch playboyów, Niemca i Włocha, politycznie ultrakonserwatywnych, przedstawicieli mocarstw Osi przy karcianym stole, w brązowych skórzanych kurtkach i z kolorowymi fularami pod szyją, których bogate żony zmarły w zagadkowych okolicznościach, zostawiając im cały majątek. W kwestii wysokiej praktyczności relacji z gatunkiem call girls byli jednomyślni: można je było wcisnąć między inne spotkania, nie trzeba było pamiętać o urodzinach i można było używać tego samego przydomka wobec wszystkich, mademoiselle Gigi, mademoiselle Mesalina, mademoiselle Kicia lub mademoiselle Loulou. Zresztą imiona, które podawały same dziewczyny, były nieprawdziwe. I – co w języku marketingu było „unikalną wartością ich oferty" – za odpowiednią cenę robiły, na co się miało ochotę, a potem trzymały buzię na kłódkę. W pokerowe wieczory Neron i playboye, Karl-Friedrich i Giansilvio, przechwalali się seksualnymi wyczynami, do których namówili swoje damy lekkich obyczajów, zachwycając się atletyczną siłą, gimnastycznym wdziękiem i akrobatyczną giętkością wybranych panienek. Tylko Neron opowiadał o inteligencji swojej dziwki.

– Jest filozofką – oznajmił. – Chodzę do niej po mądrość.

Karl-Theodor i Giambenito zarżeli na te słowa ze śmiechu.

– I na bzykanie! – ryknęli jednym głosem.

– Tak, na bzykanie też – przyznał Neron Golden. – Z tym że filozofia jest tu dodatkową atrakcją.

Powiedz nam, prosili, podziel się z nami mądrością swojej kurwy.

– Na przykład – odpowiedział Neron Golden – mówi mi: Pozwalam ci kupić moje ciało, bo widzę, że nie sprzedałeś swojej duszy.

– To żadna mądrość – zaprotestował Gianluca. – To pochlebstwo.

– Opowiada też o świecie – kontynuował Neron – i wierzy, że nadchodzi wielka katastrofa i że nowy porządek narodzi się jedynie z całkowitego rozpadu wszystkiego.

– To żadna mądrość – skwitował Karl-Ingo. – To leninizm.

Po czym wszyscy roześmiali się na całe gardło i zawołali:

– Gramy!

Teraz, gdy zaczęły opuszczać go siły – w czasie postępującej wolno, co prawda, degradacji umysłu – Neron jeździł na północ Manhattanu do swej wybranki rzadziej. Od czasu do czasu jednak składał jej wizytę, może żeby wysłuchać tych z trudem przyswojonych prawd, tak jak był gotów słuchać wywodów trampa Kinskiego. W następstwie podwójnej straty zagubił się we mgle bezsensu i teraz chwytał się każdego sposobu, który mógłby sprawić, że świat odzyska sens. Wciąż był w stanie całkiem nieźle funkcjonować, o ile znajdował się wśród ludzi, których znał. Zacieśnił więzi z haitańskim szoferem o androginicznym imieniu Claude-Marie, płacąc mu za pozostawanie non stop do dyspozycji i wiedząc, że jest kompetentny i dyskretny, dzięki czemu mógł się przemieszczać limuzyną z Macdougal Street na York Street, zrobić, co miał tam do zrobienia, i wrócić do domu bez kłopotu. Jednak tego konkretnego dnia, o którym jestem teraz zmuszony opowiedzieć, Claude-Marie brał udział w sądzie w bolesnej sprawie rozwodowej i wysłał w zastępstwie ciocię Mercedes-Benz. Prawdziwe imię cioci Benz, kreolskie na bazie francuskiego, było nieznane; nazwa samochodu, której używano teraz, zwracając się do niej, była tytułem honorowym przyznanym jej przez pełnych podziwu krewnych. W swoim czasie była świetną, sprawną szoferką, ale na stare lata nieco zdziwaczała. Prowadziła nierówno, toteż Neron dotarł pod drzwi mademoiselle Loulou nieco oszołomiony.

– Hej, błazenko – rzucił na powitanie. Tak brzmiał pieszczotliwy przydomek, który jej nadał. – Przyjechał twój wielki błazen.

– Jesteś smutny – powiedziała z udawanym francuskim akcentem, lubił bowiem, żeby tak mówiła. – Może teraz ja cię trochę skarcę, a potem ty mnie trochę skarcisz i poczujesz się lepiej *comme toujours*?

– Muszę klapnąć na minutkę – oznajmił. – Dziwnego miałem kierowcę. Czułem, tak, czułem strach.

– Nie możesz przestać myśleć o śmierci, *chéri* – stwierdziła. – To całkiem zrozumiałe. Dwa razy złamane serce szybko się nie zagoi.

Nie wiedział, kim jest mademoiselle Loulou poza tym pokojem z czerwoną sofą i złotą narzutą na łóżku, ale było mu wszystko jedno. Osoba, którą była w tych ścianach, zaspokajała jego potrzeby. Szukał spowiedników i filozofów. Seks, który zresztą ostatnio stał się problematyczny, niemal przestał się liczyć. Gasło w nim jakieś światło i podniecenie wydawało się nostalgicznym miastem w kraju, z którego wyjechał.

– Dlaczego to wszystko się wydarzyło? – spytał ją. – I co się za tym kryje?

– Ludzkie życie jest tanie – rzekła. – To samo powiedziałeś, zdaje się, panu Gorbaczowowi.

– Powiedziałem, że tak twierdzą Rosjanie. Ale starzeję się, więc życie, co naturalne, staje się dla mnie coraz cenniejsze, prawda?

– Chłopak ginie za sprzedaż papierosów na ulicy, paf! Dziewczyna ginie, bo bawiła się plastikowym pistoletem na placu zabaw, puf! Sześćdziesiąt osób zastrzelonych w Chicago czwartego lipca, bam-bam-bam! Bogaty chłopak zabija ojca, gdy ten obcina mu miesięczne kieszonkowe, trach! Dziewczyna w tłumie tańczy do muzyki i gdy prosi nieznajomego, żeby się nie ocierał o jej tyłek, ten strzela jej w twarz, *a masz, suko, giń*. A nie doszłam jeszcze do Zachodniego Wybrzeża. *Tu comprends?*

– Przemoc istnieje. Wiem o tym. Pozostaje kwestia wartości.

– Chcesz powiedzieć, że ty i twoi bliscy stanowicie wyjątek. Znajdujecie się w zaczarowanym kręgu i groza świata nie może was dotknąć, a gdy tak się dzieje, jest to skaza rzeczywistości.

– Teraz jesteś po prostu nieprzyjemna. Co ty możesz wiedzieć?

– Codziennie jestem bliżej śmierci niż ty, staruszku, a jesteś przecież bardzo stary – powiedziała czule, obejmując go. – Ale ja jestem twoim błaznem, więc mogę ci powiedzieć prawdę.

– Wierz mi – odparł. – O śmierci wiem więcej niż ty. To raczej sensu życia nie chwytam.

– Pozwól, że ja chwycę za to – powiedziała i temat uległ zmianie.

Gdy ich schadzka dobiegła końca, sprawy przybrały jeszcze gorszy obrót, bo ciocia Mercedes-Benz przepadła jak kamień w wodę. Później wyszło na jaw, że zaparkowała za rogiem i zasnęła, z ucha wypadła jej słuchawka podłączona do telefonu, toteż nie słyszała, jak dzwonił. Neron w panice zjawił się pod drzwiami mademoiselle Loulou, całkowicie straciwszy głowę, niezdolny zapanować nad sytuacją, więc Loulou musiała zejść, zatrzymać żółtą taksówkę, wsiąść razem z nim i odwieźć go do domu. Gdy dotarli na Macdougal Street i Neron wciąż się trząsł, z westchnieniem wysiadła z samochodu, pomogła mu się wygramolić i wcisnęła dzwonek przy drzwiach. Mademoiselle Loulou była wysoką, uderzająco piękną kobietą z kraju, który upierała się nazywać „L'Indochine", i nie straciła zimnej krwi, gdy drzwi otworzyła sama Wasylisa Golden.

– Proszę pani – rzekła – pani mąż nie jest dzisiaj sobą.

Po chwili ciszy Wasylisa spytała ordynarnie:

– Proszę mi powiedzieć, ciągle mu staje?

– Jeśli pani tego nie wie – odpowiedziała mademoiselle Loulou, odwracając się do odejścia – ja nie zamierzam pani uświadamiać w tym temacie.

28

Śmierć przemawia w sztuce *Sheppey* (1931) W. Somerseta Maughama: „W Bagdadzie żył pewien kupiec, który posłał sługę po sprawunki na targ, i gdy po niedługim czasie sługa wrócił, blady i roztrzęsiony, rzekł: Panie mój, na targu, skąd w tej chwili wróciłem, w tłumie potrąciła mnie jakaś niewiasta i gdym się odwrócił, spostrzegłem, że to sama Śmierć mnie szturchnęła. Spojrzała na mnie i pogroziła mi palcem; użycz mi, panie, swego konia, bym mógł odjechać z tego miasta i uniknąć swego losu. Ucieknę do Samary i tam Śmierć mnie nie odnajdzie. Kupiec pożyczył mu swego konia, sługa dosiadł rumaka, spiął go ostrogami i odjechał w te pędy. Wtedy to kupiec udał się na targ i ujrzawszy mnie stojącą w tłumie, podszedł i spytał: Czemuś, pani, pogroziła memu słudze, gdyś ujrzała go dziś rano? Nie groziłam mu, odparłam, uniosłam tylko rękę w zdziwieniu. Zdumiałam się, widząc go w Bagdadzie, bo jestem z nim umówiona dziś w nocy w Samarze".

Wszyscy chyba wyczuwaliśmy, że czeka nas kolejna śmierć. W tych ostatnich tygodniach nie widywałem Pietii często, może nie przyjmował nikogo oprócz Australijczyka, ale jestem przekonany, że sam zdawał sobie z tego sprawę: zauważył Śmierć, która pogroziła mu na targu, i desperacko pragnął jej umknąć, dosiąść pożyczonego konia i pogalopować w stronę Samary, wierząc, że ucieka przed czymś, ku czemu w rzeczywistości zdążał. Ostatni z trzech Goldenów, którzy przybyli z ojcem do Ameryki, emanując jakże książęcym majestatem, jakże zdumiewającą ekscentrycznością, odnalazł w śmierci braci niezbędną motywację do przetrwania i zdobył się na olbrzymi wysiłek, żeby wprowadzić swoje życie z powrotem na właściwe tory, odwrócić się od Śmierci i wyciągnąć ręce ku życiu.

Kot był pomysłem Nerona. Skądś z trajkoczącego non stop informacyjnego multiwersum dotarła do niego wiadomość, że towarzystwo kotów może oddziaływać korzystnie na osoby autystyczne; i nabrał przekonania, iż koci przyjaciel może stać się dla Pietii ratunkiem. Fuss-Maruda i Blather-Ględa od razu pokazały Neronowi w internecie fotografie dostępnych od ręki kiciusiów i gdy ujrzał białego alpejskiego rysia, klasnął w dłonie i zawołał: „Ten jest idealny!". Smoczyce próbowały mu perswadować, że ta rasa jest bliższa dzikiemu zwierzęciu niż domowemu pupilkowi, i czy Pietii nie odpowiadałby bardziej jakiś milusi, tłusty, leniwy, długowłosy, czekoladowy lub srebrny pers, on jednak był niewzruszony w jakiś nowy, niezrozumiały dla nich sposób, dały więc za wygraną, wybrały się do sklepu na północy Manhattanu i przywiozły bestyjkę do domu. Okazało się, że Neron dobrze zna swego syna. Pietia natychmiast się w zwierzaku zakochał, dał mu imię Leo, chociaż był samiczką, wziął Leo na ręce i zniknął z nią w pokoju niebieskiego światła. Było to zwierzę, które potrafiło skoczyć i schwytać w locie ptaka, zwierzę, którego mruczenie przypominało ryk i które jakimś sposobem, instynktem dzikiego stworzenia, w dżungli wewnętrznych udręk Pietii odnalazło drogę do jego serca. Nocą, gdy dom pogrążał się w bezruchu i po korytarzach snuły się jedynie widma zmarłych, kot śpiewał cichuteńko do ucha Pietii i ofiarował mu to, co ten stracił – błogosławiony dar snu.

Świat poza nawiedzonym domem zaczął przypominać jedno wielkie kłamstwo. Poza jego murami był to świat Jokera, świat tego, co zaczęła znaczyć w Ameryce rzeczywistość, inaczej mówiąc, świat pewnego rodzaju radykalnej nieprawdy: pozerstwa, krzykliwości, fanatyzmu, wulgarności, przemocy, paranoi, i na to wszystko ze swojej mrocznej wieży spoglądało indywiduum o białej skórze, zielonych włosach i czerwonych, bardzo czerwonych ustach. W domu Goldenów tematem była kruchość życia, łatwa nagłość śmierci i powolne, zgubne zmartwychwstanie przeszłości. Czasem Nerona Goldena widywano w nocy, jak stoi w ciemności pod pokojem swego pierworodnego dziecka, z pochyloną głową, ze złożonymi rękami, w postawie, którą można by wziąć – gdyby nie wiedziano powszechnie, że jest niewierzący – za modlitwę. Którą można by wziąć za pozę ojca błagającego syna: *tylko nie ty, żyj, żyj.*

Nie wiedzieliśmy, skąd przyjdzie śmierć. Nie domyślaliśmy się, że ona już, przynajmniej raz, gościła w tym domu.

Odwróciwszy się od zamkniętych drzwi do pokoju syna, Neron Golden odchodził zwykle do swojego gabinetu, wyjmował z futerału skrzypce Guadagniniego i grał *Chaconne* Bacha. Z drugiej strony zamkniętych drzwi Pietia był pod opieką swego rysia i ilości wypijanego alkoholu nieco – ale tylko nieco – się zmniejszały. Poza tym nie krzyczał już w udręce przez sen.

Ugodę sądową z Sottovocem zawarto nagle i wynosiła dwadzieścia pięć procent pierwotnego roszczenia. Frankie Sottovocce nie czuł się dobrze. Coś z sercem, jakaś nieregularność, a za problemem medycznym kryła się też choroba duszy. Błysk w oku przygasł, a charakterystyczna ekspresyjność gestów ustąpiła miejsca omdlewającym ruchom rąk. Bardzo przeżył śmierć Ubah. Było jasne, że ukradkiem do niej wzdychał, widząc jednak, jak mocno zaangażowała się w związek z Apu, powstrzymał się przed wyjawieniem jej swoich uczuć. Co dziwne, jak na kogoś, kto spędzał dni w cieplarnianym, koteryjnym świecie sztuki, tryskając błyskotliwym dowcipem, prywatnie marszand wiódł dyskretne, często samotne życie, był krótko żonaty, ale teraz, od dawna rozwiedziony i bezdzietny, mieszkał w luksusowym apartamencie w Mercer Hotel i zamawiał do pokoju posiłki przez obsługę hotelową, jeśli jego obecność nie była akurat wymagana na jakiejś uroczystości. Choć z natury był życzliwy, miał niewielu przyjaciół i kiedyś w Ogrodach tak oto w rozmowie z Vitem Tagliabue skomentował długoletnie uwięzienie jego ojca Biaggia w Grand Hotel et des Palmes w Palermo:

– Pański biedny rodzic zmarł w samotności, a jego ciało znaleźli nie ci, którzy go kochali, lecz personel hotelu – rzekł. – Mnie również czeka taki los. Przyniosą mi burgera z kieliszkiem czerwonego wina i odkryją, że spóźnili się z moją ostatnią wieczerzą.

Tajone uczucia do Ubah przytłoczyły go po jej śmierci. Teraz, gdy odpłynęła już mściwa fala, pogodził się z tym, że zniszczone prace zostały odpowiednio ubezpieczone i że wytoczony Goldenom proces o wielomilionowe odszkodowanie zrodził się ze wzburzenia.

– Nie zależy mi już – oświadczył prawnikom. – Zamknijmy tę sprawę.

W tym okresie widziałem się z nim tylko raz, na wernisażu Matthew Barneya w galerii Gladstone, i byłem wstrząśnięty zmianą, jaka w nim zaszła, jego bladością, anemicznością.

– Miło cię znowu widzieć, młody człowieku – powitał mnie, słabowicie poruszając ręką. – Dobrze widzieć, że wciąż są ludzie, którzy mają pełny bak i prują do przodu sto pięćdziesiąt na godzinę.

Zrozumiałem, co chce w ten sposób przekazać: że jego bak wysechł i że teraz toczy się na rezerwie. Próbowałem podjąć temat, którego nie poruszał.

– Była nadzwyczajną kobietą – oznajmiłem.

Wyglądał na rozgniewanego w tej swojej nowej, zmęczonej wersji.

– Co z tego? – spytał. – W śmierci nie ma nic nadzwyczajnego, wszyscy umierają. Nadzwyczajna jest sztuka: prawie nikt nie potrafi jej tworzyć. A śmierć to tylko śmierć.

Po zakończeniu procesu dobiegły końca też prace społeczne Pietii. Mając wreszcie święty spokój, z wielką determinacją wracał do życia. Wyszedł ze swojego pokoju w towarzystwie terapeuty, z kotem wtulonym w lewe ramię, a ujrzawszy ojca stojącego pod drzwiami z rozczulającym oddaniem, położył prawą dłoń na ramieniu Nerona, spojrzał mu zdecydowanie w oczy i oznajmił:

– Nikomu z nas nic się nie stanie.

Powtórzył to zdanie trzydzieści siedem razy, jak gdyby retweetował siebie. Aby mocą powtórzenia doprowadzić do urzeczywistnienia się tych słów. By odgonić Cień, nieugięcie potwierdzając obecność Światła. Byłem tam tego dnia, bo po dłuższej przerwie Pietia przysłał mi esemesa z zaproszeniem. Chciał świadków i taka była, wiedziałem, moja rola w historii Goldenów. W każdym razie do czasu, aż w łóżku Wasylisy przekroczyłem granicę oddzielającą reportera od uczestnika. Niczym dziennikarz rzucający granatem z okopów byłem teraz żołnierzem; i dlatego, jak każdy żołnierz, mogłem stać się celem.

– Cześć, piękny – powiedział na mój widok. – Wciąż najprzystojniejszy facet na świecie.

Coś w otoczeniu Pietii tego wieczoru kojarzyło mi się ze wspaniałym olejnym płótnem, może ze *Strażą nocną*; staliśmy w złocistym świetle i świetlistych cieniach Rembrandta, czując się, a może tylko tak to sobie wyobrażam, strażnikami oblężonego świata. Pietia ze swoim alpejskim rysiem, troskliwym Australijczykiem, zasępionym ojcem i szerokim, krzywym uśmiechem. I służba pod różnymi kątami w rogach płótna. Czy byłem jedyną osobą w domu Goldenów, która słyszała tego dnia łopot śmiertelnych skrzydeł, proleptyczne westchnienia nerwowego grabarza, powolne opadanie kurtyny po zakończeniu sztuki? Gdy teraz piszę, ścigam się z czasem, a moje słowa niewiele się spóźniają wobec tych, których opisują, piszę podwójnie, bo kończę wreszcie też mój scenariusz o Goldenach, moją fikcyjną wersję ludzi, którzy wymyślili siebie, i jedno miesza się z drugim, aż przestaję być pewien, co jest rzeczywiste, a co przeze mnie zmyślone. W tym, co nazywam *rzeczywistością*, nie wierzę w duchy ani anioły śmierci, te jednak napływają do moich zmyśleń jak tłum bez biletów forsujący bramę podczas ważnego meczu. Siedzę na linii uskoku między moim światem zewnętrznym i światem wewnątrz, okrakiem na szczelinie wszystkiego, mając nadzieję, że do środka wpadnie odrobina światła.

W tamtym miesiącu w domu Goldenów wydawało się, jakby czas wyczekująco stanął w miejscu, jakby postaci uwięzione na olejnym płótnie, przybrawszy swe pozy, nie mogły się poruszyć. A na zewnątrz plaga jokerów, szalonych klaunów o rozciętych ustach, których bały się dzieci – jokerów lub ich duchów. Bardzo nieliczni mieszkańcy miasta twierdzili, że tej jesieni rzeczywiście widzieli odrażającego klauna, ale doniesienia o nich były wszędzie, doniesienia wkładały nastroszone peruki, plotki szerzyły się na ulicach, chichocząc, rozczapierzając wiedźmowato palce i skrzecząc o końcu świata, ostatnich dniach. Widmowi klauni w nierealnej rzeczywistości. Eschatologiczne szaleństwo dotykało sondaży opinii publicznej, a sam Joker wrzeszczał do lustra, molestujący wrzeszczał o molestowaniu, propagandysta oskarżał cały świat o propagandę, tyran jęczał, że się go prześladuje, oszust wymierzał zakrzywiony palec w rywalkę i ją nazywał oszustką, dziecięce przedrzeźnianki stały się ogólnonarodową zabawą, „może i jestem, ale ty jeszcze bardziej", mijały kolejne dni, toczyła się wojna między rozsądkiem Ameryki i jej obłąkaniem, a ludzie tacy jak ja, którzy nie wierzyli w przesądy, chodzili z rękami w kieszeniach, zaciskając kciuki.

A potem w końcu, mimo wszystko, przybył przeraźliwy klaun.

Po długim okresie ochłodzenia stosunków Wasylisa poprosiła o rozmowę. Zabrała mnie do ogrodu i dopilnowała, byśmy się znaleźli poza zasięgiem podsłuchujących uszu. Nowa władcza nuta w jej głosie podpowiadała mi, że wciąż odgrywa rolę Wielkiej Oddziałowej, dając do zrozumienia, że teraz to ona rozdaje karty.

– Nie jest już tym samym mężczyzną – stwierdziła. – Muszę się do tego przyzwyczaić. Ale jest ojcem mojego dziecka.

Powiedziała mi to prosto w twarz, patrząc w oczy! Aż mnie zatkało na taką bezczelność. Czułem, jak zagotowała się we mnie złość.

– Jeśli spróbujesz to zakwestionować – dodała, podnosząc rękę, zanim zdążyłem wypowiedzieć choćby jedno słowo – każę cię sprzątnąć. Wiem, do kogo zadzwonić, możesz być tego pewien.

Odwróciłem się do odejścia.

– Stój – rozkazała. – Nie chcę, żeby tak się skończyła nasza rozmowa. Chcę powiedzieć: potrzebna mi przy nim twoja pomoc.

Roześmiałem się głośno na te słowa.

– Jesteś naprawdę zadziwiającą istotą ludzką – przyznałem. – Jeśli w ogóle jesteś istotą ludzką. Aż dziw bierze, że te dwie wypowiedzi mogą wyjść z twoich ust jedna po drugiej. Co jednak nie świadczy tak naprawdę o twoim członkostwie w gatunku ludzkim.

– Rozumiem, że są między nami niesnaski – rzekła. – Ale Neron nie jest temu winien i to dla Nerona proszę. Ten smutek w nim i osłabienie umysłu. Które postępuje wolno, leki pomagają, ale jest też nieuchronne. Pogłębia się. Boję się o niego. Wychodzi z domu. Potrzebuję kogoś, kto będzie go obserwował. Nawet jeśli odwiedza tę kobietę, chcę, żebyś też za nim pojechał. Szuka odpowiedzi. Życie stało się męczarnią i pragnie rozwiązania życiowej tajemnicy. Nie chcę, żeby odnalazł je w jej ramionach.

– Nie mogę – powiedziałem. – Przygotowuję film pełnometrażowy. Mam teraz mnóstwo pracy.

– Raczej nie chcesz – odparła. – Oto, co mi mówisz. Zamieniłeś się w egoistę.

– Masz możliwości – rzekłem. – Ludzi do dyspozycji. Wykorzystaj ich. Nie pracuję dla ciebie.

Przybrałem ostry ton. Nie chciałem, żeby mną dyrygowała, nie byłem w nastroju.

Miała na sobie długą białą suknię, obcisłą w gorsecie, luźną pod talią, z wysokim koronkowym kołnierzem jak kryza. Oparła się o drzewo i natychmiast pomyślałem o Elwirze Madigan, bohaterce pięknego filmu Bo Widerberga, nieszczęsnej kochance spacerującej w lesie po linie. Wasylisa zamknęła oczy i odezwała się głosem cichym jak westchnienie:

– To wszystko maskarada. Ich nazwisko to żadne nazwisko. Mademoiselle Loulou wcale nie ma na imię Loulou. Może ja nie jestem mną, a kobieta odgrywająca moją matkę jest kimś, kogo wynajęłam. Wiesz, co chcę powiedzieć? Nic nie jest prawdziwe.

Były to rozproszone myśli i dostrzegłem, że pod pozorami samokontroli Wasylisa przeżywa własne katusze.

– Tylko moje dziecko jest prawdziwe – dodała. – I dzięki niemu ja też odnajdę prawdziwe miejsce. – Pokręciła głową. – A tymczasem wszyscy biorą udział w pewnego rodzaju przedstawieniu. Może nawet i ty. Stałeś się jakby spowiednikiem dla tej rodziny, ale nie jesteś księdzem, kim jesteś tak naprawdę, czego chcesz, może powinnam być podejrzliwa, może jesteś Judaszem. – Wtedy się roześmiała. – Przepraszam – dodała szybko i zaczęła się oddalać. – Wszyscy jesteśmy zdenerwowani. Pewnego dnia sprawy się unormują. I tak, idź już, wracaj do tej swojej dziewczyny, która o niczym nie wie, i tak jest lepiej.

Oczywiście była to kolejna z jej gróźb, pomyślałem, patrząc za nią, jak odchodzi. Nie każe mnie „sprzątnąć", ale w razie konieczności zniszczy moje szczęście, mówiąc Suchitrze, czego się dopuściłem.

Wtedy już wiedziałem, że muszę powiedzieć Suchitrze pierwszy, bez względu na cenę. Musiałem się zdobyć na prawdę i liczyć na to, że nasza miłość jest wystarczająco silna, żeby ją przetrwać.

A Elwira Madigan, pomyślałem, kolejny pseudonim. Nie była to prawdziwa tożsamość nieszczęsnej duńskiej tancerki na linie. Hedvig Jensen; tak nazywała się naprawdę. Właścicielka najbardziej pospolitego z nazwisk.

Tak: pociągał mnie fantastyczny świat Goldenów i wyzwolić mnie mogła tylko prawda.

Kotka Leo była dla Pietii tym, czym magiczne piórko dla słonika Dumbo. Z rysiem na rękach stał się znowu olśniewającym dziwakiem, którym był na początku naszej znajomości, przechadzał się po ogrodzie, rozmawiał głośno z każdym, kto chciał go słuchać, i rozśmieszał dzieciarnię. Jesień była łagodna, piękna pogoda w szalonym czasie, toteż długi płaszcz zostawiał w szafie, ale wokół szyi zaplątywał niedbale szalik w tęczowe paski, prezentował też całą galerię ekstrawaganckich garniturów, kremowy z szerokimi klapami, w którym po raz pierwszy pojawił się wśród nas, trzyczęściowy zielony jak strój irlandzkiego skrzata, gdy chciał pozować na Oscara Wilde'a, lub dwurzędowy ciemnobrązowy z szeroką kratką w odcieniu mlecznej czekolady. Dzierżąc w jednym ręku shaker do koktajli, a w drugim kieliszek martini, siedział na ławce ze słoikiem oliwek stojącym obok tak jak kiedyś. Ale teraz obok słoika z oliwkami leżał iPad, ku któremu dzieci grawitowały jak planety krążące wokół Słońca, gdy Pietia pokazywał im wersje beta swoich najnowszych gier i zachęcał, żeby sobie pograły. Były one teraz jego opowieściami i dzieci chętnie się w nich zanurzały, podróżując do światów w jego głowie. Przez kilka pięknych dni myśli o śmierci pozostawały zepchnięte na bok i kolorowa księga życia otworzyła się na nowej stronie.

– Zdajesz sobie sprawę – powiedziała Suchitra – że ten film stał się filmem o tobie, a ci wszyscy młodzi Goldenowie to różne aspekty twojej natury?

– Wcale nie – zaprotestowałem.

– Ale to dobrze – stwierdziła. – Dzięki temu film jest bardziej osobisty. Wszystkie postaci to *auteur*: jak u Flauberta. *Madame Bovary, c'est moi.*

– Ale ja nie jestem artystą – oznajmiłem – nie mam problemów z tożsamością płciową, nie jestem autystyczny, nie jestem rosyjską naciągaczką ani podupadającym starym gigantem.

Nie dodałem: „ani małym dzieckiem", bo oczywiście to dziecko było częścią mnie. W pięćdziesięciu procentach. Dużą częścią. Dużą częścią, którą trzymano z dala ode mnie. Wstydliwą tajemnicą, do której wciąż nie miałem odwagi się przyznać.

Siedzieliśmy w cyfrowej montażowni na Zachodniej Dwudziestej Dziewiątej Ulicy i z ekranu Avid obserwowała nas Batwoman w stop-klatce. Nasz czwarty i ostatni film z kobietą nietoperzem był na finałowym etapie produkcji. Joker usiłował wywołać powstanie, które zniszczy amerykańską demokrację. Na wypełnionym do ostatniego miejsca stadionie MetLife tłumy szalonych klaunów wyły do nieba, dając upust swej nienawiści. Ile może zdziałać jedna zawzięta Nietoperzyca? Cóż, to zależy od was. *Wybierzcie pierwszego nietoperza na prezydenta Stanów Zjednoczonych. Bo te wybory to nie żart.*

– Nosisz wszędzie ze sobą ich pytania. Pytanie życia Apu, pamiętasz, co ci powiedział jego ojciec? Czy konieczne jest dążenie do głębi, czy można wiecznie ślizgać się po powierzchni? Ty też musisz sobie odpowiedzieć na to pytanie. D Golden, jak też powiedział jego ojciec, składał się cały z dwuznaczności i bólu. W tobie także je wyczuwam, pewne niezdecydowanie. Czuję, że cierpisz. Co do Pietii, jest osaczony przez samego siebie, nie może uciec przed swoją naturą, choć tak bardzo pragnie wolności. I może jego gry, te, które wymyśla, dają mu wolność. Miejsce, gdzie się nie boi. Może ty też musisz znaleźć takie miejsce. Tak długo stoisz na progu, może czas, żebyś wreszcie przeszedł przez drzwi. A staruszek...

– Zaraz mi powiesz, że do niego też jestem podobny? Przecież to pewnego rodzaju potwór, nawet w tym podupadłym stanie...

– Jest zanurzony w tragedii, podobnie jak ty. Stracił synów, ty straciłeś rodziców. Określa was i odcina od innych ludzi żal po stracie ukochanych. Tak mi się wydaje.

– Czy my się kłócimy? – spytałem. Jej słowa zrobiły na mnie spore wrażenie.

– Nie – odpowiedziała, szeroko otwierając oczy, i mówiła szczerze. – Dlaczego tak sądzisz? Mówię po prostu, co widzę.

– Jesteś dla mnie dosyć surowa.

– Po prostu widzę, kim możesz być, i chcę, żebyś też to zobaczył. Dąż do głębi. Nie wypieraj się własnej tragedii. Znajdź swoją wolność. Pozbądź się niezdecydowania, z czegokolwiek wynika. Może chodzi o mnie.

Muszę jej powiedzieć o dziecku, pomyślałem. *To właśnie mnie od niej odcina.*

– Nie – rzekłem. – Co do ciebie nie mam wątpliwości. Czuję głęboką pewność. Żadnego wahania.

– Dobra – odparła, zamykając temat, i rozpłynęła się w uśmiechu. – Świetnie. Skończmy Batwoman.

Paff! Prask! Trach! – A masz, ty rozchichotany świrze! – Aua! To niesprawiedliwe! Dlaczego wszyscy są przeciwko mnie? Auaaaa! To jest zmowa! Wszyscy kłamią! Tylko klaun mówi prawdę! – Łup! – *Aua!*

29

Pewnej nocy niedługo po samobójstwie D w Ogrodach, wydarzeniu, które nam wszystkim wypaliło czarną dziurę w Rajskim Ogrodzie, Riya Zachariassen, znana jako Riya Z, zbudziła się z koszmarnego snu i odkryła, że dotychczasowy obraz świata wyślizgnął jej się z rąk. Nie pamiętała całego snu, była jednak niemal pewna, że niosła przez wielkie muzeum bardzo cenne płótno, a potem je upuściła, rama pękła, szkło się stłukło, a ona sama zdołała w jakiś sposób przebić obraz własną stopą, chociaż może było to coś, co zapamiętała z filmu, sny mają bowiem nieuchwytną naturę węgorza. Gdy się ocknęła, sam sen przestał mieć znaczenie, zrozumiała jednak, że obraz ze snu był jej rzeczywistością, zawierał wszystkie jej dotychczasowe poglądy o tym, jak się mają sprawy, teraz zaś leżał rozdarty i ktoś za chwilę zacznie jej szukać, oskarży ją o zniszczenie płótna, skutkiem czego wyrzucą ją z pracy.

Trudno komuś takiemu jak ja, niewierzącemu, zrozumieć moment, gdy w ludzkim sercu umiera wiara. Gdy klęczący pojmuje nagle, że nie ma sensu się modlić, bo nikt go nie słucha. Lub gdy następuje powolna erozja pewności, aż zwątpienie staje się silniejsze niż nadzieja: idziesz brzegiem rzeki, w której pod wpływem suszy opada woda, aż pewnego dnia zostaje już tylko suche koryto bez ani jednej kałuży, która ugasi pragnienie, gdy zachce ci się pić. Jestem sobie to w stanie wyobrazić, ale nie poczuć, może jedynie jako koniec miłości. Budzisz się pewnego ranka i spoglądasz na osobę śpiącą obok, pochrapującą cicho w znajomy i do tej pory urzekający sposób, i myślisz sobie: nie kocham już ani ciebie, ani twojego chrapania. Łuski, które spadają z oczu Szawła w Dziejach Apostolskich – lub coś, co łuski przypomina, „spadły z oczów jego jako łuski", jak to brzmi w starszych wersjach Biblii – były łuskami niewiary, po czym Szaweł przejrzał wyraźnie na oczy i natychmiast został ochrzczony. Z tym że obraz ten sprawdza się także w drugą stronę. To coś łuskopodobnego spadło z oczu Riyi i ujrzała wyraźnie, że jej rzeczywistość była złudzeniem, że była fałszywa. Lepiej tego nie ujmę.

Leżała całkiem nieruchomo obok pustego miejsca po swoim kochanku. Nie znosiła birkenstocków, do których pomimo jej protestów D [upierał] się wsuwać stopy, gdy byli w domu; teraz jednak nie była w stanie tknąć tych sandałów z tamtej strony łóżka. Byli na tyle staromodni, że wciąż mieli telefon stacjonarny, telefon, który nigdy nie dzwonił. Na automatycznej sekretarce nagrany był głos D – „Tu mieszkanie Riyi i D, nagraj się itede" – i nie potrafiła skasować tego nagrania. Gdyby się nie ruszała i o niczym nie myślała, mogłaby niemal uwierzyć, że D wyjdzie z łazienki i położy się obok niej. Nie umiała jednak nie myśleć, wiedziała więc, że nic takiego się nie wydarzy. Stało się coś innego, mianowicie nie myślała już tak, jak myślała, że myśli. Nie miała więc pojęcia, co myśleć.

W majestacie żałoby poważna Riya przypominała mi trochę Winonę Ryder, nie szurniętą, nastoletnią Winonę gotkę z *Soku z żuka*, tańczącą w powietrzu przy dźwiękach wybornego kalipso Belafontego, *shake shake Señora*, lecz raczej Winonę z *Wieku niewinności*, w pełni opanowaną i mniej niewinną, niż wyglądała. W filmie Scorsese – przyznaję, powieści Edith Wharton nie czytałem – to Michelle Pfeiffer jest kobietą niekonwencjonalną, tą, która wybiera nowy, nowoczesny sposób życia i wskutek tego straszliwie cierpi, pokonana ostatecznie przez subtelne, klasyczne knowania Winony Ryder. Przypuśćmy jednak, że postać Winony jest tą, którą porywa nowe, i że pewnego dnia straciła kontrolę nad tym, jak się sprawy mają lub jak powinny się mieć. Taka Winona mogłaby zagrać w tym filmie. To była Riya; moja przeredagowana Winona, bardziej zagubiona i zdruzgotana niż oryginał, na pełnym morzu bez koła ratunkowego.

Nowe idee rodzą się z trudem. Nowe idee o mężczyznach i kobietach, i tych wszystkich istotach, które się mieszczą gdzieś pomiędzy tymi dwoma wyrazami i potrzebują nowego słownictwa do ich opisania oraz poczucia, że są zauważone, że są możliwe i dopuszczalne, były ideami, które wielu dobrych ludzi rozwinęło i wypuściło w świat z najbardziej szlachetnych pobudek. A inni wspaniali ludzie, błyskotliwi ludzie tacy jak Riya Z, przyjęli ten nowy sposób myślenia jako własny i dokładali starań, żeby wcielić go w życie i uczynić częścią nowego sposobu funkcjonowania świata.

Ale oto pewnej nocy Riya otworzyła oczy i uzmysłowiła sobie, że zmieniła zdanie.

Szkice listów z wypowiedzeniem umowy o pracę od Riyi Zachariassen do kierownictwa Muzeum Tożsamości (niewysłane)

Szanowny wpisać nazwisko pracodawcy, niniejszym
informuję, że zgodnie z tym i tym i zważywszy na to i to,
i w świetle zobowiązań umownych, i po wywiązaniu się
w pełni z obowiązków, i odnośnie do daty rozwiązania
umowy, i po odliczeniu niewykorzystanych dni urlopu.
Zamierzam doprowadzić do końca to i to i sprawne
przekazanie obowiązków, i wdzięczna za to i to,
i w nadziei na to i to, i tak dalej. W następstwie radykalnego
przewartościowania tego i tego i ewolucji myśli prowadzących
do niezgodności wykonywanej pracy z takimi a takimi
wartościami. W związku z tym moje odejście lepiej przysłuży
się interesom muzeum. Z poważaniem, zakończenie.

Lub:

Gdy dorastałam w Minnesocie i zaczęłam się zastanawiać
nad życiem, jak je przeżyć moralnie, pomyślałam o Indiach,
które stanowiły tak dużą część mojej spuścizny, i zadałam
sobie pytanie, kto w Indiach doświadcza największej

niesprawiedliwości, i odpowiedź, jaka mi przyszła do ośmioletniej głowy, brzmiała: kozy. Krowy były święte, ale kozy ubijano dla mięsa i nikt się tym nie przejmował. Postanowiłam, że poświęcę swoje życie troskliwej ochronie tych niekochanych beczących stworzeń. Potem dorosłam i oczywiście zmieniłam zdanie, ale tak już mi zostało, że znajduję coś, co potrzebuje mojej pasji, a potem oddaję się temu bez reszty. Po kozach przyszły inne młodzieńcze obsesje: antykoncepcja, choroby autoimmunologiczne, zaburzenia odżywiania, niedostatek wody. Moja dorosłość zbiegła się w czasie z nastaniem ery tożsamości i dyskusje, problemy oraz innowacje związane z tym tematem przekonały mnie, że odnalazłam swoje powołanie, gdy więc pojawiła się okazja podjęcia pracy w muzeum, czułam, jakby spełniało się moje marzenie, i tak mi się wydawało aż do tej pory. Przyznaję się jednak do pewnej skazy tego rodzaju żarliwego, obsesyjnego umysłu. Może się zdarzyć, że pewnego dnia człowiek się budzi i odkrywa, że, wiecie co, to już mnie tak bardzo nie obchodzi. To już nie dla mnie. Dawniej uwielbiane kozy, prezerwatywy, bulimia, woda – już się wami nie interesuję. Podobnie jest teraz ze mną i tożsamością. Przeszło mi. Do widzenia.

Lub:

Muszę pomyśleć, a w mieście jest za dużo hałasu.

Lub:

Uznaję siebie za istotę mnogą. Jestem córką nieżyjącego już ojca psychotyka. Jestem też w żałobie po kochanku. Ponadto należę do plemienia chudzielców. Jestem dodatkowo lub pomimo to badaczką. Jednocześnie jestem brunetką. Wyznaję takie a nie inne poglądy. Mogę się określić na wiele różnych sposobów. Oto, kim nie jestem: nie jestem jednorodna. Ja to niepoliczone rzesze. Czy przeczę samej sobie? No i dobrze, przeczę sobie. Bycie mnogą, wielopostaciową to coś indywidualnego, bogatego, nietypowego i mojego. Wtłaczanie nas w wąskie definicje jest fałszem. Wmawianie nam, że jeśli nie jesteśmy czymś jednym, to znaczy, że jesteśmy niczym, to kłamstwo.

Muzeum Tożsamości jest zbyt w owo kłamstwo uwikłane. Nie mogę już tam pracować.

Lub:

Podejrzewam, że tożsamość we współczesnym sensie – narodowa, rasowa, płciowa, upolityczniona, walcząca – stała się serią ideologii, których część doprowadziła D [Goldena] do śmierci. Prawda jest taka, że nasze tożsamości są dla nas niejasne i może lepiej, żeby tak zostało, żeby nasze ja nadal było pomieszaniem i poplątaniem pełnym nierozwiązywalnych sprzeczności. Może D [był] ostatecznie tylko mężczyzną z pewną kobiecą wrażliwością i powinno [mu] się pozwolić zostać w tym miejscu, zamiast zmuszać [go] do przemiany, czemu winni są ludzie tacy jak ja. Przymuszać do żeńskości, której nie [potrafił] całkowicie odrzucić ani ostatecznie przyjąć. Pchnęli [go] ku śmierci ludzie tacy jak ja, którzy pozwolili nowej idei rzeczywistości przemóc najstarszą ideę ze wszystkich: naszą miłość.

D [opowiedział] mi o hidźrze z Bombaju, który w domu nosił się jak mężczyzna i w rzeczy samej był mężczyzną dla swojej matki i ojca, a potem się przebierał i po wyjściu z domu stawał kobietą. To powinno być w porządku. Elastyczność powinna być w porządku. Rządzić powinna miłość, nie dogmaty dotyczące tożsamości.

Byłam gotowa przejść z D przez wszystkie zmiany i zostać z [nim] po ich dokonaniu. Byłam [jego] kochanką, gdy [był] mężczyzną, i byłam gotowa pozostać jej kochanką w czasie przemiany i po uzyskaniu nowej tożsamości. Co to mi mówi o mnie, o istotach ludzkich, o rzeczywistości wykraczającej poza dogmat? Mówi mi, że miłość jest silniejsza niż płeć, silniejsza niż definicje, silniejsza niż własne ja. O tym się przekonałam. Tożsamość – a konkretnie teoria tożsamości płciowej – jest zawężeniem człowieczeństwa, a miłość pokazuje nam, jak szeroko możemy sięgnąć. Na cześć mego zmarłego kochanka odrzucam politykę tożsamości i opowiadam się za polityką miłości.

Oto, co odpowiedział filozof Bertrand Russell na pytanie, jaką radę przekazałby przyszłym pokoleniom. Powiedział: „Miłość jest mądra". Rozumiem jednak, że nastały czasy konfliktu. Jeśli musi dojść do walki, niech zacznie się bitwa.

List właściwy

Drogi Orlando,

Tak jak ci przed chwilą powiedziałam w twoim biurze, muszę zrezygnować z zajmowanego stanowiska. Trudno mi wyjaśnić dlaczego i niełatwo mi było podjąć tę decyzję, ale jestem gotowa usiąść z Tobą i jeszcze o tym porozmawiać, jeśli masz takie życzenie. Może, jak twierdzisz, jest to skrajna reakcja po stracie bliskiej osoby, pogubiłam się, a gdy będę miała czas przejść żałobę i uporać się z tym, co się stało, inaczej spojrzę na sprawy, i to bardzo miło z Twojej strony, że zaproponowałeś mi terapię i urlop zdrowotny, ale chyba lepiej będzie, jeśli po prostu odejdę. Dziękuję za wszystko.
Serdecznie pozdrawiam,

Riya

Na jej profilu w portalu społecznościowym natychmiast rozpętała się burza. (Komuś tak zapóźnionemu w stosunku do własnego i następnego pokolenia jak ja natychmiast ciśnie się do głowy pytanie: Po co w ogóle zamieszczać tam takie rzeczy? Po co informować tłum obcych ludzi, że jest się w trakcie bolesnego i głęboko osobistego procesu przewartościowania sądów? Ale rozumiem, że to już nawet nie jest pytanie). Niewidzialna armia elektronicznego wszechświata przypuściła na nią atak ze wszystkich stron. Anonimowe jednostki o czystych sercach i bez wyczucia hipokryzji broniły swoich zdecydowanych przekonań na temat tożsamości, jednocześnie ukrywając się za maskami fałszywych imion. „Więc co teraz sądzisz o białych kobietach przebierających się na Halloween za Pocahontas? Jaki jest twój stosunek do parodiowania Murzynów przez białych z uczernionymi twarzami? Nie masz nic przeciwko?" „Jesteś teraz nie tylko radykalną feministką wykluczającą osoby trans, ale i radykalną feministką wykluczającą osoby trans, które się prostytuują? Może nawet nie jesteś już radykalną feministką? Kim jesteś? Jesteś w ogóle kimś?" I dużo inwektyw. Oraz wielokrotnie: *Skasuj profil*. Spotykała się z dezaprobatą ze strony nie tylko nieznajomych, ale i przyjaciół, z wysoce asertywnych kręgów genderowo-politycznych, w których tak swobodnie tak długo się poruszała, a które teraz oskarżały ją o zdradę, lecz także ze świata niezależnych projektantów mody, gdzie była kimś w rodzaju wschodzącej gwiazdy, oraz ze strony kilku niegdysiejszych kolegów z Muzeum Tożsamości, *problem z twoim nowym podejściem polega nie tyle na tym, że jest niewłaściwe lub tak bardzo wsteczne, po prostu jest kiepsko przemyślane. Jest tak strasznie głupie. A nam się wydawało, że jesteś inteligentna.*

Po drugiej stronie Atlantyku, w kolejnym teatrze tożsamościowych działań wojennych, brytyjska premier zawężała definicję brytyjskości, wyłączając różnorodność, internacjonalizm, świat jako siedzibę ja. Jedynie mała Anglia mogła definiować angielskość. W tym odległym sporze wokół tożsamości narodu odzywały się głosy odpierające ciasność poglądów pani premier. Lecz tutaj w Ameryce, w języku gender, jedyne słowa, które zdaniem Riyi nie istniały, jedyne niewypowiadalne słowa to: „Waham się, nie mam pewności co do tego wszystkiego". Tego typu wypowiedzi mogły doprowadzić do wykluczenia.

Ivy rozumiała, Ivy Manuel, która zawsze opierała się szufladkowaniu siebie.

– A niech się bujają, jeśli nie rozumieją – stwierdziła. – Przyjeżdżaj i zrobimy sobie, kurwa, przebieżkę nad rzeką, a potem pójdziemy, kurwa, się napić i zaśpiewamy, kurwa, razem jakiś niepoprawny kawałek. *My Boy Lollipop* czy jakiś inny numer w tym guście.

• • •

Kolejne spotkanie z Kinskim przed wielką sceną, do której przejdę w stosownym czasie, powinno mnie ostrzec, że kloszard coś szykuje. Tak silne jest jednak nasze pragnienie, by wierzyć w zwyczajność zwyczajnego życia, normalność powszedniości, że mi to umknęło. Czaił się pod Red Fish, klubem muzycznym na Bleecker Street, gdzie miał wystąpić farerski wykonawca z cyklem kameralnych piosenek zainspirowanych filmami na YouTubie – na szczęście dla publiczności po angielsku, nie farersku. Skąd zainteresowanie Kinskiego tymi rzeczami: YouTube, Wyspy Owcze, muzyka? W każdym razie kręcił się w pobliżu wejścia. Hej, ma ktoś wolny bilet, bilet na zbyciu, bilet, który mógłby przekazać na szczytny cel? Tym szczytnym celem miał być on. Poszedłem tam, bo kumplowałem się z amerykańskim współpracownikiem farerskiego artysty, i Kinski, zobaczywszy znajomą twarz, rozpromienił się i nabrał animuszu.

– Zrób to dla mnie – poprosił. – Zapomnijmy o wszystkim innym. To jest ważne. Ten gość. *Poetry & Aeroplanes*, słyszałeś? Coś pięknego. Wiedziałeś, że nagrał cały album w domu, w którym zmarł Ingmar Bergman? Słyszałeś jego prelekcję TED? Odjazd.

Były to najbardziej klarowne słowa (może poza cytatem z Shakespeare'a na herbatce w domu Goldenów) i jedyne nieapokaliptyczne myśli, jakie padły z jego ust w mojej obecności.

– A skąd pan to wszystko wie? – spytałem.

Jego twarz pociemniała i słownictwo, by się do niej dostosować, też się zdegenerowało.

– A chuj ci do tego – rzucił. – Co za różnica?

Zaciekawił mnie teraz i tak się składało, że miałem wolny bilet w kieszeni, ponieważ Suchitra oczywiście pracowała do późna.

– Jeśli chce się pan dostać na ten koncert – rzekłem – poproszę o wyjaśnienie.

Spuścił wzrok na chodnik i zaczął przestępować z nogi na nogę.

– Tą muzą zaraził mnie kumpel – wymamrotał. – W bazie lotniczej w Bagramie. Jakiś czas temu.

– Weteran – powiedziałem szczerze zdziwiony.

– Chcesz dowodu? – warknął. – Zawiąż mi oczy i każ mi złożyć karabin AR-15. Dam ci, kurwa, dowód.

Wtedy właśnie, gdybym miał włączony radar ostrzegawczy, powinienem się był połapać, że coś z nim jest nie tak, że oto mam do czynienia z człowiekiem na krawędzi. Czułem się jednak winny w związku z tym, że nie miałem zielonego pojęcia o jego wojskowej przeszłości, a na domiar złego zapytałem go o owego „kumpla", po czym dostałem odpowiedź, jakiej mogłem się spodziewać:

– Nie przeżył. Pułapka w Pasztunchwie. A teraz już mogę, kurwa, dostać ten bilet?

Przyglądałem mu się podczas koncertu. Piosenki były dowcipne, nawet zabawne, tymczasem po jego twarzy spływały łzy.

Niedługo po tym niespodziewanym muzycznym spotkaniu – może dwa dni, może trzy – Kinskiemu wpadł w ręce karabin, o który retorycznie poprosił przed klubem. Według zeznania złożonego później w szpitalu Mount Sinai Beth Israel – a ściślej mówiąc, spowiedzi na łożu śmierci – ani go nie kupił, ani nie ukradł. Utrzymywał, że padł ofiarą porwania w parku, porywacze wręczyli mu karabin i puścili wolno. Niewiarygodna historia, wręcz absurdalna, zrelacjonowana w poszarpanych, bełkotliwych i wydyszanych fragmentach, i moim zdaniem nie warto byłoby jej traktować poważnie ani przez moment, gdyby nie dwie sprawy: po pierwsze, była to spowiedź na łożu śmierci, do czego należy podejść ze stosowną powagą, po drugie, relacja pochodziła z ust Kinskiego i zważywszy na szaleństwa, które zawsze padały z jego ust, ta opowieść akurat nie była bardziej szalona niż cała reszta, istniała więc maleńka, szalona szansa, że mówił prawdę.

Oto jak się przedstawiała, mniej więcej, wersja Kinskiego. Gdy wpada w melancholijny nastrój, poinformował, przemierza stosunkowo odludne obszary, jakie można znaleźć w północnych rejonach Central Parku. Tego dnia złapała go ulewa i schował się pod drzewem, gdzie przeczekał deszcz. (Uwaga: W dniu, o którym mowa, rzeczywiście nastąpiło załamanie pogody i po kilku dniach wyjątkowo wysokich temperatur i bezchmurnego nieba rozpadał się zimny deszcz). – Od tej pory z racji szybko pogarszającego się stanu zdrowia Kinskiego jego relacja stawała się coraz bardziej fragmentaryczna i niejasna. – Podeszło do niego dwóch (trzech? więcej niż trzech?) osobników przebranych za klaunów lub Jokerów – używał obydwu tych słów – którzy go obezwładnili, narzucili mu na głowę worek i związali go. – Albo nie związali, ale po prosto poprowadzili ze sobą. – Albo nie worek, tylko zasłonili mu oczy opaską. – Nie widział, dokąd idą, przez ten worek. – Lub opaskę. – Potem znalazł się w furgonetce, odsłonięto mu oczy i jakiś nowy mężczyzna, także przebrany za klauna – lub Jokera – rozmawiał z nim – o czym? – o *rekrutacji*. – Coś o wyborach prezydenckich. Że są nielegalne. Że się je fałszuje. Że to spisek zorganizowany przez media – przez potężne korporacje broniące swych interesów – przez Chiny – i Amerykanie muszą odbić swój kraj. – Trudno było stwierdzić, czy są to opinie samego Kinskiego czy tylko powtarza, co domniemany szef, Joker, powiedział mu w furgonetce. – Wtem, w pewnym momencie, słowa: „Możemy brać przykład z islamskich terrorystów. Z ich poświęcenia". – Od tej pory mnóstwo bredni bez ładu i składu, lamenty nad własnym losem pomieszane z rozpaczą i starymi przepowiedniami o nadchodzącej zagładzie. – „Nie ma po co żyć". – „Ameryka". – I tyle. Zainterweniował personel medyczny i przerwał zeznanie. Nastąpiły zabiegi reanimacyjne. Nie powiedział już nic więcej i długo nie pociągnął. To wszystko, co byłem w stanie sklecić z tego, o czym donosiła prasa i co sam, nie bez trudności, zdołałem wygrzebać.

Jego przyjaciel z wojska zginął – kto wie, ilu przyjaciół? – on zaś po zakończeniu służby wrócił z zaburzeniami psychicznymi. Stracił kontakt z ludźmi, którym mogło na nim zależeć, i podupadł pod każdym względem, by skończyć jako menel majaczący o wszechobecnej broni. W latach, kiedy nasze ścieżki się krzyżowały, jego tyrady ulegały zmianie. Na początku wydawało się, że jest przeciwnikiem posiadania broni, który obawia się jej rozprzestrzeniania w Ameryce, aż wymyślił teorię, że broń jest żywa; potem, z domieszką religijnego zapału, zradykalizował swoją apokaliptyczną retorykę; aż w końcu, z klaunami czy bez, z Jokerami czy bez, z porwaniem czy bez, sam stał się sługą przemocy, ciepłej broni, która przynosi szczęście, jak w piosence Beatlesów, i wykonał jej rozkazy, *bang bang, shoot, shoot*, zginęli ludzie i on też.

Niezaprzeczalne jest jedno, otóż Kinski ostrzelał halloweenową paradę i nim trafił go jeden z policjantów, od jego kul zginęło siedem osób, a dziewiętnaście zostało rannych. Miał na twarzy maskę Jokera i był ubrany w kamizelkę kuloodporną – pozostałość być może po służbie w Afganistanie – toteż nie poniósł śmierci na miejscu w wyniku poniesionych ran. Zawieziono go na oddział ratunkowy szpitala MSBI i zdążył jeszcze przed zgonem złożyć powyższe zeznanie lub coś w tym rodzaju, choć trzeba zaznaczyć, że w opinii personelu szpitala równowaga umysłu Kinskiego była zaburzona i nie można uznać jego słów za wiarygodne.

Dwa nazwiska na liście ofiar śmiertelnych rzucały się w oczy: pan Murray Lett i pan Petroniusz Golden, obydwaj mieszkańcy Manhattanu.

W Halloween mieszkańcy Ogrodów tradycyjnie urządzali prywatną imprezę, zawieszono na starych drzewach światełka, przed domem redaktor naczelnej czasopisma o modzie ustawiono stanowisko didżeja i puszczono miejscowe dzieci samopas, krążyły więc od drzwi do drzwi, domagając się słodyczy. Wielu dorosłych też się przebrało. Był to sposób uczestniczenia w obchodach bez konieczności wypuszczania się w wielki tłum na pobliskiej Szóstej Alei, by obejrzeć świąteczną paradę lub do niej dołączyć.

Pietii wystarczyłaby zabawa w Ogrodach, ale kotka Leo miała ochotę się wybrać na paradę, a jeśli Leo czegoś chciała, nie zamierzał jej tego odmawiać, oznajmił Murrayowi Lettowi. Czuł się dobrze, zapewniał, naprawdę bardzo dobrze! Czuł, że kryzys ma już za sobą, uporał się z nim, chciał teraz upajać się życiem, a życie było tam, w wigilię Wszystkich Świętych, w poniedziałek, i maszerowało Szóstą Aleją przebrane za kościotrupy, zombi i ladacznice.

– W tym domu mimo imprezy w ogrodzie panuje grobowa atmosfera – zawołał. – Znajdźmy sobie jakieś odlotowe kostiumy i dajmy czadu na paradzie!

Jego lęk przed otwartymi przestrzeniami zelżał, jak twierdził, a poza tym przy takich tłumach w Greenwich Village nie ma się wrażenia, że przebywa się na otwartej przestrzeni. Australijczyk Murray Lett nigdy się w pełni nie przekonał do błazenady amerykańskiego Halloween. Pewnego razu zaproszono go na przyjęcie na Upper West Side, gdzie udał się w olbrzymiej głowie Marsjanina z *Marsjanie atakują!* Tima Burtona i było mu w niej za gorąco, a poza tym nie mógł nic zjeść ani wypić. Innego roku był Darthem Vaderem ubranym w za duży plastikowy strój, w którym trudno było usiąść, i czarny hełm z modulatorem głosu, który stworzył podobny problem co głowa Marsjanina w kwestii gorąca oraz konsumpcji. Ostatnimi czasy zwykle siedział tego dnia w domu, licząc na to, że dzieciaki nie będą się do niego dobijać. Ale Pietii nie można było odmówić.

– Będziemy Rzymianami – entuzjazmował się. – Ja oczywiście, jako Petroniusz, będę Trymalchionem, gospodarzem uczty w *Satyrykach*, a ty, ty możesz być biesiadnikiem jakiegoś rodzaju. Nasze kostiumy będą zainspirowane filmem Felliniego. Włożymy togi! I wieńce laurowe na głowy i będziemy trzymać dzbany wina. Cudownie! Pobiegniemy w stronę życia i będziemy pić u jego źródeł, aż rano wrócimy upojeni.

Gdy usłyszałem o tym planie, pomyślałem rzecz jasna o *Gatsbym*, powieści, której Fitzgerald o mało nie nadał tytułu *Trymalchion w West Egg*, i była to smutna myśl, bo przypomniały mi się noce pełne śmiechu z rodzicami i – co nieuniknione – ich straszliwy koniec, na chwilę więc znowu pogrążyłem się w smutku; wesołość Pietii była jednak zaraźliwa i powiedziałem sobie, tak, czemu nie, trochę wygłupów po tym wszystkim, dobry pomysł, i jeśli Pietia chce być przez jedną noc podskakującym wysoko kochankiem życia z motta *Wielkiego Gatsby'ego*, więc tak! Niech wkłada togę i skacze.

Zdobycie kostiumów w ostatniej chwili było nie lada zadaniem, ale cóż to dla pań Fuss-Marudy i Blather-Ględy, zresztą toga to tylko prześcieradło, któremu się wydaje, że jest nie wiadomo czym. Znalazły się rzymskie sandały, wieniec laurowy i garść brzozowych gałązek związanych czerwoną wstążką – rzymskie *fasces* – które Pietia miał dzierżyć jako symbol swej konsularnej władzy. Znaleziono całkowicie anachroniczną błazeńską czapkę z dzwoneczkami i wręczono ją Murrayowi Lettowi, a ja bardzo chciałem, żeby zgodził się ją włożyć, żeby mógł naśladować Danny'ego Kaye'a z *Nadwornego błazna* i ćwiczyć swoje językowe łamańce. *Tępy stępor starł się w stępie; w czaszy podczaszego trunek na frasunek!* Zdecydował się jednak na togę, żeby się upodobnić do Pietii, i jeśli Pietia miał nieść rózgi liktorskie, Lett postanowił trzymać na rękach kotkę.

Tak też się stało; i ubrani po cesarsku opuścili Ogrody, oddalili się od domu przytłoczonego śmiercią na paradę, która fetowała życie; i tak, biegnąc ku życiu i oddalając się od śmierci, wpadli w jej ramiona, jak proroczo opisywała stara opowieść, w Samarze, inaczej mówiąc na Szóstej Alei między Czwartą Ulicą a Washington Place. W ramiona śmierci w kostiumie Jokera uzbrojonej w karabin AR-15. Cichy trajkot broni był niesłyszalny w kakofonii ludzkich głosów, klaksonów, ogłoszeń podawanych przez megafony i muzyki. Dopiero gdy ludzie zaczęli się przewracać, surowa, pozbawiona kostiumu rzeczywistość zepsuła zabawę. Nie było powodu przypuszczać, że Pietia lub Murray Lett zostali umyślnie wybrani za cel tego ataku. W Ameryce ożyła broń i śmierć była jej przypadkowym darem.

A kotka, alpejski ryś? Tutaj, w zbliżeniu, wyciągnięta ręka martwego Rzymianina, z rozsypanymi *fasces*, które wypadły mu z dłoni. (Celowe echo w kadrowaniu nieruchomego ramienia martwego Konga na końcu oryginalnego filmu z tysiąc dziewięćset trzydziestego trzeciego). Leo prycha nienawistnie na każdego, kto ośmielił się do niej zbliżyć. I gdy wreszcie ucichły krzyki, gdy uspokoili się i rozproszyli biegnący i potykający się ludzie, a martwi, postrzeleni i stratowani w panice, zostali rozwiezieni tam, gdzie należy, gdy aleja opustoszała, nie licząc rozwiewanych śmieci i policyjnych wozów, gdy naprawdę było już po wszystkim, kotka gdzieś przepadła i nikt już więcej nie widział rysia Leo.

A król, sam w swym złotym domu, zauważył, że całe złoto we wszystkich jego kieszeniach, wszystkich stertach, koszach i wiadrach zaczyna błyszczeć coraz mocniej i jaśniej, aż zajęło się ogniem i spłonęło.

CZĘŚĆ TRZECIA

30

Szczerze powiedziawszy, liczyłem na łaskawsze życie. Nawet dopiero marząc o tym, by w jakimś cudownym momencie w przyszłości naprawdę się wybić, miałem nadzieję, że zaznam więcej życzliwości, gdy będę zdążał swoim szlakiem do celu. Nie rozumiałem jeszcze wtedy, że Skylla i Charybda, dwa mityczne potwory, między którymi musiał przepłynąć okręt Odyseusza w Cieśninie Mesyńskiej – jeden „zracjonalizowany" jako gigantyczne skały, drugi zaś jako wściekły wir wodny – symbolizują z jednej strony innych ludzi (skały, o które się rozbijamy, i idziemy na dno), a z drugiej mrok wirujący w nas samych (który nas wsysa i toniemy). Teraz, kiedy mój film *Złoty dom Goldenów* jest wreszcie ukończony i ma niebawem zadebiutować w obiegu festiwalowym – co zakrawa na cud po niemal dziesięciu latach powstawania i po wstrząsach w moim życiu osobistym pod koniec tego okresu – czuję, że powinienem spróbować spisać, czego mnie ten proces nauczył. Gdy chodzi o branżę filmową, przekonałem się na przykład, że jeśli jakaś osoba z pieniędzmi mówi: „Uwielbiam ten projekt. Po prostu *uwielbiam*. Co za kreatywność, co za oryginalność, na rynku nie ma niczego w tym rodzaju. Zamierzam wesprzeć ten projekt na tysiąc procent, zrobię wszystko, co w mojej mocy, pełne wsparcie, na tysiąc *jeden* procent, po prostu coś *genialnego*", tak naprawdę, tłumacząc na angielski, mówi jedynie: „hello". I nauczyłem się podziwiać każdego, komu udało się dotrzeć ze swoim filmem do mety i umieścić go w kinach, nieważne, czy to *Obywatel Kane*, *Świntuch XXII* czy *Pierdolnięci kretyni XIX*, wszystko jedno, udało ci się ukończyć film, szacun, stary. Jeśli chodzi o życie pozafilmowe, przekonałem się o jednym: uczciwość popłaca. No, chyba że nie.

Przypominamy góry lodowe. Nie dlatego, że jesteśmy zimni, lecz z tej przyczyny, że jesteśmy w większej części zanurzeni, i ta część, która jest ukryta pod wodą, może zatopić *Titanica*.

W tamtych dniach po strzelaninie w Halloween sporo czasu spędzałem w Ogrodach, służąc pomocą Goldenom, jeśli tylko czegoś ode mnie potrzebowali. Za zgodą Suchitry kilka razy w tygodniu nocowałem u pana U Lnu Fnu. Nie wynajął mojego starego pokoju i powiedział, że cieszy go towarzystwo w tak „strasznych, strasznych czasach". Co do Suchitry, jako czołowa członkini grupy Women in Media, która zaoferowała swoje usługi sztabowi wyborczemu demokratów, w ostatnich chwilach przed głosowaniem pracowała po dwadzieścia godzin dziennie w montażowni, przygotowując materiały do kampanii. Wyznała mi, że czuje się wykończona, przytłoczona i nieco przybita – i może powinienem był zrozumieć, że w dużej mierze ma to związek ze mną. Ale przesiadywałem w Ogrodach nie tylko z altruistycznych, ale też z grabieżczych na dobrą sprawę powodów pod wpływem silnego przekonania, że w historii, którą postanowiłem opowiedzieć, nastąpi wyczekiwane rozwiązanie i że jeśli się przyczaję, schowam w zaroślach Ogrodów jak wygłodzony lew w wysokich trawach pod drzewem akacji na afrykańskiej równinie, moja ofiara w końcu przydrepcze. Nie przyszło mi do głowy, że w tak przesyconej już śmiercią narracji może się rozwijać kolejny morderczy wątek. I to, że Neron Golden nie musi być wcale ofiarą powoli postępującej demencji, w każdym razie nie tylko; że jest powoli podtruwany przez swoją żonę, uświadomił mi Vito Tagliabue.

Życie w Ogrodach zawsze przypominało nieco *Okno na podwórze*. Podglądaliśmy się nawzajem z okien, wszyscy jasno podświetleni w okiennych ramach, które były niczym miniaturowe ekrany w obrębie większego ekranu, i odgrywaliśmy nasze prywatne dramaty ku uciesze sąsiadów; jak gdyby aktorzy w filmach mogli oglądać inne filmy i aktorzy z tych innych filmów jednocześnie oglądali ich. James Stewart w *Oknie na podwórze* mieszkał niedaleko, na fikcyjnej Zachodniej Dziewiątej Ulicy 125, którą w prawdziwym świecie byłaby Christopher Street 125 – czyli Dziewiąta na zachód od Szóstej Alei – ale Ogrody też świetnie by się nadawały. Miałem zamiar wprowadzić do mojej filmowej wersji kilku mieszkańców, którzy byliby hołdem dla bohaterów wielkiego filmu Hitchcocka – ekstrawertyczną tancerkę pannę Torso, starszą pannę Samotne Serce i tak dalej. Może nawet obsadziłbym w roli komiwojażera kogoś podobnego do Raymonda Burra. Nie miałem zamiaru rozwijać wątku, w którym ktoś próbuje popełnić morderstwo, ale to właśnie robią z człowiekiem historie, obierają nagle niespodziewany kierunek, a my musimy za nimi podążać. I tak oto pewnego dnia przemierzałem ogród między domem pana U Lnu Fnu a rezydencją Goldenów, gdy Vito Tagliabue wychylił przez tylne drzwi swą urodziwą głowę z zaczesanymi do tyłu, lśniącymi włosami i ku memu niebotycznemu zdumieniu syknął:

– Pssst!

Stanąłem jak wryty i, muszę przyznać, zmarszczyłem brwi.

– Przepraszam, czy ty właśnie na mnie psyknąłeś?

– *Si* – zasyczał znowu, przywołując mnie gestem dłoni. – Czy to jakiś problem?

– Nie – odpowiedziałem, podchodząc do niego. – Tyle tylko, że nikt nigdy jeszcze na mnie nie psyknął.

Zaciągnął mnie do kuchni i zamknął drzwi od ogrodu.

– No to co mam w takim razie powiedzieć? – Wydawał się z jakiegoś powodu ożywiony. – To nie po amerykańsku?

– Och, myślę, że można w takiej sytuacji zawołać „Halo!" albo „Przepraszam?", albo „Masz chwilkę?".

– To nie to samo – oświadczył Vito Tagliabue.

– Mniejsza z tym – rzuciłem.

– Mniejsza – zgodził się.

– Chciałeś czegoś ode mnie?

– Tak. Tak. To ważne. Ale trudno mi o tym mówić. Zwracam się do ciebie w największym zaufaniu, ma się rozumieć. Jestem pewien twojej uczciwości i że nie powtórzysz, od kogo się o tym dowiedziałeś.

– O co chodzi, Vito?

– Mam pewne podejrzenia. Tak się mówi? Tak, podejrzenia.

Pokazałem mu ruchem dłoni, żeby kontynuował.

– Ta Wasylisa. Żona signora Nerona. Ciężki przypadek. Jest bezwzględna. Jak wszystkie… – Zawahał się. Myślałem, że przemawia przez niego jakaś osobista uraza, *jak wszystkie żony* lub *wszystkie kobiety*. – …jak wszystkie Rosjanki.

– Co chcesz przez to powiedzieć, Vito?

– Chcę powiedzieć, że ona go zabije. Że w tej właśnie chwili go zabija. Widzę jego twarz, gdy tędy przechodzi. To nie jest starcze osłabienie. To coś innego.

Jego była żona Bianca Tagliabue wprowadziła się do domu nowego kochanka, Carlosa Hurlinghama, mojego „pana Arribisty", po drugiej stronie ogrodu. Kochankowie codziennie afiszowali się ze swoim uczuciem w Ogrodach, upokarzając tym Vita, znęcając się nad nim. Jeśli komuś chodzi po głowie morderstwo, pomyślałem, to prawdopodobnie samemu Vitowi. Postanowiłem jednak pociągnąć go jeszcze za język.

– Jak niby to robi? – spytałem.

Wzruszył teatralnie ramionami.

– Nie wiem. Nie znam szczegółów. Po prostu widzę, że pan Golden wygląda na chorego. Chorego w dziwny sposób. Może ma to związek z lekami. Musi ich dużo zażywać. Więc łatwa sprawa. Tak, podaje mu coś z lekami, jestem pewien. Prawie pewien.

– Dlaczego miałaby to robić? – naciskałem go.

Znów wzruszenie ramionami i machnięcie.

– To oczywiste – rzekł. – Wszyscy pozostali spadkobiercy nie żyją. Pozostaje tylko jej dziecko. I gdyby tak przypadkiem Neron też… – W tym momencie przesunął palcem po gardle. – Kto wtedy dziedziczy? Jest takie łacińskie powiedzenie: *cui bono?* Czyli kto korzysta? Rozumiesz? Sprawa jest całkiem jasna.

W centrum tego wszystkiego znajdowało się moje dziecko. Mój dwuipółroczny syn, który prawie mnie nie znał, który ciągle zapominał moje imię, któremu nie mogłem wysyłać prezentów, z którym nie mogłem się bawić w Ogrodach ani poza nimi, mój syn, spadkobierca fortuny innego mężczyzny, paszport jego matki do przyszłości. Mój syn, w którego malutkiej twarzy jakże wyraźnie dostrzegałem własną. Dziwiło mnie, że nikt inni nie zauważa tak silnego podobieństwa, co więcej, ludzie mówili, że Wespazjan to wykapany ojciec, który nie był jego ojcem, zwycięstwo pozorów nad prawdą. Ludzie widzą to, co mają widzieć.

Wespazjan, cóż to w ogóle za imię – Wespazjan? Coraz bardziej mnie irytowało. „Mały Wespa", no rzeczywiście. Na małej vespie śmigała jak wariatka po Wiecznym Mieście Audrey Hepburn z wystraszonym Gregorym Peckiem na tylnym siodełku w *Rzymskich wakacjach*. Mój syn zasługiwał na coś lepszego niż nazwa pojazdu gwiazd filmowych. Zasługiwał co najmniej na imię któregoś z wielkich mistrzów kina, takie jak Luis, Kenji, Akira, Siergiej, Ingmar, Andrzej, Luchino, Michelangelo, François, Jean-Luc, Jean lub Jacques. Albo Orson, Stanley, Billy czy nawet prozaicznie Clint. Zacząłem tylko półżartem fantazjować o porwaniu, o ucieczce z moim Federikiem lub Alfredem do świata samego kina, zanurzeniu się w filmie w przeciwnym kierunku niż Jeff Daniels u Woody'ego Allena, przebiciu czwartej ściany, by dać nura nie z ekranu w świat, lecz odwrotnie. Kto potrzebował świata, kiedy można było puścić się biegiem po pustyni za wielbłądem Petera O'Toole'a lub z Keirem Dulleą, astronautą Kubricka, wykończyć szalony komputer HAL 9000, gdy ten śpiewa o Daisy. Jaki sens miała rzeczywistość, jeśli można było podskakiwać z lwem i strachem na wróble po drodze wybrukowanej żółtą kostką lub zejść wspaniałymi schodami obok Glorii Swanson gotowi na zbliżenie pana DeMille'a? Tak, mój syn i ja, ręka w rękę, nie moglibyśmy się nadziwić gigantycznym pośladkom i piersiom prostytutek z *Rzymu* Felliniego, siedzielibyśmy na chodniku, płacząc po skradzionym rowerze, i wskakiwalibyśmy do DeLoreana „Doc" Browna, by odlecieć w przyszłość ku wolności.

Ale coś takiego nie mogło się wydarzyć. Wszyscy byliśmy uwikłani w intrygę Wasylisy, a już najbardziej dziecko, jej as w rękawie. Przez krótki czas zastanawiałem się, do jakiej bezwzględności może się posunąć Wasylisa; czy w jakiś sposób ukartowała śmierć przynajmniej dwóch z trzech braci Goldenów i czy może także zamówiłaby zabójstwo trzeciego, gdyby sam nie targnął się na własne życie? Ale widziałem za dużo filmów i ulegałem tej samej skłonności do demonizowania co usychający z miłości, wściekły Vito Tagliabue. Potrząsnąłem głową, żeby oprzytomnieć. Nie, prawdopodobnie nie była morderczynią ani nie zleciła żadnych zabójstw. Była tylko – „tylko!” – przebiegłą manipulatorką bliską zwycięstwa w swej wojnie.

Poufałość, która się niedawno zrodziła między Neronem i Riyą po trzech śmiertelnych tragediach, wywoływała na pięknej (aczkolwiek nieco lodowatej) twarzy drugiej pani Golden syberyjski grymas niezadowolenia, mnie jednak wcale nie dziwiła. Trzykrotnie odumarły przez synów ojciec nie miał z kim opłakiwać Apu i Pietii, lecz jej żal po stracie D dorównywał jego tęsknocie. W żadnym znanym im języku nie było rzeczownika określającego rodzica, którego dziecko zmarło, żadnego odpowiednika *wdowca* lub *sieroty*, ani też czasownika opisującego tę stratę. Musiała im wystarczyć nieprecyzyjna *żałoba*. Siedzieli razem w gabinecie Nerona, przeżywając swój ból w ciszy, ciszy będącej jak rozmowa, gdzie padały wszystkie słowa, które musiały paść, jak James Joyce i Samuel Beckett w milczeniu przesyceni smutkiem dla świata i dla siebie samych. Był słaby, niekiedy skarżył się na zawroty głowy, innym razem na mdłości i kilkakrotnie w ciągu wieczoru przysypiał i się budził. Zawodziła go pamięć. Czasem nie pamiętał, że jest z nim Riya. W inne dni był znowu swoim dawnym bystrym sobą. Stanu jego zdrowia nie odzwierciedlała linia prosta. Raczej seria górek i dołków, choć trend był niechybnie spadkowy.

Pewnego wieczoru Riya zabrała go do dawnej zbrojowni na Park Avenue, gdzie w półkolu jedenastu wysokich betonowych wież zawodowi żałobnicy z całego świata przedstawiali rozmaite odgłosy tej najcichszej ciszy, śmierci. W jednej z wież niewidomy akordeonista z Ekwadoru odegrał *yaravíes*, w innej trzej kambodżańscy żałobnicy, którzy oparli się próbom wyplenienia ich zwyczajów przez Czerwonych Khmerów, przy akompaniamencie fletu oraz dużych i małych gongów odprawili ceremonię zwaną *kantomming*. Występy nie trwały długo, może po piętnaście lub dwadzieścia minut, ale ich echa rozbrzmiewały w Riyi i Neronie jeszcze długo po tym, gdy stamtąd odeszli. Neron powiedział tylko: „Ten ptak był niezły”. W jednej z wież na betonowej półce siedział gigantyczny, nieokreślony ptak przypominający koguta, żałobnik z Burkina Faso całkowicie ukryty w kostiumie z ptasią głową nasuniętą na własną, z dzwoneczkami na kostkach, które dźwięczały cichutko, gdy poruszał stopami. Ów ptasi żałobnik nie wydawał żadnych dźwięków oprócz tego sporadycznego pobrzękiwania i siedział nieruchomo, tylko od czasu do czasu leciuteńko drżąc, ale sama jego uroczysta i łaskawa obecność miała taką moc, że uśmierzyła nieco ból Riyi i Nerona.

– Chciałby pan przyjść tu raz jeszcze? – Riya spytała Nerona, gdy wyszli na ulicę.

– Nie – odparł. – Co za dużo, to niezdrowo.

Pewnego razu po wielu nocach bez ani jednego słowa Neron w końcu przemówił. Gabinet pogrążony był w ciemnościach. Nie potrzebowali światła.

– Nie powinnaś była odchodzić z pracy, córko – oznajmił. Zaczął tak się do niej zwracać.

To stwierdzenie, wypowiedziane bez żadnych wstępów ani cienia wątpliwości, zbiło ją z tropu.

– Wie pan co, dziękuję, ale pan nie rozumie tych rzeczy – odparła trochę zbyt ostro. – To moja działka, a raczej była przez wiele lat.

– Masz rację – rzekł. – Ten cały gender jest czymś, czego mój umysł nie ogarnia. Kobieta, mężczyzna, w porządku. Homoseksualiści, dobrze, wiem, że istnieją. Ale ten drugi świat, mężczyźni z chirurgicznie odtworzonymi narządami, kobiety bez żeńskich części, tu się zaczynam gubić. Masz rację. Jestem dinozaurem, a mój mózg nie jest sprawny w stu procentach. Ale ty? Znasz to wszystko od podszewki. Masz rację. To twoja działka.

Nie odpowiedziała. Czuli się coraz swobodniej, milcząc w swoim towarzystwie; nie musiała mu odpowiadać.

– To przez niego, wiem – dodał. – Masz wyrzuty sumienia, więc porzuciłaś swoją dziedzinę.

– Moja dziedzina – odparła – powinna być miękkim, bezpiecznym miejscem pełnym zrozumienia. Tymczasem to strefa wojenna. Ja wybieram pokój.

– Ale nie zawarłaś pokoju ze sobą – zauważył. – Nie masz problemów z dużą częścią tego tematu, tematu tożsamości. Czarni, Latynosi, kobiety, tu wszystko w porządku. Obszarem wojennym nazywasz ten między płciami. Jeśli chcesz tam pokoju, może zostań rozjemcą. Nie uciekaj przed walką.

W jej milczeniu usłyszał pytanie.

– Co, myślisz, że nie umiem się trochę dokształcić? – spytał. – Myślisz, że skoro mój mózg powoli słabnie, kurczy się jak tania koszula, to jest już do niczego? Jeszcze nie umarłem, młoda damo. Jeszcze nie.

– Okej – rzuciła.

– Weź urlop zdrowotny. Przemyśl sobie wszystko. Nie rzucaj pracy.

– Okej – powtórzyła.

– Ja – przypomniał – też zmodyfikowałem swoją tożsamość.

Później, po wyjściu Riyi, starzec zostaje sam w ciemnym pokoju. Dzwoni telefon stacjonarny. Neron zastanawia się, czy odebrać, wyciąga rękę, cofa ją, znowu sięga po słuchawkę, podnosi ją.

Tak.

Sahib Golden?

Kto mówi?

Wątpię, żeby pan pamiętał moje nazwisko. Byłem malutką płotką w bardzo dużym stawie.

Jak się pan nazywa?

Mastan. Były inspektor w CID, później w stanie Himaćal Pradeś. Na koniec w sektorze prywatnym. Aktualnie na emeryturze.

Pauza.

Mastan. Pamiętam.

To dla mnie zaszczyt. Że tak wielki seth sobie przypomina. Co za pamięć. A pański syn, tyle lat młodszy, nie mógł sobie przypomnieć.

Spotkał pan jednego z moich synów.

W Mumbaju, proszę pana, owszem. Teraz używa imienia Apu. A raczej używał. Przepraszam za kulawy angielski. Kondolencje z powodu pańskiej straty.

Skąd pan ma ten numer?

Proszę pana, byłem policjantem, potem pracowałem w ochronie, prywatnie. Te rzeczy nie są niemożliwe.

Pauza.

Czego pan chce?

Tylko porozmawiać, proszę pana. Nie mam władzy, wpływów, jestem emerytem, tu jest Ameryka, inna jurysdykcja, zamknięta sprawa, bo pan, pan, owszem, ma wpływy, ale ja, ja jestem nikim. Chciałem tylko wyjaśnić pewne rzeczy. Żeby się upewnić, nim przyjdzie mój czas. Tylko dla własnej satysfakcji.

I niby dlaczego mam się z panem spotykać?

Na wypadek gdyby chciał pan poznać tożsamość tych, którzy zabili pańskiego syna. Tak tylko przypuszczam, że może to pana zainteresować.

Długa pauza.

Jutro rano. Dziewiąta.

Punktualnie, sahib. Ani minuty spóźnienia. Dziękuję z góry.

Jeszcze później Riyę wyrywa ze snu telefon komórkowy. Ku jej wielkiemu zdziwieniu dzwoni Neron Golden.

Możesz przyjść?

Teraz? W środku nocy?

Muszę porozmawiać i mam teraz słowa, a jutro może już ich nie będzie.

Proszę zaczekać.

Córko, potrzebuję cię teraz.

31

Niedługo miał skończyć osiemdziesiąt lat i niedawne wydarzenia zaczęły mu się zacierać w pamięci, natomiast te odległe świeciły coraz jaśniej jak złoto na dnie Renu. Rzeka jego myśli straciła klarowność, jej nurt był mętny, zamulony i jego świadomość powoli traciła kontrolę nad chronologią, co było kiedyś, a co teraz, co jest prawdą na jawie, a co zrodziło się w czarodziejskiej krainie snów. W bibliotece czasu zapanował bałagan, kategorie się pomieszały, katalogi rozrzucono lub zniszczono. Miewał dni lepsze i gorsze, ale w miarę upływu czasu dawne lata jaśniały mocniejszym światłem niż miniony tydzień. Aż pewnego razu w mrokach nocy zatelefonowała do niego przeszłość i wszystko, co pogrzebał, w jednej chwili wstało z grobu, zaroiło się wokół niego, aż sam musiał skorzystać z telefonu. W tym, co nastąpiło później, słyszę echo innego filmu Hitchcocka. Nie jesteśmy już w *Oknie na podwórze*. Wkraczamy w świat *Wyznaję*.

(*Pamiętacie* Wyznaję? *Morderca spowiada się ze swej zbrodni katolickiemu księdzu, który jest związany tajemnicą spowiedzi i musi zatrzymać wyznanie zabójcy dla siebie. Hitchcock nie znosił technik aktorskich Stanisławskiego stosowanych przez Montgomery'ego Clifta, inni znowu nie znosili* Wyznaję *za jego całkowity brak poczucia humoru, ale Éric Rohmer i Claude Chabrol chwalili ten obraz w „Cahiers du Cinéma" za jego „majestatyczność", zauważając, że gdy duchowny jest zmuszony do milczenia, film uzależnia się od mimiki aktora. „Jedynie jego spojrzenia dają nam dostęp do tajemnic jego myśli. Są najbardziej niezawodnymi i wiernymi posłańcami duszy". Riya Zachariassen, pędząc przez Manhattan w środku nocy, nie była kapłanką, ale miała niebawem wysłuchać spowiedzi. Czy zatrzyma ją dla siebie? Jeśli tak, w jaki sposób jej spojrzenia i wyraz oczu będą komunikować to, co wie? I: czy znajomość tych tajemnic zagrozi jej życiu?)*

Przeszłość, jego porzucona na tarasowym wzgórzu przeszłość. To wzgórze zawsze było miejscem magicznym, odkąd Lakszmana, brat Ramy, wbił strzałę w ziemię i ściągnął tam z daleka rzekę Ganges, by ugasiła ich pragnienie. Spod ziemi wybiło źródło i napili się wody. W zbiorniku Banganga wciąż była słodka woda. *Ban* znaczy w sanskrycie „strzała" i *Ganga* – oczywiście rzeka-matka. Mieszkali wśród wciąż żywych opowieści o bogach.

A po bogach – Brytyjczycy, w szczególności pan Mountstuart Elphinstone, gubernator miasta w latach 1819–1827, który wybudował na wzgórzu pierwszy bungalow, a za jego przykładem poszli inni ważni oficjele. Neron pamiętał to wzgórze swego dzieciństwa, gdzie rosło mnóstwo drzew i gdzie wznosiły się niskie eleganckie rezydencje, których czerwone dachy prześwitywały spomiędzy liści. W pamięci przemierzał wiszące ogrody i patrzył, jak jego synowie bawią się w Bucie Staruszki w parku Kamali Nehru. Pierwszy blok wybudowano na wzgórzu w latach pięćdziesiątych, wzbudzając śmiech. Nazywano go „pudełkiem zapałek", bo tak właśnie wyglądał, jak ustawione pionowo gigantyczne pudełko. Kto by chciał tam mieszkać, szydzono, patrzcie, jakie to brzydkie. Ale stawiano kolejne pudełka zapałek, a bungalowy znikały. W ten sposób objawiał się postęp. Ale nie o tym chciał opowiedzieć. Chciał dokończyć historię, którą zaczął mi opowiadać tamtego dnia w swoim gabinecie.

(Wpuścił Riyę do domu. Przeszli do jego zaciemnionego gabinetu i usiedli w mroku. Riya nic nie mówiła – lub prawie nic. On miał do opowiedzenia długą historię).

Poznał mężczyznę, którego zaczął nazywać donem Corleone, mniej więcej w tym samym czasie, kiedy do kin wchodził *Ojciec chrzestny*, w okresie, kiedy próbował się wkręcić do świata produkcji filmowej. Wtedy wszyscy inni nazywali dona Sultanem Amirem. Jego mafijną rodziną było Towarzystwo S, „S jak sułtan, super i styl", chełpił się często don. Był przestępcą przez duże „P", mistrzem szmuglerstwa, ale ludzie go uwielbiali, bo nie pozwalał, by kogokolwiek zabijano, a poza tym w głębi duszy był kimś w rodzaju społecznika. Pomagał nędzarzom w slumsach, a także drobnym sklepikarzom. Owszem, czerpał zyski z prostytucji; domy publiczne w Kamathipurze, tak, prowadził je. Napady na banki, to też on. Nikt nie jest doskonały. Więc tak, ogólnie rzecz biorąc, można powiedzieć, że typ Robin Hooda – mniej więcej. Nie tak naprawdę, bez przesady, bo działań na tak wielką skalę nie sposób porównać do wybryków garstki drobnych rzezimieszków uzbrojonych w łuki i strzały w lesie Sherwood w starej Anglii, ludzie jednak uważali go za dobrego człowieka, bardziej dobrego niż zdemoralizowanego. Był pierwszą gangsterską gwiazdą. Znał wszystkich, widywano go wszędzie. Policja, sędziowie, politycy, wszyscy siedzieli mu w kieszeni. Chodził po ulicach swobodnie, bez strachu. I bez wsparcia gangsterów takich jak on połowa uwielbianych przez publiczność filmów nigdy by nie powstała. Poważni z nich inwestorzy. Wystarczy spytać pierwszego lepszego uznanego filmowca. Wcześniej czy później mafiosi składali im wizytę z workami pieniędzy.

Wyszkolił następne pokolenie, samych miejscowych chłopaków. Cóż Zamzama Alankar wiedział o przemycie, czego nie nauczył go Sultan Amir? Wyszkolił Zamzamę (alias DK, czyli Działo Kima lub po prostu Armata), wyszkolił Stópki, wyszkolił Paluszki, wyszkolił Czachę, całą mafijną wierchuszkę. Oni wszyscy, cała piątka, uwielbiali kino, a Sultan Amir miał za kochankę gwiazdeczkę filmową (to ta dziewczyna o imieniu Goldie – pompował pieniądze w straszne szmiry, starając się stworzyć z niej ikonę filmu), więc w sposób naturalny zaczęli inwestować w branżę filmową. Wtedy nikt jeszcze nie używał nazwy Bollywood, ta została wymyślona znacznie później. Bombajski przemysł filmowy. Bombajskie filmy dźwiękowe. Nazywano je po prostu tak.

(Bombay Talkie, *jeśli mogę krótko wtrącić, był i wciąż jest moim ulubionym filmem spółki Merchant–Ivory, zwłaszcza numer wokalno-taneczny* Typewriter Tip Tip Tip, *w którym tancerze kręcą piruety na klawiszach gigantycznej „maszyny losu", i reżyser wyjaśnia: „Gdy my, ludzie, tańczymy, wciskamy klawisze i historia, która się w ten sposób pisze, jest historią naszego losu". Tak, my wszyscy tańczymy nasze historie na Maszynie do Pisania Życia).*

A zatem. Don Corleone w bombajskich filmach dźwiękowych pomógł pewnym gasnącym gwiazdom odzyskać pozycję, na przykład Parveen Babi, również Helenie. Przyjaźnił się z Rajem Kapoorem i Dilipem Kumarem. Jego przemytnicy przemycali, jego złodzieje kradli, jego kurwy się kurwiły, a jego sędziowie, politykierzy i gliniarze wypełniali jego polecenia, ale na srebrnym ekranie w kinie Maratha Mandir jego film *Kuć Nahin Kahin Nahin Kabhi Nahin Koi Nahin*, czyli *Nic nigdzie nigdy nikt*, był najdłużej wyświetlanym filmem w historii, aż oczywiście pojawił się ten drugi cholerny film *Panna młoda rozebrana przez swych kawalerów, jednak* i pobił wszelkie możliwe rekordy frekwencyjne. Ale z *N4*, jak ludzie nazywali jego największy hit, Sultan Amir/don Corleone był szalenie dumny, moje największe osiągnięcie, mawiał, i miał dla niego własny tytuł: *Wszystko wszędzie wiecznie wszyscy* lub *W4*, bo tym właśnie był, wszystkim dla wszystkich. I to prawda, że jego ukochana Goldie nigdy nie wstąpiła do olimpu najjaśniejszych gwiazd, nie wskoczyła na afiszu powyżej tytułu, jak mawiają typy z Hollywood, ale była szczęśliwa, kupił jej wielki dom w Dźuhu po sąsiedzku ze sławnym Devem Anandem i mogła zapraszać tę żywą legendę na samosy i herbatkę.

A Neron: był zwykłym biznesmenem, większość energii wkładając w branżę budowlaną, wspinając się coraz wyżej jak jego konstrukcje, i także jak wszyscy inni w tym mieście fantazji miał obsesję na punkcie filmów. Poznał dona w takim-a-takim domu na plaży Dźuhu, a może w jakimś innym, nieważne. U jednej z dwóch lub trzech największych animatorek barwnego życia nocnego tego miasta, powiedzmy tyle. Z miejsca się zaprzyjaźnili i na koniec wieczoru Sultan Amir powiedział:

– Jutro mam spotkanie ze Smitą, żeby jej opowiedzieć o moim nowym filmie, może chciałbyś się zabrać?

Tymi słowami uwiódł Nerona na zawsze i życie biznesmena potoczyło się w nowym kierunku.

Supergwiazdy – megagwiazdy! – nie czytały scenariuszy. Odwiedzało się je, opisywało im film, streszczało fabułę i dokładano starań, żeby w trakcie tej prezentacji rola gwiazdy wydawała się nieodzownym elementem całego projektu. Smita była jedną z najbardziej ubóstwianych aktorek swoich czasów, nie tylko piękność i symbol seksu, lecz także cudowna, utalentowana aktorka. Wiodła ekstrawaganckie jak na indyjskie standardy życie, romansując otwarcie ze słynnym gwiazdorem, który był żonaty. Ostatecznie purytanizm i oszczerstwa zmusiły ją do opuszczenia branży i zamieniła się w zgorzkniałą samotniczkę, ale to później, w tej chwili była największą z wielkich, na samym szczycie góry Kajlaś, bogini bogiń, w zenicie. Dla Nerona spotkanie z nią było jednym z najważniejszych wydarzeń całego życia, mimo iż prezentacja nie wypadła najlepiej, rola wymagała bowiem od aktorki przeistoczenia się z siedemnastolatki w pięćdziesięciopięciolatkę na koniec filmu.

– Widzi pan – oznajmiła donowi ta nieśmiertelna istota – jestem ogromnie wdzięczna, że przyszedł pan z tym do mnie, bo większość ról nie jest dla mnie *wymagająca*, to prawda, a ja jako artystka chcę sobie stawiać wyzwania, rozwijać się, więc ten film, *zakochałam się* w nim. Po prostu wspaniały. Tylko jedna-dwie rzeczy, dobrze, powiem od razu, kawa na ławę, bo wszystko musi być w stu procentach uzgodnione, zanim zaczniemy kręcić, prawda, gdy już będziemy na planie, powinniśmy wszyscy zdążać w tym samym kierunku, więc mogę powiedzieć?

Oczywiście, odparł Sultan Amir, po to tu jesteśmy, proszę. Zmarszczyła brwi i spojrzała na Nerona.

– A to kto? – chciała wiedzieć.

Sultan Amir cmoknął i wykonał lekceważący gest.

– Nie należy zwracać na niego uwagi – rzucił. – Nikt ważny.

Jej czoło się wygładziło. A następnie niebiańska istota odwróciła się do dona i rzekła:

– Widzi pan, z tego, co pan opowiadał, moja postać staje się matką dziewiętnastoletniej dziewczyny. A ja nigdy... nigdy *w życiu* nie grałam matki nastoletniego dziecka. Na tym polega mój problem. Rozumie pan, że moje wybory, filmy, na które się decyduję, mają wielki wpływ na całoroczne dochody naszego ukochanego przemysłu, więc muszę uważać, prawda? Słyszę głos publiczności, która mnie kocha! Gwiazdy, którą jestem! I ten głos mówi...

Sultan Amir w tym momencie wszedł jej w słowo.

– Fabułę można zmienić – zapewnił. – Niech pani każe swojemu głosowi zamilknąć.

Ale było już za późno.

– Nie, mój głos mówi: „Jesteś to winna światu".

Neron, który siedział cicho w kącie, Neron, czyli nikt ważny, słuchał jak urzeczony. Gdy odeszli sprzed boskiego oblicza, powiedział:

– Szkoda, że jej się nie spodobał.

Sultan Amir pstryknął palcami.

– Jeszcze się spodoba. Historię łatwo zmodyfikować. I może na dokładkę mercedes i jeśli w bagażniku będzie walizka pełna lewych pieniędzy, wtedy *fataach!* Załatwione.

Klasnął w dłonie. Neron już zaczął kiwać głową, by wyrazić zrozumienie, gdy don dodał:

– To może być twoja inwestycja w ten projekt.

– Mercedes?

– Oraz walizka. Walizka jest bardzo ważna.

I tak to się zaczęło. W ciągu następnych kilku lat Neron rozwinął intratną działalność dodatkową, piorąc pieniądze dona i oferując fundusze. Jak do tego doszło? Po prostu wślizgnął się w tę rolę oślepiony obsesją na punkcie świata filmu. Gwiezdny pył w oczach, zauroczenie filmowym blichtrem, a pieniądze, które wszyscy zarabiali, były niewyobrażalne. Albo, ściślej mówiąc, zawsze miał w sobie pociąg do bezprawia, branża budowlana też raczej nie należała do najuczciwszych, jak korkociąg pokrętna, jak by to ujął W.H. Auden. W tym czasie rozpoczął się boom budowlany, wszędzie w mieście wyrastały „pudełka zapałek" i Neron tkwił w samym centrum owych przeobrażeń. W tym nowym wieżowcowym wyścigu do nieba ileż przepisów zignorowano lub złamano, ileż kieszeni wypchano, żeby usunąć przeszkody! Budynki wznosiły się i nie przestawały się wznosić, przekraczając dozwoloną przez miejskie przepisy liczbę pięter. Potem firmy dostarczające elektryczność, gaz lub wodę groziły, że odetną media do kondygnacji, które nie powinny były powstać, ale zawsze znajdowały się sposoby ugłaskania niezadowolonych. Walizka dla gwiazdy filmowej w żadnym wypadku nie była pierwszą taką walizką Nerona. Tak się też składało, że wiele nowych budynków powstawało całkowicie nielegalnie, bez właściwie zatwierdzonych planów, i nie spełniało obowiązujących norm. Neron miał na sumieniu również takie grzeszki, jak wszyscy inni, nikt nie był bez winy, i tak jak inni wielcy budowniczowie miał przyjaciół w najwyższych kręgach innych branż, więc tak jak wszystkim innym i jemu wszystko uchodziło na sucho.

– O prawie decyduje budowniczy – często mawiał. – A prawo mówi: nie przestawaj budować.

Etyka? Transparentność? To były obce słowa, słowa dla ludzi, którzy nie rozumieli kultury tego miasta ani stylu życia jego mieszkańców.

Oto, kim był. Wiedział o tym, jego synowie o tym wiedzieli, tak już był świat urządzony. Przyjaźń z donem Corleone alias Sultanem Amirem otworzyła przed nim wrota lochu, w którym czaiło się głębsze zdeprawowanie, czekając tylko na uwolnienie. Teraz na imprezach u Nerona pojawiały się gwiazdki, w łazienkach kokaina i ze zwykłego, eleganckiego, nudnego jak flaki z olejem budowniczego wieżowców z planami i aktówką przeobraził się w prawdziwą osobowość tego miasta. A im wyższy status, tym więcej zleceń, im więcej zleceń, tym wyższy status i tak dalej, bez końca. Właśnie w tamtych latach rozwinęła się u niego wulgarna, efekciarska maniera, która wciąż go spowijała niczym szpanerskie futro po przeprowadzce do Nowego Jorku. Przeniósł się z rodziną do luksusowej rezydencji w kolonii Walkeśwar. Kupił jacht. Miał romanse. Jego nazwisko jaśniało na nocnym firmamencie od przedmieść Andheri aż po dzielnicę finansową Nariman Point. Życie było łaskawe.

Istniały rozmaite sposoby prania brudnych pieniędzy. Do niewielkich sum stosowano tak zwany smurfing: dzielono gotówkę na drobne kwoty i wykorzystywano je do wysyłania przekazów pieniężnych lub kupna weksli, które potem wpłacano ponownie do innych banków, wciąż w drobnych kwotach, a potem wybierano jako już wypraną gotówkę. Neron wykorzystywał tę metodę do wypełniania walizek z pieniędzmi. Ale do większych projektów wymagana była inna metoda i rynek nieruchomości był tu idealnym narzędziem. Neron stał się dla osób wtajemniczonych nieoficjalnym mistrzem dwóch rodzajów tak zwanego flippingu. Flipping numer jeden polegał na kupnie lewymi pieniędzmi luksusowej nieruchomości z wysokiej półki, a potem szybkiej jej sprzedaży, zwykle z zyskiem, jako że ceny rosły w błyskawicznym tempie. Pieniądze ze sprzedaży były legalne, czyściusieńkie. Flipping numer dwa polegał na kupnie nieruchomości – za zgodą sprzedającego – za cenę niższą niż wartość rynkowa, wypłaceniu mu różnicy pod stołem brudnymi pieniędzmi, następnie przejściu do flippingu numer jeden. Neron prowadził największą w mieście agencję pośrednictwa w obrocie nieruchomościami, którą w podziemnym slangu zwano Flipistanem, państwem, gdzie brudne pieniądze udawały się na urlop, gdzie się je czyściło i wracały ze śliczną uczciwą opalenizną. Nie za darmo, rzecz jasna. Neron wykorzystywał Flipistan do własnych nielegalnych transakcji, ale za każdym razem, gdy członkowie Towarzystwa S prosili go o pomoc, zarabiał na tym nielichy procent.

Potem na dona Corleone runęło niebo. Syn pani premier Sandźaj Gandhi, dawniej jego kumpel od kieliszka, w czasie autorytarnych lat stanu nadzwyczajnego wprowadzonego przez jego matkę aresztował Sultana Amira i ojciec chrzestny Towarzystwa S został skazany przez sądy kontrolowane przez Sandźaja, nie przez Amira. Zapuszkowano go na półtora roku. Co ciekawe, gdy tylko stan wyjątkowy dobiegł końca i Sandźaj wypadł z łask, dona uwolniono. Ale nie był już tym samym człowiekiem, w więzieniu stracił pewność siebie, odnalazł za to Boga. Chociaż obaj wyznawali islam, Neron muzułmaninem był tylko z nazwy i ten nowy pobożny Corleone nie przypadł mu do gustu. Don porzucił gangsterkę i próbował, bez powodzenia, zaczepić się w polityce; obaj mężczyźni oddalili się od siebie. W latach osiemdziesiątych Sultan Amir był już cieniem dawnego siebie, całkowicie zapomnianym przez wszystkich, i zaczynał długą walkę z nowotworem, którą w końcu przegrał, Neron zaś był asem. Ale w tej talii miała się niebawem pojawić jeszcze silniejsza karta.

Zanim o Zamzamie Alankarze zrobiło się głośno, zasłynął ze swych wąsów, zarostu tak gęstego i złowrogiego, że wydawał się jakimś pasożytniczym organizmem wyrastającym gdzieś ze środka głowy, może nawet z mózgu, i wydostającym się na świat zewnętrzny przez nos, jak obcy, który wyłania się nad jego górną wargą i przynosi ze sobą wieści o ogromnej i niebezpiecznej potędze swego żywiciela. Dzięki tym wąsom zwyciężył w zawodach wąsaczy w rodzinnym nadmorskim miasteczku Bankot, ale Zamzamie marzyły się znacznie większe trofea. Urodził się w rodzinie policjanta w tej odległej mieścinie nad Morzem Arabskim w pobliżu starego fortu morskiego, ale może z tej przyczyny, że jego stosunki z surowym ojcem ochłodziły się, kiedy Zamzama był jeszcze dzieckiem, nigdy nie miał szacunku ani dla prawa, ani dla jego stróżów, czy to na wodzie, czy na stałym lądzie. Początkowo osiągnął znaczącą pozycję dzięki kluczowej roli, jaką odgrywał w systemie hawala, systemie pozwalającym przesyłać pieniądze bez śladu na papierze, na hasło: otrzymawszy kwotę w miejscu A, pośrednik zwany hawaladarem za drobną opłatą informuje o jej otrzymaniu hawaladara w miejscu B, a ten wypłaca tę samą kwotę wskazanemu odbiorcy, pod warunkiem że odbiorca zna hasło. Tak oto pieniądze odbywały „podróże bez podróżowania" słowami hawali, a w razie potrzeby w łańcuch mogło się włączyć dużo więcej ogniw. System był popularny, ponieważ pobierana prowizja była znacznie niższa niż w tradycyjnym systemie bankowym, a ponadto cała procedura obchodziła problemy typu zmienne kursy walut; sieć hawali ustalała własny kurs i wszyscy go przestrzegali. System opierał się na honorze hawaladarów w kraju i na całym świecie. (Chociaż jeśli pośrednik nadużył czyjegoś zaufania, niemądrze byłoby stawiać na to, że dożyje sędziwego wieku). Hawala była w Indiach nielegalna, bo tak jak smurfing i flipping należała do skutecznych sposobów prania brudnych pieniędzy, mimo to Zamzama prowadził działalność na wielką skalę, nie tylko na subkontynencie indyjskim, lecz także w krajach Bliskiego Wschodu, Rogu Afryki, a nawet w niektórych częściach Stanów Zjednoczonych. Hawala mu jednak nie wystarczała. Chciał zasiąść na *kursi*, czyli tronie świata przestępczego, a że Sultan Amir zwolnił miejsce, trafiwszy do więzienia, podjął próbę przejęcia władzy z asystą swoich adiutantów, Czachy, Paluszków i Stópek. Musiał się uporać z konkurencją ze strony innego mafiosa, niejakiego Śliskiego Dżaweda i jego kliki, szybko jednak usunął przeciwników, stosując technikę, która głęboko wstrząsnęła wszystkimi członkami stroniącej raczej od przemocy organizacji Sultana Amira. Morderstwo – tak brzmiała nazwa tej techniki. Ciała Śliskiego Dżaweda i jego rodziny na plaży Dżuhu w czasie odpływu wyłożone jak ryby na płycie do smażenia nie tylko rozwiązały problem przywództwa, stanowiły także przesłanie dla całego świata, przestępczego i nie tylko. Oto nastały nowe czasy, zdawały się mówić zwłoki. W mieście jest nowy gracz i obowiązują nowe zasady. Towarzystwo S to teraz Towarzystwo Z.

Jego brat Sallu, zwany też Sallu Buciorem, pomógł Zamzamie opanować pierwszy przyczółek w mieście, biorąc na cel dona dzielnicy Dongri, Tatusia Dźjotiego. Z grupą swoich ludzi otoczył Tatusia i jego obstawę, a następnie bezlitośnie ich poturbował z użyciem pustych szklanych butelek po wodzie sodowej, campa-coli i limce. Pozbyli się Tatusia, którego nigdy więcej nie widziano w mieście, ale wybuchła poważniejsza wojna z paszturiskim gangiem z Afganistanu, który zaczął od gangsterskiej lichwy w punktach usytuowanych na ulicy o idealnie brzmiącej nazwie Readymoney Lane, czyli zaułek gotowych pieniędzy, ale szybko się przerzucił na wymuszenia, by ściągać haracz za ochronę od sklepikarzy i małych firm w miejskich slumsach i na targach. Ceny u krawców, zegarmistrzów, fryzjerów i sprzedawców wyrobów skórzanych wzrosły, żeby pokryć żądania bandytów. Prostytutki na Falkland Road też musiały wprowadzić dla swoich klientów podwyżkę. Koszty haraczów nie mogły zostać pokryte przy działalności z tak niskimi marżami, musiały więc być przerzucone na klienta. W ten sposób większość miasta zmuszona była płacić niejako ekstra, podatek gangsterski. Ale co robić? Nie było innego wyjścia, tylko wyskakiwać z kasy.

Pasztuni też postanowili wyeliminować Buciora i Armatę – czyli Zamzamę – i wynajęli do tego zadania Manny'ego, znakomitego dakoitę, bandytę ze stanu Madhja Pradeś. Tak się składało, że Sallu Bucior miał przyjaciółkę, tancerkę imieniem Ćaru, i pewnej nocy na początku lat osiemdziesiątych podjechał fiatem pod jej dom w centrum Bombaju, by zabrać ją do miłosnego gniazdka w Bandrze. Ale Manny i jego Pasztuni siedzieli mu na ogonie i otoczyli fiata na stacji benzynowej, gdzie po drodze zatrzymał się Sallu Bucior. Manny i Pasztuni z autentyczną galanterią poprosili Ćaru, żeby wysiadła z samochodu i szybko się zmyła, po czym wpakowali w Buciora pięć kulek i zostawili go, by skonał. Udali się jak najszybciej do bazy Zamzamy na Pakmodia Street, by go zaskoczyć, zanim dotrze do niego wiadomość o śmierci brata, lecz budynek był dokładnie strzeżony i wywiązała się długa strzelanina. Zamzama uszedł bez szwanku.

Wkrótce potem przywódców pasztuńskich aresztowano i oskarżono o zamordowanie Buciora. W trakcie procesu do sali sądowej wpadł wynajęty przez Towarzystwo Z chrześcijański killer imieniem Derek i skosił wszystkich oskarżonych z broni maszynowej.

W latach osiemdziesiątych w nieprzerwanej wojnie gangów zginęło co najmniej pięćdziesięciu gangsterów z Towarzystwa Z i spośród Pasztunów. Ostatecznie jednak afgańska mafia została wyeliminowana i ojciec chrzestny Zamzama miał swój tron tylko dla siebie.

Po śmierci starszego brata Zamzama podjął decyzję o rezygnacji z życia prywatnego. Neron słyszał go, jak mówi: „Dziewczyna to słaby punkt" albo „Rodzina to słaby punkt. U innych jest czymś cennym. Ale u bossa jest niedopuszczalna. Jestem kotem, który chadza własnymi ścieżkami". Inaczej mówiąc, był sam, nie licząc całodobowej obstawy składającej się z dwunastu goryli, a więc trzydziestu sześciu mężczyzn pracujących na ośmiogodzinnych zmianach. Oraz zespołu dwunastu przeszkolonych w unikaniu inwigilacji kierowców w opancerzonych limuzynach Mercedesa, ekspertów w sztuce gubienia tak zwanych ogonów. (I znów, po czterech kierowców na trzech zmianach). Główne drzwi jego domu były z litej stali, okna miały kuloodporne szyby i grube metalowe okiennice, na dachu zaś cały czas siedzieli uzbrojeni po zęby ochroniarze. Miastem rządził mężczyzna żyjący w klatce, którą sam sobie zbudował. Dbając o własne bezpieczeństwo, podstawą swego majątku i władzy uczynił narażanie na niebezpieczeństwo innych ludzi, rodzin i ich finansów.

(Nie jestem ekspertem od branży zwanej teraz Bollywoodem, ale kocha ona filmy gangsterskie tak jak swoich gangsterów. Kinoman wkraczający w ten świat mógłby na przykład zacząć od Towarzystwa *Raja Gopala Varmy,* Strzelaniny w Lokhandwali *Apoorvy Lakhii,* Strzelaniny w Wadal *Sanjaya Gupty* lub Pewnego razu w Mumbaaju *i* Pewnego razu w Mumbaaju 2 *Milana Luthrii. Dodatkowe* „a" *w* Mumbaaju *jest przykładem nowej numerologicznej mody. Ludzie dodają lub odejmują samogłoski w swoich imionach lub w tym przypadku tytułach filmów na szczęście lub żeby zapewnić im sukces:* Shobhaa De, Ajay Devgn, Mumbaai. *Nie umiem skomentować skuteczności tego typu zabiegów).*

• • •

Dopiero *Ajbak*, film o Kutb ud-Din Ajbaku, założycielu dynastii niewolniczej, i powstawaniu minaretu Kutub Minar, pokazał branży, że z ojcem chrzestnym nie ma żartów. Ten wysokobudżetowy dramat historyczny był *idée fixe* jednego z bollywoodzkich potentatów, producenta A. Karima, i zaangażowano do niego trzy spośród „sześciu męskich i czterech żeńskich" najpopularniejszych megagwiazd ówczesnego kina. Dwa tygodnie przed rozpoczęciem zdjęć Karim, sam będąc muzułmaninem, otrzymał list z informacją, że planowany film stanowi obrazę dla islamu, nowego władcę bowiem nazywa się w nim niewolnikiem, oraz z żądaniem, by cały projekt odwołano lub, do wyboru, przekazano reprezentantowi Towarzystwa Z, który ujawni się w odpowiednim czasie, „opłatę za wydanie pozwolenia ukośnik złożenie przeprosin" w wysokości dziesięciu milionów rupii w używanych banknotach o pomieszanych numerach. Karim natychmiast zwołał konferencję prasową i publicznie wykpił Zamzamę Alankara i jego gang.

– Te półgłupki myślą, że mogą mi podskoczyć? – krzyczał Karim, tryskając śliną przy głoskach „p". – Nie wiedzą, durnie, że nazwy, jakimi określa się tę dynastię, Mamelucy lub Gulam, oznaczają w obu przypadkach „niewolnika". To będzie flagowa produkcja, przełomowa ekranizacja naszej historii. I żadna banda zbirów nas nie powstrzyma.

Cztery dni później niewielka, acz mocno uzbrojona grupa mężczyzn pod wodzą adiutantów Zamzamy, Czachy i Paluszków, wtargnęła na zabezpieczony plan w Mehrauli niedaleko prawdziwego minaretu Kutub Minar, gdzie powstawała szalenie bogata scenografia do filmu, i podłożyła ogień. Film nigdy nie został zrealizowany. Niedługo po spaleniu scenografii A. Karim zaczął się skarżyć na silne bóle w klatce piersiowej i dosłownie zabiło go złamane serce. Lekarze odpowiedzialni za sekcję zwłok stwierdzili, że ów narząd dosłownie w nim eksplodował. Nikt już więcej nie kpił z Zamzamy Alankara.

Neron nadal zapraszał Zamzamę na przyjęcia w swoim domu i wciąż uczestniczyła w nich śmietanka branży filmowej. Sam Zamzama zaczął wyprawiać najbardziej wystawne imprezy, jakie kiedykolwiek widziano, przewożąc pełne samoloty gości do Dubaju, i pokazywali się tam wszyscy. Tak to musiało wyglądać w najlepszych latach Ala Capone, mroczny blichtr, powab niebezpieczeństwa, uderzający do głowy koktajl strachu i żądz. O balach u Zamzamy pisano we wszystkich gazetach i gwiazdy błyszczały tam w swych wieczornych toaletach. Policja siedziała z założonymi rękami. I czasem rano po nocnych ekscesach rozlegało się pukanie do drzwi producenta odsypiającego szaleństwa w prywatnej kabinie na jachcie Towarzystwa Z, być może z jakąś aktoreczką u boku, która była zbyt głupia, by wiedzieć, że nie tędy droga na szczyt; i za drzwiami czekał Czacha albo Stópki z kontraktem, na mocy którego producent przekazywał Towarzystwu wszystkie zagraniczne prawa do dystrybucji najnowszego filmu na wysoce niekorzystnych warunkach, przekonać go do podpisu miał także duży pistolet wymierzony w głowę, zresztą czasy galanterii już się skończyły i nikt nie proponował nagiej panience w łóżku, żeby się okryła i spadała. Z przodu impreza, na zapleczu biznes, taki był styl Towarzystwa Z. Wielu czołowych przedstawicieli Bollywoodu musiało prosić policję o ochronę, a otrzymawszy ją, nigdy nie było się pewnym, czy to wystarczy albo czy mężczyźni w mundurach nie okażą się powiązani z Zamzamą, toteż broń mająca ich chronić zostanie wymierzona do wewnątrz, w zleceniodawcę, a nie na zewnątrz, w niebezpieczne i nieprzeniknione miasto. A prawo? Prawo niemal zawsze przymykało oko. Czasem do więzienia trafiały jakieś płotki, ochłap rzucony opinii publicznej. Grube ryby pływały bez przeszkód.

Córko, córko, powiedział Neron. Byłem wśród nich jednym z najgorszych, bo nigdy nie próbowali mnie do niczego przymuszać. Z własnej woli robiłem, o co mnie prosili, i finansowo byli dla mnie hojni, na wszystko się godziłem, taki już jest świat, myślałem, i może rzeczywiście, ale taki świat to niedobre miejsce, powinnaś poszukać lepszego niż ten, który stworzyliśmy.

Nie był ofiarą wymuszeń, ale nie musiał być. Groźby, próby zabójstwa i rzeczywiste morderstwa w tamtych latach sprawiały, że strach odbierał mu rozum. Miał tak wiele do stracenia. Miał drogie nieruchomości, rozrzucone po całym mieście place budowy, żonę i synów. Miał wszystkie te słabe punkty, których Zamzama szukał i potrzebował. Członkowie Towarzystwa Z nie musieli mu nawet tych punktów wskazywać. Były niewypowiedzianym spoiwem łączącym Nerona z gangiem. Kim dla nich był? Mieli mnóstwo brudów, a on zajmował się praniem. Był ich dhobim. I tak go nazywali: karzeł Czacha, Paluszki z pomarańczowymi włosami i Stópki, który miał największe stopy, jakie kiedykolwiek widziano.

– Hej, dhobi! – zwracali się do niego przez telefon. – Mamy dla ciebie pranko. Przyjedź i zabierz je na ghaty.

Gdy się z nimi widywał, pstrykali palcami.

– Wypierz to – rozkazywali. – Ale migiem.

Sam Zamzama zachowywał się z większym szacunkiem, zawsze do prawdziwego imienia Nerona dołączając zwroty grzecznościowe. *Sahib, dźi, dźanab*. Szacunek był sposobem wyrażenia pogardy. Za szacunkiem krył się przekaz: „Siedzisz u mnie w kieszeni, sukinsynie, pamiętaj o tym". Neron nie potrzebował napomnień. Nie był bohaterem. Nie chciał stracić rodziny ani palców u nóg. O zapomnieniu nie było mowy.

Złoczyńcy wylewali się z ekranów, zeskakiwali do gigantycznych sal kinowych, o filmowych rozmiarach, pędzili między rzędami i wypadali na ulice, miotając ogniem z karabinów, i Neron miał wyrzuty sumienia, że za ten stan rzeczy odpowiada przemysł filmowy, że to Bollywood stworzył potwory, ukazywał je w otoczce szyku i erotyzmu, i teraz przejmowały kontrolę nad miastem. *Bombaj meri dźan*, pomyślał, nucąc tę piosenkę, Bombaj, moje życie, moje kochanie, gdzie odszedłeś, dziewczyny na Marine Drive w wieczornym chłodzie ze sznurami jaśminów we włosach, jazzowe jam sessions w niedzielne poranki na grobli Colaba lub Churchgate, gdy słuchało się Chica Chocolate, saksofonu Chrisa Perry'ego i głosu Lorny Cordeiro; plaża Dźuhu, zanim ludzie tacy jak on otoczyli ją budynkami; chińszczyzna; piękne miasto, najlepsze miasto na świecie. Ale nie, to nie tak, piosenka, która dla tego miasta była tym, czym *New York, New York* dla innej metropolii, zawsze ostrzegała, że to twarde miasto, trudno w nim przetrwać, i to też przez tę piosenkę hazardziści, bandyci, złodzieje i skorumpowani biznesmeni, o których śpiewano, wylali się z tekstu jak aktorzy wyskakujący z filmów, i teraz znaleźli się tutaj, wprawiając w przerażenie porządnych ludzi, ludzi takich jak ta naiwna dziewczyna z piosenki, która broniła swego miasta, *och, serce moje, łatwo żyć w tym mieście*, ale nawet ona ostrzegała: *uważaj, bo zbierzesz, co zasiejesz. Zbierzesz, co zasiejesz.*

(Tak, to przez filmy, to przez tę piosenkę. Tak, Neronie, zrzucaj winę na sztukę, na rozrywkę. To o wiele łatwiejsze niż obwiniać ludzi, rzeczywistych aktorów dramatu. To o wiele przyjemniejsze niż winić siebie).

Nie przestawał się zajmować tym wszystkim: walizkami, smurfingiem, flippingiem. Zgodził się nawet zostać jednym końcem łańcucha hawali, gdy Zamzama Alankar we własnej osobie „ładnie go poprosił" – z małą kaskadą zwrotów typu *sahib, dżanab* i *dżi* – pewnego wieczoru podczas imprezy nad basenem w klubie Willingdon. *Nigdy nie próbowali mnie przymuszać.* Nie musieli. Był chętnym pionkiem Zamzamy. Wydawało mu się, że jest królem tego miasta, ale był jedynie skromnym piechurem. Królem był Zamzama Alankar.

I nie mówił całej prawdy o wymuszeniach. Przyznał się. Prawda była taka, że nigdy nie próbowali wymuszać od niego gotówki. Wymusili od niego coś o wiele, wiele gorszego.

Zamzama, Armata, nie był człowiekiem sentymentalnym. Pewnego razu, jak głosiła legenda – był kimś, kto przykładał wielką wagę do pielęgnowania swych legendarnych cech – Stópki porwał mafijnego alfonsa zwanego Myszką Musą, który niepokoił dziewczęta pracujące dla Towarzystwa, a następnie kazał go zamknąć w szczelnym metalowym kontenerze w dokach, wynajął łódź, by wypłynęła z kontenerem na najdalsze obrzeża portu, gdzie posłano go na dno morza. Dwa dni później w telewizji wystąpiła matka Myszki, wypłakując oczy. Zamzama rzekł: „Dawajcie mi jej numer komórki, ale już" i zadzwonił do niej minutę później, *gdy wciąż prowadzono z nią rozmowę na wizji*. Zdezorientowana odebrała telefon i w jej uchu rozległ się głos Zamzamy, który oznajmił: „Twoja mysz, wywłoko, jest teraz rybą i jeśli nie skończysz z tymi jękami, sama niedługo zamienisz się w *kima*. Jebut!". *Kima* znaczy mielone mięso. „Jebut" to ulubione pożegnanie Zamzamy, i jeśli ktoś słyszał to słowo w swoim uchu, wiedział z całą pewnością, z kim ma przyjemność. Lament kobiety umilkł jak nożem uciął i już nigdy nie zdecydowała się na żaden wywiad.

Zamzama nie miał też cierpliwości do tego typu idealizowania przeszłości, do jakiego miał skłonność Neron ze swoim *Bombaj-meri-dżan*.

– Tego miasta z fantazji dawno już nie ma – oznajmił bezceremonialnie Neronowi. – Sam je zabudowałeś i burzyłeś stare pod nowe. W Bombaju twoich marzeń wszystko było miłością, pokojem i świeckością, bez waśni religijnych, hindusi i muzułmanie *bhai bhai*, wszyscy są braćmi, prawda? Tego typu dyrdymały, jesteś człowiekiem światowym, powinieneś mieć więcej oleju w głowie. Ludzie to ludzie, a ich bogowie to ich bogowie, te rzeczy się nie zmieniają, wrogość między plemionami też jest wieczna. Kwestia tylko, co wydostaje się na wierzch i jak głęboko pod spodem kryje się nienawiść. W tym mieście, Mumbaju, wygraliśmy wojnę gangów, ale przed nami ważniejsza wojna. Pozostały w Mumbaju tylko dwa gangi. *Prawdziwy* gang, mafia, czyli ja. Towarzystwo Z, tylko my zasługujemy na to miano. I ile mamy? Dziewięćdziesiąt pięć procent? Muzułmanie. Ludzie Księgi. Ale są też gangi polityczne, i te są hinduskie. Władze miejskie są kontrolowane przez hinduską politykę, a hinduscy politykierzy mają swoje hinduskie gangi. Raman Fielding, znasz to nazwisko? Alias Medak, czyli Żaba? Rozumiesz? Więc zrozum jedno: najpierw walczyliśmy o terytorium. Ta bitwa się skończyła. Teraz nadchodzi święta wojna. Jebut.

Sultan Amir pod koniec życia „zrozumiał religię", ale w mistycznym, sufickim wydaniu. Zamzama Alankar, gdy nastały lata dziewięćdziesiąte, stał się wyznawcą dużo bardziej płomiennej wersji ich wspólnej wiary. Osobą, której przypisywano dokonanie tej głębokiej przemiany w światopoglądzie i zainteresowaniach Zamzamy, był demagogiczny kaznodzieja imieniem Rahman, założyciel i sekretarz działającej w mieście wojującej organizacji o nazwie Akademia Azhar. Jej celem było szerzenie myśli dziewiętnastowiecznego hinduskiego podżegacza, imama Azhara z Bareli, miasta, od którego wzięła się nazwa sekty Barelwi – kaznodzieja Rahman był w niej czołową postacią. Akademia zaistniała w mieście za sprawą protestów przeciwko partii rządzącej, demonstracji, które rządzący określali mianem „rozruchów", ale które zademonstrowały chociażby, że Akademia jest w stanie szybko zmobilizować ludzi i wyprowadzić ich na ulice. Ku przerażeniu Nerona Zamzama zaczął powtarzać jak papuga opinie demagoga Rahmana, często słowo w słowo. Niemoralność i dekadencja tego i tego. Nikczemna wrogość i degeneracja tego i tego. Należy stawić czoło poprzez to i to. Nieskazitelnie czyste nauki tego i tego. Właściwa perspektywa tego i tego. Prawdziwa chwała i splendor tego i tego. Nasza odpowiedzialność, by ocalić społeczeństwo przed tym i tym. Korzyści płynące z genialnych nauk tego i tego. Nasza determinacja jest większa niż tych i tych. Proponujemy naukowe podejście do życia w świecie i w zaświatach. Ten świat jest niczym, jedynie bramą ku glorii poza nim. To życie jest niczym, jedynie odchrząknięciem przed wieczną pieśnią tam. Jeśli wymaga się od nas ofiary życia, nie poświęcamy niczego, najwyżej chrząknięcie. Jeśli się od nas wymaga, byśmy powstali, powstaniemy z ogniem sprawiedliwości w ręku. Podniesiemy sprawiedliwą rękę Boga i tamci poczują jej mocne plaśnięcie w twarz.

– Do cholery, Zamzama – zwrócił się do niego Neron, gdy spotkali się na pokładzie *Kiplinga*, jachtu żaglowego Zamzamy w porcie, w ulubionym miejscu Armaty na poufne rozmowy. – Co w ciebie wstąpiło? Zawsze widziałem w tobie balowicza, nie świętoszka.

– Czas na czczą gadaninę dobiegł końca – odparł don z nową nutą w głosie, która podziałała na Nerona jak groźba. – Nadchodzi czas twardych czynów. A poza tym, dhobi, nigdy więcej w mojej obecności nie używaj bluźnierczego języka.

Wtedy po raz pierwszy Neron został nazwany dhobim, nie sahibem. Ani trochę mu się to nie spodobało.

Skończyły się imprezy w Dubaju. W domu za stalowymi drzwiami odmawiano teraz dużo modlitw. Dla człowieka o temperamencie Nerona było to coś przedziwnego. Może nadszedł już czas, pomyślał, żeby się nieco zdystansować od Towarzystwa Z. Całkowita separacja była niemożliwa ze względu na wpływ mafii na związki zawodowe w budownictwie i jeszcze większy na pozazwiązkowe rzesze napływowej siły roboczej ściągającej do miasta z całego kraju bez dokumentów i statusu prawnego. Może jednak wystarczająco długo zajmował się obrotem pieniędzmi. Smurfingiem, flippingiem i hawalą. Stał się teraz prawdziwym magnatem i powinien wyzbyć się tych bardziej śliskich koneksji.

Zwrócił się do Zamzamy:

– Chyba robię się za stary i zmęczony do tej finansowej hochsztaplerki. Może mógłbym wyszkolić następcę, który zajmie moje miejsce.

Zamzama milczał przez pełną minutę. *Kipling*, z zarzuconą kotwicą, ze spuszczonym i złożonym grotżaglem, kołysał się łagodnie na wodzie. Słońce zaszło i światła Back Bay migotały wokół nich, łuk piękna, którym Neron nigdy nie przestał się zachwycać. Wreszcie mafioso przemówił.

– Lubisz Eagles, ten klasyczny amerykański zespół rockandrollowy? – spytał. – Glenn Frey, Don Henley itede, itede, itede?

I nie czekając, kontynuował:

– Witamy w Hotelu California.

Po czym, ku konsternacji Nerona, don zaczął – głośno, nieczysto, w sposób, który przeszył serce Nerona lękiem – śpiewać.

– *You can check out any time you like, but you can never leave.*

Możesz się wymeldować, kiedy chcesz, ale nigdy stąd nie wyjedziesz.

Był to początek wielkiego mroku, rzekł Neron w mroku swojego gabinetu w domu Goldenów. Po tej rozmowie zstąpiłem do piekieł. A raczej byłem już tam od dłuższego czasu i dopiero teraz poczułem, jak płomienie przypiekają mi podeszwy.

Ale wiesz, co jest najśmieszniejsze w tej piosence, tej o hotelu? To nie była wcale prawda. Bo wyjazd – kiedy, gdzie, jak – stał się nie tylko moim tematem, ale i jego.

Zszokowałem cię, powiedział. Jesteś przerażona, a nie słyszałaś jeszcze najgorszego. Przeraża cię to, co ci opowiedziałem, i w twojej głowie rozbrzmiewa tylko jedno pytanie. Kochałaś moje dziecko. Moje biedne, zagubione dziecko. Kochałaś moje dziecko i pytasz mnie, bez słów pytasz, widzę to w ciemności w twoich oczach. Jak dużo wiedzieli moi synowie.

Co do twego ukochanego, we wszystkim, co ci do tej pory opowiedziałem, nie ma żadnej jego winy. Jeszcze się nie urodził albo był małym brzdącem. Co do pozostałych, dorastali w pewnej warstwie społecznej, wielkomiejskich sferach wielkich interesów, i wiedzieli, co w trawie piszczy. Bez posmarowania nic się nie dało załatwić. Wiedzieli o moim donie Corleone, tak. Ale był lubiany. Im to wszystko wydawało się normalne, jak zresztą każdemu innemu. Podobał im się też świat filmu. Gwiazdy w naszym domu. Swoboda, jaką czuli w towarzystwie najpiękniejszych kobiet. Jak gdyby oni też wskoczyli do srebrnego ekranu. Sprawiało im to przyjemność, a skoro przy okazji byli tam też mafiosi, co z tego, żadna tajemnica. Nikt nie robił z tego afery. Za czasów Sultana Amira nikt nikogo nie osądzał. Gdy jednak władzę przejął Alankar, osłaniałem synów przed swoją działalnością. Im mniej wiedzieli, tym lepiej dla wszystkich. To był inny typ i rodzinę wolałem trzymać od niego z daleka. Moje interesy były moimi interesami i nikogo innego, rozumiem, że można mnie krytykować, ani nie usprawiedliwiam, ani nie bronię swoich wyborów, swoich czynów, stwierdzam tylko. Twój chłopak w dziewięćdziesiątym trzecim miał siedem lat, dwadzieścia dwa w dwa tysiące ósmym, kiedy przyjechaliśmy do Nowego Jorku. Muszę powiedzieć, że z całej trójki on był najbardziej pochłonięty sobą. Jego wojna toczyła się w środku, teraz wyraźnie to widzę. Własne armaty wymierzone w siebie do czasu, aż... Aż... Łatwo było więc ukryć przed nim różne sprawy. Te sprawy, które musiałem przed nim zataić, chyba o nich nie wiedział. Także najstarszy syn, mój ułomny syn, przezywali go Harpo, tak, to miasto potrafi być okrutne; w jego przypadku również wielkie pytanie życia tkwiło w głowie, pytanie bez odpowiedzi. Jego także rozgrzeszam. Pozostaje kwestia Apu. Wtedy przezywano go Groucho. Apu, szczerze mówiąc: myślę, że wiedział. Wiedział, ale nie chciał wiedzieć, i tak pojawiły się alkohol, narkotyki, żeby się ogłuszyć i oślepić, odurzyć. Nigdy z nim nie rozmawiałem o tej mrocznej stronie. A on nie pytał. „Gdyby mój ojciec był dentystą – zwrócił się kiedyś do mnie – czy obchodziłoby mnie, ile tego dnia wstawił plomb, ile osób leczył kanałowo i kogo? Tak właśnie o tobie myślę. Jesteś dentystą, gdy wychodzisz do pracy, ale w domu jesteś ojcem. Oto, czego potrzebuje od ciebie rodzina. Nie plomb, lecz ojcowskiej miłości".

Mówiłem mu bardzo mało. Tylko rzeczy powierzchowne, o których wiedzieli wszyscy. Łapówki, korupcja. Małe piwo. Ale chyba domyślał się dużego piwa. Stąd pewnie ta rozpusta, picie, kobiety, narkotyki.

W kraju artysta był z niego żaden. Styl życia, owszem, artystyczny, ale nie etos pracy. Był członkiem bohemy, ale w Bohemii wyrabiają wspaniałe przedmioty ze szkła. Lekceważył sobie wszystko oprócz seksu i powiem ci, chociaż uznasz to za wulgarne, przepraszam, narkotyki nie czynią z nas lepszych kochanków, najwyżej we własnych oczach. Więc prawdopodobnie niewiele potrafił zdziałać także w tej sferze. Gdy przyjechał do Ameryki, wyporządniał. *(Pstryknięcie palcami).* Ot tak. To mi zaimponowało, stał się nowym człowiekiem i wszystko zaczęło mu się układać. Ujawnił się jego talent, który wszyscy dostrzegli. Ja dostrzegłem go po raz pierwszy. Nigdy nie podejrzewałem, że jest aż tak uzdolniony.

Wszyscy trzej posiadali tę umiejętność: potrafili zamknąć księgę przeszłości i żyć teraźniejszością. To dar nie do przecenienia. Ja sam zamykam księgę teraźniejszości i żyję przeważnie w przeszłości.

Pozostaje jeszcze sprawa dzwonienia w uszach, głosów, czasem wizji. Apu miał wieloletnie doświadczenia z halucynogenami. Można powiedzieć, jeśli tak rozumiesz te sprawy, że uwrażliwiły go na to, co niewidoczne, że ukazały mu drogę do świata wizji, otwierając, jak to się mówi? Drzwi percepcji. Możesz też powiedzieć, że to wszystko bzdury. Możesz jeszcze powiedzieć, że cierpiał na jakąś chorobę. Że jemu też szwankował mózg, który stanowił jądro jego jestestwa. Trzech synów i każdy z niesprawnym mózgiem, jądrem swego jestestwa! To nie jest sprawiedliwe dla ojca. To nie fair. W każdym razie taki już mój los. Apu miał widzenia, słyszał głosy. Więc on też był szalony.

Myślę zatem, że wiedział, czym się zajmowałem, ale też uzgodnił sam ze sobą, żeby się tego „odwiedzieć". Dlatego pojechał tam ze swoją kobietą, nie zastanawiając się dwa razy. Wrócił do kraju i zginął. Pewnie gdy umierał, wiedział, co go zabiło i dlaczego. Pewnie wiedział, że to konsekwencja moich działań. Ja też jestem tego świadom. Przesłano wiadomość i ja ją odebrałem. Mrok gęstnieje. Czasu jest coraz mniej. Dlatego rozmawiamy tej nocy. Żeby wszystko zostało powiedziane.

Są dwie rzeczy do omówienia i wydarzyły się w odstępie piętnastu lat. Tysiąc dziewięćset dziewięćdziesiątego trzeciego, dwa tysiące ósmego. Takie są daty.

• • •

W grudniu tysiąc dziewięćset dziewięćdziesiątego drugiego Neron znowu znalazł się na pokładzie *Kiplinga* z Zamzamą Alankarem. Meczet wybudowany przez pierwszego mogolskiego cesarza Babara w Ajodhji na północy kraju został właśnie zniszczony przez hinduskich aktywistów, którzy utrzymywali, że stał w miejscu, gdzie według mitologii przyszedł na świat Rama, siódma awatara lub wcielenie Wisznu. W Bombaju wybuchły zamieszki. Najpierw zbuntowali się muzułmanie, potem zwolennicy hinduskiej ekstremistycznej partii Śiw Sena zaatakowali muzułmanów, natomiast policja, opowiadał Zamzama, była otwarcie stronnicza, otwarcie prohinduska i przeciwko nam. Rozruchy już przygasały, ale gniew Zamzamy był iście wulkaniczny i niewyczerpany.

Miarka się przebrała! – krzyknął do Nerona. – To była ta kropla i teraz nie ma odwrotu.

Niemądrze byłoby się mieszać w te sprawy. Skup się na swoich mocnych stronach. Interesy idą dobrze.

Mądrość nie ma tu nic do rzeczy. To kwestia konieczności. Żeby burzyć święty meczet z powodu domniemanego miejsca narodzin wymyślonej istoty, to dopiero jest *niemądre*.

Oni nie uważają jej za istotę fikcyjną.

Są w błędzie.

Alankar pozostawał w kontakcie z zaniepokojonymi osobami z sąsiedniego kraju. Sąsiedzi stanowczo uważali, że należy podjąć działania.

Sporządzono plan, poinformował Alankar. Duży transport broni, amunicji i heksogenu miał zostać wysłany przez sąsiadów drogą morską na wybrzeże Konkanu w pierwszym tygodniu stycznia. Jako miejsce rozładunku wyznaczono Dighi. Będziesz musiał przygotować walizki dla straży przybrzeżnej, żeby w pasie wodnym pozostawiono niestrzeżony odcinek, którym towary przetransportuje się na ląd łodziami motorowymi.

Ja, Zamzama? To nie moja branża. Polityka? Nie, nie, nie. Nie możesz tego ode mnie wymagać.

Tak, tak, tak. Twój dom jest doskonale zabezpieczony, prawda? Widziałem, automatyczna metalowa brama, systemy alarmowe, ochroniarze. Twoja rodzina musi się czuć bezpiecznie. Czują się bezpiecznie? Na pewno. A wychodzą czasem na miasto? Oczywiście, to prawdziwi bombajczycy, żyją pełnią życia. Szczęśliwa rodzinka. Gratulacje.

Jesteśmy wspólnikami od dawna, ty i ja. Nie możesz rozmawiać ze mną w ten sposób.

Masz na swoim koncie tyle sukcesów, co za majątek, świetna robota. Niefortunnie by się stało, gdyby twoi robotnicy nagle odłożyli narzędzia. A jaka tragedia, gdyby tak nagle pożar.

Więc nie mam wyboru, muszę to zrobić. Dobrze, w takim razie zrobię.

Kilka tygodni później będzie drugi transport, w Śekhadi. Ta sama procedura.

Plan sąsiadów wymagał podjęcia działań w precyzyjnej kolejności. Najpierw miało dojść do zabójstw. W Dongri, dawnym lennie Tatusia Dźjotiego, który po batach z użyciem butelek po napojach gazowanych uciekł z miasta, mieszkała społeczność tak zwanych mathadi, czyli hinduskich tragarzy przenoszących towary na głowie. Ludzie ci sypiali na ulicy, dostęp do nich był więc łatwy. Zamierzano wysłać grupę mathadi na tamten świat za pomocą małych noży przystawionych do gardeł, by nadać zabójstwom pozory rytuału religijnego. Dongri było rejonem bardzo skonfliktowanym na tle religijnym i sąsiedzi przewidywali, że mord ten wywoła gwałtowne protesty. Protestujący byli świetnie zorganizowani, cieszyli się wsparciem policji, mieli jednak napotkać silnie uzbrojony opór. Broń planowano zmagazynować w newralgicznych punktach. Zamierzano użyć granatów i bomb. I potem, gdy bomby podburzą do protestów jeszcze większe tłumy, przeciw tym tłumom skieruje się broń automatyczną i jeszcze więcej ładunków wybuchowych. Rozniecony zostanie ogień, pożar ogarnie cały kraj, a sąsiedzi będą się cieszyć, bo dranie dostaną nauczkę.

Jeśli Bóg pozwoli, mówił Zamzama, damy sukinsynom popalić.

Wtedy po raz ostatni Neron postawił stopę na pokładzie *Kiplinga*. Nadeszła już prawie pora, by zejść na brzeg, ale szef Towarzystwa Z miał jeszcze jedną rzecz do przekazania. Ty i ja, powiedział, może już nigdy się nie spotkamy. Nie będę mógł dłużej zostać w kraju po wydarzeniach, które niebawem nastąpią. Ty jesteś w lepszej sytuacji.

Zawsze dbałem o twoje bezpieczeństwo i, jak wiesz, między nami rozciągnięty jest długi łańcuch pośredników, masz więc stuprocentową szansę wszystkiego się wyprzeć, możesz spokojnie zostać na miejscu z rodziną i żoną. Ale może tak na wszelki wypadek też powinieneś opracować awaryjny plan ucieczki.

Zamzama miał rację. Ci dwaj rzeczywiście już nigdy się nie spotkali. Miał też rację co do planu awaryjnego.

Wydarzenia dwunastego marca tysiąc dziewięćset dziewięćdziesiątego trzeciego były szeroko relacjonowane, nie ma więc potrzeby wchodzić w szczegóły. Samochody pułapki i skutery pułapki. Bomba w podziemiach giełdy papierów wartościowych. Trzy bazary, trzy hotele, lotnisko, kino, biuro paszportowe, bank, jebut, jebut, jebut. Nawet kolonia rybacka w Mahim: jebut. Taksówka pułapka przy Bramie Indii, wielkie jebane jebut.

Sąsiedzi musieli się jednak poczuć rozczarowani. Wiele osób straciło życie, ale do wybuchu wojny domowej, na co liczyli, nie doszło. Miasto i cały kraj zachowały zimną krew. Nastąpiły aresztowania, sytuacja się unormowała, wrócił pokój. Zamzama Alankar razem ze swoim adiutantem o ksywie Paluszki zapadli się pod ziemię i stali się Wrogiem Publicznym Numer 1 i Numer 2. Powszechnie uważano, że w końcu się osiedlili u sąsiadów jako ich goście, a Zamzama nadal kierował Towarzystwem Z na odległość. Sąsiedzi utrzymywali jednak, że nic nie wiedzą o miejscu pobytu uciekinierów.

W późniejszych latach w świecie przestępczym nastąpił wyraźny rozłam. Po zamachach policja przypuściła bezprecedensowy atak na Towarzystwo Z, wszelkie uzgodnienia i porozumienia uznano za niebyłe, toteż niewiele brakowało, a cała budowla by się rozpadła. Telefony satelitarne i internetowe systemy łącznościowe nadal działały, toteż Zamzama mógł wysyłać polecenia i sprawować rządy, ale jemu i Paluszkom łatwo było wydawać rozkazy na odległość, to nie oni się narażali. Z czasem dystans między dwoma nieobecnymi przywódcami i dwoma, którzy pozostali na miejscu,

Czachą i Stópkami – którzy musieli odpierać zarzuty o gangsteryzm i terroryzm i dopiero po pięciu latach, bo tyle czasu trwało doprowadzenie do wyroku, z braku dowodów wyszli na wolność – zaowocował niechęcią. Towarzystwo Z nadal było Towarzystwem Z, lojalność podwładnych nie osłabła, wszyscy jednak wiedzieli, że powstała Drzazga Z, grupa, która przede wszystkim pozostawała lojalna karłowi i gangsterowi o gigantycznym rozmiarze butów, i chociaż między tymi dwoma i dwójką goszczącą u sąsiadów utrzymywał się pewnego rodzaju rozejm, stosunki między nimi się schładzały.

Nerona zaproszono na spotkanie z Czachą i Stópkami. Nie odbyło się ono na luksusowym jachcie w marinie, lecz w basti w głębi slumsów Dharawi. Zawieźli go tam mężczyźni, którzy się do niego nie odzywali i nie sprawiali wrażenia, jakby mieli ochotę na pogawędkę. W jednej z nor na terenie slumsów Czacha skinął na powitanie, a Stópki czubkiem buta wskazał cegłę. Siadaj, rozkazał.

No więc co o tobie wiemy – zaczął Czacha.

Jesteś dhobim – rzekł Stópki.

Pierzesz, co brudne.

Dlatego trudno uwierzyć, że o niczym nie wiedziałeś. *My* nie wiedzieliśmy. To sprawa, którą musimy wyjaśnić z szefem. Ale ty? Nic nie wiedziałeś? Przy najlepszych chęciach trudno nam w to uwierzyć.

Nasze *dimag* nie mogą tego pojąć.

Jednakowoż. Nasze *mózgi* wiedzą też coś jeszcze, (a) i (b). (A), nie lubisz polityki.

I (b), nie mieszasz się do religii.

Więc jest równowaga. Z jednej strony to, z drugiej tamto.

Zapadła decyzja, że przyzna ci się kredyt zaufania.

Nasze stanowisko jest następujące. Ta operacja zaszkodziła Towarzystwu. Naszym zamiarem jest zaprzestać tego typu działań w przyszłości.

Przedstawiliśmy nasze stanowisko szefowi i Paluszkom.

Zgadzają się.

Nowy początek. Powrót do korzeni. Niewykraczanie poza obszar naszej specjalizacji.

Jednak w działalności Towarzystwa pojawia się wiele wątpliwości w kwestiach zaufania. A nasze zaufanie do ciebie zostało, jak to powiedzieć.

Nadwyrężone.

Nadszarpnięte.

Prysło.

Jak tu obdarzyć zaufaniem, gdy się nie ma zaufania do zaufania?

Powstaje nieufność.

Jednak udzielamy ci kredytu.

Jak wyżej.

Dlatego po prostu rozwiązujemy z tobą współpracę. Ty idziesz swoją drogą, my swoją.

Ale jeśli kiedykolwiek wycieknie od ciebie jakaś informacja na nasz temat.

Odetniemy ci penisa.

I twoim synom też.

I wepchniemy je do ust twojej żonie.

A ja będę ją posuwał od tyłu.

A ja będę jej podrzynał gardło od przodu.

Jesteś wolny. Możesz iść.

Byle szybko.

Zanim się rozmyślimy.

Ten pomysł z penisami brzmi nieźle.

Nie, nie. On tylko tak żartuje. Bywaj, dhobi.

Na razie.

Minęło piętnaście lat. Piętnaście lat: dużo czasu, wystarczająco dużo, żeby zapomnieć o tym, co się chce za sobą zostawić. Jego synowie dorośli, jego majątek też się powiększył i cień świata przestępczego, cień, który wyrasta spod ziemi, nie padał już na jego dom. Życie toczyło się dalej ze swoimi ludzkimi wzlotami i upadkami. Miał przygotowany plan ucieczki, ale nie musiał z niego korzystać, nie musiał porzucać domu, nie musiał rozdzierać swego świata na pół i wyrzucać jednej połowy. Piętnaście lat. Wystarczająco dużo czasu, żeby stracić czujność.

Potem przyszedł rok dwa tysiące ósmy. I w sierpniu dwa tysiące ósmego, na lotnisku, gdy Neron stał w kolejce do kontroli dokumentów po podróży służbowej do Nowego Jorku, ujrzał ducha. Duch stał w kolejce ciągnącej się obok, ale po jego charakterystycznych pomarańczowych włosach nie było już śladu. Teraz czerniły się jak u wszystkich innych. Jednak abstrahując od włosów, to był z pewnością on. Wróg Publiczny Numer 2. Neron patrzył ze zdumieniem na Paluszki. Przecież w każdej chwili mogli go zatrzymać, a nawet zastrzelić, gdyby próbował stawiać opór. Ich spojrzenia się spotkały i Neron przekazał wzrokowo swoje zdumienie megabossowi Towarzystwa Z. Paluszki podniósł kciuk w geście pozdrowienia (kciuk, trzeba przyznać, malutki) i odwrócił się od niego. Zbliżali się do swoich okienek kontroli paszportowej. Umundurowani funkcjonariusze uważnie oglądali dokumenty z superbiurokratyczną manierą udoskonaloną przez wszystkich pomniejszych indyjskich urzędników. I gdy Paluszki był już drugi w kolejce, wydarzyło się coś niesamowitego. Wszystkie komputery w sali przylotów padły, bum! W jednej chwili. Wszystkie ekrany się wyłączyły. Nastąpiła chwila konsternacji, gdy jedni urzędnicy próbowali ponownie uruchomić swoje urządzenia, a inni biegali jak kot z pęcherzem. Awaria komputerów była równie tajemnicza co całkowita. Ludzie w kolejkach zaczęli się niecierpliwić. W końcu wyższy rangą urzędnik kontroli paszportowej dał sygnał i kolejki ruszyły, wszystkich przepuszczano po pobieżnym tylko sprawdzeniu paszportu, Paluszki też, i dwie minuty po jego odejściu, gdy Neron podchodził do swojego okienka, bum, komputery ożyły. Towarzystwo Z wciąż działało sprawnie.

Dlaczego Paluszki podjął tak wielkie ryzyko i wrócił? Jaką misję zlecił mu Zamzama? Te myśli nie dawały Neronowi spokoju do późna i o drugiej w nocy dostał odpowiedź, bo po raz pierwszy od piętnastu lat jego komórka zadzwoniła w zaszyfrowanej sekwencji, zwiastując kłopoty. Trzy dzwonki, przerwa, jeden dzwonek, przerwa, dwa dzwonki, przerwa, odebrać za czwartym razem. Tak? – powiedział do telefonu. Głos Paluszków w uchu jak szpony diabła wciągające go w otchłań. Jeszcze jeden raz – rzekł Paluszki. – Ostatni.

Zachodni Region Straży Przybrzeżnej Indii był podzielony na pięć oddziałów. Oddział drugi, bombajski, posiadał trzy bazy na wybrzeżu w Marud Dżandżirze, Ratnagiri i Dahanu. Każda baza miała do dyspozycji kilka jednostek patrolowych przy brzegu i na otwartym morzu, szybkie i superszybkie łodzie patrolowe i mniejsze, jeszcze szybsze łodzie patrolowe i przechwytujące. Także helikoptery i samoloty. Morze było jednak spore i przy odpowiedniej organizacji dana strefa mogła pozostać niekontrolowana. Liczba walizek wymagana do tego typu operacji była duża.

O co chodzi tym razem?

Nie pytaj. Przygotuj wszystko.

A jeśli odmówię?

Nie odmawiaj. Don podupadł na zdrowiu. Sąsiedzi nie są najlepszymi gospodarzami. Ma ograniczone możliwości poruszania się, środki finansowe topnieją. Uważa, że zostało mu niewiele czasu. Chce dokonać tego ostatniego wielkiego czynu. Nie ma wyboru. Sąsiedzi naciskają. Istnieje groźba eksmisji.

Minęło piętnaście lat. Już dawno wypadłem z gry.

Witamy w Hotelu Kalifornia.

Nie zrobię tego.

Nie odmawiaj. Ładnie proszę. Mówię: proszę. Proszę, nie odmawiaj.

Rozumiem.

Dwudziestego trzeciego listopada dwa tysiące ósmego roku dziesięciu mężczyzn uzbrojonych w broń automatyczną i granaty ręczne wypłynęło łodzią z sąsiedniego wrogiego państwa. W plecakach mieli amunicję, mocne narkotyki: kokainę, sterydy, LSD, i strzykawki. Podczas rejsu porwali kuter rybacki, porzucili pierwotną jednostkę, sprowadzili na kuter dwa pontony i powiedzieli kapitanowi, dokąd ma płynąć. Gdy zbliżali się do brzegu, zabili kapitana i przesiedli się do pontonów. Potem wielu się dziwiło, dlaczego straż przybrzeżna ich nie zauważyła ani nie próbowała zatrzymać. Wybrzeże ponoć było świetnie strzeżone, ale tej nocy doszło do jakichś zaniedbań. Gdy łodzie dotarły do brzegu, dwudziestego szóstego listopada, zamachowcy rozdzielili się na mniejsze grupki i przedarli do wybranych celów – stacji kolejowej, szpitala, kina, ośrodka żydowskiego, popularnej kawiarni i do dwóch pięciogwiazdkowych hoteli. Jednym z nich był hotel

Taj Mahal Palace & Tower, gdzie żona Nerona po kłótni z mężem jadła kanapki z ogórkiem w Sea Lounge i skarżyła się przyjaciółkom na swoje małżeństwo.

Nie jestem w stanie mówić – powiedziała Riya.

Nic nie mów.

Pomógł pan zamachowcom dostać się do miasta, ludziom, którzy zabili pańską żonę.

Nie trzeba nic mówić.

A potem pan uciekł. Pan i wszyscy pańscy synowie.

Pozostaje niewiele więcej do dodania. Po tym, co się stało, zwłoki gangstera o ksywce Paluszki znaleziono porzucone na ulicy w Dongri. Poderżnięto mu gardło krótkim nożem. Jego byli wspólnicy Czacha i Stópki nie byli zachwyceni zamachem, który raz jeszcze naraził na szwank Towarzystwo i jego działalność. W ten sposób przekazywali wiadomość Zamzamie Alankarowi. Później Apu też padł ofiarą ich gniewu. Tym razem wysyłali wiadomość mnie. Wiadomość brzmiała: wiemy, że pomogłeś, i to jest nasza odpowiedź. To ich imiona ma mi podać ten człowiek, Mastan. Imiona, które już znam.

Więc jest pan odpowiedzialny za śmierć nie tylko żony, ale i syna.

Wszystko, co robiłem, robiłem, żeby ich ratować. Narażałem siebie, żeby ich chronić. Jestem królem swego domu, ale stałem się sługą. Praczem. Dhobim. Ale masz rację. Zawiodłem. Oskarżasz mnie i jestem winny, zresztą los mnie pokarał, zabierając mi dzieci. Jedno zginęło z rąk moich wrogów, jedno z własnej ręki, jedno z ręki szaleńca, ale wszyscy trzej są moją karą, moim brzemieniem, które będę dźwigał zawsze, i tak, ich matki również. Dostałem nauczkę i teraz jestem mądrzejszy. Martwe ciała moich dzieci i ich matek dźwigam na własnych plecach i ich ciężar przygina mnie do ziemi. Widzisz mnie zdruzgotanego, córko, jestem jak karaluch zgnieciony pod butem przeznaczenia. Widzisz mnie zdruzgotanego. I teraz wiesz wszystko.

I co mam zrobić teraz, teraz, gdy wiem wszystko?

Działania z twojej strony nie są konieczne. Równo o dziewiątej rano przychodzi do mnie na herbatkę anioł śmierci.

32

Co by to znaczyło, gdyby Joker został królem, a Nietoperzyca trafiła do więzienia? Poza Ogrodami śmiech rozbrzmiewał coraz głośniej, przypominając wrzask, a ja nie wiedziałem, czy to okrzyki gniewu czy radości. Byłem zmęczony i przerażony zarazem. Może myliłem się co do mojego kraju. Może życie spędzone w bańce sprawiło, że wierzyłem w rzeczy nieprawdziwe lub rzeczy nie dość prawdziwe, by mogły zwyciężyć? Cóż by to wszystko znaczyło, gdyby stało się najgorsze, gdyby z powietrza spłynęła jasność, gdyby kłamstwa, oszczerstwa, brzydota, brzydota stały się obliczem Ameryki? Cóż by znaczyły moja historia, moje życie, moja praca, historie Amerykanów stare i nowe, rodzin z *Mayflower* i najświeższych Amerykanów dumnie przyjmujących obywatelstwo, by zdążyć wziąć udział w zdemaskowaniu – zdegradowaniu – Ameryki? Po co w ogóle próbować zgłębiać kondycję ludzką, jeśli ludzkość okazuje się groteskowa, mroczna i zwyczajnie tego *niewarta*? Jaki jest sens poezji, kina, sztuki? Niech dobroć zmarnieje jak niezebrane winogrona. Niech raj pozostanie utracony. Ameryka, którą kochałem, przeminęła z wiatrem.

W ostatni weekend przed wyborami nie spałem dobrze, pochłonięty takimi myślami. Riya zadzwoniła do mnie o piątej rano, gdy z szeroko otwartymi oczami wpatrywałem się w sufit. Musisz przyjść – poprosiła. – Coś się wydarzy, nie wiem, co takiego, ale nie mogę być tu sama. Starzec zasnął przy swoim biurku, na krześle, oparty czołem o blat. Ona też nie zmrużyła oka tej nocy. Nie była jednak katolickim księdzem z filmu Hitchcocka i chciała zrzucić na kogoś część brzemienia tego, co usłyszała, brzemienia sekretów, które teraz należały także do niej. Spotkałem się z nią przed świtem, usiedliśmy w ogrodzie i zaczęła mówić. Co mam zrobić? – spytała. Co można zrobić? – odparłem. Ale znałem już odpowiedź, bo aż rozpierało mnie twórcze podniecenie; ta historia wyrwała mnie z głębin nocnej rozpaczy. Była brakującym elementem układanki, którego potrzebowałem, stanowiła mroczne serce mojego filmu, wielkie objawienie, jego sens. Sztuka jest tym, czym jest, artyści są złodziejami i ladacznicami, ale wiemy, kiedy soki zaczynają płynąć żywiej, kiedy nieznana muza szepcze nam do ucha, szybko, zapisuj, bo nie będę powtarzać; i wtedy poznajemy odpowiedzi na wszystkie powątpiewające „dlaczego?", które prześladują nas podczas nocnych napadów trwogi. Myślałem o Josephie Fiennesie w roli młodego Barda ze Stratfordu w *Zakochanym Szekspirze*, gdy odskakuje od biurka, przy którym pisał – co? *Romea i Julię?* – kręci dyskretny piruecik i bez próżności ani wstydu mówi sobie: „Boże, ale jestem dobry".

(To prowokuje interesujące pytanie: Czy Shakespeare wiedział, że jest Shakespeare'em? Ale to innym razem).

(Nie ma muzy kina, nie ma też muzy powieści. W tym przypadku „najbliższą" muzą byłaby prawdopodobnie Kaliope – jeśli moje dzieło można by uznać za epickie – lub Talia, jeśli za komedię, lub Melpomena, gdybym zdołał wznieść się na wyżyny tragedii. Nieważne. Mniejsza z tym).

Niech rzecz się rozegra do końca – stwierdziłem. – Zobaczmy, co ma do powiedzenia emerytowany policjant.

Dramat ma to do siebie, że potrafi złapać w zasadzkę dramaturga. Coś ma się wydarzyć, a ja nie wiem, co takiego, powiedziała Riya, po czym zwróciła się do mnie o wsparcie, żadne z nas jednak się nie domyśliło, że tym, co miało się wydarzyć, byłem ja.

Przeszliśmy do domu Goldenów, gdzie w dużym pokoju dziennym z oknami na ogród zastąpiła nam drogę Wasylisa, trzymając na jednej ręce swojego małego synka – mojego synka! – a w drugiej broń. Mały pistolet z perłową rękojeścią i złotą lufą. Dziewczyna ze złotym pistoletem. W różowawej jedwabnej koszuli nocnej pod koronkowym peniuarem spływającym lekko aż do ziemi wyglądała jak włoska gwiazda filmowa – Monica Vitti lub Virna Lisi, nie byłem pewien która. Broń jednak była zdecydowanie w stylu Godarda. Pomyślałem o jego morderczyni z *Szalonego Piotrusia*, która zaciukała karła nożyczkami. Nie miałem ochoty stać się jedną z wersji tego liliputa. Podniosłem nawet ręce. Odgrywaj swoją rolę, pomyślałem. Riya spojrzała na mnie, jakbym zwariował.

Dzień dobry, Wasyliso – powiedziała Riya normalnym, niefilmowym głosem. – Odłóż to, bardzo cię proszę.

Co wy robicie w moim domu? – spytała Wasylisa, nie opuszczając broni. (Przynajmniej ona trzymała się scenariusza).

Zadzwonił do mnie pan Golden – wyjaśniła Riya. – Chciał porozmawiać.

Chciał rozmawiać z *tobą*?

Mówił bardzo długo. Wkrótce ktoś do niego przyjdzie. Jakiś mężczyzna.

Kto przychodzi? Dlaczego mnie nie poinformowano?

Ja przyszedłem, bo Riya się niepokoi – wtrąciłem. – Tym facetem.

Wszyscy się z nim spotkamy – oznajmiła Wasylisa. – Ta zagadka musi zostać rozwiązana. Odłożyła pistolet do torebki, gdzie było jego miejsce.

Cięcie. Następnie sekwencja szybkich ujęć ukazujących upływ czasu i pogarszający się stan zdrowia Nerona. Niepewnie trzyma się na nogach, mowa i gesty też niepewne.

Gdy obudziła męża, nie był w dobrej formie. Znikła klarowność jego długiej nocnej oracji. Mówił mętnie i niewyraźnie, jak gdyby wysiłek związany z wcześniejszymi reminiscencjami go wyczerpał. Wasylisa pomogła mu przejść do sypialni i rzuciła:

– Prysznic.

Gdy już się wykąpał, powiedziała:

– Ubranie.

Gdy już się ubrał, burknęła:

– Buty.

Wyglądał żałośnie.

– Nie zawiążę sznurówek – jęknął.

– To są mokasyny – zauważyła. – Buty.

Gdy już buty znalazły się na nogach, wyciągnęła rękę z garścią pigułek.

– Połknij – zakomenderowała.

Gdy już je połknął, rozkazała:

– Mów.

Pokręcił głową.

– Ktoś z przeszłości – rzekł.

O kapeluszach borsalino wiem co nieco tylko dzięki temu, że moi rodzice zwykli się spierać, po swojemu, życzliwie, czerpiąc większą przyjemność z samej dysputy niż z jej wyniku, o to, czy mogą zaliczyć słynne fedory do swojego kącika belgijskiego. Firma Borsalino nie znajduje się w granicach Belgii, tylko we włoskim mieście Alessandria w regionie Piemont, położonym na aluwialnej równinie między rzekami Tanaro i Bormida, około dziewięćdziesięciu kilometrów od Turynu. O kapeluszach borsalino wiem trzy rzeczy: że są bardzo popularne wśród ortodoksyjnych żydów; że stały się modne, gdy Alain Delon i Jean-Paul Belmondo nosili je we francuskim filmie gangsterskim z roku siedemdziesiątego, którego tytuł wziął się od ich nazwy; i że są to filcowe kapelusze, a filc robiony jest z belgijskiego (aha!) króliczego futra.

Ów człowiek, Mastan, emerytowany policjant, siedział na tym samym krześle w salonie u Goldenów, który wcześniej zajmował morderca Kinski, i wydawał się nieco zatrwożony, gdy ujrzał przed sobą ponure twarze nie tylko Nerona, ale też Wasylisy, Riyi i moją. Trwał weekend, więc część personelu była poza domem. Żadnych Marud, żadnych Ględ. Nieobecny był Gonzalo, złota rączka, a także majordomus Michael McNally oraz kucharz, Sandro Cucchi zwany Cookie. Sam otworzyłem drzwi i wprowadziłem inspektora do środka. Przystojny mężczyzna! Siwowłosy, po siedemdziesiątce jak Neron, choć może kilka lat młodszy, z profilu wyglądał, jakby pozował do pomnika Szalonego Konia w Dakocie Południowej. Z tym że kremowy garnitur wyglądał jak wyjęty prosto z filmu z Peterem O'Toole'em, a krawat z ukośnymi czerwono-złotymi paskami był krawatem, jaki z dumą nosiłby każdy brytyjski dżentelmen. (Dopiero później, po przeprowadzeniu rekonesansu, dowiedziałem się, z jak wielką dumą. Krawat Klubu Krykietowego Marylebone w krykietowych kręgach był rzeczą nad wyraz pożądaną). Siedział wyprostowany jak struna, ale też sprawiał wrażenie bardzo speszonego, międląc w rękach borsalino na kolanie. Nastała chwila krępującego milczenia. Aż wreszcie się odezwał.

Przyjechałem do Stanów Zjednoczonych z trzech powodów – oznajmił. – Po pierwsze, aby odwiedzić siostrę w Filadelfii. Jej mąż z powodzeniem zajmuje się recyklingiem plastikowych butelek. W ten sposób ludzie dorabiają się w Ameryce fortun. Trzeba wpaść na dobry pomysł i się go trzymać. Profesor Einstein lubił mawiać, że miał tylko jeden dobry pomysł. Ale w jego przypadku chodziło o naturę wszechświata.

Neron zachowywał się głupkowato jak nigdy: rozkojarzony, z błędnym spojrzeniem nucił sobie pod nosem jakąś melodię.

Drugim powodem była chęć odwiedzin grobu P.G. Wodehouse'a – wyjaśnił. (Nadstawiłem uszu. Wodehouse, uwielbiany przez moi rodziców i przeze mnie. Wodehouse, o którym pomyślałem także wtedy, gdy na tym samym krześle siedział Kinski). – Pan Wodehouse jest u nas w kraju bardzo popularny – wyjaśnił Mastan. – Na jego grobie stoi marmurowa księga z wyrytymi nazwiskami jego bohaterów. Nie ma wśród nich jednak mojej ulubionej postaci, panny Madeline Bassett, która myślała, że gwiazdy to wianek ze stokrotek Pana Boga. Ale to jedna z pomniejszych bohaterek. Tak jak ja. Podobnie. Zawsze odgrywałem rolę ściśle drugoplanową.

Mój mąż nie czuje się najlepiej – oznajmiła sztywno Wasylisa. – Jeśli przychodzi pan w jakiejś sprawie, proszę się streszczać.

Ach, moja sprawa, proszę pani, tak. Proszę o chwilę cierpliwości. Jest sprawa pozorna i sprawa właściwa. Sprawa pozorna to coś, co mu przekazałem telefonicznie. Słowo ostrzeżenia. Ale ów dżentelmen jest człowiekiem światowym. Może nie ma potrzeby ostrzegać go przed czymś, o czym już wie. Społeczność naszych krajanów w Ameryce rośnie, proszę pani, należą do niej specjaliści od recyklingu plastikowych butelek, proszę pani, ponadto geniusze nowych technologii, nagradzani aktorzy, wojujący prawnicy, politycy od prawa do lewa, projektanci mody, a także, proszę pani, gangsterzy.

Przykro o tym mówić. W Ameryce słowo *mafia* ma zdecydowanie włoskie konotacje, lepiej więc go unikać i nazywać gangi naszych innymi słowami. Przyznajmy, że są wciąż niewielkie, to dopiero zaczątki czegoś, co Włosi nazywają rodzinami, a co nasi rodacy nazywają *gharany*, domami lub ostatnio też *towarzystwami* – termin popularny obecnie w ojczyźnie. Te amerykańskie towarzystwa, te nowe domy cechuje wielki entuzjazm, wielki potencjał szybkiego rozwoju. Jest też pewne zaangażowanie w sprawy ojczyzny, zainteresowanie globalizacją, wspólnymi działaniami. Nasi ludzie w USA chcą pomagać rodakom w ojczyźnie, aby ułatwić działania tutaj w zamian za analogiczne ułatwienia w kraju. Sytuacja się zmienia, proszę pani. Czas mija. Rzeczy kiedyś niemożliwe stają się możliwe. Pragnąłem omówić te kwestie z tym dżentelmenem, ale teraz, gdy znalazłem się z nim twarzą w twarz, dochodzę do wniosku, że jest to zbędne. Może zdaje sobie sprawę, może nie. Może to go zainteresować lub nie. Jego umysł może zachował zdolność oceny zagrożenia i ryzyka, może też ją stracił. Nie moja sprawa. Teraz to widzę.

Przechodzę więc do sprawy właściwej, proszę pani, dziękując za cierpliwość. Sprawa właściwa polegała na tym, że chciałem spojrzeć na tego dżentelmena i przekonać się, co to spojrzenie we mnie wzbudzi. Człowiek ten umknął sprawiedliwości za wiele dokonanych krzywd. Za swój udział w tragicznych wydarzeniach, proszę pani. Człowiek ten wprawnie zatarł ślady, wykorzystał pieniądze i spryt, aby wymazać wszystkie powiązania między sobą a wieloma nieopisanymi tragediami. Obiecałem, że podam mu imiona morderców jego syna, ale oczywiście on je zna, utrzymywał z nimi przez lata serdeczne stosunki, dopóki nie zwrócili się przeciwko niemu. Możliwe, że służby śledcze tego wielkiego kraju byłyby zainteresowane tymi sprawami i może ja mógłbym je zainteresować, ale obawiam się, że bez dowodów wyjdę przed nimi na nierozumnego starego człowieka, chociaż przed laty w odległym kraju byłem ich kolegą po fachu. Możliwe, że spojrzawszy na niego tutaj, zechciałbym wziąć sprawy w swoje ręce, chociaż obaj nie jesteśmy już młodzieniaszkami. Możliwe, że zapragnąłbym uderzyć go w twarz, choć absurdem może się wydawać taka bójka starych pryków. Nie jest czymś niewyobrażalnym, że chciałbym go zastrzelić. Wciąż jestem, proszę pani, znakomitym strzelcem, a broń w Ameryce nabyć łatwo. Teraz jednak, gdy patrzę na tego człowieka, człowieka, którego przez większość życia nienawidziłem, człowieka, który był mężczyzną silnym, widzę, że zastałem go w godzinie słabości, i nie jest wart mojej kuli. Niech stanie przed obliczem swego Boga. Niech go osądzi najwyższy sędzia. Niech pochłonie go piekło i niech go przypieka ogień piekielny przez całą wieczność. Tak więc przedstawiłem swoją sprawę i teraz odejdę.

Dłoń Riyi spoczywała ostrzegawczo na ramieniu Wasylisy: zostaw pistolet na swoim miejscu.

Pan Mastan wstał i pochylił głowę. I w chwili, gdy odwracał się do drzwi, Neron dźwignął się z głębin sofy, na której siedział, i przeraźliwie, szokująco krzyknął na całe gardło:

Przychodzisz do mojego domu i rozmawiasz ze mną tym tonem w obecności mojej żony?!

Emerytowany policjant stanął jak wryty, odwrócony plecami do Nerona, z kapeluszem w dłoni.

Kanalia! – wrzasnął Neron. – Uciekaj! Teraz ty już nie żyjesz!

33

Gdy do akcji wkracza detektyw, widzowie instynktownie się rozluźniają, oczekując, że po zbrodni zatriumfuje sprawiedliwość i zwycięży dobro. Pokonanie niesprawiedliwych przez sprawiedliwych nie jest jednak gwarantowane. W innym filmie Hitchcocka, *Psychoza*, źródłem trwogi jest świadomość, że giną niewłaściwi bohaterowie. Janet Leigh jest tu największą gwiazdą, ale – aaa! – ginie pod prysznicem, chociaż nie minęła jeszcze połowa projekcji. Potem zjawia się detektyw, Martin Balsam, miły, swojski, solidny Martin Balsam, fachowiec w każdym calu, można odetchnąć i nasze napięcie słabnie. Teraz już wszystko będzie dobrze. I wtem – aaa! On też ginie. Notatka dla siebie: gdy umierają niewłaściwi ludzie, robi się szczególnie strasznie.

Emerytowany policjant, inspektor Mastan, dawniej w bombajskim oddziale CID. Mamy się spodziewać, że stanie się z nim coś strasznego?

Jeszcze jedna ostatnia uwaga o Hitchcocku. Tak, lubił pojawić się na moment w swoich filmach; twierdził, że dzięki temu ludzie oglądają je uważniej, wypatrując, kiedy i w jakiej formie to nastąpi, lecz także bardzo często wplatał swój występ wcześnie, żeby wyczekiwanie na jego rólkę nie rozpraszało zbytnio widowni. Wspominam o tym, muszę bowiem teraz zapisać, jako twórca powstającego dzieła (co jest określeniem sporo na wyrost, zważywszy, że mamy tu do czynienia z projektem w zasadzie debiutanta), że gdy się przyglądałem opisanej właśnie scenie – milcząco w niej uczestnicząc – zaczęło wzbierać we mnie coś, nad czym nie miałem kontroli. W tej godzinie wyjawiania tajemnic ja wydałem się ze swoją.

Tak: zazwyczaj skrywam uczucia. Trzymam je pod kluczem lub przekładam na odniesienia filmowe. Nawet w tak krytycznym dla mojej narracji momencie, gdy wychodzę z cienia na środek sceny w światła rampy, próbuję (bez powodzenia) się powstrzymać, żeby nie nawiązać do późnego arcydzieła Akiry Kurosawy *Ran*, w którym niby-król Lear żeni się z niby-lady Makbet. Myśl tę przywołało coś, co powiedział inspektor Mastan. Nazwał się „nierozumnym starym człowiekiem", świadomie lub nie cytując zrozpaczonego szekspirowskiego króla. „Błagam/Nie drwij już ze mnie. Jestem nierozumnym/Starym człowiekiem (...) I, by rzec szczerze,/Lękam się, że mnie mój umysł zawodzi"*.

Tak oto Neron siedział na swym ostatnim tronie, wykrzykując starcze słowa nienawiści. Przedwieczny, który rozbił życie swoich trzech synów, i zniszczyła go nie – tak jak Leara – ich wrogość, lecz ich unicestwienie. Przed nim zaś, równie potworna w moich oczach jak lady Kaede w *Ranie*, lady Makbet Kurosawy, stała Wasylisa Golden, matka jego (acz tylko pozornie jego) czwartego i ostatniego ocalałego dziecka, z pistoletem w torebce i oczami ziejącymi ogniem. I ja, błazen, zacząłem swój monolog, który miał ujawnić prawdę. Jak gdybym nie rozumiał, że odgrywam tu rolę drugoplanową. Jak gdybym przynajmniej w tej jednej scenie mógł być gwiazdą, podobnie jak inspektor Mastan.

Z czasem zacząłem gardzić drugą panią Golden za jej wyniosłość, za to, ża mnie potraktowała niby zużytą chustkę do nosa, gdy już wypełniłem swoje zadanie, za pistolet w torebce, za dewocyjne modły do imitacji ikony, za fałszywą matkę matrioszkę, za niezaprzeczalną prawdę, że wszystko, co robi, każdy gest, każdą modulację głosu, każdy pocałunek, każdy uścisk motywuje nie szczere uczucie, tylko chłodna kalkulacja. Mądrość pająka, mądrość rekina. Była mi wstrętna. Nienawidziłem jej z całego serca i chciałem ją skrzywdzić.

W indyjskiej angielszczyźnie emerytowanego inspektora, w jego najwyższej samokontroli, w głosie, którego ani razu nie podniósł, nawet gdy przeklinał Nerona, życząc mu wiecznego potępienia, rozpoznałem coś swojego. Może Suchitra miała rację, mówiąc, że każda postać w opowiadanej przeze mnie historii to jeden z aspektów

---

* Fragment *Króla Leara* Williama Shakespeare'a w przekładzie Macieja Słomczyńskiego.

mojej natury. Z pewnością słyszałem siebie nie tylko w powściągliwości pana Mastana, lecz także, w tym momencie, we wrzaskach Nerona, bezradnego starca. Nie byłem starcem, jeszcze nie, wiedziałem jednak co nieco o bezsilności. Nawet teraz, gdy postanowiłem odrzucić pęta, jakie nałożyła na mój język Wasylisa, rozumiałem, że prawda najbardziej zrani mnie. A jednak chciałem ją wypowiedzieć. Gdy zadzwoniła Riya, wzywając mnie do domu Goldenów, *coś ma się wydarzyć*, Riya po swojemu zrozpaczona i zdezorientowana, w stanie, w którym żałoba mieszała się z potworną wiedzą, wywołała we mnie falę uczuć nie od razu rozpoznanych, ich znaczenie jednak teraz raptownie stało się dla mnie jasne.

Wybory były tuż-tuż i Suchitra, jak to ona niezmordowana, zgłosiła się do kampanii telefonicznej, a potem, we wtorek, do czarnej roboty mobilizowania elektoratu na ulicy. Z nią powinienem był usiąść w pierwszej kolejności i spokojnie się wyspowiadać, wytłumaczyć, wyrazić swoją miłość i błagać o wybaczenie. Byłem jej winien chociaż to, tymczasem stałem w salonie Goldenów na tylnych łapach, z otwartymi ustami, na których drżały zgubne słowa.

Nie, nie ma potrzeby przytaczać samych słów.

Pod koniec wybitnego filmu *Droga do miasta* Satyajita Raya pojawia się najwspanialsza moim zdaniem scena w historii kina. Harihar, ojciec małego Apu i jego starszej siostry Durgi, który zostawił ich z matką Sarbadźają, sam zaś wybrał się do miasta spróbować zarobić trochę grosza, wraca – po udanym pobycie – z prezentami dla dzieci, nie wiedząc, że pod jego nieobecność Durga zachorowała i umarła. Zastaje Sarbadźaję na ganku – pjol – przed domem, oniemiałą pod wpływem nieszczęścia, niepotrafiącą go serdecznie powitać ani zareagować na jego słowa. Nic nie rozumiejąc, Harihar zaczyna jej pokazywać prezenty dla dzieci. Po czym następuje ten niezwykły moment, kiedy widzimy, jak jego twarz się zmienia, bo oto Sarbadźaja, odwrócona plecami do kamery, mówi mu, co się stało z Durgą. W tej chwili, zdając sobie sprawę z niewystarczalności dialogu, Ray pozwala wypełnić ścieżkę dźwiękową muzyce, wysokie, przeszywające dźwięki tar śehnai wyrażają swym łkaniem rozpacz rodziców dobitniej, niż mogłyby to zrobić ich słowa.

Nie mam muzyki. W zamian proponuję tylko ciszę.

Gdy powiedziałem to, co było do powiedzenia, z drugiego końca pokoju podeszła do mnie Riya i stanęła tuż przede mną. Podniosła prawą rękę i z całej siły uderzyła mnie w twarz z lewej strony. To za Suchitrę – powiedziała. Potem wierzchem dłoni uderzyła mnie jeszcze mocniej w prawy policzek ze słowami: A to za ciebie.

Stałem w miejscu i nie ruszałem się.

Co on powiedział? – dopytywał się Neron w swoim zamroczeniu. – O czym on mówi?

Podszedłem do miejsca, gdzie siedział, przykucnąłem, spojrzałem mu prosto w oczy i powtórzyłem:

Jestem ojcem twojego syna. Małego Wespy. Twoje jedyne ocalałe dziecko nie jest twoje. Jest moje.

Wasylisa rzuciła się na mnie z iście bajroniczną furią, jak wilk spada na trzody, nim jednak mnie dopadła, ujrzałem, że oczy starca rozbłysły, i wrócił, znowu obecny, przytomny, potężny mąż powracający z mrocznego wygnania do własnej skóry.

Przyprowadź chłopca – rozkazał żonie.

Pokręciła głową. Nie powinniśmy go w to mieszać – powiedziała.

W tej chwili go przyprowadź.

I gdy sprowadzono Małego Wespę – Wasylisa trzyma go na rękach, obok niej matka matrioszka, ciała obydwu kobiet częściowo odwrócone od pana domu, osłaniają wspólnie dziecko – Neron spojrzał bacznie na chłopca, jak gdyby po raz pierwszy, potem na mnie, potem znów na niego, i znowu na mnie i tak dalej, wielokrotnie; aż w końcu chłopiec, niesprowokowany, lecz po dziecięcemu wyczuwając kryzys, uderzył w głośny płacz. Wasylisa dała znak starszej kobiecie: *wystarczy*. Chłopca zabrano sprzed ojcowskiego oblicza. Nie spojrzał w moją stronę ani razu.

Tak – rzekł Neron. – Rozumiem. – Nie powiedział nic więcej, ale mnie się zdawało, że nad jego głową widzę zawieszone w powietrzu straszne słowa, które kiedyś przyszły do głowy Emmie Bovary na temat jej córki Berty. *Dziwna rzecz, jakie to brzydkie dziecko!**

Niczego nie rozumiesz – powiedziała Wasylisa, podchodząc do niego.

---

* Fragment *Pani Bovary* Gustave'a Flauberta w przekładzie Anieli Micińskiej.

Neron Golden podniósł rękę, żeby powstrzymać żonę. Gdy ją opuścił, splunął na grzbiet dłoni.

Powiedz mi wszystko – zwrócił się do mnie.

Powiedziałem.

Nie muszę tego słuchać – oznajmiła Riya i wyszła.

Nie mam zamiaru tego słuchać – oświadczyła Wasylisa i została w pokoju, nadstawiając uszu.

Gdy skończyłem, Neron zamyślił się na dłuższy czas. Po czym głosem silnym i cichym rzekł: Teraz ja i moja żona musimy porozmawiać na osobności.

Odwróciłem się do wyjścia, nim jednak opuściłem pokój, powiedział coś dziwnego.

Jeśli stanie się nam obojgu coś złego, ciebie wyznaczam na opiekuna chłopca. Jeszcze dzisiaj każę prawnikom przygotować dokumenty.

Nic złego nam się nie stanie – zaprotestowała Wasylisa. – Poza tym jest weekend.

Teraz pomówimy w cztery oczy – odpowiedział Neron. – Proszę, odprowadź René do drzwi.

Gdy oddalałem się wzdłuż Macdougal Street w stronę Houston, adrenalina odpływała z mego ciała i ogarniał mnie lęk o przyszłość. Wiedziałem, co muszę zrobić, czego nie mogę uniknąć. Próbowałem dodzwonić się do Suchitry. Poczta głosowa. Przesłałem jej esemesa: *Musimy pogadać.* Krążyłem po mieście, wracając do domu Szóstą Aleją, przez Tribecę, ślepy na otaczające mnie ulice. Na rogu North Moore i Greenwich dostałem od niej odpowiedź. *Wracam późno. Co jest.* Nie wiedziałem, jak odpowiedzieć. *Dobra widzimy się później.* Skręciłem w prawo w Chambers i minąłem liceum Stuyvesanta. Spodziewałem się najgorszego. Bo co innego mogło się wydarzyć? Co sobie o mnie pomyśli, o tym, co mam jej do powiedzenia? Wszystko, co najgorsze.

Ale gdyby natura ludzka nie była zagadką, nie potrzebowalibyśmy poetów.

34

P*óźniej. Powiedzmy, że dużo później.* Pewien mądry człowiek zasugerował kiedyś, że Manhattan na południe od Czternastej Ulicy o trzeciej w nocy dwudziestego ósmego listopada to Gotham City Batmana; Manhattan między Czternastą a Sto Dziesiątą Ulicą w najjaśniejszy i najbardziej słoneczny dzień w lipcu to Metropolis Supermana. A Spider-Man, ten żółtodziób, wisi do góry nogami w Queens, rozmyślając o mocy i odpowiedzialności. Te wszystkie miasta, niewidzialne wymyślone miasta leżące nad tymi prawdziwymi, wokół nich i wplecione w nie: wszystkie wciąż nietknięte, mimo iż po wyborach Joker – o włosach zielonych i jaśniejących triumfalnie, o skórze białej jak kaptur członka wiadomego klanu i ustach, z których skapywała czyjaś krew – teraz władał w nich wszystkich. Joker naprawdę wstąpił na tron i zamieszkał w złotym domu na niebie. Mieszkańcy pocieszali się komunałami, zauważali, że na gałęziach drzew wciąż przysiadują ptaki, niebo jeszcze nie runęło, a poza tym nadal często bywało błękitne. Miasto cały czas stało. A w radiu i bezprzewodowych słuchawkach niefrasobliwej młodzieży korzystającej z muzycznych aplikacji rytm nie zamierał. New York Yankees nadal martwili się rotacją miotaczy, Metsi nadal grali słabiej, niż się od nich oczekiwało, a na Knicksach nadal ciążyła klątwa Knicksów. Internet wciąż pełen był kłamstw i prawda zwinęła swój interes. Najlepsi stracili wszelką wiarę, w najgorszych kipiała żarliwa i porywcza moc, a słabość sprawiedliwych została obnażona przez furię niesprawiedliwych. Republika pozostała jednak w zasadzie nienaruszona. Pozwólcie, że podkreślę to zdanie, bo często je wypowiadano, by pocieszyć tych z nas, których nie dawało się łatwo pocieszyć. To w pewnym sensie fikcja, jednak ją powtarzam. Wiem, że po burzy kolejna burza i jeszcze jedna. Wiem, że deszczowa aura jest teraz stałą prognozą pogody, że szczęśliwe dni mają już nie wrócić, że nietolerancja jest w modzie i że system jest zmanipulowany, tylko nie tak, jak to próbował nam wmówić zły klaun. Czasem wygrywają nikczemnicy i co można zrobić, gdy świat, w który się wierzy, okazuje się papierowym księżycem, za to wschodzi mroczna planeta i ogłasza: Nie, to ja jestem światem. Jak żyć wśród obywateli i obywatelek tego kraju, gdy nie wiadomo, kto z nich zalicza się do ponad sześćdziesięciu milionów wyborców, którzy dali władzę diabłu; gdy nie można stwierdzić, kto zalicza się do ponad dziewięćdziesięciu milionów tych, którzy wzruszyli ramionami i zostali w domach; gdy twoi amerykańscy sąsiedzi mówią ci, że wiedza jest przejawem elitaryzmu, a oni nienawidzą elit, tymczasem twój umysł to wszystko, co masz, i nauczono cię wierzyć w cudowność wiedzy, nie w te bzdury o tym, że wiedza to władza, lecz *wiedza to piękno*, po czym to wszystko, wykształcenie, sztuka, muzyka, film, stają się pretekstem, żeby cię znienawidzić; i bestia rodem ze Spiritus Mundi dźwiga się i pełznie w stronę Waszyngtonu, by tam się narodzić. Wycofałem się w życie prywatne – przylgnąłem do życia takiego, jakie znałem, z jego powszedniością i siłą, próbując przekonać samego siebie, że moralne uniwersum Ogrodów jest w stanie przetrwać nawet najcięższe oblężenie. Pozwólcie więc, by moja skromna historia dobrnęła do swego finału bez względu na to, jakie makrofarmazony, jakie sfabrykowane sensacje, jakie koszmary, idiotyzmy, jakie obrzydliwości i nikczemności szaleją dookoła, gdy czytacie te słowa. Pozwólcie, że poproszę, by ten olbrzymi, zwycięski, zielonowłosy, komiksowy król ze swoją wartą miliardy serią filmową usiadł z tyłu i autobus poprowadzili prawdziwi ludzie. Może tylko nasze małe życie jesteśmy w stanie zrozumieć, i nic więcej.

Pamiętam, jak mówiłem Apu Goldenowi, że w dzień wyborów w listopadzie dwa tysiące ósmego wzruszyłem się do łez. Były to dobre łzy. Odmienne, acz równie obfite łzy z dwa tysiące szesnastego zmyły tamtą dobroć.

W świecie rzeczywistym przyswoiłem sobie trudne lekcje. Kłamstwa mogą doprowadzić do tragedii zarówno w wymiarze osobistym, jak i ogólnonarodowym. Kłamstwa mogą pokonać prawdę. Ale prawda jest również niebezpieczna. Prawdomówca nie tylko może być bezwzględny i ordynarny jak ja tamtego dnia w domu Goldenów. Powiedzenie prawdy może też kosztować utratę tego, co kochasz.

Po tym, gdy powiedziałem Suchitrze o dziecku Wasylisy Golden, dyskusja nie trwała długo. Wysłuchała mnie w milczeniu, a potem przeprosiła mnie i zamknęła się w sypialni. Dziesięć minut później wyłoniła się stamtąd z suchymi oczami, w pełni panując nad emocjami.

– Uważam, że powinieneś się wyprowadzić, nie sądzisz? – rzekła. – I powinieneś to zrobić natychmiast.

Przeniosłem się z powrotem do swojego dawnego pokoju u pana U Lnu Fnu. Co do naszych kontaktów służbowych, oznajmiła, że jest gotowa nadal wspierać mój projekt fabularny, który po tylu latach miał niebawem dostać zielone światło, ale poza tym w przyszłości pracujemy oddzielnie, co było rozwiązaniem jak najbardziej fair. Ponadto, ku memu zdziwieniu i wielkiej konsternacji, natychmiast nawiązała całą serię krótkich, acz bezsprzecznie namiętnych romansów ze znanymi mężczyznami, a szczegółami tych przygód dzieliła się bez oporów w mediach społecznościowych, co, przyznaję, działało na mnie jak uderzenia obuchem w głowę. Jak bardzo jej na mnie zależało, skoro z taką łatwością potrafiła się wdawać w kolejne flirty? Jak prawdziwe było jej uczucie do mnie? Dręczyły mnie tego typu wątpliwości, chociaż w głębi ducha wiedziałem, że próbuję tylko przerzucić winę, a winy nie dawało się na nikogo przerzucić, spoczywała pewnie na moich barkach... A więc nie był to najszczęśliwszy epizod mojego życia, ale owszem, udało mi się wtedy ukończyć film, *Złoty dom Goldenów*, mój niemal dziesięcioletni obsesyjny projekt – ostatecznie dramat, pełnokrwista fabuła, nie mockument, ze scenariuszem całkowicie przeredagowanym od czasu mego pobytu w Laboratorium Instytutu Twórców Filmowych Sundance – i owszem, tym, którym powinien, film najwyraźniej się spodobał, i tak, z pomocą zaprzyjaźnionego włosko-amerykańskiego producenta z Los Angeles prawa do dystrybucji filmu w Ameryce Północnej zakupiła firma Inertia Pictures. A w prasie branżowej: *premiera w kinach i w systemie „wideo na żądanie" w pierwszym kwartale,* o czym dowiedziało się na wyłączność „Variety", więc musiała to być prawda. *Ten film pełnometrażowy jest debiutem reżysera i scenarzysty Unterlindena.* W trudnym dla produkcji niezależnych, co do tego panowała zgoda, okresie. O dziwo, gdy nadchodziły dobre wiadomości, nie czułem absolutnie nic. Co miałem czuć? To tylko praca. Główną korzyścią było to, że mogłem sobie pozwolić na wynajęcie własnego mieszkania.

Ale przeniesienie się tam byłoby równoznaczne z utratą dostępu do Ogrodów, gdzie przecież codziennie bawił się mój syn, nawet jeśli podejście do niego było niemożliwością. Przywiązałem się także do pana U Lnu Fnu, który na swój delikatny sposób starał się mnie pocieszać po utracie miłości Suchitry. Spytał mnie, w który dzień tygodnia przyszedłem na świat ja, a w który Suchitra. Nie wiedziałem, ale w internecie są teraz strony, gdzie można to sprawdzić, odkryłem więc, że ja urodziłem się w niedzielę, a ona w środę. Gdy poinformowałem o tym pana U Lnu Fnu, natychmiast zaczął cmokać i kręcić głową.

– A widzisz, a widzisz – powtarzał. – W Mjanmie powszechnie wiadomo, że to połączenie nie jest fortunne.

Sobota i czwartek, piątek i poniedziałek, niedziela i środa, środa wieczorem i wtorek: te pary są felerne.

– Znajdź lepiej kogoś z dnia, który się dopełnia z twoim – wyjaśnił. – Dla ciebie, niedzielnego chłopaka, dobry jest każdy inny dzień. Byle nie środa! Po co wybierać dzień, który jest pechowy? Chyba po to, żeby sobie zagwarantować nieszczęśliwe życie!

O dziwo, ten przesąd z drugiego końca świata trochę mnie pocieszył. Ale w tym czasie, gdy straciłem zarówno kochankę, jak dziecko, i tonąłem, chwytałem się każdej brzytwy.

Praca idzie dobrze, gdy w życiu prywatnym wszystko się wali. Tak się z reguły dzieje? Samotność i rozpacz: tak się zwą bramy Edenu?

• • •

Moja historia oddaliła się od mojego filmu i powstałe rozbieżności są wyraźne. W filmie emerytowany inspektor policji z Indii przybywa na spotkanie ze starym łotrem z morderczymi zamiarami i na miejscu rzeczywiście wyciąga broń i go zabija, po czym sam ginie zastrzelony z pistoletu czekającego w torebce rosyjskiej żony starca.

W życiu, które muszę nazywać prawdziwym, pan Mastan zginął w ciągu dwudziestu czterech godzin od wyjścia z domu na Macdougal Street, zepchnięty z peronu pod nadjeżdżający pociąg metra, gdy zmierzał na Penn Station, by wrócić do domu siostry w Filadelfii. Napastniczką była trzydziestoletnia kobieta z Queens o południowoazjatyckich korzeniach, którą niemal natychmiast aresztowano i oskarżono o morderstwo drugiego stopnia. Po zatrzymaniu oznajmiła: „Wścibski stary. Wtrącał się w nie swoje sprawy". W „New York Timesie" napisano: „jak donosi policja, jest osobą zaburzoną i już miesiąc wcześniej wymyśliła historię o zepchnięciu kogoś na tory". Szybko ustalono, że tamto wcześniejsze zeznanie było kłamstwem. Tym razem jednak zrobiła to naprawdę. Wbrew temu, co mówiła, nie można było potwierdzić, że łączyły ją jakiekolwiek stosunki z denatem, śledczy doszli więc do wniosku, że takowe nie istniały. Zaburzona emocjonalnie kobieta uśmierciła obcego mężczyznę. Dalsze dochodzenie wydawało się zbędne.

Zacząłem odnosić wrażenie, że nawet to moje małe życie z każdym dniem robi się coraz bardziej niepojęte. Niczego nie rozumiałem. Stałem się tym, kim zawsze miałem nadzieję zostać, ale bez miłości to wszystko popiół. Codziennie myślałem o tym, żeby się odezwać do Suchitry, tymczasem ona na Instagramie informowała cały świat o swoich nowych miłostkach, które były jak sztylety wbijające się w serce. A moja zbrodnia, mój jedynak, rósł na moich oczach za oknem, uczył się nowych słów, kształtował charakter, a ja mogłem tylko bezczynnie się temu przypatrywać z daleka. Wasylisa postawiła sprawę jasno – jeśli podejdę do niego na odległość pięciu metrów, wystara się dla mnie o sądowy zakaz zbliżania się do Wespazjana. Trzymałem się więc na dystans przy oknie mego birmańskiego mentora i zerkałem żałośnie na niedostępnego potomka, gdy zbliżały się jego trzecie urodziny. Może byłoby lepiej, gdybym opuścił Ogrody i zaczął nowe życie gdzie indziej, na przykład na

Greenpoincie albo na Madagaskarze, w Syczuanie, Niżnym Nowogrodzie lub Timbuktu. Czasem śniło mi się, że zostałem obdarty ze skóry i paraduję nagi, w dodatku bez skóry, po nieznanym mieście, które nic sobie z moich snów nie robi. We śnie wchodzę po schodach znajomego domu i nagle zdaję sobie sprawę, że w pokoju, do którego miałem wejść, na szczycie schodów, czeka na mnie mężczyzna ze stryczkiem i moje życie niebawem dobiegnie końca. To wszystko w czasie, gdy po ponad dziesięciu latach odniosłem błyskawiczny sukces i spływały do mnie lukratywne propozycje wyreżyserowania hiphopowych wideoklipów, reklam samochodowych, godzinnych odcinków przebojowego serialu telewizyjnego, a nawet drugiego filmu fabularnego. Żadna z tych rzeczy nie wydawała się sensowna. Straciłem orientację i oto siedziałem w swej blaszanej puszce, wirując w otchłani.

Ktoś mnie słyszy? Ktoś mnie słyszy? Ktoś mnie słyszy?

Osobą, która pomogła mi postawić pierwsze niepewne kroki na drodze ku funkcjonalnej dorosłości, była Riya – ta sama Riya, która huknęła mnie w twarz tak mocno, że jeszcze kilka dni potem dzwoniło mi w uszach. Zaczęliśmy się spotykać może raz w tygodniu, zawsze w tym samym barze-restauracji na Bowery niedaleko Muzeum Tożsamości, gdzie wyjaśniała mi, dlaczego podjęła decyzję o powrocie do pracy na dawne stanowisko, które jej szef Orlando Wolf, wykazując się sporą dozą wrażliwości, dla niej zatrzymał. Tłumaczyła, że to jak związek dwojga ludzi, w którym miłość wygasła, pozostało jednak dość wspólnych spraw, by warto było starać się ratować związek. Może jeśli spróbują, coś na kształt uczucia jeszcze się odrodzi.

Proponowała też, żebym podobnie myślał o własnej pękniętej miłości. Daj Suchitrze trochę czasu, przekonywała. Niech przejdzie tę fazę z tymi wszystkimi zastępczymi typkami na pokaz. Powoduje nią złość. Daj jej trochę czasu, a myślę, że do ciebie wróci, chcąc sprawdzić, co się da uratować.

Trudno mi było w to wierzyć, ale poczułem się lepiej. Z przyjemnością też obserwowałem odrodzenie Riyi. Wyniki wyborów jakby ją pobudziły, przywróciły w dużej mierze dawną siłę ducha i przenikliwość umysłu. Nie mieszała się do polityki genderowej, bo, przytaczając jej słowa, wciąż w tej sferze była „zdezorientowana", ale przygotowywała kolejne sale, w których rejestrowano i ukazywano rozkwit nowej skrajnej prawicy „identytaryzmu", narodziny w Ameryce europejskiego ruchu ultraistycznego, który powstał z francuskiego ruchu młodzieżowego Nouvelle Droite Génération Identitaire, organizowała także spotkania poświęcone tożsamości rasowej i narodowej, nadawszy całemu cyklowi nazwę *Kryzys tożsamości*. Podczas tych spotkań podejmowano ogólnie kwestie rasowe i religijne, lecz skupiano się przede wszystkim na schizmatyckich konwulsjach, które wstrząsały Ameryką po triumfie rechoczącego komiksowego narcyza, Ameryką rozdartą na pół, z jej definiującym mitem o wyjątkowości „lśniącego miasta na wzgórzu" zdeptanym w rynsztokach nietolerancji, rasowego i męskiego supremacjonizmu, gdy z twarzy Amerykanów zdarto maski, odsłaniając gęby Jokerów. Sześćdziesiąt milionów. Sześćdziesiąt milionów. I jeszcze dziewięćdziesiąt milionów zbyt obojętnych, by zagłosować.

Kiedyś Francuzi przysłali nam statuę stojącą w porcie, powiedziała, a teraz przysyłają nam to.

Tożsamość stała się okrzykiem bojowym neofaszystów i muzeum musiało się zmienić, Riya zaś została apologetką tej zmiany. Rozleniwiliśmy się, przekonywała. Przez osiem lat wmawialiśmy sobie, że postępowa, tolerancyjna, dojrzała Ameryka ucieleśniona przez prezydenta jest tym, w co ewoluował ten kraj, i że po prostu taka już pozostanie. I ta Ameryka wciąż istnieje, ale jej mroczna strona też cały czas istniała, a teraz wypadła z rykiem z klatki i nas pożarła. Tajną tożsamością Ameryki nie był wcale superbohater. Okazało się, że jest nią superłotr. Jesteśmy we wszechświecie Bizarra i musimy się zetrzeć z Ameryką Bizarra, by pojąć jej naturę i wymyślić, jak ją znowu pokonać. Musimy się nauczyć, jak nakłonić pana Mxyztplka, by wypowiedział swoje imię od końca, co sprawi, że przeniesie się do piątego wymiaru, i świat znów zacznie się wydawać normalny. Musimy też przyjrzeć się sobie, by zrozumieć, jak to się stało, że jesteśmy teraz tak cholernie słabi i apatyczni, jak się uzbroić, by ruszyć znowu do boju. Kim teraz jesteśmy? Kto to w ogóle, kurwa mać, wie?

No już dobrze, dobrze, pomyślałem, tracąc cierpliwość (choć tylko wewnętrznie) do jej tyrady. Świetnie. Cieszę się, że znowu działasz na najwyższych obrotach, rób to wszystko, co robisz, nie krępuj się. Ja chciałem tylko zatkać uszy i krzyczeć „la, la, la, la, la". Chciałem tylko, żeby w telewizji nie było wiadomości, żeby internet na zawsze się zepsuł, żeby moi przyjaciele byli moimi przyjaciółmi, chciałem chodzić na dobre kolacje, na dobre koncerty, chciałem, żeby miłość zwyciężyła i Suchitra jakimś czarodziejskim sposobem do mnie wróciła.

Potem pewnej nocy, gdy leżałem zgnębiony w łóżku, przypomniałem sobie, co po śmierci moich rodziców radził mi Neron. Czas zmądrzeć. Nauczyć się być mężczyzną.

Następnego dnia po południu stawiłem się w montażowni, gdzie Suchitra intensywnie nad czymś pracowała. Zastygła na mój widok.

Mam naprawdę mnóstwo roboty – burknęła.

Zaczekam – odparłem.

Będę pracować do późna.

Nie masz nic przeciwko, żebym zaczekał? – spytałem.

Zastanowiła się.

A czekaj sobie, jeśli chcesz.

W takim razie zaczekam – oznajmiłem.

Odwróciła się i przez pięć godzin i czterdzieści trzy minuty nie spojrzała w moją stronę ani razu, gdy stałem milcząco i nieruchomo w kącie, starając się nie przeszkadzać. Gdy wreszcie zbliżała się do końca, była za kwadrans jedenasta. Obróciła się na krześle w moją stronę.

Czekałeś bardzo cierpliwie – skomentowała, nie bez życzliwości. – To pewnie coś ważnego.

Kocham cię – zwróciłem się do niej i zauważyłem, jak wznoszą się wokół niej barykady niechęci.

Nie odzywała się. Piknął monitor i wyświetliło się okienko z informacją, że jeden z otwartych programów uniemożliwił zamknięcie komputera. Zmęczona wydała z siebie westchnienie irytacji, zamknęła program i ponownie próbowała wyłączyć system. Tym razem z powodzeniem.

Niekiedy *in extremis* istoty ludzkie otrzymują – od siły z wewnątrz lub siły wyższej, w zależności od wyznawanego systemu wierzeń – dar języków, kiedy to we właściwym momencie wypowiadamy właściwe słowa; słowa, które otworzą i uleczą poranione, nieufne serce.

Tak też się stało o tej późnej porze wśród wyłączonych, ciemnych monitorów. Nie tylko język, ale i nagość za słowami. A za nagością – muzyka. Pierwsze słowa, które padły z moich ust, nie należały do mnie. I zadziałały dzięki temu, że ja, który zawsze fałszowałem, próbowałem zaśpiewać, początkowo z zażenowaniem, a potem z nieproszonymi łzami spływającymi mi po twarzy: *Ptaka na drucie,* deklarując swą zdradziecką wierność słowami piosenki i obiecując głęboką poprawę. Zanim dobrnąłem do końca, parsknęła śmiechem, a po chwili śmialiśmy się już oboje, płakaliśmy i śmialiśmy się na przemian, i było dobrze, wiedzieliśmy, że będzie dobrze, ze swoimi dwoma zachrypniętymi głosami byliśmy pijakami w naszym nocnym chórze i mieliśmy spróbować na swój sposób być wolni.

Później, gdy leżeliśmy razem w łóżku, w którymś momencie dodałem bardziej prozaiczne myśli do magii piosenki. Minął ponad rok od podboju Ameryki przez Jokera i wszyscy wciąż byliśmy w szoku, przechodząc przez kolejne etapy żałoby, teraz jednak musieliśmy zewrzeć szeregi i wystawić przeciwko tym potwornym siłom miłość, piękno, solidarność i przyjaźń. Człowieczeństwo było jedyną odpowiedzią wobec komiksu. Prócz miłości nie miałem innego planu. Liczyłem na to, że inny plan z czasem się wyłoni, a na razie było tylko przytulanie się, przekazywanie sobie nawzajem mocy, z ciała do ciała, z ust do ust, z ducha do ducha, ode mnie dla ciebie. Było tylko trzymanie się za ręce i powolne oswajanie się z ciemnością.

Nic już nie mów, rozkazała i przyciągnęła mnie ku sobie.

Urodzeni w niedzielę i środę. Według informacji z Mjanmy – przestrzegłem ją – to połączenie jest pechowe.

Zdradzę ci pewien sekret – odrzekła. – Birmańskie złe czary mają zakaz wjazdu do Stanów Zjednoczonych. Jest cała lista krajów, których złe czary nie mają prawa wjazdu. Większość jest oczywiście muzułmańska, ale Mjanma też na niej figuruje.

Dopóki więc jesteśmy na terenie Stanów Zjednoczonych, nic nam nie grozi?

Będziemy musieli coś wykombinować, powiedziała, jeśli chodzi o wakacje za granicą.

35

Gdy moja historia dobiega końca, jej brzegi muskają płomienie, ogień jest gorący, niepowstrzymany i zatriumfuje.

Dom Goldenów w tych ostatnich miesiącach był jak oblężona twierdza. Szturmujące siły pozostawały niewidoczne, ale wszyscy w domu je wyczuwali, niewidzialne anioły lub demony nadchodzącej zagłady. I zaczęli odchodzić, jedno po drugim.

Filmowym echem jest tutaj może największe arcydzieło wspaniałego Luisa Buñuela. Pierwotny tytuł, *Los náufragos de la calle Providencia,* nie nawiązuje otwarcie do religii – słowo *Providencia* nie musi koniecznie dotyczyć boskiej opatrzności, może być jedynie metaforą, podobnie jak jego koledzy: karma, kismat i los – zatem tytułowi rozbitkowie mogli być jedynie pechowymi przegranymi w loterii życia. Jednak po wejściu filmu na ekrany pod ostatecznym tytułem *Anioł zagłady* Buñuel nie pozostawiał żadnych wątpliwości co do znaczenia swego dzieła. Gdy po raz pierwszy obejrzałem ten obraz w IFC Center, może byłem zbyt młody, by go zrozumieć. W bogatej rezydencji odbywa się wielki bankiet, w którego trakcie wszyscy członkowie służby pod byle jakim pretekstem porzucają swoje stanowiska i opuszczają budynek, aż w końcu zostają tylko lokaj i goście, by zmierzyć się z tym, co ma się wydarzyć. Odczytałem to po prostu jako surrealistyczną komedię społeczną. Wtedy jeszcze nie wiedziałem, że istnieją ludzie, którzy potrafią wyczuć nadchodzącą katastrofę, tak jak zwierzęta przewidują trzęsienie ziemi, i że instynkt samozachowawczy tłumaczy ich pozornie irracjonalne reakcje.

W domu Goldenów nie odbywał się żaden bankiet, a służba nie odeszła w ciągu jednego wieczoru. Życie nie naśladuje sztuki aż tak niewolniczo. Ale stopniowo, w ciągu kilku tygodni, i ku rosnącej konsternacji pani domu, ludzie zaczęli się wykruszać. Złota rączka Gonzalo odszedł pierwszy, po prostu w pewien poniedziałek nie przyszedł do pracy i więcej się nie pokazał. W wielkim domu takim jak ten zawsze jest coś, co trzeba naprawić, a to zapchana muszla klozetowa, a to przepalona żarówka w żyrandolu, a to drzwi lub okno, które potrzebują wyregulowania. Wasylisa zareagowała na zniknięcie Gonzala rozdrażnieniem, a także kilkoma kąśliwymi uwagami na temat meksykańskiej niesolidności, które nie zostały dobrze przyjęte przez resztę służby. McNally, majordomus/lokaj, był w stanie poradzić sobie z większością napraw dokonywanych wcześniej przez Gonzala i wiedział, do kogo zadzwonić, jeśli z czymś sobie nie radził, więc ta nieobecność nie dała się specjalnie odczuć państwu Goldenom. Późniejsze dezercje bardziej zaburzyły codzienne funkcjonowanie domu. Wasylisa zawsze traktowała pokojówki opryskliwie, często doprowadzając je do łez ostrymi słowami krytyki na temat ich dokładnej zwykle pracy, toteż w czasie jej panowania rotacja wśród personelu sprzątającego była wysoka i nikogo nie zdziwiło, gdy młoda bostonka o irlandzkich korzeniach i najkrótszym stażu postanowiła wziąć nogi za pas, mówiąc, że nie, nie chce podwyżki, po prostu nie chce tu dłużej być. W kuchni doszło do dymisji. Kucharz Cucchi zwolnił swego asystenta Gilberta ze względu na plagę drobnych kradzieży. Gdy zaczęły znikać dobre kuchenne noże, Cucchi przeprowadził ostrą rozmowę z młodym Argentyńczykiem, który wszystkiego się wyparł i wybiegł wzburzony. Nie możesz się zwolnić, zawołał za nim Cucchi, bo już jesteś zwolniony! McNally próbował łatać dziury, dzwoniąc po agencjach pracy tymczasowej i prosząc kolegów z innych rezydencji o wypożyczenie personelu, jeśli mają kogoś na zbyciu, tak więc z trudem, bo z trudem, ale dom jakoś funkcjonował. Szczury cały czas jednak uciekały z okrętu.

• • •

Niechętnie przyznawałem przed samym sobą, że zaimponowało mi, jak szybko i skutecznie Wasylisie udało się zażegnać kryzys w dniach, które nastąpiły po tym, gdy w jej salonie zaczęły wychodzić na jaw tajemnice. Neron Golden został publicznie upokorzony, a nie był człowiekiem, który dobrze znosił upokorzenia. Tymczasem Wasylisa nie tylko uratowała swoje małżeństwo, ale przekonała Nerona, by nadal uznawał Małego Wespę za swego syna i dziedzica. Stosowała, mówiłem sobie w duchu, jakieś wyrafinowane sztuczki. Manewry, które umieszczały ją w panteonie największych intrygantek w historii. Wiedziała, jak zatrzymać przy sobie mężczyznę.

Nie mnie spekulować, co mogło, a co nie mogło się dziać między nimi za drzwiami sypialni. Będę unikał takich obscenów, jakkolwiek kusząca wydawałaby się próba wyobrażenia sobie spektaklu Wasylisy w akcji. Trudne czasy wymagają radykalnych środków, ale pod nieobecność sekstaśm nie ma co przeciągać tematu. I szczerze mówiąc, nie jest jasne, czy sypialnia była podstawą jej obrony. Jest dużo bardziej prawdopodobne, można by rzec, że wykorzystała umysłową niemoc Nerona. Był starym i schorowanym człowiekiem, z coraz bardziej szwankującą pamięcią, i nurt jego myśli często przypominał meandrujący strumyk, jedynie z krótkimi przebłyskami dawnej mocy. Wasylisa wzięła na siebie obowiązek opieki nad nim, zwolniwszy pielęgniarki, które wcześniej odciążały ją w tym trudnym zadaniu w dzień i w nocy. Zatem dalsze uszczuplenie domowego personelu, lecz Wasylisa bez słowa skargi wypełniała obowiązki głównej opiekunki. Ona i tylko ona była teraz odpowiedzialna za podawanie mu lekarstw. Panie Fuss-Maruda i Blather-Ględa były coraz dalej odsuwane od swego szefa, aż pewnego dnia Wasylisa oznajmiła im z dziką rozkoszą: jestem obeznana ze wszystkimi przedsięwzięciami biznesowymi męża i mam pełne kompetencje, by zostać jego osobistą asystentką, tak więc dziękuję paniom za waszą dotychczasową pracę i przejdźmy od razu do kwestii odprawy. Ten wielki dom zaczął rozbrzmiewać echem nieobecności. Wasylisa wykładała wszystkie swoje karty.

Najmocniejszą z nich był sam Mały Wespa. Mój syn nie tylko wyrastał na przeuroczego chłopca, gdy zbliżały się jego czwarte urodziny, lecz w mętnych oczach Nerona był także jedynym, który przeżył katastrofę. Człowiek po stracie trzech synów nie odda lekką ręką czwartego, i gdy Neron coraz szybciej podupadał na zdrowiu, jego pamięć mrugała i gasła, a na jego kolanach siedziało dziecko nazywające go tatą, łatwo mu było zapomnieć o szczegółach i tulić mocno jedynego żyjącego syna, jak gdyby mały był nie tylko sobą, ale i nowym wcieleniem swych martwych braci, jak gdyby był skrzynią wypełnioną tym wszystkim, co utracił ojciec.

Kto został? Matka matrioszka, która mogła pochodzić z agencji castingowej na Syberii lub nie. Lokaj McNally i kucharz Cucchi. Wynajęte profesjonalne ekipy sprzątające, lecz te wpadały i wypadały, licząc sobie po pięćset dolarów za wizytę. Żadnych gości. I Neron, niewidzialny, niewidywany przez żadnego z sąsiadów. Zacząłem wierzyć w teorię Vita Tagliabue. Wasylisa musiała wiedzieć, że mąż długo nie pociągnie. I jeśli majstrowała przy jego lekach, im mniej świadków, tym lepiej. Musiała wiedzieć, że ten stan rzeczy jest tymczasowy. Co jej mówili lekarze? Czyżby pojawiła się jakaś śmiertelna choroba, której nie wyjawiano publicznie? Czy może tą chorobą była Wasylisa? Widzę ją oczami wyobraźni, jak klęczy codziennie w salonie domu Goldenów, „dużym pokoju", jak go nazywała, rozmodlona przed kopią ikony Matki Boskiej carycy Aleksandry Romanowej. Niech to się stanie dzisiaj. Niech przyjdzie teraz.

Babo-Jago, zabij męża, ale proszę, nie pożeraj mego dziecka.

Kucharz i lokaj działali sobie wzajemnie na nerwy i tym, który nie wytrzymał, był Cookie. Kucharz w swych ustawieniach domyślnych miał ciągłe narzekanie, był z niego istny maestro jeremiady, wiecznie niedoceniany i nierozumiany, tęskniący do bankietów z potrawami przyrządzonymi w ukochanym przezeń ekstremistycznym stylu zainspirowanym dziełami wielkich mistrzów, takich jak Adrià i Redzepi, jedzenie jako performans, talerze ze skłębionymi morzami piany i kawałkami grzanek, na których wciąż żywe czarne mrówki zostały zapieczone w chudych pasach rzadkiej wołowiny *wagyū*. Tymczasem tutaj zamawiano dziecięce potrawy dla Małego Wespy, hamburgery, hamburgery i jeszcze raz hamburgery, a także iście królicze wegańskie potrawki dla Wasylisy. Samemu Neronowi Goldenowi było wszystko jedno, co je, pod warunkiem że dostawał dużo mięsa. Wyrzekania Cucchiego trafiały więc w próżnię. Niemal co tydzień groził odejściem, ale zostawał dla pieniędzy. W domu, gdzie coraz dotkliwiej dawało się odczuć brak personelu, co poniektórym zaczynały puszczać nerwy i McNally rozkazał w końcu niespełnionemu kucharzowi, żeby się zamknął i gotował. Kucharz zerwał z siebie biały fartuch i czapkę, po czym pomachał majordomusowi przed nosem tasakiem. Z głośnym łupnięciem zatopił ostrze w drewnianej desce do krojenia, pozostawiając go tam jak Excalibur w kamieniu, i wybiegł z domu.

Neron był senny i nieobecny myślami. (Opis ten jest wersją zeznania, jakie później złożył na policji Michael McNally). Najczęściej siedział w swoim pokoju, w półśnie, choć czasem można go było zastać, gdy niczym lunatyk krążył po domu na parterze. Potrafił jednak nagle i szokująco się ożywić. Pewnego razu złapał McNally'ego za ramiona i krzyknął mu w twarz: *Nie wiesz, kim jestem, głupcze? Wybudowałem całe miasta. Podbiłem królestwa. Jestem jednym z władców świata.* Nie wiem, do kogo się zwracał, co sobie wyobrażał – relacjonował McNally. – Bo nie do mnie. Patrzył mi w oczy, ale kto wie, kogo przed sobą widział. Może w tym okresie uważał siebie za tego cesarza, którego imię nosił. Może wydawało mu się, że jest w Rzymie. Naprawdę nie wiem – wyznał McNally. – Nie mam aż takiego wykształcenia.

Jego się truje – powtórzył mi przez telefon Vito Tagliabue. – Nie mam co do tego wątpliwości.

Dwa dni przed pożarem zdarzyło się coś dziwnego. Gdy domownicy się obudzili, odkryli, że ktoś porzucił pod dom na Macdougal Street gigantyczny worek z brudnymi ubraniami. Bez żadnego listu. Gdy worek otworzono, okazało się, że jest pełen, jak to ujął McNally, *egzotycznych strojów.* Nie mógłby określić tego precyzyjniej? Jego próby bliższego opisu pozwoliły mi wywnioskować, że były to ubrania indyjskie. Kurty, padżamy, lehengi, weszti, sari, indyjskie halki. Bez instrukcji, nadawca nieznany. Wasylisa, zirytowana pomyłką, kazała wyrzucić je wszystkie do śmieci. Nie było potrzeby informowania o zajściu pana domu. Ten dom to nie pralnia. Pewnie pomyłka jakiegoś kretyńskiego cudzoziemca.

• • •

Ulicę rozkopywali robotnicy. Jakieś ważne naprawy miejscowej infrastruktury. Gdy Wasylisa wysłała McNally'ego, by ich wypytał, jak długo potrwają utrudnienia, odpowiedzieli, wzruszając ramionami, że może jakieś trzy miesiące. Co mogło znaczyć, że sześć, dziewięć lub dwanaście. Nie znaczyło to nic prócz tego, że robotnicy zostają na dłużej. Prace budowlane były nową formą sztuki brutalistycznej w mieście, w którym wszędzie, gdzie tylko spojrzeć, wznoszono nowe instalacje. Padały wysokie budynki i powstawały nowe place budowy. Rury i kable wyłaniały się z ukrytych głębin i w nie opadały. Telefoniczne linie naziemne przestawały działać, przerywano też w sposób nieprzewidywalny dostawy wody, prądu i gazu. Prace budowlane były sztuką uświadamiania miastu, że jest delikatnym organizmem na łasce sił, przed którymi nie ma ucieczki. Prace budowlane to lekcja bezradności i niemocy, jaką dostawała ta potężna metropolia. Robotnicy budowlani byli wielkimi konceptualistami naszych czasów, a ich instalacje, surowe dziury w ziemi, wzbudzały nie tylko nienawiść – bo większość ludzi nie cierpi sztuki nowoczesnej – lecz także podziw i respekt. Twarde kaski, pomarańczowe kubraki, jędrne pośladki, zaczepne pogwizdywania, siła. Doprawdy tak działa transawangarda.

Zawieszono możliwość parkowania i powietrze wypełniała pieśń wiertarek udarowych, radykalna, atonalna, rodzaj miejskiej perkusji, którą zachwyciłby się Walt Whitman, podlewana obfitym potem wielkich, nieczułych mężczyzn.

Z usianego popiołem progu obserwuję ich ruchy:
Gibkie skręty tułowia grają w takt mocarnych ramion,
Z góry w dół – rozmach, z góry w dół – rozważnie i pewnie,
*Nie spieszą się, każdy trafia, gdzie trzeba**.

Trwało to przez dwa dni po incydencie z brudami.

Potem doszło do eksplozji.

Coś nie tak z instalacją gazową. Różne strony przerzucały się winą, a to nieprzeprowadzona kontrola, a to ludzki błąd, przeciek, iskra, jebut. Albo może skąpy właściciel którejś nieruchomości niele-

* Fragment *Pieśni o sobie* Walta Whitmana w przekładzie Andrzeja Szuby.

galnie podłączył się do instalacji gazowej pod ziemią, przeciek, iskra. Ewentualne przestępstwo, nielegalny przewód gazowy ukryty przed inspektorami z gazowni, możliwe zarzuty o nieumyślne spowodowanie śmierci, właściciel nie odbiera telefonów i nie jest dostępny pod zgłoszonym adresem. Kto wykrzesał iskrę? Nie wiadomo. Przeprowadzone zostanie dochodzenie i w odpowiednim czasie złożone sprawozdanie. Z miejsca wykluczono terroryzm. Na szczęście żaden z robotników nie ucierpiał. Od wybuchu powylatywały szyby, zatrzęsły się mury, powstała kula ognia i jeden dom, własność Nerona Goldena, zajął się ogniem. Cztery osoby dorosłe i jedno dziecko w budynku w czasie wybuchu: właściciel, jego żona, jej matka, ich mały synek oraz pracownik, niejaki pan Michael McNally. Wygląda na to, że w budynku nie przeprowadzano właściwie żadnych prac konserwacyjnych, system zraszaczy od dawna nie był poddawany przeglądowi i nie zadziałał. Pan McNally podgrzewał oliwę w kuchni, przygotowując obiad dla rodziny. Według jego wstępnego zeznania eksplozja wybiła w kuchni wszystkie okna, przewróciła go i zamroczyła. Sądzi, że stracił przytomność, następnie się ocknął i przeczołgał do drzwi wychodzących do ogrodu między Macdougal i Sullivan Street. Tam znowu stracił świadomość. Gdy oprzytomniał, kuchnia już się paliła, płomienie buchały z rozpalonej patelni i rozpełzały się szybko po całym parterze. Pozostali mieszkańcy znajdowali się wyżej. Mieli odciętą drogę ucieczki. Straż pożarna jak zwykle zareagowała błyskawicznie. Były problemy z dojazdem ze względu na rozkopaną ulicę. Ogień jednak szybko powstrzymano, ograniczono do jednej tylko nieruchomości. Budynki w sąsiedztwie nie ucierpiały.

W epoce smartfonów jest naturalne, że zrobiono wiele zdjęć i nagrano wiele filmów. Część z nich przekazano później do szczegółowego zbadania odpowiedniemu wydziałowi nowojorskiej policji, mogły bowiem dostarczyć nowych informacji rzucających światło na sprawę.

W każdym razie tego dnia w domu Goldenów kilka osób zostało uwięzionych w pożarze. Wielki dramat rozegrał się do końca, skutkując potrójną tragedią oraz jednym cudem.

Według niepotwierdzonych doniesień słyszano, jak ktoś na górnych kondygnacjach rezydencji gra na skrzypcach.

• • •

Gdy oczami wyobraźni widzę sięgające coraz wyżej płomienie, jakby przypiekały samo niebo, piekielne języki wprost z obrazów Hieronima Boscha, trudno mi wytrwać przy tej wierze w dobro, której oddałem serce, trudno nie poczuć palącej rozpaczy. Zdają się one, owe płomienie, spopielać cały znany mi świat, trawić w swym pomarańczowym żarze wszystkie rzeczy, na których mi zależało, których miałem bronić, o które miałem walczyć i które miałem kochać zgodnie z tym, jak mnie wychowano. W tym ogniu zdawała się ginąć sama cywilizacja, moje nadzieje, nadzieje kobiet, nasze nadzieje związane z naszą planetą, z pokojem. Myślałem o tych wszystkich filozofach spalonych na stosie, tych wszystkich, którzy sprzeciwili się siłom i ortodoksjom swoich czasów, i poczułem, że ja i cały mój przegrany rodzaj jesteśmy teraz spętani łańcuchami i otoczeni tą potworną pożogą, pali się Zachód, płonie Rzym, barbarzyńcy nie u bram, ale w naszym murach, nasi barbarzyńcy, wykarmieni przez nas, przez nas rozpieszczani i hołubieni, przez nas uaktywnieni, nasi w takim samym stopniu jak nasze dzieci, powstają niczym małe dzikusy, by puścić z dymem świat, który ich stworzył, w chwili podpalania twierdząc, że chcą go ocalić. Był to ogień naszej zagłady i odbudowanie tego, co zniszczył, miało potrwać co najmniej pół stulecia.

Owszem, cierpię na hiperbolę, to zdiagnozowana już wcześniej u mnie przypadłość, z której muszę się wyleczyć, bywa jednak, że paranoik naprawdę jest ścigany, a świat jest bardziej przerysowany, bardziej karykaturalny, bardziej hiperbolicznie piekielny niż w najśmielszych marzeniach hiperbolisty apokaliptyka.

Ujrzałem więc ciemne płomienie, czarne płomienie piekieł liżące świętą przestrzeń mojego dzieciństwa, jedyne miejsce na całym świecie, gdzie zawsze czułem się bezpieczny, zawsze ukojony, nigdy niczym niezagrożony, zaczarowane Ogrody, i przyswoiłem sobie ostateczną lekcję, której zrozumienie oddziela nas od niewinności. Że bezpieczna przestrzeń nie istnieje, że potwór zawsze się czai u bram i że drobna część tego potwora tkwi w nas samych, sami jesteśmy potworami, których zawsze się baliśmy, i niezależnie od tego, jakie otacza nas piękno, niezależnie od tego, jak bardzo poszczęściło się nam w życiu, w sferze finansów, rodziny, talentu lub miłości, na końcu tej drogi bucha ogień, który pochłonie nas wszystkich.

W *Aniele zagłady* uczestnicy przyjęcia w Meksyku odkryli, że w salonie wielkiej rezydencji gospodarza, señora Edmunda Nóbilego, więzi ich jakaś niewidzialna siła. Surrealizm pozwalał swym wyznawcom na poetyckie niedomówienia i osobliwości. Prawdziwe życie w Ogrodach było znacznie bardziej prozaiczne. Neron, Wasylisa, matrioszka i mój syn zostali uwięzieni w domu Goldenów przez banalność, śmiertelną konwencjonalność, zabójczy realizm ognia.

Gdyby życie było filmem, usłyszałbym o pożarze, rzuciłbym się pędem w stronę płonącego domu jak superbohater na speedzie, odtrąciłbym próbujące mnie zatrzymać dłonie i skoczyłbym w płomienie, by wrócić pośród spadających dookoła płonących belek z synkiem pod osłoną moich rąk. Gdyby życie było filmem, mały ukryłby twarz w mojej piersi i wyszeptał: Tatusiu, wiedziałem, że po mnie przyjdziesz. Gdyby życie było filmem, zakończyłby się panoramicznym ujęciem Greenwich Village z popiołami domu Goldenów tlącymi się pośrodku kadru, gdy ja odchodzę z dzieckiem przy dźwiękach jakiejś znanej piosenki z wyciszenia, może *Beautiful Boy* Johna Lennona, po czym zaczęłyby się napisy końcowe.

Tak się nie stało.

Zanim razem z Suchitrą dotarliśmy na Macdougal Street, było już po wszystkim. Michael McNally znalazł się w szpitalu Mount Sinai Beth Israel i po późniejszym przesłuchaniu przez inspektorów nowojorskiej policji został oczyszczony z podejrzeń o wzniecenie pożaru. Pozostali dorośli ponieśli śmierć, zanim zdążyła do nich dotrzeć ekipa strażacka, Nerona i matrioszkę szybko obezwładnił dym, stracili przytomność i już się nie obudzili. W jednym dramatycznym momencie piękna pani Golden, Wasylisa, ukazała się w oknie na górze, trzymając swego niemal czteroletniego syna, i zawołała: „Boże, błagam, ocal moje dziecko", i nim ktokolwiek zdążył do niej dotrzeć, wyrzuciła malca przez okno jak najdalej od płomieni. Jeden ze strażaków na miejscu zdarzenia, Mariano „Mo" Vasquez, trzydziestodziewięciolatek, który, tak się składa, był łapaczem w miejscowej drużynie baseballowej na Staten Island, wyskoczył do przodu i w ostatniej chwili złapał usmolone dziecko „jak piłkę", opowiadał później przed kamerami telewizyjnymi, po czym w płuca chłopca wpompował powietrze, przywracając mu oddech.

– Zakasłał kilka razy, a potem zaczął płakać i krzyczeć. To było piękne, stary. Normalnie cud, stary, cud, a teraz się dowiaduję, że jutro są jego czwarte urodziny, nad tym małym czuwał jego anioł stróż, na bank. Coś wspaniałego i pięknego i dziękuję Wszechmogącemu, że mogłem się znaleźć we właściwym miejscu we właściwym czasie.

Potem Wasylisa cofnęła się spod okna i osunęła na podłogę, a razem z nią runęły wszystkie jej nadzieje, plany i intrygi, nikt nie zasługuje na taki koniec, czegokolwiek dopuścił się w życiu, i chwilę po tym, gdy zniknęła z oczu, przez otwarte okno buchnęły ryczące płomienie i nie było już żadnych szans, żeby ją uratować. A potem oczywiście pożar ugaszono, zwęglone ciała i tak dalej, nie ma się co wdawać w szczegóły. Budynek trzeba było zburzyć i na jego miejscu wznieść nowy. Inne domy nie ucierpiały w wyniku pożaru.

Tak oto zakończyła się historia domu Goldenów. Myśleli, że są Rzymianami, ale to była tylko fantazja. Ich rzymskie zabawy, z których zrodziły się rzymskie imiona: to jedynie zabawy. Uważali się za władcę i książęta, ale nie byli cezarami. Inny cezar istotnie narodził się w Ameryce, jego panowanie już się zaczęło; strzeż się, cezarze, pomyślałem, ludzie dźwigają cię na rękach i niosą twój tron ulicami w ekstazie i zachwycie, a potem zwracają się przeciw tobie, zdzierają z ciebie szaty i wpychają cię na twój własny miecz. Bądź pozdrowiony, cezarze. Strzeż się id marcowych. Bądź pozdrowiony, cezarze. Strzeż się SPQR, *Senatus PopulusQue Romanus*, senatu i ludu Rzymu. Bądź pozdrowiony, cezarze. Pamiętaj o Neronie, ostatnim z rodu, który zbiegł na koniec do willi Faona pod miastem i rozkazał, by wykopano mu grób, a potem, nie mając odwagi wbić ostrza we własne ciało, zmusił swego sekretarza, by zadał mu śmiertelny cios. Epafrodyt, cezarobójca. Kiedyś rzeczywiście na świecie żyli cezarowie, teraz zaś, w Ameryce, na tronie zasiadło ich nowe wcielenie. Ale Neron Golden nie był władcą, nie spotkał go też koniec upadłego cezara. Jedynie ogień, jedynie przypadkowy, bezsensowny pożar. Zaraz, jak go nazywali kumple z bombajskiego półświatka? Ach tak, nazywali go praczem. Dhobim. Masz tu brudy, dhobi. Wypierz to. Nie był władcą na tronie. Był zwykłym praczem.

Praczem.

Brudne rzeczy pod drzwiami. Worek pełen indyjskich ubrań.

Zacząłem gorączkowo przeglądać media w poszukiwaniu zdjęć miejsca pożaru, filmików nagranych iPhone'ami, wszystkiego, gdzie tylko możliwe, cokolwiek zostało zarejestrowane przez profesjonalne ekipy lub zamieszczone przez szeroką publiczność. Tłum ciekawskich za barierkami. Twarze prześwitujące w dymie i strumieniach wody. Nic. Znowu nic. I wreszcie coś.

Na jednym ze zdjęć pożarowi przygląda się dwóch mężczyzn z Azji Południowej, jeden z nich jest karłem. Stopy jego kompana są niewidoczne, domyśliłem się jednak ich nietypowo wielkich rozmiarów.

Czas mija. Wielcy ludzie maleją, mali rosną. Ten się kurczy na starość, zasięg tamtych się wydłuża. Mogą teraz dosięgnąć miejsc i ludzi, których wcześniej nie byli w stanie tknąć. Są tu towarzystwa, które udzielają pomocy towarzystwom stamtąd, ułatwiają podróże, wprowadzają strategie. Klauni stają się królami, stare korony lądują w rynsztoku. Wszystko się zmienia. Taka jest natura rzeczy.

Następnego dnia komunikaty w wiadomościach były zgodne. Nieuczciwy właściciel oskarżony o nieumyślne spowodowanie śmierci. Tragedia. I cud, że przeżył chłopiec. Sprawa zamknięta.

I druga historia, bez znaczenia dla amerykańskich mediów, na którą natknąłem się przypadkowo w internecie. Śmierć w dalekim kraju budzącego niegdyś postrach południowoazjatyckiego mafiosa. Pan Zamzama Alankar, dawniej ojciec chrzestny wpływowej rodziny przestępczej, Towarzystwa Z, stanął przed ostatecznym trybunałem. Informacja niepotwierdzona.

36

Nad rzeką unosi się poranna mgła, przez port przepływa chińska dżonka z postawionymi brązowymi żaglami, srebrzyste słońce wisi nisko, a jego promienie ślizgają się po powierzchni jak kamyki, gdy się puszcza kaczki. Przy stole ze szklanym blatem w szklanym kącie, gdzie stykają się dwa okna, siedzimy ze szklanymi łzami w oczach, nie wiedząc, gdzie podziać wzrok i jak patrzeć. W dole w tej porannej jasności biegnie kobieta z rozwianymi rudymi włosami i diademem na głowie niczym umykająca porywaczom królowa, której grozi śmiertelne niebezpieczeństwo. Siedzimy z Suchitrą naprzeciwko siebie i para unosząca się nad filiżankami kawy oraz dym z jej papierosa tworzą w powietrzu trzy meandryczne kolumny.

Wyobraźcie sobie sześcian powietrza, może trzydzieści na trzydzieści na trzydzieści centymetrów, który porusza się przez bezmiar otwartych przestrzeni świata. Coś podobnego powiedział kiedyś kanadyjski filmowiec David Cronenberg. Owa kostka jest tym, co widzi kamera, a sens kryje się w ruchu kostki. Na tym polega robienie filmów, trzeba wysłać kostkę w świat i zobaczyć, co uchwyci, co uczyni pięknym, co zrozumie. Tym jest sztuka kina.

Spójrzcie na nas siedzących naprzeciwko siebie, z profilu, w formacie szerokoekranowym i w stonowanych kolorach. Spójrzcie, jak kamera porusza się między nami, do punktu dokładnie pośrodku między mną a nią, a potem obraca się wokół własnej osi, zatacza pełne koło, powoli, wielokrotnie, toteż nasze twarze przesuwają się raz za razem, a między nami rzeka miasta, powoli podnosząca się mgła i coraz intensywniejsze światło dnia. W jej dłoni kartka. To temat. Znaczenie tej sceny.

Do ostatecznej wersji tego tekstu, lądując na podłodze montażowni, nie trafiły następujące sceny: ja na posterunku policji, gdzie próbuję się dowiedzieć, co się stało z Małym Wespą, z kim jest, dokąd go zabrano, kto się nim opiekuje. Ja wędrujący smętnie Czwartą Ulicą, kopiący kamyk, dłonie wepchnięte głęboko w kieszenie, spuszczona głowa. I wreszcie ja w kancelarii prawnej na Manhattanie, gdzie notariusz odczytuje mi dokument, potem przekazuje go w moje ręce, a ja kiwam głową, dam panu znać, i wychodzę. Nieistotne szczegóły. Sceną, która się liczy, jest właśnie ta, my dwoje i kartka w pierwszym świetle dnia.

Nigdy nie sądziłem, że to zrobi, mówię. A gdyby nawet, ona by to podważyła, twierdząc, że nie był w pełni władz umysłowych.

Matka.

Tak. Matka, jego żona. Ale teraz nie ma bliższej rodziny. Jest tylko ten dokument. Gdyby nam obojgu stała się jakaś krzywda, wyznaczam na opiekuna chłopca pana René Unterlindena.

Wiesz, o co prosisz? – mówi ona.

Tak.

Najpierw ona namówiła jego, żeby przyjął dziecko innego mężczyzny jako własne. Teraz ty chcesz, żebym przyjęła to samo dziecko, dziecko innej kobiety. A wiesz przecież, że dzieci nie są częścią moich planów.

W dole rudowłosa biegaczka w diademie przystanęła. Stoi teraz z rękami na biodrach, oddychając głęboko, z zadartą lekko głową. Jak gdyby i ona czekała na odpowiedź. Ale oczywiście nie widzi Suchitry ani mnie, o niczym nie wie. Siedzimy na dwudziestym piętrze.

Pomyślisz o tym? – mówię, gdy kamera przesuwa się obok mojej twarzy.

Suchitra zamyka oczy i kamera się zatrzymuje, czeka, podjeżdża bliżej. Po chwili Suchitra otwiera oczy i są tylko one, wypełniają cały ekran.

Myślę, że damy radę – stwierdza.

Teraz przeskok montażowy. Ekran wypełnia inna para oczu. Kamera bardzo powoli się cofa, ujawniając, że są to oczy Małego Wespy. Patrzy do kamery bez jakiegokolwiek wyrazu. Na ścieżce dźwiękowej słyszymy głos adwokata spoza kadru. Majątek jest badany przez prawników z obu krajów, odkryto wiele nieprawidłowości. Ale ostatecznie to bardzo duży majątek, innych spadkobierców nie ma, a chłopiec ma dopiero cztery lata.

Teraz nasza trójka, Mały Wespa, Suchitra i ja, znajduje się w nieokreślonym pokoju, w pokoju brooklińskiego domu rodziny zastępczej, która miała się nim tymczasowo zaopiekować. Kamera przesuwa się do środka trójkąta i zaczyna się bardzo powoli obracać wokół własnej osi, toteż każde z nas ukazuje się po kolei. Nasze twarze, wszystkie trzy, nie wyrażają żadnych emocji. Kamera kręci się teraz szybciej, coraz szybciej. Nasze oblicza zlewają się ze sobą, aż kamera zaczyna wirować tak szybko, że wszystkie znikają, widać jedynie niewyraźne smugi, ruch. Ludzie – mężczyzna, kobieta, dziecko – są drugorzędni. Jest tylko ten oszałamiający pęd życia.